Hugo Cancino Troncoso, Susanne Klengel,
Nanci Leonzo (eds.)

Nuevas perspectivas teóricas
y metodológicas de la
Historia intelectual
de América Latina

Vervuert · Iberoamericana

1999

La publicación fue realizada con el apoyo financiero del

Allgemeiner Stiftungsfonds der
Martin-Luther-Universität
Halle-Wittenberg.

Die Deutsche Bibliothek - CIP-Einheitsaufnahme

[Iberoamericana / Editionen / A]
Editionen der Iberoamericana = Ediciones de Iberoamericana.
Serie A, Literaturgeschichte und -kritik = Historia y crítica de la literatura. -
Frankfurt am Main : Vervuert
   Reihe Editionen, Serie A zu: Iberoamericana. -
   Hervorgegangen aus: Iberoamericana / Editionen / 03
24. Nuevas perspectivas teóricas y metodológicas de la historia
intelectual de América Latina. - 1999

Nuevas perspectivas teóricas y metodológicas de la historia
intelectual de América Latina / Hugo Cancino Troncoso ... (ed.). -
Madrid : Iberoamericana ; Frankfurt am Main : Vervuert, 1999
   (Ediciones de Iberoamericana : Ser. A, Historia y crítica de la literatura ; 24)
   ISBN 84-95107-59-7 (Iberoamericana)
   ISBN 3-89354-882-3 (Vervuert)

Índice

Introducción / Introdução

En el marco temático establecido por CEISAL (Consejo Europeo de Investigaciones Sociales de América Latina) para el II Congreso Europeo de Latinoamericanistas, celebrado en Halle, Alemania, del 4 al 8 de septiembre de 1998, nos pareció epistemológicamente pertinente formular el proyecto de un foro científico que repensara y rediscutiera la Historia de las ideas y de los Intelectuales en América Latina. Esta tarea ya habia comenzado a implementarse a través de los trabajos de nuestra red que hasta ahora se ha proyectado en diversos foros internacionales de latinoamericanistas; en el 49 Congreso Internacional de Americanistas, celebrado en Quito, Ecuador, del 6 al 9 de julio de 1997, en el marco del simposio: «Ideas, cultura e historia en la creación intelectual latinoamericana, siglos XIX-XX» establecimos las bases de un próximo espacio de debate en el contexto de CEISAL 98. Nuestro proyecto incluye el estudio de la producción discursiva de los intelectuales y universitarios, y sus articulaciones con la sociedad civil y el poder; el protagonismo de los intelectuales en la creación de imaginarios nacionales y proyectos ideológicos. Otro eje de investigación, lo constituye el carácter y las formas de relación de las élites intelectuales con las grandes corrientes de ideas de Europa, que se configuraron en las matrices del pensamiento latinoamericano y fundaron los discursos legitimadores de la Modernidad en América Latina. Esta relectura de los discursos de los intelectuales y sus protagonismos supone realizar una faena de discusión y crítica sobre las diferentes propuestas de lectura y de interpretación que se plantean en este campo disciplinario (propuestas hermenéuticas, fenomenológicas, sociológicas, teoría del discurso, historia de las mentalidades, etc.). En nuestro simposio en el Congreso de Halle, discutimos estas plurales propuestas teóricas y metodológicas a la luz de su aplicación en estudios de casos concretos.

Este libro recoge las elaboraciones de las ponencias leídas en nuestro encuentro en Halle. Todas ellas, en mayor o menor medida incorporaron una dimensión teórica-metodológica, que signó la discusión científica del simposio. No fue nuestro propósito el de encontrar la «teoría» o el «método» que sirviera de referente común a los investigadores que participamos de esta red internacional, sino recoger las experiencias de los participantes quienes a través de tópicos variados han intentado poner a prueba la fecundidad de múltiples enfoques teóricos y metodológicos extraidos de plurales tradiciones dentro de las Ciencias Humanas. La diversa procedencia disciplinaria de los participantes contribuyó a enriquecer el debate y plantear distintas perspectivas de análisis de las ideas y de la producción cultural. De este modo, se expresaron colegas provenientes del campo de la Historia, de las Ciencias Políticas, de la Filosofía y de los Estudios Literarios y Culturales. Esta diversidad de horizontes epistemológicos se manifestó en las ponencias leídas y que constituyen los aportes del presente libro: En la contribución de Susana Strozzi se plantea la problemática del sujeto del discurso desde una perspectiva epistemológica psicoanalítica-lacaniana en el contexto del estudio del positivismo venezolano; Javier Pinedo plantea la discusión del status de la Historia de la ideas, sus métodos y campo de análisis, sus posibilidades gnoseológicas y sus relaciones con la filosofía a la luz del debate sobre la identidad en América Latina; Susanne Klengel discute en su aporte el problema de la «perspectiva» en la historia intercultural de los intelectuales, a través de una relectura de Erwin Panofsky y Ernest Cassirer, relectura que rescata sus aportes teórico-metodológicos en el análisis intercultural. A partir de esta perspectiva, Susanne Klengel estudia las relaciones de intelectuales latinoamericanos con Francia después de la II Guerra Mundial. Pablo Cristoffanini rediscute las concepciones y metodologías de análisis de la cultura en el campo de la intercomunicación cultural en el contexto del análisis de la cultura nacional en México, a través de las propuestas formuladas por Roger Bartra, Néstor García Canclini y Guillermo Bonfil Batalla. La problemática de la crisis de la ciencia histórica fundada en una cientificidad inspirada en el positivismo y las tentativas de redescubrir y revalorar la subjetividad es el eje que articula la contribución de Guillermo Zermeño, enfocando a la historiografía contemporánea en México. Las posibilidades de una lectura hermenéutica en la Historia de las ideas, basada en la hermenéutica filosófica de Hans-Georg Gadamer es la propuesta de Hugo Cancino Troncoso en su lectura del discurso de Mariátegui. El status del ensayo, género dominante en el campo de la Historia de las ideas en América Latina y en especial en el caso venezolano es el tópico que se discute en el trabajo de Cesia Ziona Hirshbein. A través del análisis del discurso literario, Beatriz Vegh y Claudio Bogantes formulan en sus respectivos aportes las potencialidades de los métodos de análisis del discurso literario y ficcional en su lectura de textos de Historia de las ideas. Beatriz Vegh analiza la lectura de Dickens por Sarmiento y Claudio Bogantes reflexiona sobre la novela histórica de Tatiana Lobo *Asalto al paraíso*. Las élites intelectuales, sus articulaciones con el poder y su rol en la construcción de los imaginarios sociales, es la problemática central de las contribuciones de Norma Dolores Riquelme y de Marcela Beatriz González. Norma Dolores Riquelme estudia en su ponencia las articulaciones entre las élites académicas y la sociedad civil y sus conceptualizaciones de la «cuestión social» a principios del siglo XX en Argentina. Marcela B. González estudia los discursos ideológicos de las élites intelectuales formadas en la Universidad de Córdoba, Argentina, en las postrimerías del siglo XIX y comienzos del XX.

A contribuição brasileira para o Simpósio foi ampla e variada, abrangendo temas referentes aos séculos XIX e XX. Teve o mérito de comprovar a vitalidade de um ofício praticado por uma geração de historiadores comprometida com os avanços epistemológicos obtidos nas últimas décadas, pela disciplina histórica. Assim, predominaram, no conjunto das comunicações apresentadas, abordagens sustentadas por pressupostos teórico e metodológicos inovadores, que permitiram intensificar o diálogo com colegas de outras nacionalidades, o grande propósito deste grupo internacional de pesquisa, voltado para a compreensão da realidade latino-americana.

O império luso-brasileiro mereceu a atenção de dois historiadores. Guilherme Pereira das Neves sugeriu uma releitura da documentação referente ao fim do período colonial, elegendo, como objeto de estudo, a linguagem política, e Lúcia Maria Bastos Pereira das Neves demonstrou como, naquele mesmo contexto, a censura foi utilizada para evitar a disseminação de idéias que poderiam abalar o *status quo*. Ambos acentuaram as contradições de um processo histórico pouco alterado com a emancipação política do país em 7 de setembro de 1822.

Tendo como cenário a cidade do Rio de Janeiro, na segunda metade do século XIX, Tania Maria Bessone da Cruz Ferreira e Lená Medeiros de Menezes enveredaram pelo campo das idéias. Cruzando informações recolhidas em inventários, testamentos, catálogos, leilões e arquivos privados, Ferreira enfatizou o papel ocupado pelos livros nos círculos sociais mais representativos da capital do Império brasileiro, abrindo caminho para estudos quantitativos e qualitativos sobre as opções culturais das elites que viveram a passagem da monarquia para a república (1889). Menezes, por sua vez, percorreu uma trajetória inversa, privilegiando a base da pirâmide social ao estudar a penetração, nas camadas inferiores, das idéias anarquistas de Kropotkin. Através dos processos de expulsão de estrangeiros, revelou o lado oculto de uma sociedade onde não havia espaço para liberdade de pensamento e expressão.

A ingerência norte-americana nos assuntos brasileiros já atraiu diversos pesquisadores, porém, poucos conseguiram abordar a questão do ponto de vista cultural. A comunicação de Lucia Maria Paschoal Guimarães preencheu esta lacuna ao destacar, por meio da análise da documentação do Instituto Histórico e Geográfico Brasileiro (IHGB), instituição fundada em 1838 com o propósito de zelar pela memória nacional, a marcante presença dos «yankees» em um importante evento, isto é, o I Congresso Internacional de História da América, realizado no Rio de Janeiro por iniciativa do IHGB, entre 7 e 15 de setembro de 1922, data em que se comemorava o centenário da Independência do Brasil. Graças à Guimarães, temos, hoje, elementos suficientes para discutir, com maior intensidade, os primórdios da aliança Brasil–Estados Unidos, a qual se consolidaria ao longo do século XX. Nanci Leonzo examinou os efeitos da mesma aliança, procurando captar o momento em que, no país, intelectuais utilizaram diferentes formas de nacionalismo para repudiar a americanização da cultura ocidental. Os debates dos anos 50 e 60 deste século, conforme sustenta Leonzo, contribuíram para uma tomada de consciência dos problemas nacionais, principalmente após o advento do regime militar (1964), quando o exílio foi, para muitos, a alternativa que lhes garantiu a sobrevivência.

Os intelectuais brasileiros deste século também ganharam destaque nas comunicações de Cezar Augusto Benevides e Paulo Santos Silva. Concentrando suas pesquisas no estado do Paraná, localizado na região sul do país, Benevides evidenciou como os homens letrados paranaenses procuraram garantir seus privilégios, durante o Estado Novo (1937-1945), fabricando os chamados «inimigos da pátria», através de intensa campanha jornalística. Com a impunidade garantida pelo regime ditatorial de Vargas, esses intelectuais envolveram-se em um peculiar processo repressivo que atingiu, principalmente, os imigrantes estrangeiros. Já os «homens de letras» estudados por Silva parecem ter sido menos combativos. Muitos deles dividiram seu tempo livre entre a literatura e a militância política, porém não hesitaram em abandonar a terra natal, o estado da Bahia, em busca do sucesso no desenvolvido sudeste brasileiro. Mas houve exceções e, aqui, Silva faz justiça, ao mencionar o historiador Luís Henrique Dias Tavares (1926-), residente em Salvador, ainda na atualidade produzindo ficção e história de excelente qualidade.

Todos los aportes del simposio de Halle ofrecidos en esta obra, no obstante su diversidad tópica, revelan una preocupación por buscar nuevas perspectivas teórico-metodológicas en el campo de la investigación latinoamericanista de la Historia de las ideas, de la cultura y de los intelectuales que continuaran siendo los ejes centrales de este proyecto de trabajo que hemos emprendido investigadores de Europa y de América Latina. En el trabajo editorial de los aportes en español dejamos nuestra constancia de agradecimiento a la colega historiadora Lic. Maria Cecilia Castro-Becker.

El apoyo generoso prestado por el *Allgemeiner Stiftungsfonds der Martin-Luther-Universität Halle-Wittenberg*, contribuyó a realizar esta obra.

Hugo Cancino Troncoso (Odense, Dinamarca)
Susanne Klengel (Halle, Alemania)
Nanci Leonzo (São Paulo, Brasil)

El discurso del método y el método de los discursos en la historia intelectual de América Latina

Notas para la discusión preliminar de una renovación disciplinaria

Susana Strozzi
Universidad Central de Venezuela

Introducción

Construir y mantener un espacio de reflexión, de debate y de búsqueda común de los historiadores europeos y latinoamericanos ha sido un objetivo que, desde su formulación inicial en el ámbito institucional de la AHILA, se ha ido traduciendo en un trabajo continuado a lo largo de fructíferos encuentros en el marco de diferentes congresos (1). Una red incipiente y un esfuerzo sostenidos por dos componentes fundamentales apuntalados ambos, a su vez, por los recursos telemáticos: a) el encuentro *vis-a-vis* de los participantes, encuentro que debe sostenerse en el tiempo a fin de poder hacer serie; y b) la publicación sucesiva que permite, en la lectura posterior, el relanzamiento de la elaboración, a partir del surgimiento de nuevos interrogantes en los textos que este otro tiempo lógico ilumina (2). Componentes que explican el carácter no acabado, y a veces puntual, de los productos como es el caso de la presente contribución.

El trabajo hasta ahora realizado se inscribe en el campo genéricamente identificado como el de la historia de las ideas y de la cultura en América Latina y se ubica claramente alrededor de dos grandes ejes articuladores. El primero focaliza el interés en la *producción* de los intelectuales latinoamericanos de los siglos XIX y XX en su conjunto. Y, en consecuencia, en los *textos*. El segundo destaca el *papel* de dichos intelectuales en sus respectivas sociedades, culturas y momentos históricos (3).

Temáticamente, el primero de ellos coincide con lo que ha sido tradicionalmente el terreno de la historia intelectual. El segundo, de inclinación más sociológica, corresponde a una tendencia que se ha incorporado plenamente al mismo a lo largo de las últimas décadas, a veces bajo rúbricas que apuntan hacia una especialización (4). En general, tanto el desarrollo de este segundo eje, como un buen número de innovaciones en el primero (notablemente las que provienen del análisis literario) han estado y siguen estando vinculados al proceso de ruptura y recomposición, y aun de disolución, que en el curso de la segunda mitad del presente siglo –y sobre todo en los años más recientes– han afectado la estructura y con ello los límites de los territorios disciplinarios y de manera más restringida los espacios institucionales mismos (5).

En esta perspectiva resultaba consistente la propuesta de centrar la discusión alrededor de las novedades teóricas y metodológicas aportadas por nuestras investigaciones. Es decir, en lo que se denominará a partir de aquí *la renovación disciplinaria*. Sin embargo, el proceso aludido en relación a las disciplinas (y que subyace a la discusión planteada) no puede entenderse como algo aislado. Es parte de la crisis contemporánea que bajo el significante «crisis de la modernidad» expresa –en sus múltiples manifestaciones fenoménicas– el advenimiento de la llamada «sociedad global». La *renovación disciplinaria*, en consecuencia, debe examinarse en su articulación con la sociedad global y su dinámica –la globalización– para, así, resignificarla y, con ello, resignificar nuestra discusión misma.

La globalización y sus incidencias:
epistemología, lógica, fenomenología

Aceptando como definición operativa que es la sociedad que corresponde a las sucesivas transformaciones del capitalismo en sus múltiples dimensiones (económica, política, social, etc.) entre las cuales no opera una estricta sincronía, la *sociedad global* no es sino lo que resulta del proceso que comienza estrictamente con el inicio de la Modernidad (siglo XVII) y a lo largo del cual se configura un orden mental y epistémico estructurado fundamentalmente sobre el discurso de la ciencia (6). Desde nuestra perspectiva podemos distinguir, en dicho orden, tres «momentos» fundamentales que no corresponden exactamente a una cronología aunque la cubran, ni tampoco a una historia aunque podamos contarla... (7).

El primero de ellos, el *momento cartesiano,* que cubre el despuntar inicial del capitalismo mercantil en las ciudades italianas y los Países Bajos y la siguiente revolución de la manufactura en Inglaterra y Francia, es también el comenzar de un modelo político –el del Estado/Nación– con el predominio de las monarquías. Pero es, igualmente, el del comienzo de la ciencia, entendida como ciencia de la naturaleza, al compás de una revolución en el pensamiento, la del *cogito*. Este marca una ruptura inicial en la que se constituye algo nuevo en el orden del saber con la instauración de un sujeto del conocimiento inédito, dividido entre el pensamiento y la extensión, y que se mantiene en esa posición de precariedad gracias a la certeza del pensamiento que le viene de Dios (8).

Aunque el *cogito* lo excluya como fuera del conocimiento, Dios seguirá presente en la vida humana como objeto de la fe, poniendo al sujeto al abrigo de la incertidumbre. Así lo comprueba la experiencia histórica de esos primeros tiempos de la Modernidad en los cuales, efectivamente, la fe común en el Dios cristiano sirve de argamasa al cuerpo social. El siglo XVIII, al extender el análisis racional hasta el vínculo social y la regulación de los actos humanos en el orden colectivo, según lo expresa la filosofía del siglo y muy particularmente la Ilustración, corroe esos cimientos basados en la fe. Hasta el punto que el negativismo de la filosofía crítica constituirá uno de los detonantes de la Revolución.

El segundo momento tiene sus bases en el movimiento que desde finales del siglo XVIII coloca en escena a la Modernidad madura. Es la sociedad burguesa que se organiza y se hace próspera con la Revolución industrial, la misma que se identifica en gran medida con la democracia parlamentaria y con el liberalismo; la misma, en fin, que se representa a sí misma con la Inglaterra victoriana. En el orden de las ideas, sin embargo, hay que contrastar con cuidado lo que sucede al comienzo y al final de ese siglo XIX que la condensa. En el comienzo, el proceso a la religión siguió un camino multiforme, en el cual se mezclaban lo imaginario y lo simbólico, pero preservando largamente, todavía, la cuestión de la fe (9). A medida que nos adentramos en la segunda mitad del siglo, en cambio, la ciencia pasará a ocupar nítidamente el lugar preponderante. En el orden material, las ciencias físicas y biológicas –fieles al programa cartesiano (10)– prometían el bienestar a todos los hombres. La ciencia social, que hacía su entrada triunfal con la Sociología de Durkheim, se acreditaba –asumiendo el mismo paradigma– como el instrumento que haría posible no sólo la detección de lo patológico en el orden social sino también la aplicación del remedio eficaz para curarlo. No obstante, fijada en la posición estructurada por el *cogito*, asume entonces una reclamación de neutralidad extrema y acude al orden político como su agente (11).

Esta modalidad de articulación entre política y ciencia en la cual la primera es el agente del discurso aunque actúe en gran medida en nombre de la segunda, es precisamente lo que configura la ideología del progreso que da su tono particular al siglo XIX y, en general, a la Modernidad madura hasta mediados de nuestro siglo XX. Por un lado, una fe religiosa que había ido debilitándose en el seno de la población urbana (a pesar del mantenimiento de las formas institucionales y del poder político de la Iglesia) con el correlativo desfallecimiento de los vínculos sociales propios de la sociedad tradicional: familia y comunidad (12). Por el otro, un llamado a la fe en el progreso de base científica que constituye el núcleo de la petición de confianza del discurso político y sus agentes. Promesa de felicidad a todas luces incumplida que producirá efectos en la experiencia subjetiva.

Es lo que se recoge a finales del siglo XIX en la enfermedad del siglo, esa «nerviosidad» –otro de los nombres de la neurosis– que abrirá las puertas del descubrimiento del inconsciente y la concomitante invención del psicoanálisis, marcando este momento epistemológico al que llamaremos, en consecuencia, *freudiano*.

Su importancia reside precisamente en haber puesto en escena a ese sujeto del cual puede decirse que no era reconocido por la ciencia. Porque para ella, y de acuerdo con el modelo del *cogito* y el dualismo mente/cuerpo que le es propio, el sujeto es un sujeto del pensamiento y como tal de la unidad de la conciencia, cuyo ser objetivizado es un objeto más de la investigación (13). Freud, en cambio, enfrentará la queja de sus pacientes separándola de la anatomía médica y vinculándola a la palabra pero introduciendo, además, la dimensión del lazo con el otro en el enfoque. Un lazo con el otro en el cual no sólo está presente la dimensión simbólica por la vía del lenguaje sino, igualmente, lo real del cuerpo por la vía de los objetos libidinales. Esta nueva clínica inició un desplazamiento epistemológico fundamental, completado y formalizado después por Lacan, que permite actualmente la demarcación del psicoanálisis y de la ciencia como dos discursos diferentes, proporcionándonos, en última instancia, formidables instrumentos de análisis e interpretación (14).

El tercero de los momentos a examinar corresponde a ese desarrollo. Cronológicamente se podría extender desde los años cincuenta hasta hoy, al compás de los grandes cambios que desde finales de la Segunda Guerra Mundial anuncian primero y corroboran después el advenimiento de la sociedad global como semblante de un capitalismo transnacional cuya lógica de máximo beneficio amenaza seriamente la supervivencia de la vida en el planeta y condena a la deshumanización a cuatro quintos de la población mundial. De un capitalismo en el cual el poder del sector financiero y la revolución tecnológica acrecientan el debilitamiento de las sociedades nacionales correlativo a las dos dinámicas –fusión y fisión– predominantes en la acción política de nuestros días. De un capitalismo que se expresa socialmente mediante la transformación de las viejas estructuras de clase en los torbellinos de masas transhumantes y marginalizadas que desencadenan los fenómenos de segregación y de violencia –racial, cultural y religiosa– reseñados por los periódicos y con cuyas imágenes nos desensibiliza la TV. Fin de la modernidad, según unos. Post-modernidad, según otros (15).

Este tercer momento corresponde a la subversión del sujeto de la ciencia que va a aparecer ocupando el lugar del agente en el discurso, según podemos leerlo con la ayuda de la lógica lacaniana (16). Se trata del mismo sujeto dividido del *cogito* pero articulado como engranaje fundamental en la lógica del capitalismo transnacional, es decir, de un sistema dedicado a la búsqueda de conocimientos según una modalidad de apropiación privada y cuyas aplicaciones tecnológicas se producen e intercambian en el escenario que le es más adecuado: el mercado y la sociedad globales (17).

Fenomenológicamente es la proliferación de esta división y la incesante producción de goce la que asume hoy en día el carácter de síntoma en lo social, según las formas aludidas más arriba.

Epistemológicamente este *momento lacaniano* ha tenido –y sigue teniendo, sin duda– vastas consecuencias en el campo del saber y de la vida social en general en tanto implica no sólo la ruptura del contrato entre ciencia y sociedad, establecido sobre la base del reconocimiento de la ciencia como instrumento del progreso, sino también un desplazamiento importante en relación al papel de los científicos (18). Por otra parte, la incidencia de ese otro discurso que en términos de la formalización aparece como la novedad de época –el psicoanálisis– es un tema a desarrollar en profundidad. Sin embargo, revisando el desarrollo de la vida intelectual de los últimos treinta o veinte años se advierten influencias y efectos importantes. Aunque ese mismo recorrido nos proporciona argumentos para la cautela. Ya que, en contrapartida a lo que ha llevado a cabo el psicoanálisis al requerir y utilizar para sus fines los recursos de la ciencia –la formalización, por ejemplo– aquella, en todos sus dominios, se ha mostrado bastante renuente para acudir al psicoanálisis. Operan en ello una serie de lo que Bachelard llamaba obstáculos epistemológicos. Otra manera de significar lo que Lacan nombraría como «antipatía de los discursos».

La renovación disciplinaria resignificada

En términos del análisis precedente se hace necesario subrayar algunos puntos fundamentales:

1) La sociedad global es el semblante contemporáneo del capitalismo. Desde el punto de vista estructural, no obstante, su vigencia implica un desplazamiento importante en el lugar y la función de la ciencia. Esta pasa de instrumento del poder político (versión moderna) a instrumento del poder económico (versión contemporánea). En el primer caso se trataba de hacer de ella un nuevo recurso para fundamentar el orden social en términos racionales y no de fe, como lo había hecho la religión. En el segundo, el carácter asumido por la ciencia contemporánea la hace, en gran medida, cada vez más amenazante, reduplicando el efecto de «lugar vacío» para el conjunto social que lo religioso, en sus viejas y nuevas modalidades, tiende a ocupar.

2) En el caso de las ciencias humanas –y de las disciplinas a ellas vinculadas– la puesta en cuestión del sujeto que el análisis coloca al descubierto es lo que permite organizar, al menos en una primera tentativa, el panorama a simple vista confuso, de la investigación actual. Dicha tentativa debería comenzar por separar la investigación tradicional, apoyada en los recursos metodológicos de filiación objetivista que aquella proporciona, de los aportes variados que intentan hoy revalorizar al sujeto y su papel en el conocimiento.

3) En el caso específico de la historia intelectual y de la cultura una tal tentativa tiene como primer efecto un desplazamiento de los límites disciplinarios, tanto externos como internos. La consideración de los textos y de sus autores pierde los límites netos que las viejas clasificaciones nos proporcionaban así como sucede con su adscripción a territorios particulares (política, literatura, etc.). Los «ejes» mencionados al comienzo pierden, definitivamente, su interés aunque puedan seguir utilizándose como recursos heurísticos.

Otra dimensión es la del sentido que la historia intelectual, así resignificada, proporciona a nuestro presente tanto en su horizonte individual como en el colectivo.

4) La globalización, finalmente, incide de manera directa en los niveles operativos de la disciplina, determinando nuevas *formas* de trabajo que desconocen los espacios institucionales tradicionales y las temporalidades propias de los mismos.

La historia intelectual de América Latina entre
el discurso del método y el método de los discursos

Los estudios americanistas y latinoamericanistas tienen su razón de ser en la delimitación y tratamiento de un objeto particular –el «objeto América»– en relación con el cual se han inscripto, en general, en el modelo de la ciencia, utilizando los distintos recursos metodológicos que ésta proporciona (19). A pesar de esta aparente unidad, es posible establecer una demarcación muy neta entre los autores europeos y los americanos. Diferencias que se asignan normalmente a la asimetría de sus respectivas posiciones, determinadas en el ámbito político y económico por lo que habitualmente se lee como dominación y explotación pero que, en el ámbito de las ideas, incluyen otras dimensiones. Así, las interpretaciones europeas se adscriben normalmente a una matriz intelectual que corresponde a las visiones idealizadas, utópicas, enraizadas en la perspectiva ilustrada acerca de la «juventud» americana. E igualmente en las versiones, también de raíz dieciochesca, que caracterizaron al continente en términos de debilidad y aún de degeneración (20). Versiones que pasaron a integrar, en distintas proporciones, los contenidos ideológicos de muchas elaboraciones teóricas posteriores.

Por otra parte, la línea demarcatoria que Klengel traza al finalizar la Segunda Guerra Mundial (21) y que la perspectiva económica y política resulta insuficiente para explicar, asume toda su fuerza en el terreno de la historia cultural e intelectual cuando es leída, en retroacción y desde nuestra perspectiva, como la emergencia en lo fenomenológico de la división del sujeto a la que ya nos hemos referido, con su secuela de crisis de la subjetividad, que irá adquiriendo, en el andar del siglo, el carácter de verdadero síntoma social que hoy presenta. Es un tema a investigar el de los casos particulares que constituyen los testimonios de esta ruptura (europeos o latinoamericanos en el ámbito europeo –como ya lo está haciendo Klengel– pero también el de los latinoamericanos en su medio, como lo ilustra muy bien el aporte de Carmen de Sierra) (22) y a partir de los cuales se constituyen otros modelos de participación en la sociedad y la cultura.

Los autores latinoamericanos del siglo XIX y primera mitad del XX, en cambio, que han sido la fuente tradicional de interés y de investigación de nuestra disciplina, forman un conjunto cuyo tratamiento del «objeto América» incluye al Otro europeo de manera fundamental y en un doble anudamiento.

En primer lugar, el Otro europeo está presente configurando el lugar simbólico desde el cual se emite el mensaje —las concepciones, las teorías— con las cuales y a partir de las cuales ellos construirán sus propios textos. Hay que agregar que aquellas elaboraciones constituyen también el espejo en el cual se miran como sociedad o como colectivo, precisamente porque el *orden simbólico* del conjunto significante que viene del Otro les permite ver(se) en anticipación tal como deberán llegar a ser. Es el *orden imaginario* de la cultura con cuya participación, y a partir del orden simbólico, se conforman los ideales, elementos fundamentales para la construcción de las identificaciones y, en ese sentido, para la construcción de las identidades.

Una lectura y una conceptualización tales —abundantes en la producción de los últimos años más allá de los matices que pueden particularizarlas— están cargadas de la influencia proveniente del psicoanálisis, aunque muchas veces sus autores no sean del todo conscientes (o no quieran serlo) en relación a la genealogía de los instrumentos utilizados y de las hibridaciones en que a veces resultan, así como del desplazamiento epistemológico subyacente. Es una tarea a realizar y de no poca importancia, la de efectuar ese relevamiento y ese análisis con precisión.

Hay que subrayar, entre tanto, el efecto enriquecedor que han producido en el tratamiento de los textos y de los autores y con ello en campo de la disciplina misma. Al pasar y como ejemplo se puede mencionar, a nivel teórico, la superación de viejas polémicas como la que oponía el carácter «importado» vs. el carácter «autóctono» de la producción latinoamericana (o, como estuvo más o menos de moda en algunos círculos, el tema de las «especificidades», ya fueran nacionales o latinoamericanas, frente al pensamiento «europeo»). Es, sin embargo, con el aporte explícito, tanto de la teoría del sujeto como de la lógica de los discursos, que todas estas innovaciones pueden alcanzar —según nuestra propia experiencia de investigación— su verdadero valor.

Nuestro recorrido tuvo como punto de partida un estudio de caso —fructífero recurso que la historia intelectual ha importado de las ciencias sociales— vinculado en esa oportunidad con el gran tema del positivismo venezolano (23). Este nos llevó a replantear el problema tanto del análisis de los textos como del correspondiente al papel desempeñado por los intelectuales en el contexto de la sociedad y la cultura venezolanas de finales del siglo XIX y principios del XX. El tema de la biografía, y de la biografía histórica en particular, fue así elaborado en publicaciones sucesivas en las cuales se han ido abordando aspectos como: la relevancia del género para la historia de las ideas y de la cultura, el porqué del retorno de la biografía, biografía y objetividad, biografía y verdad. Finalmente, la oposición biografía/construcción en la cual el punto relevante está centrado en el papel del operador y en la posición desde la cual se puede hacer aparecer esa verdad del sujeto que constituye lo valioso para el historiador (24). Aquello que Dubois llamaba «los fenómenos que es imposible aprehender de otra manera» y que hacen del género biográfico el «más apto para dar cuenta del espíritu o mentalidad de una época» (25).

Simultáneamente, la lógica de los discursos, aplicada en un primer momento al trabajo textual, rindió aportes insospechados en términos historiográficos pero, abrió, asimismo, la vía hacia el estudio de la gran configuración de la modernidad, la postmodernidad y la crisis contemporánea que hoy nos ocupa.

Algunos resultados particulares en relación al positivismo venezolano

1) Identificación de los textos y autores colocados en el modelo del discurso de la ciencia (en el sentido en que éste ha sido aproximado al discurso de la histérica) en contraposición a aquellos autores (o diferentes textos de un mismo autor) que se ubican más en un modelo de discurso filosófico y, en ese sentido, pre-científico. La mayoría de los autores del positivismo venezolano se interrogan sobre su propia condición de sujetos históricos. Estos interrogantes, que subyacen a toda la indagación histórica que caracteriza a esta corriente de pensamiento, colocan al sujeto en un modelo de discurso más filosófico que científico en tanto la verdad buscada en el conocimiento serviría de orientación en una dimensión ética. No obstante, la pretensión de objetividad, la intención interventora y la carga modernizante de su discurso, claramente universalista, los aproxima a la estructura del discurso científico.
2) Esta característica de «entre dos» que diferencia a los autores venezolanos de los autores europeos que son sus contemporáneos y que les sirven de fuente, encuentra su explicación en términos formales. En efecto, estos últimos están claramente colocados en el discurso de la ciencia, y de esa manera, inequívocamente sostenidos por el propósito de previsión y/o intervención estructural en la sociedad que les es propia y a los que remiten sus enunciados.

3) Esta diferencia, que genera el efecto de *patch-work* al que nos hemos referido en nuestro trabajo y asentada en sus propias experiencias socio-históricas, subraya la necesidad de reconstruir los procesos particulares de asimilación de los textos europeos por parte de los intelectuales venezolanos (y latinoamericanos en general).

4) La aproximación de sus textos al modelo de discurso de la ciencia permite caracterizar a los intelectuales del positivismo como globalmente orientados por los ideales de la modernidad. En ese sentido, los papeles por ellos desempeñados tienden a estar de acuerdo con los modelos socialmente prescritos. Es el caso, por ejemplo, de la docencia universitaria. No obstante, analizando los textos por ellos producidos con el objeto de ser utilizados como instrumento de la misma, detectamos el dogmatismo y el criterio de autoridad que son rasgos propios del llamado discurso universitario, construido a partir del saber establecido. En la experiencia histórica de América Latina es el discurso propio de la universidad colonial y de los primeros tiempos de la independencia. Así se pone en evidencia, desde la estructura del discurso, que la universidad venezolana de finales del siglo XIX no acertó a cumplir con el papel que debía sostener en un proyecto modernizador, a saber, el de ser el espacio privilegiado para la creación de un conocimiento nuevo, científico, que fuera instrumento de cambio social.

Notas y referencias

1   Cf. Cancino Troncoso, H. y C. de Sierra (*coords.*) (1998): *Ideas, cultura e historia en la creación intelectual latinoamericana, siglos XIX y XX*, Quito: Ed. Abya-Yala, 5.

2   Es lo que se inscribiría en el *tiempo para comprender*, precedido por el *instante de ver* y seguido por el *momento de concluir*, en los cuales los valores lógicos se revelan distintos y en orden creciente. No obstante, como afirma Lacan, exponer la sucesión cronológica es espacializarlos según un formalismo que tiende a reducir el discurso a un simple alineamiento de signos. De lo que se trata, en cambio, es de mostrar que la instancia del tiempo se presenta bajo un modo diferente en cada uno de esos momentos, cuya función se atrapa en la *modulación* de cada uno. Cf. Lacan, J. (1966): «Le temps logique et l'assertion de certitude anticipée», en *Ecrits*, París: Seuil, 197-213. Otro tema importante que se abre aquí es el del carácter del producto: individual, colectivo o común.

3   Por comodidad y economía se mantendrá la expresión genérica *intelectuales* sin ignorar, no obstante, las precisiones y diferenciaciones que se han producido en este sentido en contextos nacionales y epocales particulares.

4   Como ocurre, por ejemplo, con lo que se conoce bajo la denominación de «estudios sociales de la ciencia» que, en el caso de Venezuela, ha abierto una interesante vía para la discusión historiográfica. Cf. Strozzi, S. (1998): «Entre la imposibilidad y la impotencia: el discurso del positivismo venezolano», en Cancino Troncoso, H. y C. de Sierra (1998), op. cit., 442-458.

5   La marcha institucional, en este sentido, siempre va a la zaga de los movimientos teóricos dentro de las disciplinas, cuando no lo obstaculiza abiertamente. Y hay algo más aquí que las tendencias a la *innovación* y la *burocratización* conceptualizadas por los sociólogos del funcionalismo.

6   El término «modernidad» es usado aquí en el sentido más corriente en las ciencias sociales y alude a unos contenidos que se explicitan en el texto mediante la selección propia del recurso descriptivo. Para una discusión amplia del mismo frente a conceptos relacionados (modernismo, modernización, etc.), cf. Le Goff, J. (1992): «Antique (Ancient) / Modern», en idem: *History and Memory,* New York: Columbia University Press, 21-50.

7   Nuestra perspectiva es la de la lectura contextualista derivada de Koyré y la perspectiva estructural que se fija con Bachelard, tal como han sido adoptadas y elaboradas por Lacan en el campo del psicoanálisis contemporáneo.

8   El carácter del sujeto moderno es inédito en relación al sujeto de la filosofía antigua en la cual la verdad alcanzada en el conocimiento viene a completar al sujeto permitiendo su orientación en términos del acto, es decir, abriendo para él el camino de la ética. El sujeto del *cogito*, en cambio, se presenta como sujeto vaciado de toda determinación, estructuralmente dividido entre el pensamiento y la extensión. La certeza de esa división que garantiza la operación del conocimiento le viene de Dios. Ningún conocimiento, en consecuencia, podrá obturar la división. Sólo la verifica en tanto va a operar sobre la extensión misma –no sobre el sujeto– para dominarla.

9   En las vísperas del siglo XIX, en la primavera de 1794 y en plena Revolución, Robespierre estableció la fiesta en honor al Ser Supremo con características de tipo religioso. A mediados del siglo XIX, Comte postulaba la Religión de la Humanidad y sus epígonos promovían los templos positivistas que llegarían hasta Brasil.

10   Cf. Descartes, R.: *El discurso del método,* sección VI.

11   La reclamación de neutralidad por parte de la ciencia es un elemento de orden estructural de su discurso, de manera que también se puede leer en la historia de las ciencias de la naturaleza. Las consecuencias de esa posición sólo se harán evidentes dramáticamente desde mediados del siglo XX y de la II Guerra Mundial cuando la medicina, la química y la física se colocaron abiertamente al servicio de los beligerantes, tanto en los programas de exterminio sistemático llevados a cabo en los campos de concentración del nazismo como en la fabricación de las bombas atómicas que asolarían Hiroshima y Nagasaki. Son los hechos que ponen fin, simultáneamente, a la creencia en la neutralidad de la ciencia y a la vigencia de la ideología del progreso.

12   Reemplazada en cierta medida por la creencia en la Revolución que puede verse, de esta manera, como el otro componente fundamental del universo ideológico del siglo XIX y de gran parte del XX. Es el recurso con el cual se encuentran explicaciones globales del destino humano que vienen a sustituir a la acción divina. Cf. Furet, F. (1995): *Le passé d'une illusion,* París: Editions Robert Laffont, 15-60.

13   Es lo mostrado por el desarrollo de las «ciencias del comportamiento», es decir, de una psicología y una sociología centradas en la noción de *conducta*. En una perspectiva

extrema su historia puede ser leída como la de un programa de apaciguamiento del
malestar en la cultura; programa en el cual la ciencia proporciona el libreto y el orden
político –por la vía de los «programas sociales» de los gobiernos– se hace cargo de la
producción.

14 Lacan elabora inicialmente la lógica de los discursos durante el curso lectivo 1969-70
que será publicado como Libro XVII de su Seminario. Cf. Lacan, J. (1991): *Le
Séminaire, livre XVII: L'envers de la psychanalyse,* París: Seuil.

15 No corresponde, dentro de los límites del presente trabajo, referir a la extensa bibliografía disponible sobre el tema. Sin embargo, creemos oportuno citar dos referencias
que de alguna manera se condensan en la caracterización que formulamos. Ellas son:
Ramonet, I. (1997): «La crisis del fin de siglo: la sociedad en el umbral de un nuevo
tiempo», conferencia dictada en el Ateneo de Caracas el 6 de mayo, y Mires, F.
(1996): *La revolución que nadie soñó,* Caracas: Nueva Sociedad. Igualmente,
Fukuyama, F. (1992): *El fin de la historia y el último hombre,* Barcelona: Planeta, y
Huntington, S. (1993): «The Clash of Civilizations», en *Foreign Affairs* 3 (72) (New
York), 22-49. El artículo de Huntington, en virtud de su resonancia, dio lugar a un
libro (1996): *The Clash of Civilizations and the Remaking of the World Order,* New
York: Simon & Schuster, cuya traducción española es de reciente aparición (1997),
editado por Paidós con el título *El choque de civilizaciones y la reconfiguración del
orden mundial.*

16 Conviene recordar que la noción de discurso es la de una estructura que, en tanto da
marco a la palabra y la orienta según una lógica propia de cada uno de los cuatro
modelos identificados por Lacan, corresponde a un modelo de vínculo social. Pero se
trata, asimismo, de una lógica que incluye operativamente la dimensión de lo real, es
decir, lo que concierne al ser, más propiamente, a la recuperación de goce presente en
cada forma de vínculo humano. Así, en los cuatro lugares de cada modelo irán a
inscribirse los cuatro matemas: S1, S2, $ y a, significantes del poder, del saber, del
sujeto y del objeto de plus-de-goce,

LUGARES

el agente	el Otro
la verdad	la producción

y según el matema que ocupe el lugar de agente del discurso vemos operar una
articulación distinta que resulta, asimismo, en un producto diferente:

D. del Amo	D. de la histérica	D. del analista	D. Universitario
S1 S2	$ S1	a $	S2 a
$ // a	a // S2	S2 // S1	S1 // $

En otras palabras, según se hable en el marco de cada uno de los discursos, hay algo
que cambia en cada caso aunque, como la estructura del discurso no es una estructura
cerrada sobre sí misma, se mantiene siempre la fisura entre el lugar de la verdad y el
lugar de la producción. La elaboración posterior ha permitido la escritura de dos

variantes, el *discurso de la ciencia* (como analogía del discurso de la histérica y en tanto el agente es el sujeto dividido que trabaja para producir un nuevo saber) y el *discurso del capitalismo*. Este último se obtiene por una inversión en la escritura del discurso del amo que coloca en posición dominante al $:

$$\frac{\$}{S1} \quad \frac{S2}{\mathbin{/\!/} \quad a}$$

17 Los signos de este desplazamiento –que terminará por anudar al sujeto de la ciencia con el discurso del capitalismo, con su correlativa abolición de la ciencia como patrimonio de la humanidad– empezaron a hacerse manifiestos ya después de finalizada la primera Guerra Mundial con el desarrollo de las patentes como uno de sus indicadores más evidentes.

18 El retorno de lo religioso en todas sus variantes es el signo más evidente del «vacío» dejado en el espacio social por esta «crisis de la ciencia», crisis que no es otra cosa que un desplazamiento de discurso. En cuanto al papel de los científicos, el prestigio y la estima que le eran característicos en la primera mitad del siglo tienden a cambiar cada vez más de signo, mientras se hace evidente su sometimiento creciente a las leyes del mercado.

19 La expresión «modelo de la ciencia» se usa aquí en su valor más amplio que apunta hacia la fórmula del *cogito*.

20 Cf. Gerbi, A. (1982): *La disputa del Nuevo Mundo: historia de una polémica*, México: F.C.E.

21 Cf. Klengel, S. (1998): «Relaciones familiares, sentimientos dispares. Consideraciones autobiográficas de intelectuales latinoamericanos acerca de la Francia de la segunda posguerra», en Cancino Troncoso, H. y C. de Sierra, op. cit., 341-362.

22 Cf. de Sierra, C. (1998): «*Marcha* y *Cuadernos Americanos* (Uruguay/México): Dos críticas culturales ante la polarización internacional y la *Guerra Fría*», en Cancino Troncoso, H. y C. de Sierra, op. cit., 325-340.

23 Cf. Strozzi, S. (1992): *Palabra y discurso en Julio C. Salas,* Caracas: Academia Nacional de la Historia (Col. Estudios, Monografías y Ensayos, Nº 155).

24 Cf. Strozzi, S. (1992): «La lógica de los discursos y la cuestión del sujeto en la biografía histórica», en *Actas del 17º Congreso Internacional de Ciencias Históricas,* T. 2, Madrid, 1121-1127. Y también idem (1995): «Sujeto y persona en la biografía histórica», en *Historia a debate,* T. 3 (Santiago de Compostela), 175-183. Igualmente idem (1996): «Imaginario y biografía o el consuelo fugaz de una ficción», en *Analítica* 15 (Medellín), 66-76.

25 Cf. Dubois, A. (1992): «La biographie dans l'histoire médievale et moderne», en *Actas del 17º Congreso Internacional de Ciencias Históricas,* T. 2, Madrid, 1093-1105.

Bibliografía

Cancino Troncoso, H. y C. de Sierra (coords.) (1998): *Ideas, cultura e historia en la creación intelectual latinoamericana, siglos XIX y XX,* Quito: Editorial Abya-Yala.

Dubois, A. (1992): «La biographie dans l'histoire médievale et moderne», en *Actas del 17º Congreso Internacional de Ciencias Históricas,* T. 2, Madrid, 1093-1105.

Fukuyama, F. (1992): *El fin de la historia y el último hombre,* Barcelona: Planeta.

Furet, F. (1993): *Le passé d'une illusion,* París: Editions Robert Laffont.

Gerbi, A. (1982): *La disputa del Nuevo Mundo: Historia de una polémica,* México: F.C.E.

Huntington, S. (1993): «The Clash of Civilizations», en *Foreign Affairs* 3 (72) (New York), 22-49.

---(1997): *El choque de civilizaciones y la reconfiguración del orden mundial,* Buenos Aires: Paidós.

Klengel, S. (1998): «Relaciones familiares, sentimientos dispares. Consideraciones auto-biográficas de intelectuales latinoamericanos acerca de la Francia de la segunda posguerra», en Cancino Troncoso, H. y C. de Sierra (coords.) (1998): *Ideas, cultura e historia en la creación intelectual latinoamericana, siglos XIX y XX,* Quito: Editorial Abya-Yala, 341-362.

Lacan, J. (1966): *Ecrits,* París: Seuil.

---(1991): *Le Séminaire, livre XVII: L'envers de la psychanalyse,* París: Seuil.

Le Goff, J. (1992): «Antique (Ancient) / Modern», en idem: *History and Memory,* New York: Columbia University Press, 21-50.

Mires, F. (1996): *La revolución que nadie soñó,* Caracas: Nueva Sociedad.

Ramonet, I. (1997): «La crisis del fin de siglo: la sociedad en el umbral de un nuevo tiempo», conferencia dictada en el Ateneo de Caracas el 6 de mayo.

de Sierra, C. (1998): «*Marcha* y *Cuadernos Americanos* (Uruguay/México): Dos críticas culturales ante la polarización internacional y la *Guerra Fría*», en Cancino Troncoso, H. y C. de Sierra (coords.) (1998): *Ideas, cultura e historia en la creación intelectual latinoamericana, siglos XIX y XX,* Quito: Editorial Abya-Yala, 325-340.

Strozzi, S. (1992): «La lógica de los discursos y la cuestión del sujeto en la biografía histórica», en *Actas del 17º Congreso Internacional de Ciencias Históricas,* T. 2, Madrid, 1121-1127.

---(1992): *Palabra y discurso en Julio C. Salas,* Caracas: Academia Nacional de la Historia (Col. Estudios, Monografías y Ensayos, Nº 155).

---(1995): «Sujeto y persona en la biografía histórica», en *A Historia a Debate,* T. 3 (Santiago de Compostela), 175-183.

---(1996): «Imaginario y biografía o el consuelo fugaz de una ficción», en *Analítica* 15 (Medellín), 66-76.

---(1998): «Entre la imposibilidad y la impotencia: el discurso del positivismo venezolano», en Cancino Troncoso, H. y C. e Sierra (coords.) (1998): *Ideas, cultura e historia en la creación intelectual latinoamericana, siglos XIX y XX,* Quito: Editorial Abya-Yala, 442-458.

Identidad y método: aproximaciones a la historia de las ideas en América Latina[1]

Javier Pinedo C.
Universidad de Talca, Chile

Consideraciones generales

El uso de la expresión, «historia de las ideas», es reiterado entre los profesionales de América Latina en el campo de las ciencias sociales y las humanidades, y muchos de los principales pensadores latinoamericanos de este siglo le han dedicado reflexiones en las que proponen su definición y uso.

La historia de las ideas es una disciplina que tiene un origen relativamente reciente desde mediados de este siglo, cuya novedad reside en que no sólo recoge lo expresado por los filósofos, sino también por otros agentes productores de ideas, así como el modo cómo esas grandes ideas se hacen carne en la sociedad o en individuos a través del tiempo.

La historia de las ideas no tuvo su origen en nuestro continente sino que fue desarrollado en los Estados Unidos y Europa por Arthur Lovejoy, y popularizado, entre otros, por Isaiah Berlin, quien, por ejemplo, señala que la historia de las ideas es una buena forma para que las personas se conozcan a sí mismos, pues la historia de las ideas busca meterse «dentro» del pensamiento de los hombres, y saber como funciona el *Zeitgeist* (2). Por lo que, lo fundamental es que el historiador de las ideas «transmita una visión reconocible de la vida» que permita saber lo que los seres humanos «podrían haber sentido, o pensado, o hecho» (3). Berlin habla de un nuevo conocimiento que incorpore la «imaginación reconstructiva» para conocer lo que hemos heredado o adquirido de otros hombres, para introducirnos en sus modos de pensar y obrar, en su modo de verse a sí mismos.

El caso más conocido es el de Arthur O. Lovejoy, quien denominaba, indistintamente, «historia de las ideas» o «historia intelectual»:

> La Historia de las ideas es, en mi concepto, algo menos específico y menos cerrado que la historia de la filosofía. Al hacer la historia de las doctrinas filosóficas, la historia intelectual actúa como una sierra, cortando los sistemas, montados rígidamente y los fragmentos en sus componentes a los que yo llamo ideas-núcleos (4).

Lovejoy encuentra las ideas-núcleos (que corresponden a lo que Tocqueville denominaba *idée-mère*) en sistemas ideológicos separados por tiempo o espacio, por lo que considera que las ideas viajan constantemente de un pensador o de un sistema a otro.

Más tarde, los estudiosos de la obra de Lovejoy, como Crane Brinton (5), han continuado esta perspectiva interdisciplinaria, señalando que no sólo se busca ideas, sino también rastrear

> la difusión de la obra de los líderes culturales –sus ideas– en una sociedad determinada, así como la relación entre esas ideas, por un lado, y los 'impulsos', 'intereses' y demás factores no intelectuales de la psicología individual y social, por otro (6).

Brinton señala que se debe diferenciar entre esta disciplina y la historia de la filosofía, la historia de la literatura, la historia de la ciencia, y otras ramas de la cultura. Por ejemplo, mientras el historiador de la filosofía se dedica de modo primordial a explicar a los filósofos, la historia de las ideas se asocia a la observación de lo colectivo y lo social: «[...] ha de interesarse sobre todo por lo que les sucede a esas ideas cuando pasan a formar parte del caudal de las personas instruidas e incluso del de las no cultivadas» (7).

Es esta amplitud metodológica, lo que le permite encontrar antecedentes muy antiguos, desde los griegos hasta el presente. Brinton menciona a Dilthey y a Weber como representantes de esta tendencia. De este último señala que, aunque es conocido como sociólogo, su obra *La ética protestante y el espíritu del capitalismo* puede ser considerada como una obra representativa de la historia de las ideas. Con la misma lógica menciona a Paul Hazard, Buckle, Collingwood, Toynbee, Croce, Karl Mannheim, Ortega y Gasset, y aún los textos de Henri Pirenne, Marc Bloch y Fernand Braudel.

La amplitud del objeto de estudio hace que la historia de las ideas se debe ayudar de la historia social, la historia de las costumbres y la *Sittengeschichte*, y también considera las grandes literaturas como una «mina de información sobre las opiniones y actitudes de hombres y mujeres que no eran 'intelectuales' y que en muchos casos probablemente eran personajes 'típicos' de su cultura» (8).

Conclusiones similares, que no podemos exponer en detalle, encontramos en José Ferrater Mora (9), y en los más actuales, Michel Foucault (10) y Norberto Bobbio, para quienes las ideas están asociadas a producciones intelectuales en el sentido de los autores precedentes:

La historia de las ideas o de las ideologías o de los ideales es entendida aquí como historia de la conciencia que los intelectuales tienen de su tiempo, de las categorías mentales que emplean en cada ocasión para comprenderlo, de los valores que adoptan para aprobarlo o para condenarlo, de los programas que formulan para transformarlo (11).

La historia de las ideas en América Latina: una forma de expresar su identidad

A partir de la Independencia de América Latina encontramos una serie de textos pertenecientes a lo que se llamó en sentido amplio, «literatura de ideas», donde se recogían ensayos, artículos de prensa, memorias, programas de país, disertaciones históricas, cursos de filosofía, y muchos otros textos que intentaban caracterizar la propia realidad de América Latina, más acá de la ficción literaria. Muchas de las interpretaciones de estos textos se realizaron de manera impresionista.

En América Latina, el concepto «historia de las ideas» comienza a utilizarse desde los años 40, y desde entonces, su uso ha ido en aumento, sobre todo en el estudio de los autores de los siglos XIX y XX, los que se abordan tanto como pensadores, como en la búsqueda de interpretaciones de país, proyectos políticos, concepciones de la historia y la cultura. Se destacan los aportes de Samuel Ramos, José Gaos y Francisco Romero, los que vieron incrementados más tarde con los trabajos de Leopoldo Zea, Arturo A. Roig y Arturo Ardao, a partir de cuya obra realizamos este trabajo.

Nuestra tesis con respecto a la concepción de la historia de las ideas que formulan estos tres autores, es la siguiente: 1) Que la historia de las ideas se propuso superar el impresionismo de las generaciones anteriores; 2) Que la historia de las ideas fue una manera de reivindicar una posición no académica del quehacer filosófico, incorporando una perspectiva interdisciinaria; 3) Que la historia de las ideas al constituirse en un proceso en búsqueda de una metodología latinoamericana propia, se estableció como una forma de acrecentar una conciencia que permitiera conocer y manifestar una identidad particular.

Estas tesis se pueden desarrollar en base a lo expuesto por las figuras principales del pensamiento latinoamericano y quienes han compuesto trabajos específicos: Leopoldo Zea, Arturo Ardao y Arturo A. Roig. Los tres han realizado una importante obra sobre la constitución de una epistemología particular en América. No será necesario advertir que la amplia y profunda producción de estos autores nos impide dar cuenta *in extenso* de todas sus reflexiones, por lo que me limitaré sólo a una primera introducción a cada uno de ellos, considerando sus aportes fundamentales.

Arturo Ardao: la inteligencia de América Latina

En mi opinión, la reflexión fundamental de Ardao se inicia a partir de dos constataciones básicas: 1) Que en América se piensa, pero de otra manera, estableciendo la diferencia entre inteligencia y razón. La razón pertenece a los grandes sistemas filosóficos, la inteligencia al modo como el latinoamericano ha resuelto sus circunstancias históricas. En este mismo sentido, su intento por recuperar la tradición latina, al interior de la cual se encuentra lo hispano y lo americano. Es decir, analizar los orígenes y características fundamentales de una identidad propia, perteneciente a una mayor, la Romania. 2) Superar el impresionismo y el academicismo. Para lograrlo, se remite a lo dicho en 1952 por José Gaos, a quien cita: «La Historia de las ideas en México debe historizarse, esto es, hacerse objeto de una historia de la Historia de las ideas en México» (12), y que tal tarea debía extenderse al resto del continente.

Ardao diferencia entre la historia de las ideas en general, y las ideas filosóficas en particular, y es, en su opinión, esta segunda la que da forma a la primera:

> La historia de las ideas no se ha limitado, ni podía limitarse, a las ideas filosóficas. Pero es la historia de estas últimas la que ha resultado decisiva para impulsar la de todas las demás, remitiéndolas a una común área propia en el seno del saber histórico. La historia general de nuestros países, desde mucho tiempo atrás había venido ocupándose de las ideas políticas, sociales, económicas, jurídicas, así como de las educacionales, religiosas, artísticas y hasta, de alguna manera, científicas y filosóficas. Unas veces, como elemento accesorio y no siempre bien distinguido de la historia de los respectivos hechos: otras, como capítulos más o menos precisos de la vagamente llamada historia cultural o historia intelectual. Hacia el tercio del siglo, una vigorosa corriente historiográfica animada por estudiosos de la filosofía, con destino específico a la historia de las ideas filosóficas, cambia rápidamente la escena. No sólo opera en su particular dominio, sino que rescata la personería y confiere un sentido nuevo al estudio histórico de todas las otras ideas (13).

O sea, el dominio de la filosofía como una forma de superar el impresionismo anterior.

Más adelante, Ardao destaca que la historia de las ideas debe preocuparse por el estudio de lo común que tiene América Latina para lograr su unión. Por tanto más que un método (que lo otorga la filosofía), es la conciencia intelectual de una historia y de una identidad particular. Explícitamente define a la historia de las ideas en América, como una «conciencia cultural y científica» (14).

En la constitución de esta conciencia, según Ardao, influyó junto a una variedad de corrientes doctrinarias, la coyuntura crítica que para la cultura occidental representó la Segunda Guerra Mundial. Lo que trajo una profunda revisión en el quehacer intelectual, otorgando historicidad a todo el pensamiento de la época. Fue debido a la influencia de ese mismo espíritu historicista, que la historia de las ideas se asocia a «la vuelta sobre sí misma de la conciencia filosófica latinoamericana» (15), lo que produjo una discusión en torno al problema de la filosofía americana o de la filosofía en América, así como a su recuperación historiográfica.

Ardao haciendo la historia del movimiento señala los años de 1940 y 1950 («década fundadora»), como los del inicio de esta conciencia. Destacando tres elementos fundamentales que marcan esa década:

1) La fundación simultánea en México y Buenos Aires, en 1940, de dos centros académicos relacionados con el pensamiento latinoamericano. En Buenos Aires la cátedra Alejandro Korn, en el Colegio Libre de Estudios Superiores, con Francisco Romero (1891-1962) a la cabeza. Romero en la instalación de la Cátedra había señalado claramente sus objetivos: «[...] el trabajo filosófico en cuanto tarea científica o teórica, el propósito social de difundir la filosofía y la intención nacional y americanista» (16). Desde este punto de vista, la historia de las ideas se constituía en una cuestión de afirmación identitaria nacional y continental.

Arturo Ardao da cuenta de una serie de iniciativas que intentó Romero para establecer en la cátedra un espacio americanista, y con esa lógica proponía la organización de «un archivo de la filosofía en América»; la elaboración de una «una bibliografía de la filosofía en América»; la promoción de «estudios o artículos sobre temas de filosofía americana». Y por último, señala que: «Habrá que realizar mucha ingrata labor bibliográfica, mucho rebusque y ordenación, si queremos juntar con pleno derecho estas dos palabras: América y Filosofía» (17).

Pero además, en el Colegio de México se organiza el Seminario de Tesis en combinación con la Facultad de Filosofía y Letras de la Universidad Autónoma, dirigido por José Gaos (1900-1969). Gaos establece como principio fundamental del Seminario un objetivo similar al de Romero: «El Seminario se dedicó desde un principio al estudio de la historia del pensamiento y de las ideas en los países de lengua española: las tesis que se compusieran en él debían versar sobre temas de esta historia» (18).

Gaos, quien distinguía cinco tipos de pensadores en América Latina, de los cuales sólo al primero lo consideraba entre los cultivadores de la filosofía en el sentido de lo más estricto y particular; mientras que él de las ideas resulta más amplio y general:

> Pero parece conveniente distinguir no sólo entre historia de la filosofía y del pensamiento, sino también de las ideas. De la filosofía: la de las ideas filosóficas stricto sensu. Del pensamiento: la las ideas sea profesadas como convicciones propias, sea, simplemente, tratadas o, más simplemente aún, mentadas por los pensadores en el quíntuple sentido señalado. De las ideas: la de las ideas de todas clases y de todas las clases de hombres de un grupo mayor o menor, hasta la Humanidad en toda su amplitud histórica.

Y concluye: «La historia de la filosofía y la historia del pensamiento resultan partes de la historia de las ideas» (19). De este modo, continuando la postura de Gaos, para Ardao, el orden intelectual de menor a mayor es: filosofía, pensamiento, ideas; tanto en el objeto de estudio, como en el del método de análisis.

2) En segundo lugar, Ardao menciona el viaje realizado por Leopoldo Zea entre 1945 y 1946 por diversos países de América promoviendo el estudio de la filosofía y el pensamiento; el que logró que el «hasta entonces disperso movimiento de historia de las ideas en nuestros países se convirtió en definitivamente orgánico» (20). Uno de cuyos resultados más visibles fue la creación en México en 1948, y presidida por el propio Zea, del Comité de Historias de las Ideas en América, que ha desarrollado hasta el presente importantes iniciativas de publicación, creación de bibliotecas, centros de estudios y promoción de toda índole de actividades relacionadas con la investigación y divulgación de las ideas en América, siempre manteniendo los objetivos de la interdisciplinaridad y de la promoción de una conciencia particular.

3) Por último, menciona la realización en México, en 1950, del Tercer Congreso Interamericano de Filosofía, en el que plantearon las relaciones entre filosofía e historia de las ideas (21). Una de las líneas temáticas del Congreso se estructuraba justamente en torno a la especificidad de la filosofía americana, y se establecía la pregunta: ¿Está ligada la suerte de la filosofía americana a la elaboración de una historia de las ideas?, interrogante que se respondía afirmativamente.

Ardao retoma los planteamientos de este Tercer Congreso, señalando que la toma de conciencia histórica que de sí misma ha mostrado en las últimas décadas que la filosofía latinoamericana ha podido ser incorporada y reconocida en la historia de la filosofía universal, al tratar de objetos de especulación filosófica universal, así como de los propios de la cultura latinoamericana.

En conclusión, Ardao hace referencia a una serie de iniciativas destinadas a definir un status epistemológico nuevo, moderno, científico, para el pensar latinoamericano. Es decir, para descubrir la propia realidad. A eso, creo yo, se le denominó historia de las ideas, de donde se desprende el interés por definir el concepto, su categoría y su funcionalidad.

Por estas razones, Ardao, como Zea y Roig, se presentará como un defensor de la historia de las ideas, mostrando además otro punto en común entre ellos: la propuesta de una concepción distinta de las ideas. Ardao, intenta delimitar el contenido del concepto «ideas», en base a dos categorías: el de «abstracto concepto general»; e «idea» como «afirmación o negación, es decir, como juicio». De ambas desprende que el debate teórico ha girado en torno a las ideas en tanto que conceptos, mientras de la historia de las ideas en sí misma se ha ocupado de las ideas en tanto juicios. Concluyendo que la historia de las ideas es la que «sencillamente» se ocupa de los «juicios», más allá de los conceptos con que se construyen éstos (22). Ardao señala que detrás del vocablo *idea* se encierra, tanto en la tradición filosófica como en la conciencia natural, el sentido de «juicio»: «Pensar, ya se sabe, es juzgar» (23). Con lo cual, acepta la definición de Ortega y Gasset de que «una idea es siempre reacción de un hombre a una determinada situación de su vida». En la historia, es en tanto que juicios que funcionan las ideas. Por lo que se concibe a la historia de las ideas como una forma de rescatar lo propio pasado común y la identidad latinoamericana: «Por dicho criterio es que se legitima la historia de las ideas filosóficas como historia de lo propio o peculiar de las respuestas que se han dado, en el plano de la filosofía, a intransferibles situaciones y circunstancias vividas por la comunidad latinoamericana» (24). Una reflexión que se desarrolla como un intento crítico y emancipador.

Arturo Andrés Roig: la necesidad de definir el «nosotros»

Arturo A. Roig es, en nuestra opinión, quien en mayor medida intentó superar el impresionismo y pasar al análisis propiamente de las «ideas» a partir de una teoría del texto. La producción intelectual de Roig, como la de los otros autores, es muy amplia, por lo que se necesitaría escribir una monografía especial. En esta ocasión me referiré sólo a algunos de sus textos, y en particular a su artículo titulado justamente: «Historia de las ideas» (25).

Señala, en primer lugar, que la historia de las ideas no es una tarea exclusiva de América Latina, pues ha sido desarrollada también en otros lugares, aunque bajo situaciones histórica y sociales diversas. Lo específico de la historia de las ideas en América Latina será justamente considerar las «situaciones históricas y sociales que no pueden ignorarse» (26); es decir, el contexto circunstancial le otorgará a este método universal ciertas características propias.

Roig comienza estableciendo, como los demás, la indeterminación que afecta su «constitución y, por tanto, a la de su objeto y métodos». Confirmando las opiniones de Francisco Romero, quien en 1955 señalaba que «la historia de las ideas era un tipo de saber no constituido», y de José Luis Romero, quien diez años más tarde agregaba que se trata de una «disciplina de escasa tradición y muy imprecisos contornos» (27). Ambos autores, sin embargo, y particularmente el segundo, no estuvieron ajenos al uso de una metodología caracterizada con ese nombre (28). Aunque se trata de una indeterminación positiva, la misma que se recupera en la opinión de Horacio Cerutti, quien habla de «vaguedad y variabilidad», método al que califica, sin embargo, de «altamente productivo» (29), o aún en Michel Foucault, para quien la «incertidumbre e imprecisión» le parecía positivo por favorecer el quiebre de las totalizaciones (30).

A partir de la constatación de una disciplina no constituida, Roig se esfuerza por establecer la «especificidad» de la historia de las ideas, y de la misma manera que los otros pensadores mencionados, destaca la función social de las ideas, y sobre todo la identidad particular del continente:

> [...] un preferente y permanente interés por problemas de identidad cultural y nacional y, por último y sin que con esto cerremos la enumeración, una tendencia hacia una lectura explicativa y, en muchos casos, crítica del desarrollo de las ideas, sobre todo en relación con un tema que acompaña nuestra identidad, a saber, la dependencia (31).

La historia de las ideas, además de un método de análisis, se constituye en un conjunto de temas de filosofía, identidad nacional, cultura, realidad social; y cuya especificidad, en comparación con otras disciplinas, proviene de que sean tratados desde la interdisciplinaridad. En su esfuerzo por alcanzar una lectura que permitiera superar el impresionismo, Roig se preocupó de la relación entre historia de las ideas, teoría del texto y discurso, con la incorporación de una serie de conceptos («sujeto del discurso», la relación «texto-contexto», «universo discursivo», la «teoría del texto») que lo acercaron a los estructuralistas, a la semiótica, y a Saussure.

Roig señala que desde los años 70 se impulsaron estudios conducentes a complementar lo que él denomina «ampliación metodológica» (32). Muy interesante y completa perspectiva que lamentablemente no podemos exponer en esta ocasión, sino decir que confirma su intención de realizar análisis más científicos e interdisciplinarios, estableciendo que «[...] el lenguaje es un reflejo de la realidad y ello nos obliga a valorizar la lingüística, la semiótica y la teoría de la comunicación» (33).

De esta manera, además de las nuevas herramientas que determinan la especificidad de la historia de las ideas, Roig propone entregar antecedentes del pasado que contribuyan a determinar el método, de lo que se denominará tanto «Historia de las ideas» como «historiografía de nuestras ideas», circunscribiendo con «nuestras» lo de particular y social que debe tener su reflejo en un pensamiento igualmente particular, recuperando el tema de la identidad. Menciona a Juan Bautista Alberdi, quien en 1840 había hablado de una «filosofía americana» (34), desprendiendo que Alberdi no intentaba crear propiamente una filosofía, sino algo cercano, pero distinto, que cae con mejor acuerdo, bajo esta nueva denominación de historia de las ideas. En esta línea, Roig, establece una de sus preocupaciones fundamentales: diferenciar entre la historia de las ideas, y la filosofía academicista y sobre todo en su radical oposición al universalismo de Lovejoy, Mc Luhan y Richard Rorty.

Roig, como Ardao y Zea, considera que los aportes más fructíferos de la historia de las ideas se realizaron a partir de 1940, como consecuencia del nacionalismo promovido por la Revolución mexicana, por la influencia del circunstancialismo de Ortega y Gasset, y por la presencia de José Gaos en México. Todo lo cual permitió la publicación de los primeros libros de Leopoldo Zea. Nuevos impulsos llegarían más tarde con la presencia de los movimientos sociales provocados por la Revolución cubana, el marxismo, la recuperación de la obra de Mariátegui, y una serie de textos sobre el tema de la identidad nacional.

Roig hace suya la opinión de Zea, que al rechazar el academicismo, señalaba que hacer «Filosofía americana es ya preocuparse por la obra de nuestros pensadores. Una de las primeras tareas de esta filosofía es la de la historia de las ideas». Como se puede ver, la diferenciación está en el objeto de estudio, lo latinoamericano. El propio Zea había dicho: «[...] se quería hacer filosofía e historia de nuestras cosas y, por supuesto del discurso sobre nuestras cosas» (35).

En esta perspectiva, los fundadores de la disciplina (Zea, Roig, Ardao) eligen el nombre de «historia de las ideas», fundamentalmente, como un espacio en el que pueden incorporar todo lo relacionado con América Latina. Es el conocimiento de «nuestros pensadores», marcados ellos mismos por una variedad de perspectivas de análisis, lo que importa. Es decir, el objeto por sobre el método. «Y esos pensadores –concluye Roig– a los que se refiere son aquellos que intentaron captar nuestra realidad, *cualesquiera hayan sido las herramientas intelectuales de que dispusieron*, realidad aprehendida básicamente como social e histórica» (36).

Más que de una metodología particular, se trata de temas, inspiraciones, reconocimiento de circunstancias ideológicas y sociales. En este sentido pareciera que la historia de las ideas no es otra cosa que una nueva denominación para apuntar al estudio del pensamiento latinoamericano, evitando el impresionismo y un academicismo que «[...] llevó a dar las espaldas a la problemática social» (37). En un nuevo paso, Roig anota que:

> Es misión de la Historia de las ideas, precisamente, la de reconstruir ese ya largo y a veces difuso proceso, en el que con suerte diversa se fue dando respuesta a la cuestión de filosofía y vida, entendida ésta, por supuesto principalmente como la vida de nuestros pueblos (38).

Se trata de un problema de un objeto que cada vez se va perfilando en nuevos detalles: ahora la vida colectiva de América, «nuestros pueblos», en una aceptación de lo colectivo-popular como lo verdaderamente identitario de América Latina, por lo que Roig hace sinonimia entre filosofía latinoamericana e historia de las ideas, y ambas como formas de acceder a esa realidad colectiva. En esta nueva aproximación, Roig señala que lo que caracteriza a los pensadores que se inscriben en la historia de las ideas es «un pensar que no es ejercido como ajeno a la praxis» (39). En este sentido

> [...] la Filosofía latinoamericana se presenta como una herramienta de lucha en la que lo teórico no se queda en el mero plano de un 'juego de lenguaje', sino que es organizado en función de un programa de afirmación de determinados grupos humanos (40).

Grupos humanos identificados, como había establecido previamente, con las mayorías populares latinoamericanas.

Lo anterior hace que Arturo Roig, posea una concepción de la historia de las ideas radicalmente diferente a la de Lovejoy:

> Por el contrario (a Lovejoy), dentro de nuestra tradición, no son las ideas en sí mismas las que interesan sino su naturaleza y función social, hecho únicamente captable de modo adecuado si se tiene presente que si las circunstancias nos hacen, también nosotros hacemos a las circunstancias (41).

Como hemos dicho, para Roig, el universalismo (que opone a lo nacional), el cosmopolitismo y el «saber puro» constituyen los errores que se deben evitar. En esta perspectiva, por oposición a una concepción purista de las ideas (como la de Lovejoy), postula de manera más cercana a una Sociología del conocimiento (Mannheim), un análisis que recoja la naturaleza social de las ideas.

El tema de lo nacional es particularmente desarrollado por el pensador argentino, siempre con sentido de identidad y liberación (42). La historia de las ideas se asocia en este sentido con los conceptos de «nacional», «sociedad civil», «etnias», «juventud», y con «nuestra memoria histórica», y un «antiimperialismo» al modo de los clásicos Bilbao, Martí, Rodó, Vasconcelos. Los temas de un pensamiento caracterizado como «crítico», de «denuncia», de «pluralismo», de «unidad» del continente, etc. (43).

Roig señala que la Filosofía latinoamericana invierte la máxima de Hegel («La filosofía necesita de un pueblo») por esta: «[...] aquí es el pueblo o nuestros pueblos los que reclaman para sí una filosofía» (44). Por lo que hay que entender los esfuerzos de Roig como la voluntad de lograr un quehacer académico que se compromete con esa realidad popular y que la considere en sus reflexiones.

Es a partir de esa realidad popular, considerada como propiamente americana, de la cual se deberá acceder a un nuevo universalismo, no «ideológico» esta vez; es decir, no al modo de aquellos universalismos que desconocen lo particular. Tarea más rica y más compleja que la emprendida por el modelo académico, y una defensa de la historia de las ideas como forma de conocimiento del propio quehacer del pensamiento del Continente.

En relación a la falta de sistema del pensamiento latinoamericano, lo niega con razón, señalando que no es una limitante, sino una característica propia de este pensar:

> [...] la tan denunciada 'asistematicidad' de nuestros pensadores, en particular los del siglo XIX, los que por este motivo difícilmente podrían salirse de una historia del 'pensamiento' –con la carga negativa que se le ha dado al término– es un tipo de respuesta que no es en sí misma un disvalor, ni una forma teorética débil. Es necesario indudablemente

restablecer la distinción que hiciera el olvidado Condillac entre 'esprit systématique' y
'esprit de système'; entiendo por el primero, por contraposición con el segundo, aquel
que produce un saber que si se nos presenta como fragmentario es porque está regido por
el principio de que es más importante sacrificar la coherencia que la verdad (45).

En este sentido, si los textos latinoamericanos no han constituido sistemas, sí
han entregado «sentidos» coherentes sobre la realidad. Sentidos que para el
filósofo argentino se asocian a una actitud más de «denuncia que de justificación» (46), y que pueden ser leídos como «grandes metáforas» que señalan
justamente las «grietas» de los sistemas que intentan presentarse como «sin
fisuras».

En esta perspectiva Roig está dispuesto a aceptar dentro de la filosofía
también las cosmogonías de las culturas precolombinas, en las que encuentra
una forma de pensamiento que no puede ser relegada sólo a los estudios
antropológicos (47).

En conclusión, la historia de las ideas, tanto como la filosofía, se unen en
descubrir una historia y una identidad comunes, desde una posición americanista:

¿Cómo hemos de construir nuestro discurso de modo tal que nos exprese en lo que somos
y que no implique la negación de otros? ¿Cómo lograr que nuestros universales sean
ciertamente concretos y por tanto no meramente ideológicos? (48).

Es justamente en la historia de las ideas, donde Roig afirma encontrar las
respuestas: «De nuestra Historia de las ideas surgen numerosas respuestas. El
tema con sus diversos matices se encuentra, decíamos, ya en Simón Rodríguez
quien rechazaba la ciencia europea, universal, pero al servicio de la colonización; José Martí, por su parte, había afirmado que como intelectuales debía-
mos hacer causa común con los débiles, en cuanto que ellos, entre otras cosas,
no están enfermos del saber de los sabios; más tarde, Francisco Bilbao retomó
el tema con la denuncia del discurso opresor construido para justificar el
dominio de las oligarquías sobre las masas populares; a comienzos de este
siglo, José Vasconcelos nos hablará, dentro de su análisis de las relaciones en
América Latina con los EE.UU., de la diferencia que hay entre una «ética del
vencedor» y una «ética del vencido» (49). Una postura intelectual interesada en
definir un «nosotros», y en lograr su liberación social.

Leopoldo Zea: la filosofía desde lo concreto

Desde sus primeros textos (50), Zea tiene la importancia fundamental de abrir un cauce revitalizado en el estudio de las ideas en el continente, pero además porque en torno suyo surgirán una cantidad importante de publicaciones, entre los cuales se destacan las obras de los autores que hemos comentado, pero además las de Miró Quesada, Rissieri Frondizi, José Luis Abellán, Guillermo Francovich, Abelardo Villegas, Enrique Dussel, Horacio Cerutti, y muchos otros. Leopoldo Zea ha sido reconocido como el principal promotor del pensamiento latinoamericano, tanto a través de sus libros, como por sus múltiples actividades en favor de la organización de seminarios, congresos, publicaciones y entidades académicas destinadas al estudio y promoción de las ideas en América Latina (51). La producción académica en la que el pensador mexicano, Leopoldo Zea, se ha referido al tema de la historia de las ideas, es múltiple. En esta ocasión nos referiremos a algunos de sus artículos, en los que ha expuesto el tema.

Zea propone, en primer lugar, pasar de la filosofía tradicional a la inter-pretación del «sentido» de la historia del continente. Es decir, a una filosofía de la historia. En esta perspectiva acoge la concurrencia de diversas disciplinas y se opone a la asepsia científica, lo que coincide con los postulados de Roig y Ardao. Esta perspectiva no ha sido comprendida por autores pertenecientes a otros contextos culturales, como Charles Hale y William D. Raat, quienes han criticado al pensador mexicano por su ausencia de un método estricto (52).

En el artículo que comentamos, Leopoldo Zea (53) se constituye en un defensor de la historia de las ideas, en base a los tres argumentos que hemos mencionado en este trabajo: como una metodología de lo interdisciplinario, por su implícita relación con la conciencia nacional y latinoamericana, y como una disciplina con derecho a incorporarse al trabajo intelectual al superar el universalismo neocolonialista. Es decir, una perspectiva con la que se intenta poner fin a una concepción «académica» del trabajo intelectual para obligar al grupo profesionalizado de filósofos a introducirse en la realidad cotidiana de los seres históricos.

Zea rechaza la objetividad ahistórica y sin compromiso que se le exige, y se defiende apelando a las tesis que hemos señalado, y particularmente el tema de la propia realidad histórico-social:

Inmersos en nuestra propia e ineludible realidad, quienes hemos venido haciendo la
historia de las ideas de esta nuestra América, hemos tenido que relacionar el pasado de
las mismas con el presente en que las analizamos y el futuro que las mismas necesariamente señalan (54).

Zea, continúa el camino de Gaos, quien concebía el análisis de América en su
propio contexto: «La historia del hombre a través de sus múltiples y concretas
realidades» (55). De nuevo, la historia de las ideas, evoluciona de una cuestión
metodológica a una toma de posición sobre la realidad social e intelectual del
continente: una cuestión de conciencia y de identidad.

Es cierto que Zea no actúa «objetivamente» al modo del historiador. Por el
contrario, el pensador mexicano adopta, como Roig y Ardao, una actitud
positiva hacia el

modelo cultural del cual, pensaron nuestros mayores en Latinoamérica, habría de
derivarse un nuevo modo de ser, el que hiciese a nuestros pueblos semejantes a las
grandes naciones que en América y en Europa, concebían la historia como progreso (56).

Aquí, historia de las ideas se asocia con las expresiones: «nuestros mayores»,
«nuestros pueblos», las que dan muestras de una «actitud» que junto con
develar intenta destacar su aporte. Una metodología que junto con constituirse
en un análisis de los pensadores del pasado, se asocia con una toma de conciencia de la propia realidad, marcada por la dependencia, por el mestizaje, por
la acumulación más que la asimilación de culturas.

Detrás de esta perspectiva se esconde una mirada encariñada y positiva
sobre las posibilidades de América Latina, que se debe aplaudir. Por lo que,
para Zea, la historia de las ideas se asocia también con una tarea que consiste
en desarrollar un programa filosófico-político-cultural que permita desarrollar
esta conciencia. Zea se apoya en el pensamiento de pensadores del Tercer
Mundo: Leopoldo Sedar Senghor, Kwame N'Krumah y Jawaharlal Nehru,
coincidentes en el tema de la conciencia de lo propio:

Tal es también, el programa que la historia de nuestras ideas ha hecho expreso. Un
programa, de desenajenación, de descolonización, que va implícito en la toma de
conciencia del cómo nuestros pueblos, los pueblos de esta América, han recibido y
asimilado las expresiones de otras culturas. La forma como estos pueblos, pese a todo,
han hecho suyos, adaptándolos a su ineludible personalidad, valores con los que se quiso
justificar dominaciones y dependencias. Toma de conciencia que nos ha ido permitiendo
hacer, de tales valores, expresiones de nuestra propia personalidad, ineludibles com-
plementos de ella. Esta historia nos ha hecho, igualmente conscientes, de nuestra
dimensión universal, de aquella que nos liga con el Hombre en sus diversas expresiones,

sin dejar, por ello, de ser hombres concretos, tan concretos como los hombres que han hecho y hacen posibles las múltiples expresiones de la cultura llamada universal (57).

Más que una cuestión metodológica, o una forma de aclarar sistemas de ideas, es sobre todo una toma de conciencia de la dependiente realidad latinoamericana, de lo propio, de la emancipación, del progreso y el desarrollo social. Un intento por explicar nuestro presente y el modo como llegamos a él: los caminos de nuestra historia. El interés por develar las circunstancias particulares se extiende a lo largo de toda su obra: «El no haber querido tomar conciencia de nuestra *situación* explica en parte por qué no hemos podido tener una filosofía propia» (58).

Esta preocupación lo llevará a identificar los países y culturas con las que tenemos aspectos comunes, para asegurar la existencia de una historia intelectual propia, con circunstancias históricas y sociales igualmente propias. Una vez más, la fuerza de la realidad, por sobre el método.

Conclusiones

Como se puede ver, la historia de las ideas, más que un paradigma teórico, se constituye en una declaración de intenciones y principios que intentan abarcar ciertos temas para aproximarse con nuevas energías a la historia, la cultura y la política del continente; un programa de busca entusiasmar y promover el estudio de una determinada realidad, la latinoamericana.

Un concepto lo suficientemente amplio como para que cualquiera puede desarrollar, desde su propia matriz epistemológica, perspectivas de análisis distintas que permitan explicar una sociedad humana compleja como la latinoamericana marcada por diferencias sociales extremas, por la risa, el placer y la estética del carnaval, por habitantes enamorados e ingenuos, por lo popular y lo señorial, por una amplia naturaleza. Pero también por dictaduras, represión policial, miedo, centralismo político, basura y poesía en las calles. Todo lo cual se expresa con códigos difíciles de captar desde la perspectiva del centro moderno.

En mi opinión, Roig, Ardao, Zea, recurren al concepto «historia de las ideas» para reemplazar el concepto «historia de la filosofía», el que parecía menos apropiado de ser aplicado en América Latina; incorporando además la literatura, el ensayo, las circunstancias histórico-sociales, así como el poder transformador de las ideas y de los intelectuales, en un afán por «nacionalizar» y «latinoamericanizar» los temas de estudio, relacionados muy directamente con la identidad. Este es su principal mérito: el haber ampliado el objeto de estudio y las perspectivas de análisis. Se trató, creo yo, de liberarse de la tradición académica para considerar con nueva fuerza el aporte del pensamiento latinoamericano.

Dentro de este aporte, nos parece que al menos dos críticas se pueden formular. En primer lugar, el tema de lo multidisciplinario, el que se mantuvo sólo entre las disciplinas afines a la filosofía y nunca consideraron, por ejemplo, el pensamiento económico-social de la CEPAL, que resulta ser el más importante a partir de los años 50, y que influyó en la ensayística de la época, en la política, como en la filosofía de la liberación, etc. Es decir, lo interdisciplinario todavía es una fórmula que busca la relación de la filosofía con la historia, con el ensayo, y sobre todo con la realidad social.

Más importante nos parece el tema de la «conciencia» en la que tanto insisten los autores analizados. No cabe duda que enfatizar en una perspectiva que contribuya a «tomar conciencia» de la realidad latinoamericana es la base para cualquier especulación intelectual, y en los mejores casos permitió la construcción de textos que develaron aspectos fundamentales de la identidad latinoamericana. Pero, esa misma perspectiva corre el riesgo de convertirse en una salida fácil que asemeje el discurso filosófico a la prédica, pues resulta muy difícil saber, qué significa exactamente, ni cómo medir la «toma de conciencia» de esa realidad.

Notas y referencias

1   Este trabajo constituye una ampliación de la ponencia presentada en el II Congreso Europeo de Latinoamericanistas celebrado en la Martin-Luther-Universität de Halle-Wittenberg; incrementada con una investigación realizada, durante septiembre de 1998, en el Ibero-Amerikanisches Institut de Berlín, gracias a una estadía financiada por el DAAD.

2   Isaiah Berlin (1983): *Contra la corriente,* México: F.C.E.

3   Isaiah Berlin (1983): *Conceptos y categorías. Un ensayo filosófico,* México: F.C.E, 232-233.

4   Arthur O. Lovejoy (1936): *The Great Chain of Being. A Study of the History of Idea,* Cambridge: Harvard University Press, citado por Juan Marichal (1978): *Cuatro fases de la historia intelectual latinoamericana,* Madrid: Cátedra, 21.

5   Crane Brinton (1966): *Las ideas y los hombres. Historia del pensamiento de Occidente,* Madrid: Aguilar.

6   Idem (1975): «Historia de las ideas», en *Enciclopedia internacional de ciencias sociales*, dirigida por David L. Sills, Madrid: Aguilar, 436-440.

7   Ibid., 436.

8   Ibid., 437.

9   José Ferrater Mora (1984): *Diccionario de Filosofía*, Madrid: Alianza. La primera edición fue publicada en La Habana en 1941 y la segunda en Santiago de Chile en 1944. Ferrater Mora posee una visión muy diferente a la propugnada más tarde por los autores latinoamericanos, motivada tal vez por la temprana fecha de publicación de su obra, en una época marcada por la mirada norteamericana.

10   Michel Foucault (1970): *La arqueología del saber*, México: Siglo XXI.

11   Norberto Bobbio (1989): *Perfil ideológico del siglo XX en Italia*, México: F.C.E.

12   José Gaos (1952): *En torno a la filosofía mexicana* (México), citado por Arturo Ardao (1987): «Historia de las ideas en América Latina», en Arturo Ardao: *La inteligencia latinoamericana*, Montevideo: Univ. de la República, 97 y ss.

13   Arturo Ardao (1987), op. cit., 98. En el Prólogo a esta obra, había señalado la misma prevalencia de lo filosófico: «Dentro del genérico movimiento continental de historia de las ideas [...] ha tenido particular significación el específico capítulo de historia de nuestras ideas filosóficas, es decir, de nuestra filosofía. Con ello se ha relacionado el pasaje a primer plano en las últimas décadas, del llamado americanismo filosófico, en la misma medida en que fueron declinando los prolongados debates sobre el americanismo literario primero y el americanismo artístico después» (ibid., 2).

14   Ibid., 99.

15   Ibid.

16   Francisco Romero (1953): «Colegio Libre de Estudios superiores. Veintidós años de labor» (Buenos Aires), citado por A. Ardao, op. cit., 100.

17   Ibid.

18   José Gaos (1955): «Seminario de Tesis», en *Anuario de filosofía Diánoia* (México), citado por Ardao, op. cit., 101.

19   José Gaos (1952): *En torno a la filosofía mexicana*, T.1, México: El Colegio de México, 17, citado por A. Ardao, op. cit., 114.

20   El tema es analizado por Ardao en el capítulo, «Convergencia historiográfica continental en la década del 40», op. cit., 104 y ss.

21   Los Congresos anteriores se habían realizado, en Port-au-Prince en 1944, y el segundo en Nueva York en 1947. Ardao entrega valiosos antecedentes en el capítulo «Elementos históricos y elementos teóricos», op. cit., 108 y 109.

22   A. Ardao (1987): «Historia de las ideas filosóficas en América Latina», en A. Ardao (1987): *La inteligencia latinoamericana*, Montevideo: Universidad de la República, 117.

23   Ibid.

24   Ibid.

25   Arturo Roig (1997): «Historia de las ideas», en *Antología del pensamiento latinoamericano* (Boletín de filosofía 9), Santiago de Chile: Universidad Blas Cañas, 11-33.

26   Arturo Roig: op. cit., 11.

27   Ibid., 12.

28   José Luis Romero es un caso especial de un historiador que va incorporando en sus investigaciones diversos temas relativos a mentalidades urbanas, situaciones ideológicas, cotidianidad, formas de pensamiento, movimientos políticos, etc. Todo lo cual lo

acerca propiamente a un historiador de las ideas. Sobre la obra de José Luis Romero recomiendo Rafael Gutiérrez Girardot (1982): «Sobre el problema de la definición de América. Notas sobre la obra de José Luis Romero»; y de Sergio Bagú (1982): «José Luis Romero: evocación y evaluación», ambos en Sergiu Bagú et al. (orgs.): *De historia e historiadores. Homenaje a José Luis Romero*, México: Siglo XXI. Véase además, José Luis Romero (1976): *Latinoamérica, las ciudades y las ideas*, México: Siglo XXI.

29   Horacio Cerutti Guldberg (1997): *Hacia una metodología de la historia de las ideas (filosóficas) en América Latina*, México: Centro Coordinador y Difusor de Estudios Latinoamericanos, 134-135.

30   Michel Foucault (1970): *La arqueología del saber*, México: Siglo XXI, 16.

31   Arturo Roig (1997): «Historia de las ideas», en *Antología del pensamiento latino-americano* (Boletín de filosofía 9), Santiago de Chile: Universidad Blas Cañas, 12.

32   Ver: A. Roig (1982): «Propuestas metodológicas para la lectura de un texto», en *Idis* 11 (Cuenca); idem (1984): «Narrativa y cotidianidad. La obra de Vladimir Propp a la luz de un cuento ecuatoriano», en *Cuadernos de Chasqui* 4 (Quito); idem (1985): «La radical historicidad de todo discurso», en *Cuadernos de Chasqui* 15 (Quito); idem (1982): *Andrés Bello y los orígenes de la semiótica en América Latina*, Quito: Universidad Católica.

33   A. Roig (1993): «La historia de las ideas», en idem: *Historia de las ideas, teoría del discurso y pensamiento latinoamericano*, Santa Fe de Bogotá: Universidad Santo Tomás, USTA, 21.

34   A. Roig (1997): «Historia de las ideas», en *Antología del pensamiento latinoamerica-no* (Boletín de filosofía 9), Santiago de Chile: Universidad Blas Cañas, 12.

35   Ambas citas corresponden a Leopoldo Zea (1955): *La filosofía en México*, T. 2, 190, citado por A. Roig, op. cit., 14.

36   Ibid., 13-14 (la cursiva es nuestra).

37   A. Roig (1993): «La historia de las ideas», en idem: *Historia de las ideas, teoría del discurso y pensamiento latinoamericano*, op. cit., 20.

38   A. Roig (1997): «Historia de las ideas», en *Antología del pensamiento latinoamerica-no*, op. cit., 14.

39   Ibid., 15.

40   Ibid.

41   Ibid.; recomiendo, desde el punto de vista latinoamericano la interpretación que hace Roig en «El análisis estilístico y la historia de las ideas. Las observaciones de Arturo Ardao a la tesis del 'antilogicismo' de Andrés Bello», en Manuel A. Claps (comp.) (1995): *Ensayos en homenaje al Doctor Arturo Ardao*, Montevideo: Universidad de la República, 167-175. Un trabajo muy clarificador sobre el origen del concepto, y particularmente, sobre el modo como fue recepcionado Lovejoy en América Latina.

42   Roig evita cualquier nacionalismo, y se esfuerza por establecer la diferencia entre éste y una filosofía nacional, tanto para cada país en particular, como para «la patria grande» latinoamericana.

43   A. Roig (1997): «Historia de las ideas», en *Antología del pensamiento latinoamerica-no*, op. cit., 21.

44   Ibid., 16.

45   Ibid., 17.

46   Ibid.

47 Roig menciona elogiosamente el libro de Miguel León Portilla (1956): *La filosofía náhuatl*, México: UNAM.
48 A. Roig (1997): «Historia de las ideas», en *Antología del pensamiento latinoamericano*, op. cit., 22.
49 Ibid., 23.
50 Leopoldo Zea (1943): *El positivismo en México*; idem (1944): *Apogeo y decadencia del positivismo en México*; idem (1949): *Dos etapas del pensamiento en Hispanoamérica*, el que más tarde pasaría a llamarse (1965): *El pensamiento latinoamericano*.
51 Entre las principales asociaciones fundadas por Zea, se deben mencionar: La Federación Internacional de Estudios sobre América Latina y el Caribe (FIEALC), la Sociedad Latinoamericana de Estudios sobre América Latina y el Caribe (SOLAR), el Centro Coordinador y Difusor de Estudios sobre América Latina y el Caribe (CC y DEL), el Programa Universitario de Estudios Latinoamericanos (PUDEL).
52 Charles Hale señala: «Lo que hace poco satisfactorio el trabajo de Zea como obra historiográfica, es la imposibilidad de separar al filósofo del historiador», Charles Hale (1970): «Sustancia y método en el pensamiento de Leopoldo Zea», en *Historia Mexicana* 12 (XX) (México: El Colegio de México). William D. Raat, por su lado, había escrito: «Se ha dicho que la filosofía de la historia es filosofía pobre y mala historia», William Raat (1970): «Ideas e Historia en México. Un ensayo sobre metodología», en *Anuario Latinoamericano* 3 (México: Imprenta Universitaria). Ambas citas en Leopoldo Zea (1975): «De la historia de las ideas a la filosofía de la historia latinoamericana», en Francisco Miró Quesada y Leopoldo Zea: *La historia de las ideas en América Latina*, Tunja: Universidad Pedagógica y Tecnológica de Colombia, 5-6.
53 L. Zea (1975): «De la historia de las ideas a la filosofía de la historia latinoamericana», en Francisco Miró Quesada y Leopoldo Zea: *La historia de las ideas en América Latina*, op. cit., 5-23.
54 Ibid., 10.
55 L. Zea (1978): *Filosofía de la historia americana*, México: F.C.E., 11.
56 L. Zea (1975): «De la historia de las ideas a la filosofía de la historia latinoamericana», op. cit., 10.
57 Ibid., 22.
58 L. Zea (1952): *La filosofía como compromiso y otros ensayos*, México: Tezontle, 7 (énfasis en el original).

Bibliografía

Ardao, Arturo (1987): *La inteligencia latinoamericana*, Montevideo: Universidad de la República.
Bagú, Sergio et al. (orgs.): *De historia e historiadores. Homenaje a José Luis Romero*, México: Siglo XXI.
Berlin, Isaiah (1983): *Conceptos y categorías. Un ensayo filosófico*, México: F.C.E.
---(1983): *Contra la corriente*, México: F.C.E.
Bobbio, Norberto (1989): *Perfil ideológico del siglo XX en Italia*, México: F.C.E.

Brinton, Crane (1966): *Las ideas y los hombres. Historia del pensamiento de Occidente*, Madrid: Aguilar.

---(1975): «Historia de las ideas», en *Enciclopedia internacional de ciencias sociales*, dirigida por David L. Sills, Madrid: Aguilar, 436-440.

Cerutti Guldberg, Horacio (1997): *Hacia una metodología de la Historia de las ideas (filosóficas) en América Latina*, México: Centro Coordinador y Difusor de Estudios Latinoamericanos.

Ferrater Mora, José (1984): *Diccionario de filosofía*, Madrid: Alianza.

Foucault, Michel (1970): *La arqueología del saber*, México: Siglo XXI.

Gaos, José (1952): *En torno a la filosofía mexicana*, México: El Colegio de México.

Lovejoy, Arthur O. (1936): *The Great Chain of Being. A Study of the History of Idea*, Cambridge: Harvard University Press.

Marichal, Juan (1978): *Cuatro fases de la historia intelectual latinoamericana*, Madrid: Cátedra.

Roig, Arturo (1982): *Andrés Bello y los orígenes de la semiótica en América Latina*, Quito: Universidad Católica, 7-91.

---(1982): «Propuestas metodológicas para la lectura de un texto», en *Idis* 11 (Cuenca), 131-138.

---(1984): «Narrativa y cotidianidad. La obra de Vladimir Propp a la luz de un cuento ecuatoriano», en *Cuadernos de Chasqui* 4 (Quito), 9-68.

---(1985): «La radical historicidad de todo discurso», en *Cuadernos de Chasqui* 15 (Quito), 4-8.

---(1993): «La historia de las ideas», en idem: *Historia de las ideas, teoría del discurso y pensamiento latinoamericano*, Santa Fe de Bogotá: Universidad Santo Tomás, USTA, 11-22.

---(1995): «El análisis estilístico y la historia de las ideas. Las observaciones de Arturo Ardao a la tesis del 'antilogicismo' de Andrés Bello», en Manuel A. Claps (comp.): *Ensayos en homenaje al Doctor Arturo Ardao*, Montevideo: Universidad de la República, 167-175.

---(1997): «Historia de las ideas», en *Antología del pensamiento latinoamericano* (Boletín de filosofía 9), Santiago de Chile: Universidad Blas Cañas, 11-33.

Zea, Leopoldo (1952): *La filosofía como compromiso y otros ensayos*, México: Tezontle.

Leopoldo Zea (1975): «De la historia de las ideas a la filosofía de la historia latino-americana», en Francisco Miro Quesada y Leopoldo Zea: *La historia de las ideas en América Latina*, Tunja: Universidad Pedagógica y Tecnológica de Colombia, 5-23.

---(1978): *Filosofía de la historia americana*, México: F.C.E.

Latinoamérica–Europa: ¿efectos de quiasma?
y problemas de perspectiva
Reflexiones sobre una historia intelectual intercultural

Susanne Klengel
Martin-Luther-Universität Halle-Wittenberg, Alemania

En las actas del Ministerio francés de Relaciones Exteriores se encuentra archivado en el año de 1946 el extracto de una carta de José de J. Núñez y Domínguez, representante diplomático de México en Bruselas, en la que expresa su vivo beneplácito ante el anuncio de la fundación de la revista *Courrier de Lettres Latines*. Si bien la historia efímera de esta revista hace parte de los fenómenos marginales del panorama de corta vida de las revistas en la Francia de postguerra y es de poca importancia para el desarrollo subsiguiente de esta exposición, las razones que da este diplomático y escritor para apoyar el proyecto son muy sugestivas:

> Me alegro vivamente del nacimiento del *Courrier des Lettres Latines*, porque seguramente contribuirá [...] a suscitar en el ámbito europeo una mejor comprensión del entendimiento internacional. Hasta el presente nosotros –los latinoamericanos– somos considerados un poco como «parientes pobres» que recibimos todo sin que nos sea permitido, por así decir, dar sea lo que fuere [...] se ha ignorado o conocido muy poco lo que producimos en el dominio de las letras o del arte en general. Si no hubiéramos tenido el noble esfuerzo de Georges Pillement y de otros traductores que han ayudado tan poderosamente a hacer conocer nuestra literatura en Francia, y esto con una perseverancia que no me canso de alabar, nuestra situación en el mundo intelectual pasaría completamente desapercibida [...] no hay que olvidar que si Europa continúa «ignorándonos», llegará un día en que América Latina, cansada de esta indiferencia, se separará de esta misma Europa para replegarse sobre sí misma, convirtiendo así el Atlántico en una barrera que la aislará espiritualmente del Viejo Mundo (1).

En efecto, se puede situar en esos años de postguerra el lento comienzo de una recepción internacional más amplia de la literatura latinoamericana contemporánea (cf. Molloy 1972). No sólo recibió Gabriela Mistral en el año de 1945 el premio Nobel de literatura, como primera entre los escritores y poetas latinoamericanos, y con ello uno de los galardones internacionales más importantes, sino que empezaron a ser cada vez más traducidos y publicados en editoriales prestigiosas autores hoy clásicos como Jorge Luis Borges, Alejo Carpentier, Pablo Neruda, Miguel Ángel Asturias y Gilberto Freyre. El que se despertara curiosidad entre redactores y editores franceses y estuvieran dispuestos a traducir y a publicar textos de lengua extranjera tiene, en aquel tiempo, varias razones: por una parte, se quería superar el aislamiento cultural e intelectual que había sufrido Francia durante los años de la ocupación; por otra, hay que tener en cuenta las experiencias de exilio que trajeron varios intelectuales franceses a su regreso a Francia, como por ejemplo Roger Caillois, que se destacaría como editor de la serie latinoamericana «La Croix du Sud», en la editorial Gallimard y por su actividad editorial en la serie de la Unesco «Les œuvres représentatives», entre las que se contaban también clásicos latinoamericanos.

No obstante, que en la definición de las relaciones intelectuales entre Latinoamérica y Europa no se trataba sólo del problema evidente de falta de conocimientos sobre la producción cultural de los países latinoamericanos, sino que más bien a un nivel más sutil era cuestión de su «reconocimiento», se puede ver en las discusiones que hasta hoy no han llegado a su término. Al contrario, los acalorados debates sobre el canon literario y su revisión, que desde hace algunos años se sostienen confirman la actualidad persistente del problema del reconocimiento (2).

Es cierto que a finales del siglo XX no queda ninguna duda de que las voces de los autores latinoamericanos ya hace tiempo se oyen en el espacio universal de la nueva literatura mundial, junto con las de numerosos colegas del Caribe, de los países africanos y asiáticos – como hace notar, por ejemplo, Carlos Fuentes en su *Geografía de la novela* (1993) y como lo ha vuelto a subrayar con su encuentro internacional de escritores sobre la «Nueva geografía de la novela», en marzo de 1998 en la ciudad de México. Sin embargo, parece que todavía no se ha equilibrado completamente la estructura precaria y desequilibrada que José de J. Núñez y Domínguez denunció en 1946, de modo que hace poco Néstor García Canclini volvió a subrayar una cierta perseverancia de los estereotipos en las relaciones asimétricas entre Europa y Latinoamérica: la actitud de Europa sigue siendo «discriminatoria» y la actitud de Latinoamérica «admirativa» (3). Aún cuando García Canclini se orienta más en sus reflexiones por las prácticas socioculturales de la vida diaria frente al desarrollo de los mercados internacionales, la vieja dicotomía que él replantea nos sirve para dirigir de nuevo la mirada a los problemas de la producción intelectual, a la que hoy él mismo pertenece como uno de los representantes más conocidos en el campo de las teorías culturales.

La amplia recepción internacional de los grandes escritores no nos puede hacer olvidar que la circulación de modelos y conceptos teóricos todavía se realiza en la mayoría de los casos en una sola dirección. Se inicia en los «centros» culturales de las naciones industriales del norte, mientras que con muy poca frecuencia se reciben y aplican conceptos teóricos o metódicos provenientes de la dirección contraria. Consciente de esta situación, el historiador Ruggiero Romano, por ejemplo, en el año de 1985 exigió con ahínco para el campo de la historia latinoamericana en el contexto europeo:

> Por otra parte, este problema de las posibles «devoluciones» me parece particularmente importante también para los estudios históricos *strictu sensu* [...] Quiero decir que entre las tareas que los americanistas europeos deben cumplir está también la de hacer conocer los resultados metodológicos de los trabajos de nuestros amigos americanos (4).

La complejidad general de estas relaciones interculturales de recepción e intercambio se puede ver claramente en un campo de investigación relativamente nuevo, que en la última década y media ha surgido ante todo en el espacio de la creciente unidad europea y que entretanto se ha convertido en un campo de trabajo muy prometedor y dinámico: las historias de las transferencias culturales entre los diferentes campos nacionales y culturales (en nuestro caso especialmente de la historia científica e intelectual). No se trata al respecto de realzar especialmente las tradiciones propias y los méritos nacionales específicos, sino de comprender la constitución de las tradiciones científicas como un proceso que no se detiene en los límites nacionales y culturales. Más bien son, en gran medida, la migración y la movilidad académica de los actores, las interferencias y los procesos de intercambio, la circulación de ideas, modelos y conceptos, que se han llevado a cabo entre los diferentes sistemas culturales, lo que se ha convertido en objeto de la investigación de las transferencias. A diferencia del concepto antiguo y estático de «investigación de influjos» se trata, en la investigación de transferencias, de contribuir a una historia comparativa de la cultura y la ciencia (cf. Espagne / Werner 1988).

También en este contexto aboga Pierre Bourdieu, a propósito de las relaciones franco-alemanas, por una historia comparada de la ciencia que tenga en cuenta adecuadamente los procesos mutuos de recepción. Como se sabe, tales procesos sólo raramente son esquemáticos y lineales. Pero, dice Bourdieu, las condiciones de las posibles nuevas interpretaciones y valoraciones, las frecuentes deformaciones y malos entendidos que sufren las ideas y teorías en el paso de un contexto nacional y cultural a otro no son, las más de las veces, tenidas en cuenta debidamente y son poco investigadas. Para llegar a una mejor comunicación entre los diferentes «campos» nacionales intelectuales y científicos se requiere, por eso, una mutua dilucidación e interpretación del surgimiento de las correspondientes categorías conceptuales y de la historia de su aplicación. Con una figura retórica describe finalmente Bourdieu las complicadas relaciones de intercambio como «efectos de quiasma» que se han podido evidenciar en la historia intelectual franco-alemana (Bourdieu 1990: 10) y que –continuando ese pensamiento– se pueden investigar también en otras constelaciones interculturales al respecto de una historia comparada de las ciencias en el campo europeo.

En este punto podemos volver a la dilucidación del problema de la historia intelectual en el espacio europeo-latinoamericano. En las relaciones intelectuales difícilmente se puede hablar hasta hoy de un «efecto de quiasma», ya que éste refiere a relaciones de intercambio relativamente simétricas entre dos campos culturales/intelectuales autónomos, aún cuando se presentaran en el proceso de recepción deformaciones e incomprensiones. Carlos Altamirano y Beatriz Sarlo han anticipado ya en 1983, en su estudio sobre las relaciones entre literatura y sociedad en el que discuten la teoría y los conceptos del campo literario e intelectual de Pierre Bourdieu, dónde están las dificultades de la transferencia de este modelo a las sociedades latinoamericanas: estos campos interculturales han estado ya siempre históricamente acoplados a una relación intercultural pero desequilibrada y asimétrica, pues –como en el caso argentino–, es ostensible que un sector decisivo de su sistema de referencias está radicado en centros externos que tienen el papel de metrópolis o polos culturales, (Altamirano / Sarlo 1983: 86). Cuando se tiene presente el espacio geográfico aludido, se hace visible la jerarquización de las relaciones interculturales.

Llama la atención que desde los años 80 en las discusiones teóricas, que además del boom de los «estudios culturales» también han incluido el boom de los «estudios postcoloniales», se utilizan más frecuentemente conceptos espaciales y geográficos. Expresiones como «geografías imaginarias», «cartografías mentales», «mapeado de cultura», «localizaciones», «territorialización» y «desterritorialización», «límites» y «zonas fronterizas» determinan la discusión de las ciencias sociales y culturales e indican –como pronostica Doris Bachmann-Medick, investigadora literaria y cultural– un nuevo centro de gravedad en la ciencia cultural, después del dominio del paradigma de la representación: «localización cultural (*location of culture*) y (nuevo) mapeado cultural (*cultural mapping*) parecen ser ahora las ideas dominantes» (5). La citada *Geografía de la novela* de Carlos Fuentes es un buen ejemplo de reflexión sobre un espacio cultural global. Al final de su exposición sobre la nueva literatura mundial dice en ella: «La literatura nos vuelve [...] excéntricos a todos. Vivimos en el círculo de Pascal, donde la circunferencia está en todas partes, y el centro en ninguna. Pero si todos somos excéntricos, entonces todos somos centrales» (Fuentes 1993: 173). No obstante, si bien estas nuevas localizaciones culturales en el campo de la literatura son, en efecto, cada vez más evidentes y ya han llevado a revisiones de canon y a reordenaciones, no se las puede generalizar con respecto a la producción teórica en el campo intelectual global. Las preguntas sintomáticas de la teoría postcolonial «¿quién habla y desde qué lugar?», «¿sobre quién y sobre qué objeto?», «¿a la base de qué autoridad?», «¿quiénes son los oyentes y receptores?» marcan una diferencia fáctica y sobre todo simbólica que, a falta de otra mejor terminología, se puede expresar con la pareja de conceptos «centro» y «periferia». El punto o la perspectiva desde la que se habla representa un aspecto constitutivo de la determinación del espacio intercultural y del campo intelectual. Incluso parece que la fuerza normativa de la perspectiva establece la jerarquía en las relaciones interculturales entre «centro y periferia», en el campo de la producción teórica.

Las siguientes reflexiones son, por eso, el intento de examinar más precisamente la cuestión de la perspectiva. No están dirigidas ni al campo bien investigado de la «perspectiva del relato», en textos literarios y fictivos, ni tampoco a un «ángulo visual» o «point of view» puramente metódico en textos teóricos. Se trata más bien de un examen de las relaciones intelectuales interculturales en su dimensión espacial concreta y de la cuestión de qué manera tiene efecto esa espacialidad sobre los conceptos y las construcciones culturales. El intento es aguzar la vista para hacer conscientes los distintos horizontes, los campos visuales que se diferencian esencialmente de los propios horizontes «acostumbrados». Un buen ejemplo para esto es la anotación autobiográfica de Fernand Braudel del año 1972 acerca del nacimiento de su obra principal *La Méditerranée et le monde méditerranéen à l'époque de Philippe II*, en la que recuerda su larga estadía en Argelia:

Creo que este espectáculo del Mediterráneo visto desde la costa opuesta, al revés, tuvo un impacto considerable en mi visión de la historia. Pero el cambio de mi punto de vista fue lento (6).

En el marco de mis propios trabajos, la «perspectiva» de mi proyecto ha suscitado una cierta extrañeza (7) debido a que trata la cuestión de la participación de los intelectuales latinoamericanos en el discurso cultural de la Francia de postguerra y a nivel universal. Además investiga las condiciones en las que en instituciones internacionales importantes las voces provenientes de regiones geográficas «lejanas» no sólo han sido oídas y recibidas en relación con sus propias culturas sino también en relación con temas universales que hasta entonces sólo habían sido pensados y tratados desde Europa. El uso del par de conceptos «centro-periferia», en el sentido de una dicotomía, tiene que ver, como ya se ha dicho, con ideas espaciales jerárquicas que precisamente en la época del pensamiento postcolonial de los dos últimos decenios están siendo puestas en duda cada vez con más fuerza. Pero hay que tener en cuenta que precisamente en la época del comienzo del discurso postcolonial tales dicotomías del «aquí» y el «allá» fueron en un principio aprovechadas e impulsadas –por ejemplo, en *Orientalism* de Edward Said (1978) o aún antes en el debate desencadenado por Roberto Fernández Retamar sobre *Calibán,* como símbolo del «tercer mundo» colonizado. Durante los años 80 se puede observar, sin embargo, una clara tendencia a la disolución del esquema dicotómico en favor de los conceptos de entrelazamiento e hibridación como se condensan, por ejemplo, en las reflexiones de Homi Bhabha sobre «espacios intermedios» (*in-between-spaces*) culturales, un «tercer espacio» o en las investigaciones sobre actividades culturales fronterizas en las «zonas limítrofes» (*borderlands*) (como en la obra *Culturas híbridas* de Néstor García Canclini).

Para seguir tratando el fenómeno de la perspectiva en el espacio cultural concreto y simbólico, en las siguientes reflexiones provisionales tomaremos otro camino que nos permite regresar a los años 20 y a un círculo erudito orientado hacia la teoría cultural: el círculo de Aby Warburg, su «Kulturwissenschaftliche Bibliothek» y la recién fundada Universidad de Hamburgo donde trabajaba el historiador del arte Erwin Panofsky.

Erwin Panofsky había salido de Alemania en 1933 por razones de su ascendencia judía. Había encontrado finalmente refugio académico en los Estados Unidos, en la Universidad de Princeton. Su artículo «La perspectiva como forma simbólica» inspirado en los escritos filosóficos de su colega de

Hamburgo, Ernst Cassirer (*La filosofía de las formas simbólicas*), había sido inicialmente una conferencia dictada en 1924. Fue luego publicado en 1927 y es uno de los textos que hoy constituyen un hito en la teoría de la perspectiva (8). No obstante, en el ámbito de la teoría literaria y de la historiografía tanto Panofsky como Cassirer han sido hasta ahora poco tenidos en cuenta en la recepción. Sólo en los últimos años se ha vuelto a descubrir y a ver con nuevos ojos en el marco de las discusiones sobre teoría de la cultura a Cassirer. De la misma manera, más allá del estrecho marco de la historia del arte, se ha iniciado una recepción más fuertemente interdisciplinaria del artículo de Erwin Panofsky (p.ej. Kemp 1995; Kugler 1994).

Panofsky analiza en su texto el surgimiento o la «invención» de la construcción de la imagen desde el punto de vista de la perspectiva central en el arte del Renacimiento. Pero no la analiza sólo como un problema de la teoría del arte, sino la integra en una disertación sobre principios generales de la percepción intelectual que refieren mucho más allá del desarrollo de la propia historia del arte y proporcionan con ello el punto de partida para una recepción interdisciplinaria de sus reflexiones. Para Panofsky se trata, más allá de la técnica de la presentación gráfica, de las ideas generales sobre el espacio y de los posibles efectos retroactivos sobre las concepciones específicas del mundo. La «correcta» presentación perspectivística sistemática (9), «descubierta» (en el sentido de «construida») según puntos de vista matemático-geométricos por los artistas y teóricos de aquella época, expresa, al mismo tiempo, la prevalencia de la concepción del mundo de la era moderna. Porque además del punto fijo teocéntrico hay ahora también una posición empírica, el punto de vista en el que confluyen todas las líneas de visión y de acuerdo al cual se organiza el espacio de la imagen de perspectiva central como unidad y en su infinitud. Según Panofsky con ello

> [...] logró el Renacimiento racionalizar completamente de modo matemático también la imagen del espacio ya unificada anteriormente desde el punto de vista estético [...]. Con ello llegó a su fin provisional el gran desarrollo que va desde el espacio agregado hasta el espacio sistemático. Y a la vez, este logro de la perspectiva no es otra cosa que una expresión concreta de lo que, al mismo tiempo, se había logrado en la teoría del conocimiento y la filosofía natural [...] (10).

La perspectiva no es comprendida por Panofsky como algo sustancial o esencial sino como una «construcción», o sea, también la perspectiva central es sólo una de las posibles concepciones del espacio que además depende del

punto de vista del correspondiente observador. La acentuación de esta relatividad es uno de los aspectos centrales del estudio de Panofsky y el más importante dentro del ámbito de nuestra reflexión. Pues precisamente la «exactitud»
racionalista y con ello la «autoridad» que exige la perspectiva central ha dado
lugar, como es lógico, siempre de nuevo al análisis de las estructuras de poder
de la época moderna, como en el caso de la «perspectiva de dominación» que
en la historia de la arquitectura se muestra en muchos ejemplos (11). Según
Panofsky, sin embargo, el problema de la perspectiva se basa en un fenómeno
de doble filo que precisamente tiene una especial importancia en el fenómeno
de la perspectiva central: es tanto racional y generalizable como también
subjetiva e individual, ya que depende del punto de vista libremente elegible.
Así que la perspectiva tiene, al mismo tiempo, un lado relativo y un lado
normativo, en palabras de Panofsky:

> Así que se puede entender la historia de la perspectiva con el mismo derecho como un
> triunfo del sentido de la realidad, distanciante y objetivante, y como triunfo del afán
> humano de poder, que niega la distancia; lo mismo como consolidación y sistematización
> del mundo exterior que como ampliación de la esfera del yo. Por eso, el pensamiento
> artístico se enfrentó siempre al problema de preguntarse en qué sentido debía utilizar ese
> método ambivalente (12).

Panofsky concibe la perspectiva como «forma simbólica» refiriéndose a Ernst
Cassirer. Esto la convierte en una forma de pensamiento y de intuición que,
por una parte, está históricamente condicionada y, por otra, se puede retrotraer
a premisas generalizables de teoría del conocimiento. Ernst Cassirer había
publicado entre 1923 y 1929 su obra en tres tomos *Filosofía de las formas
simbólicas*, pero la siguiente definición de la «forma simbólica» a la que
Panofsky se refiere al transferirla a la historia del arte, proviene del artículo
publicado en 1921/22 «El concepto de la forma simbólica en la construcción
de las ciencias del espíritu»:

> Bajo «forma simbólica» debe entenderse toda energía mental a través de la cual un
> contenido significativo intelectual se liga a un signo sensual concreto hasta convertirse en
> uno con él (13).

Por de pronto, se podría traducir «formas simbólicas» –para señalar una
tradición de pensamiento de Cassirer– con el concepto de Goethe, como
«formas fundamentales de la comprensión del mundo» (cf. Naumann 1998:
163) (14). Según Cassirer, como formas simbólicas se yuxtaponen con igual-

dad de derechos: lenguaje, mito, arte, religión, ciencia, derecho, técnica. En cuanto formas simbólicas representan objetivaciones de la mente humana activa que transforma el material de la intuición sensual en un contenido significativo mental sin perder este aspecto sensual concreto. El propósito de Panofsky era incluir en la serie de esas formas simbólicas también el fenómeno de la perspectiva.

La filosofía de las formas simbólicas de Cassirer se lee a menudo hoy –y en esto consiste su creciente actualidad– como una filosofía de la pluralidad de accesos al mundo. Si hoy el interés por Cassirer se dirige ante todo a su intento de pasar de la filosofía del conocimiento a una filosofía de la cultura que vincula la teoría del conocimiento con su «a priori» a la historicidad de los fenómenos, esta coordinación con la filosofía de la cultura ha de aplicarse como hipótesis en nuestro contexto también al fenómeno de la perspectiva. Para nuestras reflexiones al respecto de una historia intelectual intercultural entre «aquí» y «allá», entre Europa y Latinoamérica o al revés, entre Latinoamérica y Europa, es un punto de partida muy prometedor ante todo el doble aspecto de poder, normatividad y relatividad que Panofsky menciona en su exposición. Al respecto se pueden formular las siguientes preguntas y reflexiones: ¿se puede escribir, dentro del marco de una teoría de la perspectiva como «forma simbólica», también una historia de la perspectivación de un espacio intelectual y cultural necesariamente diferente del de la historia europea occidental que constituyó la base de Panofsky? En una tal consideración, las concepciones espaciales concretas serían una condición para poder precisar adecuadamente las formas plurales del acceso al mundo. Las formas simbólicas implican distanciamiento. Para Cassirer, entre las formas simbólicas es, en especial, el lenguaje lo que se inserta como medio entre el ser humano y la realidad y, con ello, al mismo tiempo crea distancia y proporciona acceso (cf. Zill 1998: 91). De modo análogo, para Panofsky es la perspectiva lo que establece distancia entre el ser humano y las cosas y, al mismo tiempo, la suprime, ya que ella «en cierta manera le mete al ser humano en el ojo el mundo de las cosas existente por sí mismo, que tiene al frente» (Panofsky 1964: 123). Precisamente el doble momento de distanciamiento objetivante y relatividad de la posición parece muy sugestivo en nuestro contexto. La concepción de la perspectiva como «forma simbólica», en el espacio transatlántico, es decir, en un espacio notablemente más grande que el espacio europeo que implícitamente le servía de base a Panofsky, exigiría una revisión histórica de la historia de la perspectiva. Con ello quizás se desharía el orden espacial jerárquico, se superaría la dicotomía «centro y periferia» y se podría al mismo tiempo evitar el «perspectivismo», ligado a la carga ideológica de la posición. Con respecto a las teorías postcoloniales, las reflexiones de Panofsky sobre la perspectiva como forma simbólica, o sea, como construcción cultural con un aspecto a la vez relativizante y normativo, podrían contribuir a ampliar los conceptos de espacio de esas teorías y a concebir el espacio concreto como «espacio multifocal» y, con ello, a intentar dar un mayor apoyo epistemológico a los conceptos de entrelazamiento (E. Said) o de «espacios intermedios» (*in-between-spaces*) (H. Bhabha).

En esta dirección parece moverse también Edward Said en su obra *Culture and Imperialism*. Con ayuda del concepto de «contrapunto» que ya no sólo significa oposición y resistencia, sino es una construcción más compleja de diferencia y complementaridad, que refiere a la pluralidad de los accesos al mundo, intenta él disolver las polarizaciones dicotómicas. En el campo de la literatura de las antiguas colonias, por ejemplo, «narraciones locales de esclavos, autobiografías espirituales y memorias de presidiarios hacen *contrapunto* a las historias monumentales de los poderes del Occidente, a sus discursos oficiales y a su perspectiva *panóptica, quasi-científica*» (15).

Las reflexiones de Panofsky sobre la perspectiva podrían contribuir a comprender más exactamente y a concebir de modo nuevo el campo intercultural de la historia intelectual con sus estructuras simbólicas, más allá de la jerarquía del «aquí» y «allá». Esto significaría, ante todo, tener en cuenta los resultados de la recepción en ambos lados y sus condiciones socio-culturales para apreciar en lo justo los posibles «efectos de quiasma» y otros procesos de intercambio en una historia intelectual intercultural entre Latinoamérica y Europa.

Traducción: Rosa Elena Santos-Ihlau y Eugenia Erazo

Notas y referencias

1   «Je me réjouis bien vivement de la naissance du *Courrier des Lettres Latines,* car il
      contribuera certainement [...] à provoquer dans les milieux européens une meilleure
      compréhension de l'entendement international. Jusqu'à présent, nous – les latino-
      américains – étions un peu considérés comme 'parents pauvres' qui recevions tout
      sans qu'il nous soit permis, pour ainsi dire, de donner quoi que ce soit. [...] on ignorait
      ou connaissait très peu ce que nous produisions dans le domaine des lettres ou de l'art
      en général. Si nous n'avions pas eu le noble effort de Georges Pillement et autres
      traducteurs, qui ont si puissament aidé à faire connaître notre littérature en France, et
      ce avec une persévérance que je ne me lasse pas de louer, notre situation dans le
      monde intellectuel passerait complètement inaperçue. [...] il ne faut pas oublier que si
      l'Europe continue à 'nous ignorer', il arrivera un jour où l'Amérique Latine, fatiguée
      de cette indifférence, se détachera de cette même Europe pour se replier su elle-même,
      convertissant ainsi l'Atlantique en une barrière qui l'isolera spirituellement du Vieux
      Monde». «Extrait de la Lettre de M. José de J. Núñez y Domínguez», de una carta (sin
      fecha, probablemente del año 1946) al editor Henri Radiguet, quien presentó el
      extracto el 10 de agosto de 1946 ante el Ministerio francés de Relaciones exteriores,
      con el fin de obtener el apoyo del Ministerio para la publicación de la revista y la
      asignación de papel. Fuente: Archives du Ministère des Affaires Etrangères (Quai
      d'Orsay), Série B Amériques 1944-1952, Généralités, Vol. 100, f. 0021.
2   Cf. en Balderston, por ejemplo, la crítica a *The Western Canon. The Books and School
      of the Ages* (1994) de Harold Bloom, quien se opone a la apertura del canon literario
      que pregona la teoría cultural.
3   En su conferencia sobre «América Latina entre Estados Unidos y Europa: mercado e
      interculturalidad», pronunciada en el II Congreso Europeo de Latinoamericanistas
      (CEISAL) en Halle, Alemania, el 5 de septiembre de 1998.
4   «Par ailleurs, ce problème des 'retours' possibles me semble particulièrement impor-
      tant aussi pour les études historiques *strictu sensu* [...] Je veux dire que parmi les
      tâches que les américanistes européens doivent accomplir, il y a aussi celle de faire
      connaître les résultats méthodologiques des travaux de nos amis américains» (Romano
      1987: 39). En el mismo sentido presenta diez años más tarde sus recomendaciones
      metódicas, independientemente de dónde proceden los métodos: «[...] he recomendado
      los trabajos de Finley sobre la esclavitud en el mundo clásico o *La Méditerranée* de
      Fernand Braudel a unos suramericanos [...] no para ofrecerles un 'modelo' que copiar,
      sino una fuente de meditación sobre el modelo local que debían construir. Natural-
      mente, hay una correspondencia: así, propongo la lectura de los trabajos de Luis
      González y González sobre la microhistoria a jóvenes europeos que se interesan en
      problemas semejantes o aconsejo el estudio de la obra maestra, desconocida en
      Europa, que es la *Radiografía de la pampa* de Martínez Estrada a todos los que se
      interesan en el estudio de las grandes extensiones semivacías» (Romano 1996: 149-
      50).
5   «Kulturelle Verortung (*location of culture*) und kulturelle (Neu-)Kartierung (*cultural
      mapping*) scheinen zu Leitvorstellungen zu werden» (Bachmann-Medick 1996: 61).

6   «I believe that this spectacle, the Mediterranean as seen from the opposite shore, upside down, had considerable impact on my vision of history. But the change of my viewpoint was slow» (Braudel 1972: 450). Después de la estadía en Argelia, vendrían nuevas experiencias «excéntricas» durante los años que pasó en la Universidad de São Paulo, que tuvieron gran importancia para su recorrido intelectual (cf. p. ej. Gemelli 1995 y Aguirre 1994).

7   Se trata de mi proyecto de investigación sobre la historia intelectual franco-latino-americana en los años que siguieron inmediatamente a la Segunda Guerra Mundial, que estoy preparando como trabajo para la Habilitación, en la Martin-Luther-Universität en Halle (cf. también Klengel 1994).

8   Cf. al respecto la discusión, apreciativa pero crítica, sobre el texto de Panofsky de Damisch 1993: 23-63.

9   A diferencia de la perspectiva curvilínea, de base subjetiva y psico-fisiológica (cf. Panofsky 1964: 122).

10   «[... war es] der Renaissance gelungen, das ästhetisch schon früher vereinheitlichte Raumbild auch mathematisch völlig zu rationalisieren [...] Damit hat die große Entwicklung vom Aggregatraum zum Systemraum ihren vorläufigen Abschluß gefunden; und wiederum ist diese perspektivische Errungenschaft nichts anderes, als ein konkreter Ausdruck dessen, was gleichzeitig von erkenntnistheoretischer und naturphilosophischer Seite her geleistet worden war [...]» (Panofsky 1964: 122).

11   Cf. p. ej. Hénaff 1996. En este contexto es también un buen ejemplo el estudio *Imperial Eyes* de Mary Louise Pratt, que muestra cómo bajo la mirada de los viajeros (investigadores) europeos, en los siglos pasados fue producido y encajado en relaciones jerárquicas como espacio geográfico y cultural «el resto del mundo» (Pratt 1992: 5).

12   «So läßt sich die Geschichte der Perspektive mit gleichem Recht als ein Triumph des distanzierenden und objektivierenden Wirklichkeitssinns, und als Triumph des distanzverneinenden menschlichen Machtstrebens, ebensowohl als Befestigung und Systematisierung der Außenwelt, wie als Erweiterung der Ichsphäre begreifen; sie mußte daher das künstlerische Denken immer wieder vor das Problem stellen, in welchem Sinne diese ambivalente Methode benutzt werden sollte» (Panofsky 1964: 123).

13   «Unter einer 'symbolischen Form' soll jede Energie des Geistes verstanden werden, durch welche ein geistiger Bedeutungsgehalt an ein konkretes sinnliches Zeichen geknüpft und diesem Zeichen innerlich zugeeignet wird» (Cassirer 1969: 175).

14   Contra la tesis de un concepto de cultura tendencialmente relativista que podría derivarse del pensamiento de Cassirer, el artículo de Rüdiger Zill, que interpreta la teoría del conocimiento de Cassirer como una amplia teoría civilizatoria en el sentido humanístico (Zill 1998).

15   «Local slave narratives, spiritual autobiographies, prison memoirs form a counterpoint to the Western powers' monumental histories, official discourses and *panoptic, quasi-scientific* viewpoint» (Said 1994: 260, cursivas de S.K.).

Bibliografía

Aguirre Rojas, Carlos Antonio (1994): «Fernand Braudel, América Latina y Brasil. Un capítulo poco conocido de su biografía intelectual», en *Eslabones* 7 (México), 32-47.

Altamirano, Carlos / Sarlo, Beatriz (1983): *Literatura / Sociedad,* Buenos Aires: Librería Hachette.

Bachmann-Medick, Doris (1996): «Texte zwischen den Kulturen: ein Ausflug in postkoloniale Landkarten», en Böhme, Hartmut / Scherpe, Klaus R. (eds.): *Literatur und Kulturwissenschaften: Positionen, Theorien, Modelle,* Reinbek: Rowohlt, 60-77.

Balderston, Daniel (1997): «Borges: El escritor argentino y la tradición (occidental)», en *Cuadernos Americanos. Nueva Epoca* 4 (64) (México), 167-178.

Bhabha, Homi (1994): *The Location of Culture,* London: Routledge.

Bourdieu, Pierre (1990): «Les conditions sociales de la circulation internationale des idées», en *Romanistische Zeitschrift für Literaturgeschichte* 1-2 (Heidelberg), 1-10.

Braudel, Fernand (1972): «Personal Testimony», en *Journal of Modern History* 44 (4) (Chicago), 448-467.

Cassirer, Ernst (1969): «Der Begriff der symbolischen Form im Aufbau der Geisteswissenschaften» [1921-1922], en idem: *Wesen und Wirkung des Symbolbegriffs,* Darmstadt: Wissenschaftliche Buchgesellschaft, 169-200.

Damisch, Hubert (1993): *L'origine de la perspective,* éd. revue et corrigée, Paris: Flammarion.

Espagne, Michel / Werner, Michael (eds.) (1988): *Transferts. Les relations interculturelles dans l'espace franco-allemand (XVIIIe-XIXe siècle),* Paris: Editions de la Recherche sur les Civilisations.

Fuentes, Carlos (1993): *Geografía de la novela,* México: Fondo de Cultura Económica.

García Canclini, Nestor (1990): *Culturas híbridas. Estrategias para entrar y salir de la modernidad,* México: Grijalbo.

Gemelli, Giuliana (1995): *Fernand Braudel,* Paris: Odile Jacob.

Hénaff, Marcel (1996): «The Stage of power», en *SubStance* 80 (Madison), 7-29.

Kemp, Martin (1995): «Relativity not Relativism: Some Thoughts on the Histories of Science and Art, having reread Panofsky», en Lavin, Irving (ed.): *Meaning in the Visual Arts: Views from the Outside. A Centennial Commemoration of Erwin Panofsky (1892-1968),* Princeton: Institute for Advanced Studies, 225-236.

Klengel, Susanne (1994): «Zwischen Latinitätsdiskurs und Avantgarde: lateinamerikanische Intellektuelle in den französischen Zeitschriften um 1945», en Schönberger, Axel / Zimmermann, Klaus (eds.): *De orbis Hispani linguis littteris historia moribus. Festschrift für Dietrich Briesemeister zum 60. Geburtstag,* Frankfurt: Domus Editoria Europaea, 1545-1565.

Kugler, Hartmut (1994): «Perspektive als symbolische Form in der mittelalterlichen Dichtung. Panofsky und die germanistische Mediävistik», en Reudenbach, Bruno (ed.): *Erwin Panofsky: Beiträge des Symposions Hamburg 1992,* Berlin: Akademie Verlag, 201-211.

Molloy, Silvia (1972): *La diffusion de la littérature hispano-américaine en France au XXe siècle,* Paris: Presses Universitaires de France.

Naumann, Barbara (1996): «Kulturen des symbolischen Denkens: Literatur und Philosophie bei Ernst Cassirer», en Böhme, Hartmuth / Scherpe, Klaus R. (eds.): *Literatur
und Kulturwissenschaften. Positionen, Theorien, Modelle,* Reinbek: Rowohlt 1996,
161-186.

Panofsky, Erwin (1964): «Die Perspektive als 'symbolische Form'», en idem: *Aufsätze zu
Grundfragen der Kunstwissenschaft,* Hariolf Oberer y Egon Verheyen (eds.), Berlin:
Bruno Hessling, 99-167.

Pratt, Mary Louise (1992): *Imperial Eyes. Travel Writing and Transculturation,* London /
New York: Routledge.

Romano, Ruggiero (1987): «Quelques considerations sur l'américanisme européen. A
propos du Septième Congrès de l'AHILA, Florence, 15-18 mai 1985», en *Jahrbuch
für Geschichte von Staat, Wirtschaft und Gesellschaft Lateinamerikas* 24 (Köln), 31-
39.

---(1996): «Historia cuantitativa, historia económica e historia: algunas consideraciones
sobre la historiografía francesa de hoy», en Gortari, Hira de / Zermeño, Guillermo
(eds.): *Historiografía francesa. Corrientes temáticas y metodológicas recientes,*
México: Centro Francés de Estudios Mexicanos y Centroamericanos, Instituto Mora,
Universidad Iberoamericana, 145-157.

Said, Edward (1994): *Culture and Imperialism,* London: Vintage.

Zill, Rüdiger (1998): «Brechungen des Seins. Die Philosophie der symbolischen Formen
als Theorie der Zivilisation», en *Philosophie – Ethik* (Zeitschrift für Didaktik der
Philosophie und Ethik) 2 (Hannover), 88-94.

Mariátegui entre la modernidad y la tradición: para una lectura hermenéutica de su discurso

Hugo Cancino Troncoso
Odense Universitet, Dinamarca

Introducción

En la perspectiva de interpretar y comprender el discurso de José Carlos Mariátegui acerca del proyecto de la Modernidad en el Perú en la década de los veinte y su conceptualización del rol de la tradición en el curso a la Modernidad, es que reemprendemos una relectura de sus escritos (1). Relectura, que hacemos hoy día insertos en un nuevo horizonte histórico, en un nuevo escenario de fin de siglo, en que las utopías de Mariátegui y también las nuestras, los paradigmas teóricos y metodológicos y las grandes ideologías gestadas en las matrices de la Ilustración, es decir de la Modernidad, parecieran desvanecerse barridas por el vendaval de la post-modernidad. La obra del pensador peruano se desplegó en una pluralidad de géneros que abarcaron principalmente el ensayo politológico, la crítica literaria y el periodismo.

En este ámbito como en otros su obra se entronca con la tradición de los intelectuales liberales latinoamericanos de mediados del siglo XIX. Con ellos compartió Mariátegui la actitud de conjugar con consecuencia el discurso con la acción política. No es nuestro propósito realizar un balance de los estudios mariateguianos, pero debemos consignar, que el análisis y discusión de sus escritos se ha constituido en un campo de estudio dentro del ámbito latino-americanista, que se manifiesta en la celebración de congresos y simposios, elaboración de tesis y publicaciones (2). Existe ya un amplio consenso sobre el marxismo «crítico» abierto y disponible a otras corrientes de ideas, que Mariátegui cultivó, profundizó y desarrolló (3) en un tiempo histórico, en que este discurso era oficialmente canonizado como «marxismo-leninismo» (4).

A este respecto, la comparación y paralelo de su discurso con aquel de Antonio Gramsci, no parece más que convincente (5). No es nuestro objeto rediscutir la ortodoxia o heterodoxia de Mariátegui, quién se declaró sin ambages «marxista, convicto y confeso» (6), pero sí destacar el carácter abierto e inacabado de su producción intelectual (7), que rehuye la sistematización, y a la vez su crítica a las pretensiones objetivistas de la ciencia histórica que se configuró como tal en la matriz del discurso positivista. Su juicio sobre éste fue lapidario:

> Me parece deleznable, artificial y ridícula la tesis de la objetividad de los historiadores, sino porque considero evidente el lirismo de todas las geniales reconstrucciones históricas [...] La historia en gran proporción es puro subjetivismo [...] Los sedicentes historiadores objetivos no sirven sino para pacientemente, expurgar sus amarillos folios e infolios (8).

Máriategui planteaba casi intuitivamente una de las problemáticas axiales de la epistemología de las ciencias humanas conceptualizadas por la hermenéutica, que establece que en el proceso cognoscitivo el sujeto que conoce se funde con su objeto humano y que el sujeto cognoscente no es una «tabula rasa», incontaminado de la tradición de las pasiones y de los pre-juicios, de los valores y de la actitudes de su época. Mariátegui reconoció esta condición inevitable e insuperable de todo acto de lectura y de conocimiento: «declaro sin escrúpulos, que traigo a la exégesis literaria todas mis pasiones e ideas políticas» (9).

Esta relación entre el horizonte de su existencia personal y su discurso, quedó dramáticamente expresado por Mariátegui en el texto introductorio de los *7 ensayos de la realidad peruana*, donde expresa, citando a Nietzsche (10): «mi pensamiento y mi vida constituyen una sóla cosa, un único proceso. Y si algún mérito espero y reclamo que me sea reconocido es el de –también conforme a un principio de Nietzsche– meter toda mi sangre en mis ideas» (11). Mariátegui leyó e interpretó, la historia de su tiempo y la compleja realidad étnica y cultural del Perú, a partir de su horizonte comprensivo, sus ideas, valores y tradiciones y también por cierto de sus pre-juicios. Sin proponérselo o formalizarlo en algún enunciado, Mariátegui asumió en su actividad intelectual y en su práctica una actitud hermenéutica. Y es precisamente en éste ámbito que nos hemos reencontrado con Mariátegui y con las propuestas de la hermenéutica, disciplina que insurge en la Reforma protestante, como técnica de exégesis bíblica y que en el Romanticismo, principalmente con Schleiermacher va a ir definiendo sus reglas de interpretación, de las cuales el círculo hermenéutico pasara a ser el eje de articulación de su canon de interpretación de textos literarios e históricos (12).

Está lejos del alcance de esta ponencia presentar o discutir los diferentes cánones de interpretación y de comprensión de textos que se han propuesto en el campo hermenéutico, pero sí establecer algunos de los principales enunciados de la filosofía hermenéutica de Hans-Georg Gadamer (13), que ha sido el referente teórico-metodológico de nuestra lectura de José Carlos Mariátegui: a) El lector o intérprete pertenece a su objeto (14). El objeto de estudio, un texto o una fuente no existen independientemente (15). El proceso cognoscitivo en las ciencias humanas implica que el lector se conoce a sí mismo al estudiar a su objeto (16). El lector está de antemano situado en un horizonte histórico y existencial. Nuestra lectura está de antemano mediatizada por la tradición (17), por otras lecturas e interpretaciones, que proyectamos en el acto de leer (18), juntos con nuestros pre-juicios o juicios «a priori». No existe la lectura aséptica. La Ilustración pretendió ilusoriamente acabar con el reino de la tradición, los prejuicios, los mitos y las pasiones y todos los fenómenos irracionales (19).

b) La metodología de las ciencias humanas, incluyendo la historia, y de las disciplinas del análisis textual han construido sofisticados aparatos conceptuales de interpretación para lograr el viejo sueño ilustrado y positivista de encontrar la racionalidad y definir las leyes de los procesos sociales, de los comportamientos y la lógica de los discursos (20).

c) La comprensión que es el objetivo de una lectura hermenéutica, supone la realización de un diálogo (21) entre el lector y el texto para alcanzar un consenso comprensivo (22). Para que este consenso se verifique es necesario que se produzca una fusión de horizontes comprensivos (23). Es decir, una fusión o integración entre el horizonte del lector y aquel del texto. Finalmente, Gadamer, señala que no hay ni lectura o interpretación definitiva, sino que múltiples e infinitas lecturas, porque siempre el horizonte comprensivo está cambiando, como así mismo, nuestros intereses y pre-juicios (24). Hoy leemos a Mariátegui insertos en un horizonte histórico e existencial distinto a la lectura que hiciéramos en los años 60. Nuestras preguntas, intereses y pre-juicios son diferentes. En definitiva, nunca el discurso de Mariátegui estará definitivamente acotado e interpretado para siempre (25).

A partir de nuestro horizonte comprensivo, intentamos en esta ponencia encontrar las visiones y conceptualizaciones sobre la modernidad y la tradición. Situados en un horizonte histórico en que las élites en el poder en los países de nuestra América dan la bienvenida a una forma de modernidad fundada en la racionalidad del mercado y en los discursos culturales de los centros hegemónicos de la modernidad global (26), leímos a Mariátegui para encontrar cómo él resolvió el impasse entre la modernidad y la tradición. Entendemos como «modernidad», en esta ponencia, al movimiento filosófico y cultural que se gestó en la Reforma protestante y cuyo discurso, que se configuró en la Ilustración del siglo XVII, ha sido la matriz de los grandes proyectos de racionalización de la sociedad, de los sistemas económicos y de la vida (27).

En esta comprensión la Modernidad ha sido un movimiento incesante por transformar mediante la razón, la técnica y la ciencia a la naturaleza, la sociedad y la cultura y erradicar todos los vestigios de lo sagrado (28). Max Weber escribió que los procesos de racionalización aparecen estrechamente asociados con un «desencantamiento del mundo», –es decir que ya– «no hay fuerzas misteriosas incalculables que entren a jugar, sino que uno puede en principio, dominar todas las cosas por medio del cálculo [...] Uno ya no necesita el recurso de los medios mágicos para dominar o implorar a los espíritus» (29). En el contexto discursivo de la Modernidad, la tradición es definida como negatividad y término antinómico a lo moderno; lo tradicional es el ámbito del inmovilismo, de la superstición, del prejuicio, hegemonía de lo sagrado y de los valores agrarios y de las estructuras patriarcales y jerárquicas del orden social (30).

Para entender el universo significativo de Mariátegui, es preciso comprender el horizonte de su trayectoria vital y el contexto histórico cultural nacional e internacional, en que él estuvo inserto (31). En el ámbito de su existencia debemos consignar su temprana vinculación al mundo del trabajo, su extraordinario autodidactismo, su lucha para superar su dolencia física. Su contexto histórico es el Perú en transición a la modernidad, la emergencia de la clase trabajadora y la agitación del movimiento de reforma universitario de los años 20 (32), y su pertenencia a la llamada «Generación del 1919» (33). Su periplo europeo entre octubre de 1919 a marzo de 1923, signó, como él mismo lo reconociera (34), su trayectoria intelectual y política. La Revolución rusa y la difusión de su discurso y paradigmas van a pautar el discurso y el debate de Mariátegui y su generación.

Mariátegui y la Modernidad europea

La reflexión de Mariátegui sobre la Modernidad discurre y se articula en torno a cinco tópicos centrales: a) la internacionalización de la civilización occidental; b) la significación de la ciencia y la técnica; c) las ciudades como centros de irradiación de la Modernidad; d) la crisis de occidente y el proyecto socialista, y e) Perú, Hispano-América y la civilización occidental. Para Mariátegui no cabe ninguna duda de que sólo en el espacio de la civilización occidental se han desplegado las fuerzas históricas, que con su «acción, voluntad y energía [...] han alcanzado un grado místico de exaltación creadora» (35) en los procesos y acontecimientos que han signado los tiempos modernos. La universalización es para Mariátegui una dimensión constitutiva de la civilización occidental (36), porque «ninguna cultura conquistó jamás una extensión tan basta» (37). La expansión de la civilización occidental a escala planetaria se verifica a través de la internacionalización de los mercados, a través de los cuales no sólo se desplazan «las máquinas y las mercaderías» –sino que también– «las ideas y las emociones» (38). El mercado capitalista que traspasa las fronteras y el desarrollo de los medios de comunicación y de transporte (39) le ha impuesto al proceso histórico la connotación de la velocidad y la rapidez, generando una internacionalización de la «civilización capitalista», una relación de interdependencia y solidaridad entre todos los pueblos y naciones (40).

Sin embargo, en la visión optimista de Mariátegui de este proceso de globalización de las ideas, estilos de vida y adquisiciones tecnológicas como la radio, el teléfono, el telégrafo y el auto, podemos percibir matices de criticidad. Mariátegui percibió los riesgos que conlleva este proceso para las culturas nacionales y periféricas, debido a las tendencias homogenizadoras que supone la «universalización», como Mariátegui denomina a lo que hoy llamamos «globalización»: «el hábito regional decae poco a poco» –afirma Mariátegui– «la vida tiende a la uniformidad, a la unidad, adquiriendo el mismo estilo, el mismo tipo, en todos los grandes centros urbanos, Buenos Aires, Quebec, Lima copian la moda de París» (41).

Considerando la totalidad de su discurso, no podríamos concluir que Mariátegui aceptara el dictado de una modernidad, que como paradigma, hegemónica avasallara o disolviera las culturas e identidades nacionales. En la impronta del discurso de modernidad de Sarmiento (42), concibe Mariátegui a las ciudades como los centros gestadores de la civilización y de lo moderno en contraposición al mundo rural, que contiene a las fuerzas de la tradicionalidad. Sin citar ni mencionar a Sarmiento, su discurso se reencuentra con la visión dicotómica de éste sobre la «civilización y la barbarie». Como Sarmiento ya lo había formulado en 1844, para Mariátegui «la ciudad es la sede de la civilización [...] el hombre de las urbes vive de prisa, la velocidad es una invención urbana, una cosa moderna» (43). La ciudad es el espacio del espíritu crítico y revolucionario abierto al progreso, disponible a los impulsos de la universalidad. Entre el campo y la ciudad, señala Mariátegui existe «una diferencia de mentalidad y de espíritu que emana de una diferencia de función» (44). El campo representa la antinomia de todo lo moderno: «El campo» –escribe– «ama demasiado la tradición. Es conservador y supersticioso. Conquistan fácilmente su ánimo la antipatía y la resistencia al espíritu iconoclasta del progreso» (45). En su descripción idealizada y fascinada del paisaje urbano, emerge una vez más la visión dicotómica sarmientina. En su artículo «El paisaje italiano» (1925), escribe:

> Un paisaje virgen del Amazonas o de la Polinesia, es como un cafre o como un jíbaro. Es un paisaje sin civilización, sin historia, sin literatura. Es un paisaje desnudo y sin taparrabos. Es un paisaje plenamente primitivo. Un paisaje ilustre es cambio como un hombre de nuestro siglo. Está abrumado de tradición y de cultura. Es un paisaje con frac, con monóculos y hasta un poco de neurastenia (46).

Mariátegui plantea, no obstante una lectura crítica y ambivalente del incesante desarrollo científico y tecnológico, que es uno de los rasgos estructurales de la Modernidad. Por una parte muestra su admiración por este progreso tecnológico (47), en donde «las predicciones y la ficción han sido sobrepasadas por la realidad» (48), pero al mismo tiempo critica la absolutización de la razón científica y tecnológica, es decir del cientificismo que ha pretendido desalojar para siempre el discurso metafísico y religioso: «El hombre occidental» –expresa– «ha colocado, durante algún tiempo, en el retablo de los dioses muertos, a la razón y a la ciencia. Pero ni la razón ni la ciencia pueden satisfacer todas las necesidades de infinito que hay en el hombre» (49).

Durante su estadía en Europa, a principios de los años veinte, Mariátegui es un testigo crítico y privilegiado de la insurgencia del fascismo y del nazismo y de la acción del movimiento obrero y de sus segmentos radicalizados por la revolución de octubre en el contexto de la crisis de la democracia parlamentaria. Mariátegui a través de sus artículos periodísticos fisonomiza a los actores políticos y sus programas, presenta el retrato de los líderes políticos, comenta las corrientes culturales, estéticas y filosóficas (50). En definitiva, Mariátegui nos entrega un riguroso análisis del escenario europeo y su lectura de lo que él denomina indistintamente «el fin de Europa» (51), la «decadencia» (52) o la «crisis» (53) de la civilización occidental.

El colapso de la civilización europea en su forma de modernidad capitalista posibilitará el despliegue del proyecto socialista que él percibe tanto como la continuidad y la superación de la Modernidad que se extingue. Su análisis de la crisis se expresa en lecturas de signo diferente. En la primera, la crisis es percibida y descrita con caracteres apocalípticos: el «fin de Europa» aparece como un acontecimiento ineluctable. El título mismo del artículo que citamos en este contexto, «El crepúsculo de la civilización», testimonia la influencia ejercida en ese período sobre Mariátegui de la lectura de Oswald Spengler (54). Ello se aprecia en el texto, en el uso de una conceptualización biologista-organicista de la cultura, manifestada en el uso de expresiones como «crepúsculo», «decadencia» y en la formulación que «todas las civilizaciones están destinadas a extinguirse» (55).

El «colapso» de la civilización occidental, en la perspectiva mariateguiana, «precipitará a la humanidad en una era oscura y caótica» (56). En este mismo texto, Mariátegui utiliza metafóricamente las expresiones «luz» y «oscuridad», en el mismo sentido que le confirió a éstas el discurso de la Modernidad ilustrada del siglo XVIII, es decir, para denotar a la «civilización» y a la «barbarie», respectivamente:

> La luz se apagará más tarde en Berlín, París y Londres. Y el último y grande foco de esta civilización se apagará en Nueva York. La antorcha de la estatua de la libertad será la última luz de la civilización capitalista, de la civilización de los rascacielos, de las usinas, de los trusts, de los bancos, de los cabarets y del jazz (57).

La crisis de la civilización de la Modernidad es percibida por Mariátegui como una crisis del discurso que ha cimentado una forma específica de Modernidad que se agota: «El racionalismo, el historicismo, el positivismo» –escribe– «declinan irremediablemente. Esto es indudablemente el aspecto más hondo, el síntoma más grave de la crisis» (58).

En su segunda lectura de la crisis expuesta en su artículo «Existe un pensamiento hispano-americano» (1925), admite que «la civilización occidental se encuentra en crisis», –pero agrega que– «ningún indicio existe aún de que resulte próxima a caer en un definitivo colapso […] lo que acaba, lo que declina es el ciclo de la civilización capitalista» (59). En la comprensión de Mariátegui, el sistema capitalista, que él denomina «civilización capitalista» no es término homólogo a «civilización occidental», es decir, la Modernidad (60). Esta continuará expresándose en una forma nueva, inserta en una larga tradición, que se continúa, superándola.

El proyecto socialista, a su juicio, está ya contenido en la «civilización capitalista», en crisis, como «el embrión de una civilización nueva» (61). La civilización occidental se ha expandido por todos los continentes creando un espacio y una historia mundial. El socialismo, que es una dimensión de la Modernidad, es «un movimiento mundial, al cual no se sustrae ninguno de los países que se mueven dentro de la órbita de la civilización universal» (62). Mariátegui adhiere de este modo a la tesis de la Internacional Comunista que visualizó el advenimiento del socialismo, como un acontecimiento inevitable que está inscrito en el decurso mismo del capitalismo, y en cuya crisis coyuntural éste percibió los signos de la revolución socialista (63).

No obstante la universalización del proyecto socialista, para Mariátegui, ello no supone que él se adscribiera a un paradigma único. En su discurso, el proyecto socialista, no está dado de antemano, porque debe ser una creación: «No queremos, ciertamente» –expresa– «que el socialismo sea en América calco y copia. Debe ser creación heroica. Tenemos que dar vida, con nuestra propia realidad, en nuestro propio lenguaje, al socialismo indoamericano» (64). En esta problemática del socialismo como creación, de acuerdo a una realidad nacional concreta, se localiza una ruptura profunda con las conceptualizaciones de la III Internacional, es decir, con el discurso marxista hegemónico en su época.

Esta ruptura es aún más abrupta cuando Mariátegui asume contenidos del discurso de Georges Sorel para superar los elementos positivistas y racionalistas del marxismo tradicional (65). Lo admite abiertamente al afirmar que «a través de Sorel, el marxismo asimila los elementos y adquisiciones sustanciales de las corrientes filosóficas posteriores a Marx, superando las bases racionalistas del socialismo de su época» (66). De Sorel asimila la concepción del mito social como fuerza movilizadora que despierte en los desposeídos una fe y una esperanza en un nuevo orden social, que supere al existente (67). «La fuerza de los revolucionarios» –sostuvo– «no está en su ciencia, está en su fe, en su pasión, en su voluntad. Es una fuerza religiosa, mística y espiritual» (68). Sin embargo, Mariátegui, no disiente de la visión histórica del discurso de la III Internacional, que conceptualiza el advenimiento del socialismo como una necesidad histórica inscrita en la dinámica del decurso capitalista: «La civilización proletaria» –para él– «está destinada a suceder a la declinante, a la decadente, a la moribunda civilización capitalista» (69).

Perú, y por extensión Hispanoamérica o Indo-América, como Mariátegui la denomina están insertos en los circuitos de la civilización occidental y por esta condición participan afectados de todos los procesos, acontecimientos y crisis de los centros de la civilización occidental (70). A su juicio, la conquista y colonización hispánica articularon al continente a la civilización occidental

(71). Este proceso constituyó, en el discurso de Mariátegui un acontecimiento fundacional, que debe ser considerado como un punto de partida de todo análisis que trate de dar cuenta de las vertientes constitutivas de la cultura latinoamericana. Refiriéndose Mariátegui a este hecho en su artículo intitulado «El día de la raza» (1928), utiliza por primera vez la expresión «Modernidad»:

> El descubrimiento de América [...] es el principio de la Modernidad: la más grande y fortuosa de las cruzadas. Todo el pensamiento de la Modernidad está influido por este acontecimiento [...] La Reforma, el Renacimiento, la Revolución liberal, aparece influido por el descubrimiento de América» (72).

El proceso de emancipación de Hispanoamérica de la dominación hispánica y el relativamente largo proceso hacia la construcción de los Estados nacionales, fueron insertando a las élites criollas modernizadoras en el imaginario europeo de la Modernidad (73). La apertura auspiciada por las élites liberales a los impulsos civilizatorios de la vieja Europa «aceleraron en estos países la transformación de la economía y la cultura, que adquirieron gradualmente la función y estructura de la economía y cultura europea» (74). Aislarse de la Modernidad europea, rechazando a las corrientes filosóficas, culturales y aun más la ciencia y la tecnología, en nombre de un sediciente nacionalismo parroquial o de una supuesta «peruanidad», en un mundo crecientemente integrado, resulta para Mariátegui una actitud ilusoria y ahistórica: «El Perú» –afirmó– «es un fragmento de un mundo que sigue una trayectoria solidaria» (75). Mariátegui impugna el nacionalismo fundamentalista en un artículo en 1924, que compara él con el discurso gandhiano, que pretendía la ruptura de la «satánica civilización europea» como una premisa para volver y reconstruir las raíces de la cultura vernácula originaria (76). Su posición, que llevó a algunos, como él mismo lo reconociera, a tildarlo de «europeizante» (77), implicó por el contrario en sus escritos una profunda indagación en las vertientes indígenas de la cultura peruana y un riguroso análisis de la tradición nacional en sus plurales manifestaciones. Esta actitud es nítidamente perceptible en la totalidad de su producción intelectual. La comprensión de la cultura europea, que el verifica, no sólo leyendo a los grandes pensadores europeos y literatos, sino que *in situ*, en su estadía en el Viejo Continente, lo lleva a declarar: «Por estos caminos cosmopolitas y ecuménicos, que tanto se nos reprochan, nos vamos acercando cada vez más a nosotros mismos» (78). En su «advertencia» a *7 ensayos de interpretación de la realidad peruana*, retorna a la misma problemática sobre el descubrimiento y valoración de las raíces culturales identitarias aludiendo a la experiencia intelectual del argentino Sarmiento (79).

Mariátegui y la tradición

En el contexto del debate sobre el status y significado del «indigenismo» en la historia peruana y sobre las diferentes interpretaciones de la tradición nacional a fines de 1927, Mariátegui formuló su conceptualización de la tradición en sus artículos «Heterodoxia de la tradición» (80) y «La tradición nacional» (81). En su horizonte comprensivo, la tradición es «un patrimonio y continuidad histórica» (82) y ella tiene los atributos de ser «viva y móvil» (83), «contradictoria» y «heterogénea en sus componentes» (84). En esta perspectiva de lectura del pasado, Mariátegui discute las posiciones de los que él denomina «tradicionalistas» y los «revolucionarios iconoclastas». Para los primeros la tradición se reduce al culto fetichista de «museos» –y– «momias» (85), porque ellos la conciben como una entidad «muerta y fija» (86). Los segundos mencionados la conciben como negación y «la repudian en bloque» (87).

Para Mariátegui la tradición está contenida en nosotros mismos, en la historia y ella no se puede «aprehender en una fórmula hermética» (88). Es decir, ella no puede reducirse a un «concepto único» (89). La misma revolución, que en el proyecto de los revolucionarios es la negación del pasado, está ya contenida en la tradición. A este respeto, Mariátegui cita al escritor italiano Mario Missiroli, quien escribiera: «La revolución ya está contenida en la tradición. Fuera de la tradición, no está sino la utopía» (90). Mariátegui distingue tres vertientes conformativas de la tradición peruana (91): el incásico, el pasado hispánico y la tradición republicana. La conquista y colonización hispánica desmantelaron el imperio incásico y «desorganizó y aniquiló la economía agraria incásica» (92). Mariátegui concluye que «lo único que sobrevive del Tawantinsuyo, es el indio. La civilización ha perecido. No ha perecido la raza» (93). Los pueblos indígenas han sobrevivido articulados en sus comunidades, los «ayllus, que les han permitido reproducir los ritos, valores, códigos y prácticas de solidaridad ancestrales en un universo agrario organizado de acuerdo a la lógica del latifundio» (94). En la comunidad indígena, en el Ayllú, se encuentran a juicio de Mariátegui, paradojalmente en una forma social arcaica, el punto de partida y las raíces para un proyecto socialista, que es para él la continuación y a la vez superación de la Modernidad. Esta nueva modernidad deberá satisfacer y atender las reivindicaciones históricas «de las 3/4 partes de la población del Perú» (95), que son indígenas. Es decir que la problemática indígena, constituye «el problema fundamental», el «problema primario del Perú» y de un proyecto de cambio social que se defina como socialista y peruano (96).

Empero, este planteamiento no significa que en su propuesta, los pueblos indígenas serán los sujetos conductores del cambio social hacia el socialismo, sino que un componente fundamental del bloque revolucionario. En respuesta a un emplazamiento de Carlos Alberto Sánchez, en 1927, Mariátegui precisa que «las reivindicaciones que sostenemos es la del trabajo. Es la de la clase trabajadora, sin distinción de costa, ni de sierra, de indio ni de cholo» –y agrega que– «si en el debate, ésto en la teoría, diferenciamos el problema del indio, es porque en la práctica el hecho también se diferencia. El obrero urbano es un proletario; el indio campesino es todavía un siervo» (97). En su conceptualización del sujeto histórico de la revolución y del rol del partido, Mariátegui se mantuvo en el espacio de la ortodoxia del discurso marxista-leninista que asigna a la clase obrera el rol conductor. En su comunicación a la Primera Conferencia Comunista Latinoamericana en 1929, intitulada «El problema de las razas en América Latina», asevera que

> [...] entre las poblaciones «atrasadas», ninguna como la población indígena incásica, reúne las condiciones tan favorables para que el comunismo agrario primitivo, subsistente en estructuras concretas y un hondo espíritu colectivista, se transforme *bajo la hegemonía de la clase proletaria* en una de las bases más sólidas de la sociedad colectivista (98).

La tradición indígena manifestada en su espíritu comunitario condensado en la experiencia del «Ayllú» será la «raíz» del proyecto socialista, pero no «un programa» (99). Ello significa, que sería ilusorio concebir en un país que forma parte de un vasto mundo integrado a la dinámica de la Modernidad, la restauración del incásico (100) o reproducir un supuesto socialismo incásico (101). El indigenismo en su acepción se inscribe en una «concepción de la historia y de sus fenómenos» –que es– «realista y moderna. No olvida ninguno de los hechos históricos, que en estos cuatro siglos han modificado, con la realidad del Perú, la realidad del mundo» (102). En este contexto, el socialismo peruano, que asume la tradición comunitaria secular del incásico, es un discurso y un proyecto surgido en la modernidad, en «cuya ciencia y cuya técnica» –señala– «sólo romanticismos utopistas pueden dejar de ver, irrenunciables y magníficas del *hombre moderno*» (103).

El discurso de Mariátegui sobre la incidencia de la herencia cultural hispánica en la tradición peruana presenta juicios comunes a aquellos de las élites intelectuales latinoamericanas de mediados del siglo XIX que condenaron en bloque este proceso y fundamentalmente esta tradición que ellos visualizaron como un obstáculo mental para el acceso de Hispanoamérica a la Modernidad (104). Compartiendo Mariátegui en términos generales, esta conceptualización negativa de lo hispano, nos presenta, sin embargo, una estimación más matizada de este pasado, específicamente, al analizar la vertiente religiosa institucionalizada de aquella tradición.

Mariátegui define a la conquista, «como una tremenda carnicería» (105), pero destaca a la vez su carácter fundacional al incorporar al Perú y a Hispanoamérica en el espacio de la civilización occidental: «Con la conquista, España, su idioma y su religión entraron perdurablemente en la historia peruana, comunicándola y articulándola con la civilización occidental» (106). Este acontecimiento para Mariátegui ha signado la historia del Perú, y no se puede hacer una abstracción de esta tradición, si se pretende comprender la tradición nacional, es decir la historia del Perú (107). Mariátegui coincide entre otros con Alberdi, Sarmiento, Lastarria y Bilbao, en cuyos discursos se formula una categórica impugnación de la colonización hispánica, de sus instituciones y de la mentalidad «feudal» o medioeval que informó esta empresa (108). España fue conceptualizada por los pensadores mencionados como un bastión de la anti-modernidad, en definitiva, como un país rezagado a la Modernidad y al desarrollo capitalista.

En Mariátegui nos encontramos con un enjuiciamiento similar, pero diferenciado, cuando él aclara que «no renegamos propiamente de la herencia española; renegamos de la herencia feudal» (109). En este contexto, Mariátegui establece una diferencia fundamental entre la experiencia colonizadora anglo-sajona en Norteamérica y la conquista hispánica: «con los sajones» –señala– «vino la Reforma y la revolución espiritual, de la cual debía nacer todo el fenómeno capitalista e industrialista» –es decir la Modernidad– «mientras que el español trajo a la empresa de la colonización de América, su espíritu medioeval. Fue sólo un conquistador, no fue realmente un colonizador» (110). La herencia feudal, aristocrática y jerárquica del período colonial encarnadas en el virreinato, ha signado para el la conformación de las élites oligárquicas dirigentes en el Perú y ha imposibilitado la formación de una auténtica burguesía nacional capaz de promover un proceso a la modernidad.

Para Mariátegui la tradición del virreinato nada tiene que aportar para la construcción de la modernidad en el Perú. «Los tradicionalistas», cómo él los denomina, reconocen como única vertiente de la tradición, aquella proveniente del virreinato y desdeñan la indígena, es decir, el incásico (111). En el horizonte comprensivo de Mariátegui del pasado colonial, se destaca el aporte de la Iglesia en el proceso civilizatorio, el cual excedió el rol meramente de evangelización y se ejerció en la construcción de un sistema educacional y en el estudio y comprensión del «otro», es decir de los indígenas (112). Dentro del ámbito de la Iglesia, enfatiza el rol de los jesuitas, los cuales, asevera «con su orgánico positivismo, mostraron acaso en el Perú, como en otras tierras de América, aptitud de creación económica» (113). Su admiración por el trabajo de las órdenes religiosas lo lleva a afirmar «que tal vez las únicas falanges de verdaderos colonizadores que nos envió España fueron las misiones de jesuitas y domínicos» (114).

El discurso y la acción del padre Bartolomé de las Casas en defensa de los derechos de los pueblos indígenas es destacado por Mariátegui como un paradigma que sobrepasa su época, pues, «no ha habido en la República un defensor tan eficaz y porfiado de la raza indígena» (115). La evaluación positiva de Mariátegui de la acción eclesial es concordante con su comprensión de los fenómenos religiosos, los cuales él concibe como integrantes del universo significativo de los pueblos de Indoamérica. Estas tradiciones, que las élites modernizadoras del siglo XIX influidas por el espíritu de la Ilustración, visualizaron los discursos y prácticas religiosa como una dimensión de un pasado oscuro, que las «luces» debían erradicar, son para Mariátegui una parte constitutiva del ser hispanoamericano (116). A este respecto, Mariátegui impugna el discurso de los intelectuales llamados «libre pensadores» y a su propio maestro e inspirador González Prada (117), por su cerrazón casi dogmática frente al fenómeno religioso, que él cree ya superada. Por ello, sostuvo, que

> [...] se han trasmontado definitivamente los tiempos del apriorismo anticlerical, en que la crítica «librepensadora» se contentaba con una estéril y sumaria crítica de todos los dogmas, a favor del dogma y de la Iglesia del libre pensamiento [...] El concepto de religión ha crecido en extensión y profundidad. No se reduce ya a la religión, a una iglesia y un rito (118).

La tradición republicana es para Mariátegui el tercer componente de la tradición nacional. Bajo la denominación «República», él comprende no sólo

un régimen político, sino que el discurso y el proyecto político de la Modernidad, que sustituyó al antiguo régimen colonial; «las ideas de libertad, democracia, parlamento, soberanía del pueblo, todas las grandes palabras que pronun-
ciaron nuestros hombres de entonces, procedían del repertorio europeo» (119).
Este proyecto, a nuestro juicio, no ha sido realizado en el Perú, porque el
régimen colonial se ha prolongado en formas oligárquicas de organización del
poder, la sociedad, las estructuras agrarias y mentales, pero ello no invalida la
«doctrina» liberal y republicana. La realización de la Modernidad en el Perú
demanda asumir los contenidos revolucionarios de esa tradición, que los
«tradicionalistas» excluyen en su lectura de la tradición nacional, la cual han
reducido a las glorias del virreinato (120). Para Mariátegui se trataba de
establecer un diálogo crítico con la tradición, en sus tres vertientes o componentes, para construir la Modernidad en el Perú. Reconocer las raíces de la
identidad peruana era asumir la indigenidad, no como un culto al incásico,
sino «manifestando una concreta y activa solidaridad con el indio de hoy»
(121); reconocer la herencia hispánica, el mundo significativo de su lengua
que articuló al Perú a la civilización occidental y a la Modernidad, y a la vez
asumir una actitud crítica frente a la mentalidad «feudal» de la conquista,
todavía subsistente en el Perú de su época y, por último, admitir que el proceso
de Independencia y la ulterior construcción del Estado nacional implicó la
adopción del régimen republicano y los ideales del Liberalismo, aún no
realizados en el Perú. La faena histórica, de la «nueva generación» es reivindicar este pasado en forma integral para construir «un Perú integral» (122) y la
nueva Modernidad.

Conclusiones

1) A través de esta relectura de Mariátegui hemos intentado inteligir su
horizonte comprensivo y sus conceptualizaciones sobre la Modernidad y la
tradición en el marco de su interpretación del Perú, de Hispanoamérica y del
escenario mundial en la década de los 20. En este trayecto, nos ha sorprendido
una vez más, no sólo la agudeza de sus análisis, sino que también sus reflexiones sobre el método, su cuestionamiento de todo proyecto cognoscitivo que
quiera acceder a verdades o a lecturas definitivas. Aunque él se reconociera
«marxista, convicto y confeso», en un tiempo de canonizaciones dogmáticas
dentro de esta escuela, sus interpretaciones, en definitiva su lectura de la
historia y su concepción del mundo, excede y trasciende los confines episte-

mológicos del discurso marxista-leninista. Nuestro horizonte comprensivo se funde con el de Mariátegui en la crítica que él formulara, en diferentes pasajes de su obra, a la epistemología positivista, que ha proyectado una influencia permanente en las ciencias humanas. Es este enjuiciamiento que Mariátegui hace a esta tradición, y que implícitamente incluye al marxismo, discurso que es tributario de la razón ilustrada, en esta ponencia lo hacemos nuestro.

2) Mariátegui interpreta y lee la historia del Perú situándola en el contexto de la historia de Occidente, del cual éste y Hispanoamérica, fueron insertos por el proceso de colonización. La modernidad en sus discursos, códigos, ciencia, tecnología, prácticas e instituciones accedió al Perú desde sus centros generadores en Europa occidental. Mariátegui, desde su horizonte histórico admite que las tecnologías de la comunicación y del transporte de su tiempo han internacionalizado la civilización occidental, y desde los confines más remotos se participa de las ideas, inventos, modas y emociones de occidente. Aunque él se muestra como un admirador del progreso científico y técnico, no vacila en criticar la fetichización de la razón científica que no puede explicar todos los dominios de la vida. Mariátegui visualiza al proyecto socialista como una continuación y superación de la Modernidad en su expresión capitalista. Su adhesión a este proyecto, su creencia en su inevitabilidad es parte del imaginario creado en los intelectuales de su generación por la Revolución de Octubre, pero también esta adhesión debe entenderse en una comprensión del contexto de Perú y Hispanoamérica en el largo proceso de crisis del Estado oligárquico y el ingreso de las capas medias, la clase obrera, el campesinado y otros sectores subalternos al escenario histórico. Mariátegui comprendió el socialismo, como una nueva Modernidad, que se construye, que se crea a partir de la propia realidad nacional y, en definitiva, de la tradición. En este contexto, reivindica Mariátegui la tradición nacional triple del Perú: El incanato y los indígenas del presente con los cuales se solidariza, la tradición hispánica a la cual critica y la tradición republicana, en definitiva, el discurso de la Modernidad. La revolución, que es una dimensión, una parte constitutiva del imaginario de los tiempos modernos, es para Mariátegui un acontecimiento nacido en la tradicionalidad, es decir en la historia profunda e integral de un pueblo. Como seres históricos, somos portadores de un pasado del cual no podemos escindirnos ni partir en nuestras lecturas de una «tabula rasa», negando abruptamente el pasado como oscuridad, pre-juicio y negatividad. Mariátegui, no nos insta, sin embargo, a asumir el pasado como reliquia, o a idealizarlo. En su obra encontramos como una constante de su lectura un diálogo crítico con la

tradición. En definitiva, la Modernidad, que él conceptualiza para el Perú, debe pensarse y construirse, a partir de las vertientes de la tradición y de la cultura nacional, pero siempre abiertas a los impulsos del espacio internacionalizado del cual Perú e Hispanoamérica es parte constitutiva.

Notas y referencias

1   Para nuestras anteriores lecturas de Mariátegui: Hugo Cancino Troncoso (1994): «Mariátegui y la problemática de la cultura nacional», en *ISA* 40, Aarhus Universitet, 54-67; Idem y Pablo R. Cristoffanini (1994): «El pensamiento de Mariátegui y la modernidad europea», en *Anuario Mariáteguiano* 6 (VI) (Lima), 168-186.

2   A este respecto debemos mencionar el *Anuario Mariateguiano* editado por la Empresa Editora Amauta, dirigida por los hijos de Mariátegui, Sandro, José Carlos y Javier Mariátegui Chiappe. Esta publicación difunde y discute los trabajos de los investigadores mariateguianos a nivel internacional.

3   Para una discusión, véase: Augusto Salazar Bondy (1967): *Historia de las ideas en el Perú*, T. 2, Lima: Francisco Moncloa Editores S.A., 333; Jorge Falcón (1978): *Anatomía de los 7 Ensayos de Mariátegui*, Lima: Empresa Editora Amauta, 10; Antonio Melis (1980): «Medio siglo de vida de José Carlos Mariátegui», en Xavier Abril et al. (eds.): *Mariátegui en la literatura*, Lima: Empresa Editora Amauta, 132-133; Roland Forgues (1995): *Mariátegui: la utopía realizable*, Lima: Empresa Editora Amauta, 11; Raimundo Prado (1995): «El marxismo de Mariátegui», en David Sobrevilla Alcázar (ed.): *El marxismo de José Carlos Mariátegui*, Lima: Empresa Editora Amauta, 49-52; Osvaldo Fernández (1991): «Gramsci y Mariátegui frente a la ortodoxia» en *Nueva Sociedad* 115 (Caracas), 135-144.

4   Formalización del discurso marxista como «marxismo-leninismo» adoptada por la III Internacional en abril de 1925, bajo la hegemonía stalinista: Jane Degras (ed.) (1971): *The Communist International. 1919-1943 Documents*, T. 2, Londres: Frank Cas & Co. Ltd., 190-191.

5   Ver: José Arico (ed.) (1978): *Mariátegui y los orígenes del marxismo latinoamericano* (Cuadernos Pasado y Presente 60), México: Siglo XXI, lx-lxii; Francis Gibal y Alfonso Ibáñez (1987): *Mariátegui hoy*, Lima: Tarea, 133-145.

6   Mariátegui (1979): *7 ensayos de interpretación de la realidad peruana*, Lima: Empresa Editora Amauta, 62.

7   Mariátegui destacó el carácter abierto de su obra en la «advertencia» a *7 ensayos de interpretación de la realidad peruana*: «Ninguno de estos ensayos está acabado: no lo estarán mientras yo viva y piense y tenga algo que añadir a lo por mi escrito, vivido y pensado» (op. cit., 12).

8   Mariátegui: «El rostro y el alma de Tawantisuyo» (en *El Mundial*, Lima, 11 sept. de 1925) en Mariátegui (1979): *Peruanicemos al Perú*, Lima: Empresa Editora Amauta, 63.

9   Mariátegui (1979): *7 ensayos de interpretación de la realidad peruana,* 230-231. En la «advertencia» a esta misma obra, escribió: «No soy un crítico objetivo. Mis juicios se nutren de mis ideales, de mis sentimientos, de mis pasiones» (op. cit., 12).

10   Mariátegui cita la obra de Nietzsche: *El viajero y su sombra* (1880).

11   Mariátegui: «advertencia», en *7 ensayos de interpretación de la realidad peruana,* 11.

12   Para una presentación crítica de la hermenéutica, véase: Gayle L. Ormiston y Alan D. Schrift (eds.) (1990): *The Hermeneutic Tradition From Ast to Ricœur,* New York: State University of New York; Barrie A.Wilson (ed.) (1985): *About Interpretation from Plato to Dilthey. A Hermeneutic Anthology,* New York: Peter Lang.

13   Principalmente la obra fundamental de Hans-Georg Gadamer (1996): *Truth and Method,* Londres: Sheed & Ward.

14   «The interpreter is belonging to his object, which the historically school was unable to offer any convincing account of», Gadamer, op. cit., 264.

15   Ver: ibid., 255-254; Georgia Warnke (1994): *Hermeneutics, Tradition and Reason,* Cambridge: Polity Press, 90-91.

16   G.Warnke: op. cit., 39-40.

17   Sobre el status de la tradición en el proceso de interpretación y comprensión, ver: Gadamer: op. cit., 281-285; Warnke: op. cit., 90-94; Jørgen Hass (1980): «Tradition og fornuft. Gadamers teori om forståelsens historiskhed», en Carl Henrik Koch et al. (eds.): *Filosofiske Studier,* T. 3, Copenhague: Filosofiske Institut, 33-61.

18   «A person who is trying to understand a text is always projecting. He projects meaning for the text. Again, with a particular expectation in regard to a certain meaning, working out this fore-projection, which is constantly revised in terms of what emerges as he penetrates into the meaning, is understanding what is there», Gadamer: op. cit., 267.

19   Ver ibid., 271-277.

20   Ibid., 3-30.

21   Acerca de la estructura dialogal del proceso de comprensión, véase: ibid., 367-369, 538-539.

22   «To understand means to come to understanding with each other […] understanding is, primarly, agreement», ibid., 180.

23   Ver ibid., 306-307, 374-375, 397, 576; para una discusión del concepto «fusión de horizontes», véase Warnke: op. cit., 69, 82, 90, 103, 107-8, 137, 146, 169; Jørgen Hass: op. cit., 56-59; Pablo R.Cristoffanini (1998): *Fænomelogi, Hermeneutik og Kulturforståelse,* documento de trabajo, Aalborg: Aalborg Universitet, 21-22.

24   Gadamer: op. cit., xxii.

25   El mismo Mariátegui participando del embate de las corrientes filosóficas post-positivistas que problematizaba el establecimiento de verdades definitivas, escribía que «la filosofía contemporánea […] ha esclarecido y demarcado los modestos confines de la razón […] Inútil es, según estas teorías, buscar una verdad absoluta. La verdad de hoy no será la verdad de mañana. Una verdad es válida sólo para una época. Contentémonos con una verdad relativa», Mariátegui: «La emoción de nuestro tiempo» (en *El Mundial,* Lima, 9 de enero de 1925) en Mariátegui (1979): *El alma matinal,* Lima: Empresa Editora Amauta, 20-21.

26   Véase como un testimonio de esta tendencia: José Joaquín Brunner (1995): *Bienvenidos a la modernidad,* Santiago de Chile: Editorial Dolmen.

27   Para una discusión véase: Jorge Larraín Ibáñez (1996): *Modernidad, razón e identidad en América Latina,* Santiago de Chile: Editorial Andrés Bello, 17-54; Alain Touraine (1993): *Crítica a la modernidad,* Madrid: Ediciones Temas de Hoy, 13-51.

28   Néstor García Canclini (1980): *Culturas híbridas. Estrategias para entrar y salir de la modernidad,* México: Grijalbo, 31-32.

29   Max Weber (1970): «Science as a Vocation», en H. H. Gerthe y C. W. Mills (eds.): *From Max Weber,* Londres: Routledge and Kegan Paul, citado por Larraín, op. cit., 18; ver además Max Weber (1969): *La ética protestante y el espíritu del capitalismo,* Barcelona: Ediciones Península, 124-125.

30   Ver Pablo R. Cristoffanini (1994): *Det mangfoldig Spanien. Overvejelser omkring tradition, modernitet og identitet,* Aalborg: Center for Sprog og Interkulturelle Studier, Aalborg Universitet.

31   Véase al respecto Diego Meseguer Illán (1974): *José Carlos Mariátegui y su pensamiento revolucionario,* Lima: Instituto de Estudios Peruanos, 19-23; Luis Alberto Sánchez (1966): *La literatura peruana. Derrotero para una historia cultural del Perú,* T. 4, Lima: Ediciones de Ediventos S.A., 1429-1448.

32   Ver: Robert Paris (1981): *La formación ideológica de José Carlos Mariátegui* (Cuadernos Pasado y Presente 92), México: Siglo XXI, 46-77.

33   Generación a la que pertenecieran entre otros: Víctor Raúl Haya de la Torre, Luis Alberto Sánchez, Falcón, véase: John M. Baines (1972): *Revolution in Peru: Mariátegui and the Myth,* Alabama: The University of Alabama Press, 17-28.

34   «He hecho en Europa mi mejor aprendizaje y creo que no hay salvación para Indo-América sin la ciencia y el pensamiento europeo u occidental», Mariátegui (1979): *7 ensayos de interpretación de la realidad peruana,* op. cit., 12.

35   Mariátegui: «Occidente y oriente» (1927) en Mariátegui (1979): *Figuras y aspectos de la crisis mundial,* T. 2, Lima: Empresa Editora Amauta, 200.

36   «Esta civilización conduce, con una fuerza y unos medios de que ninguna otra civilización dispuso a la universalización», Mariátegui: «Aniversario y balance» (en *Amauta* 17, septiembre de 1928) en Mariátegui (1978): *Ideología y política,* 248-249.

37   Mariátegui: «Nacionalismo e internacionalismo» (1923) en Mariátegui (1979): *Obra política,* México: Ediciones Era, 162.

38   Ibid.

39   «En otro tiempo, el escenario de una civilización era reducido y pequeño; en nuestra época es casi todo el mundo. El colono inglés que se instala en un rincón salvaje de África lleva a ese rincón el teléfono, la telegrafía sin hilos, el teléfono [...] Las comunicaciones son el tejido nervioso de esta humanidad internacionalizada y solidaria», Mariátegui: «Nacionalismo e internacionalismo», en ibid., 167.

40   «La civilización capitalista ha internacionalizado la vida de la humanidad, ha creado entre todos los pueblos lazos materiales que establecen entre ellos una solidaridad inevitable», Mariátegui: «La crisis mundial y el proletariado peruano» (1923) en Mariátegui (1979): *Obra política,* op. cit., 50.

41   Mariátegui: «Nacionalismo e internacionalismo», en op. cit., 162.

42   Véase: Domingo Faustino Sarmiento (1988): *Facundo. Civilización y Barbarie,* Madrid: Alianza Editorial; Hugo Cancino Troncoso y María Cecilia Castro-Becker (1992): «Europa como paradigma y referente del discurso civilizatorio de Alberdi y Sarmiento en el contexto de la formación del Estado nacional en Hispanoamérica», en

María Justina Sarabia Viejo (coord.): *Europa e Iberoamérica: cinco siglos de intercambio*, Sevilla: AHILA, T. 3, 128-145.

43   Mariátegui: «La urbe y el campo» (en *El Mundial*, Lima, 3 de oct. de 1924) en Mariátegui (1979): *El alma matinal*, Lima: Empresa Editora Amauta, 48.

44   Ibid.

45   Ibid., 47.

46   Mariátegui: «El paisaje italiano» (en *El Mundial*, Lima, 19 de julio de 1925) en op. cit., 67-68.

47   Mariátegui expresa su admiración por «el aeroplano, el transatlántico, el telégrafo sin hilo, el radio», Mariátegui: «La crisis mundial y el proletariado peruano» (conferencia pronunciada el 15 de junio de 1923), en Mariátegui (1979): *Obra política*, op. cit., 50.

48   «El hombre moderno ha conseguido casi predecir su progreso. Hasta la fantasía de los novelistas ha resultado muchas veces superada por la realidad en un plazo breve. La ciencia occidental ha ido más de prisa de lo que soñó Julio Verne», Mariátegui: «La imaginación y el progreso» (en *El Mundial*, Lima, 13 de diciembre de 1924), en Mariátegui (1979): *El alma matinal*, op. cit., 28.

49   Mariátegui: «La emoción de nuestro tiempo. Dos concepciones de la vida» (en *El Mundial*, Lima, 9 de enero de 1925), en op. cit., 18; con respecto a este rechazo de Mariátegui del discurso cientificista, expresa Salazar Bondi, que «Mariátegui se sitúa en las antípodas del racionalismo ochocentista. Como los demás pensadores de su generación, proclama alborozado la bancarrota del cientificismo y concluye de este fracaso la validez del pensamiento metafísico», Augusto Salazar Bondi (1976): *Historia de las ideas en el Perú contemporáneo*, T. 3, Lima: Francisco Moncloa Editores, 329.

50   Véase Mariátegui (1979): *La escena contemporánea*, Lima: Empresa Editora Amauta; idem (1979): *Figuras y aspectos de la vida mundial*, Lima: Empresa Editora Amauta, T. 1-2 y 3; idem (1979): *Cartas de Italia*, Lima: Empresa Editora Amauta; idem (1979): *El alma matinal*, Lima: Empresa Editora Amauta.

51   Mariátegui: «El crepúsculo de la civilización» (1922) (en *Variedades*, Lima, 10 de dic. de 1922), en Mariátegui (1979): *Signos y obras*, Lima: Empresa Editora Amauta, 81.

52   Ibid., 79.

53   Mariátegui: «La crisis mundial y el proletariado peruano» (1923) en Mariategui (1979): *Obra política*, op. cit., 49.

54   Oswald Spengler (1962): *Vesterlandets undergang. Omrids af Verdenshistoriens morfologi*, Copenhague: Aschehoug.

55   Mariátegui: «El crepúsculo de la civilización», en Mariategui (1979): *Signos y obras*, op. cit., 83.

56   Ibid.

57   Ibid., Mariátegui reitera el tópico del colapso de la civilización occidental formulado en su artículo: «El crepúsculo de la civilización», en la entrevista concedida a la revista *Variedades* (Lima, 26 de mayo de 1923), en Mariátegui (1979): *La novela de la vida*, Lima: Empresa Editora Amauta, 138-142.

58   Mariátegui: «La crisis mundial y el proletariado peruano», en Mariátegui (1979): *Obra política*, op. cit., 24.

59   Mariátegui: «¿Existe un pensamiento hispanoamericano?» (en *El Mundial*, Lima, 1° de mayo de 1925) en Mariátegui (1979): *Temas de nuestra América*, Lima: Empresa Editora Amauta, 24.

60   Mariátegui llama la atención sobre la existencia de un «erróneo hábito mental de
      solidarizar absolutamente la civilización occidental con el orden burgués» –y que la
      defensa de Occidente– «exige que la civilización occidental no sea sólo civilización
      capitalista ni sea sólo civilización romana», Mariátegui: «Occidente y oriente» (en
      Variedades, Lima, 26 de noviembre de 1927) en Mariátegui (1979): *Figuras y
      aspectos de la vida mundial,* T. 2, 204-205.
61   Mariátegui: «El crepúsculo de la civilización», en Mariátegui (1979): *La novela de la
      vida,* op. cit., 142.
62   Mariátegui: «Aniversario y balance» («Editorial» de *Amauta* 17, sept. de 1928), en
      Mariátegui (1979): *Obra política,* op. cit., 267.
63   «En esta gran crisis contemporánea, se va a resolver en ella la suerte del proletariado
      mundial. De ella va a surgir, según todas las probabilidades y según todas las previsio-
      nes, la civilización proletaria, la civilización socialista, destinada a suceder a la
      declinante, a la decadente, a la moribunda civilización capitalista, individualista y
      burguesa», Mariátegui: «La crisis mundial y el proletariado peruano» (conferencia, 15
      de junio de 1923), en op. cit., 49.
64   Mariátegui: «Aniversario y balance», en op. cit., 249.
65   Sobre la influencia del pensamiento de Sorel sobre Mariátegui, véase: Robert Paris
      (1978): «El marxismo de Mariátegui», en José Arico (ed.): op. cit., 126-138, e idem
      (1992): *La formación ideológica de José Carlos Mariátegui* (Cuadernos Pasado y
      Presente 92), México: Siglo XXI, 122-153; Luis Villaverde Alcalá Galiano (1978):
      «El sorealismo de Mariátegui», en José Arico (ed.): op. cit., 145-161.
66   Mariátegui (1979): *Defensa del Marxismo,* Lima: Empresa Editora Amauta, 21. En
      esta misma obra, Mariátegui concretiza los aportes que la obra de Georges Sorel
      Reflexiones sobre la violencia (1908) ha aportado al marxismo: «vitalismo, activismo,
      pragmatismo, relativismo, ninguna de estas corrientes filosóficas, en las que podían
      aportar a la revolución, han quedado al margen del movimiento intelectual marxista»,
      ibid., 44.
67   «La teoría de los mitos revolucionarios, que aplica al movimiento socialista la
      experiencia de los movimientos religiosos», ibid., 21.
68   Mariátegui: «El hombre y el mito» (en *El Mundial,* Lima, 16 de enero de 1925) en
      Mariátegui (1979): *El alma matinal,* op. cit., 22.
69   Mariátegui: «La crisis mundial y el proletariado peruano», en Mariátegui (1979): *Obra
      política,* op. cit., 16.
70   Ibid.
71   Mariátegui: «La tradición nacional» (en *El Mundial,* Lima, 2 de diciembre de 1927) en
      Mariátegui (1979): *Peruanicemos al Perú,* Lima: Empresa Editora Amauta, 122.
72   Mariátegui: «El día de la raza» (respuesta al cuestionario de *Variedades,* 13 de oct. de
      1928) en Mariátegui (1979): *La novela de la vida,* op. cit., 163.
73   De acuerdo a Mariátegui, en el contexto de las luchas por la independencia del
      dominio colonial español y el proceso de construcción de los Estados nacionales
      insertaron a Hispanoamérica en la matriz ideológica de la Modernidad, cuyas ideas de
      «libertad, democracia, parlamento, soberanía del pueblo, todas las grandes palabras
      que pronunciaron nuestros hombres de entonces, procedían del repertorio europeo»,
      Mariátegui: «Aniversario y balance», en Mariátegui (1979): *Obra política,* op. cit.,
      267.
74   Mariátegui (1979): *7 ensayos de interpretación de la realidad peruana,* 19.

75 Mariátegui (1979): *Peruanicemos al Perú*, 27.

76 «Y si místicamente, gandhianamente, deseamos separarnos de la 'satánica civilización europea', como Gandhi la llama, debemos clausurar nuestros confines, no sólo a sus teorías, sino también a sus máquinas para volver a las costumbres y ritos incásicos», ibid., 29.

77 Ver Mariátegui (1979): *7 ensayos de interpretación de la realidad peruana*, 12.

78 Mariátegui: «Nacionalismo y vanguardismo en la ideología política» (en *El Mundial*, Lima, 27 de nov. de 1925), en Mariátegui (1979): *Peruanicemos al Perú*, 79.

79 «Sarmiento que es todavía uno de los creadores de la Argentinidad, fue en su época un europeizante. No encontró mejor modo de ser argentino», Mariátegui (1979): *7 ensayos de interpretación de la realidad peruana*, 12.

80 Mariátegui: «Heterodoxia de la tradición» (en *El Mundial*, Lima, 25 de nov. de 1927) en Mariátegui (1979): *Peruanicemos al Perú*, 117-120.

81 Mariátegui: «La tradición nacional» (en *El Mundial*, Lima, 2 de dic. de 1927) en ibid., 121-123.

82 Mariátegui: «Heterodoxia de la tradición», en ibid., 117.

83 Ibid.

84 Ibid., 118.

85 Ibid., 119.

86 Ibid., 117.

87 Ibid.

88 Ibid., 118.

89 Ibid., 119.

90 Mariátegui: «La tradición nacional», en ibid., 122.

91 «Cuando se nos habla de tradición nacional, necesitamos establecer previamente de que tradición se trata, porque tenemos una tradición triple», ibid., 123.

92 Mariátegui: «El problema de las razas en América Latina» (tesis presentada a la Primera Conferencia Comunista Latinoamericana, realizada en Buenos Aires, 1929) en Mariátegui (1978): *Ideología y política*, op. cit., 65.

93 Mariátegui (1979): *7 ensayos de interpretación de la realidad peruana*, 336.

94 Mariátegui: «El problema de las razas en América Latina», en Mariátegui (1978): *Ideología y política*, 42-43, 66-68.

95 Mariátegui: «El problema primario del Perú» (en *El Mundial*, Lima, 9 de nov. de 1924) en Mariátegui (1979): *Peruanicemos al Perú*, 30.

96 Mariátegui: «Indigenismo y socialismo, intermezzo polémico» (en *El Mundial*, Lima, 25 de feb. de 1927) en Mariátegui (1978): *Ideología y política*, 217.

97 Mariátegui: «Réplica a Luis Alberto Sánchez» (en *El Mundial*, Lima, 11 de marzo de 1927) en Mariátegui (1979): *Obra política*, 228.

98 Mariátegui: «El problema de las razas en América latina», en Mariátegui (1978): *Ideología y política*, op. cit., 68 (la cursiva es nuestra).

99 Mariátegui: «Nacionalismo y vanguardismo» (en *El Mundial*, Lima, 27 de nov. de 1925), en Mariátegui (1979): *Peruanicemos al Perú*, 74.

100 Para una discusión de esta problemática, véase el interesante artículo de Carlos Arroyo (1994): «El peso de la historia: La polémica entre Mariátegui y Aguirre Morales sobre el comunismo agrario», en *Anuario Mariateguiano* 6 (VI) (Lima), 287-292.

101 «La levadura de las nuevas reivindicaciones indígenas es la idea socialista, no como la hemos heredado instintivamente del extinto incario sino *como la hemos aprendido de la civilización occidental,* en cuya ciencia y en cuya técnica sólo románticos utopistas, pueden dejar de ver *adquisiciones irrenunciables y magníficas del hombre moderno»,* Mariátegui: «La nueva cruzada pro-indígena» (en *Boletín de defensa indígena,* enero de 1927, del *Amauta* 5) en Mariátegui (1978): *Ideología y política,* op. cit., 165 (la cursiva es nuestra); «Nacionalismo y vanguardismo», en Mariátegui (1979): *Peruanicemos al Peru,* 74; Mariátegui rechazó en forma categórica la idealización del incásico como paradigma de organización social: «El estímulo que se preste al resurgimiento del pueblo indígena, a las manifestaciones de sus fuerzas y espíritu nativo, no significa *en lo absoluto una romántica y anti-histórica tendencia de reconstrucción del socialismo incásico»,* «Principios programáticos del Partido Socialista» (1928) en Mariátegui (1978): *Ideología y política,* 121 (la cursiva es nuestra).

102 Mariátegui: «Nacionalismo y vanguardismo» (en *El Mundial,* 17 de nov. de 1925) en Mariátegui (1979): *Peruanicemos al Perú,* 74.

103 Mariátegui: «La nueva cruzada pro-indígena», en Mariátegui (1979): *Ideologia y política,* op. cit., 165 (la cursiva es nuestra).

104 Véase: Miguel Jorrin y John Martz (1970): *Latin American Political Thought and Ideology,* Chapell Hill: University of North Carolina Press, 89-90. Refiriéndose a la actitud antihispánica que es uno de los elementos centrales del imaginario de las élites intelectuales post-coloniales, escribe Leopoldo Zea, que «los emancipadores mentales de la América Hispana se entregaron a la difícil tarea de arrancarse una parte de su propio ser, su pasado, su historia», Zea (1976): *América como conciencia,* México: Universidad Nacional Autónoma de México, 76.

105 Mariátegui (1979): *7 ensayos de interpretación de la realidad peruana,* 44.

106 Mariátegui: «La tradición nacional», en Mariátegui (1979): *Peruanicemos al Perú,* 129.

107 «La historia del Perú no es sino una parcela de la historia humana. En cuatro siglos se ha formado una realidad nueva. La han creado los aluviones de occidente. Es una realidad débil. Pero es, de todos modos una realidad. Sería excesivamente romántico decidirse hoy a ignorarla», Mariátegui: «El rostro y el alma del Tawantisuyo», en op. cit., 66.

108 Hemos discutido esta problemática, entre otros trabajos, en nuestro artículo (1993): «La generación de 1842 y la cultura de la Modernidad europea en Chile» en *Nok* 99 (Odense, Romanske Centre, Odense Universitet).

109 Mariátegui (1979): *7 ensayos de interpretación de la realidad peruana,* 53.

110 Mariátegui: «'Indología' por José Vasconcelos» (en *Variedades,* Lima, 22 de oct. de 1922) en Mariátegui (1979): *Temas de nuestra América,* 83.

111 Véase al respecto Mariátegui: «La tradición nacional», en Mariátegui (1979): *Peruanicemos al Perú,* 121-123; «Nacionalismo y vanguardismo» (en *El Mundial,* Lima, 17 de nov. de 1925) en ibid., 73-74.

112 Ver Mariátegui (1979): *7 ensayos de interpretación de la realidad peruana,* 172-174.

113 Ibid., 15.

114 Ibid., 61.

115 Ibid., 46.

116 Fernando Mires, postula, a nuestro juicio, erróneamente, que Mariátegui participaba del «anticlericalismo» que informó a la tradición liberal latinoamericana. Creemos que una lectura atenta de sus escritos nos muestra nítidamente esta posición. Véase: Fernando Mires (1980): «Los indios y la tierra, o como concibió Mariátegui la revolución en el Perú», en *Ibero-Americana, Nordic Journal of Latin American Studies* VIII: 2/IX: 1-2 (Estocolmo), 71.

117 Mariátegui (1979): *7 ensayos de interpretación de la realidad peruana*, 162.

118 Ibid.

119 Mariátegui: «Aniversario y balance» (1928) en Mariátegui (1979): *Obra política*, 267.

120 Mariátegui: «La tradición nacional», en Mariátegui (1979): *Peruanicemos al Perú*, 122-123.

121 Mariátegui: «Nacionalismo y vanguardismo», en op. cit., 74.

122 «No es mi ideal el Perú colonial ni el Perú incásico sino *un Perú integral* (Réplica a Luis Alberto Sánchez)» (en *El Mundial*, Lima, 11 de marzo de 1927) en Mariátegui (1978): *Ideología y política*, op. cit., 222 (la cursiva es nuestra).

Bibliografía

Arico, José (ed.) (1978): *Mariátegui y los orígenes del Marxismo latinoamericano*, (Cuadernos Pasado y Presente 60), México: Siglo XXI.

Arroyo, Carlos (1994): «El peso de la historia: la polémica entre Mariátegui y Aguirre Morales sobre el comunismo agrario», en *Anuario Mariateguiano* 6 (VI) (Lima), 287-292.

Baines, John (1972): *Revolution in Peru: Mariátegui and the Myth*, Alabama: The University of Alabama Press.

Brunner, José Joaquín (1995): *Bienvenidos a la modernidad*, Santiago de Chile: Editorial Pedernal.

Cancino Troncoso, Hugo (1984): «Mariátegui y la problemática de la cultura nacional», en *ISA* 40, Aarhus: Romansk Institut, Aarhus Universitet, 54-67.

---(1993): *La Generación de 1842 y la cultura de la modernidad en Chile*, en *Nok* 99 (número monográfico) (Odense, Romanske Centre, Odense Universitet).

--- y Castro-Becker, María Cecilia (1992): «Europa como paradigma y referente del discurso civilizatorio de Alberdi y Sarmiento, en el contexto de la formación del Estado nacional en Hispanoamérica», en María Justina Saravia Viejo (ed.): *Europa e Iberoamérica, cinco siglos de intercambio*, Sevilla: AHILA, T. 3, 128-145.

--- y Cristoffanini, Pablo R.(1994): «El pensamiento de Mariátegui y la modernidad europea», en *Anuario Mariateguiano* 6 (VI) (Lima), 158-186.

Cristoffanini, Pablo (1994): *Det mangfoldige Spanien. Overvejelser omkring tradition, modernitet og identitet*, Aalborg: Center for Sprog og Internationale Studier, Aalborg Universitetscenter.

---(1998): *Fænomenologi, hermeneutik og kulturforståelse*, documento de trabajo, Aalborg: Aalborg Universitet.

Chavarría, Jesús (1979): *José Carlos Mariátegui and the Rise of Modern Peru, 1890-1930*, Albuquerque: University of New Mexico Press.

72   *H. Cancino Troncoso: Mariátegui entre la modernidad y la tradición*

Degras, Jane (ed.) (1971): *The Communist International 1919-1943. Documents*, T. 2, Londres: Frank Cas & Co. Ltd.

Falcón, Jorge (1978): *Anatomía de los 7 ensayos de Mariátegui*, Lima: Empresa Editora Amauta.

Fernández Díaz, Osvaldo (1991): «Gramsci y Mariátegui frente a la ortodoxia», en *Nueva Sociedad* 115 (Caracas), 135-144.

---(1994): *Mariátegui o la experiencia del Otro*, Lima: Empresa Editora Amauta.

Forgues, Roland (1995): *Mariátegui y la utopía realizable*, Lima: Empresa Editora Amauta.

Gadamer, Hans-Georg (1996): *Truth and Method*, Londres: Sheed & Ward.

García Canclini, Néstor (1989): *Culturas híbridas. Estrategias para entrar y salir de la modernidad*, México: Grijalbo.

Gibal, Francisco y Alfonso Ibáñez (1987): *Mariátegui hoy*, Lima: Tarea.

Hass, Jørgen (1980): «Tradition og fornuft Gadamers teori om forståelsens historiskhed», en Carl Henrik Koch et al. (eds.): *Filosofiske studier*, T. 3, Copenhague: Filosofisk Institut, 33-61.

Jorrin, Miguel y John Martz (1970): *Latin American Political Thought and Ideology*, Chapell Hill: University of North Carolina Press.

Larraín Ibáñez, Jorge (1996): *Modernidad, razón e identidad en América Latina*, Santiago de Chile: Editorial Andrés Bello.

Mariátegui, José Carlos (1978): *Ideología y política*, Lima: Empresa Editora Amauta.

---(1979): *El alma matinal y otras estaciones del hombre de hoy*, Lima: Empresa Editora Amauta.

---(1979): *7 ensayos de interpretación de la realidad peruana*, Lima: Empresa Editora Amauta.

---(1979): *La escena contemporánea*, Ts. 1-3, Lima: Empresa Editora Amauta.

---(1979): *La novela de la vida*, Lima: Empresa Editora Amauta.

---(1979): *Obra política*, México: Ediciones Era.

---(1979): *Peruanicemos al Perú*, Lima: Empresa Editora Amauta.

---(1979): *Signos y obras*, Lima: Empresa Editora Amauta.

---(1979): *Temas de nuestra América*, Lima: Empresa Editora Amauta.

Melis, Antonio (1980): «Medio siglo de vida de José Carlos Mariátegui», en Javier Abril et al. (eds.): *Mariátegui en la literatura*, Lima: Empresa Editora Amauta, 35-52.

Meseger Illán, Diego: *José Carlos Mariátegui y su pensamiento revolucionario*, Lima: Instituto de Estudios Peruanos.

Mires, Fernando (1980): «Los Indios y la tierra, o como concibió Mariátegui la Revolución en el Perú», en *Ibero-Americana, Nordic Journal of Latin American Studies* VIII: 2/IX:1-2 (Estocolmo), 68-39.

Ormiston, Gayle L. y Schrift, Alan D. (eds.) (1990): *The Hermeneutic Tradition from Ast to Ricœur*, New York: State University of New York.

Pahuus, Mogens (1995): «Hermeneutik», en Finn Collin et al. (eds.): *Humanistisk Videns kabsteori*, Copenhague: Danmarks Radio, 110-137.

Paris, Robert (1992): *La formación ideológica de José Carlos Mariátegui* (Cuadernos Pasado y Presente 92), México: Siglo XXI.

Prado, Raimundo (1995): «El marxismo de Mariátegui», en David Sobrevilla Alcázar (ed.): *El marxismo de José Carlos Mariátegui*, Lima: Empresa Editora Amauta, 24-47.

Salazar Bondi, Augusto (1976): *Historia de las ideas en el Perú contemporáneo,* T. 3, Lima: Francisco Moncloa Editores.

Sánchez, Luis Alberto (1966): *La literatura peruana. Derrotero para una historia cultural del Perú,* T. 4, Lima: Ediciones de Ediventos.

Sarmiento, Domingo Faustino (1988): *Facundo. Civilización y Barbarie,* Madrid: Alianza Editorial.

Spengler, Oswald (1962): *Vesterlandets undergang. Omrids af verdens historiens morfologi,* Copenhague: Aschehoug.

Touraine, Alain (1993): *Crítica de la modernidad,* Madrid: Ediciones Temas de Hoy.

Warnke, Georgia (1994): *Hermeneutics, Tradition and Reason,* Cambridge: Polity Press.

Weber, Max (1969): *La ética protestante y el espíritu del capitalismo,* Barcelona: Ediciones Península.

---(1969): «Science as a Vocation», en H. H. Gerthe y C. W. Mills (eds.): *From Max Weber,* Londres: Routledge and Kegan, 139-165.

Wilson, Barrie A. (ed.) (1985): *About Interpretation from Plato to Dilthey. A Hermeneutic Anthology,* New York: Peter Lang.

Zea, Leopoldo (1976): *América como conciencia,* México: Universidad Nacional Autónoma de México.

«Crítica» y «crisis» de la historiografía contemporánea en México: retos y posibilidades

Guillermo Zermeño Padilla
El Colegio de México

> *Dada la índole de la crisis que por todos rumbos invade a nuestra cultura, acertar o no acertar es secundario. Lo que importa es expresarse con valor; darle la cara a los verdaderos problemas, que siempre son los propios, los íntimos.*

Edmundo O'Gorman (1946)

Trataré de sostener a lo largo de este ensayo que para explicar la forma como se han dado en el pasado reciente las relaciones entre el historiador y la crítica en México haría falta describir el proceso por el cual la práctica historiográfica adquirió carta de profesionalización. Observar la forma como se constituyó la «hegemonía metodológica» o las reglas que determinaron el funcionamiento de esta disciplina nos permitiría descubrir los límites dentro de los cuales se ha desarrollado la crítica en México. *Grosso modo* se podría decir que esta crítica quedó cercada por una suerte de fetichización del archivo, esperando con ello devolver una imagen no distorsionada del pasado nacional mexicano. Una mayor reflexión sobre la forma y función del archivo, a pesar de los esfuerzos de historiadores como Edmundo O'Gorman, no encontró mayor eco, y en todo caso, sí bastantes resistencias. Se privilegió un proyecto que englobaba la idea de que a partir de sumar investigaciones sobre la totalidad del pasado se podría conseguir dibujar una imagen fiel de la formación histórica de la nación mexicana. En este contexto deseo enfatizar no tanto la crisis de la historia sino la «crisis» de una cierta noción de «crítica», en la historia, buscando con ello ampliar el marco en el que normalmente tiende a practicarse.

    Primero presento una revisión somera de la bibliografía reciente que se ha ocupado directa o indirectamente de este asunto para intentar situar mi propia perspectiva. Después hago un repaso de las nociones de «crítica» y «crisis» desarrolladas por el historiador alemán Reinhart Koselleck y por el sociólogo Niklas Luhmann, las cuales, me parece, son pertinentes y relevantes para la construcción de esa «nueva» plataforma crítica (1). En la parte final presento algunas reflexiones a partir del caso mexicano.

Formas y posibilidades de la crítica

Desde 1980 han aparecido una serie de libros reveladores en muchos sentidos acerca del estado que guarda la disciplina de la historia en México. La mayoría de estos se deben a la celebración de algún aniversario institucional (2) o de algún macroevento histórico como el del Quinto Centenario (3), o el de los 75 años de Revolución en México en el campo de la educación, la cultura y la comunicación (4); u homenajes a historiadores representativos de la historiografía contemporánea como Edmundo O'Gorman, Moisés González Navarro, Luis González, Josefina Vázquez (5).

No es la primera vez que esto sucede en el ámbito de la cultura. En México siempre se encuentra el motivo para celebrar y conmemorar tanto en el circuito académico como oficial. La novedad, esta vez, quizás, se pueda descubrir si se agrupan estos textos dentro de un conjunto mayor en el sentido de ver cómo una generación hace el balance sobre la etapa de la profesionalización de la historia en México, a la vez que intenta realizar un diagnóstico de la situación actual de la disciplina. Novedosos, por ejemplo, son los proyectos de rescate autobiográfico, que intentan rendirle homenaje a la vez que dejar ver al historiador de «carne y hueso» ausente generalmente de su obra. Textos de una gran riqueza por su carácter testimonial y en algunos casos fascinantes y conmovedores, por cuanto permiten vislumbrar la frágil y azarosa vía de las subjetividades de los historiadores (6).

A este conjunto de textos se pueden añadir otros, interesantes por dos razones: bien, por cuestionar ciertos lugares comunes acerca de las expectativas respecto de la historiografía y su utilidad social (7), o bien como en el caso de Luis González (8), por entregar por primera vez y con mucho éxito editorial, un manual de introducción a la historiografía –o en palabras de su autor, de cómo escribir «novelas verídicas»–, o el intento de Enrique Florescano por realizar una sociología y balance crítico del oficio de historiar en México (9). A este interés se suman pequeños simposios reunidos para reflexionar sobre el oficio del historiador desde las perspectivas de su especialidad (historia política, regional, cuantitativa, mentalidades, género, etc.) o de la reflexión personal o teórica más general (10), o los balances historiográficos periódicos acostumbrados como el reunido en Oaxtepec en 1988 (11).

No estoy seguro de que la mayoría de los trabajos mencionados concentren su interés en hablar de una «crisis» de la disciplina, sino pensaría más bien que intentan mostrar sus avances dentro de un proceso de perfeccionamiento progresivo y ampliación de miras temáticas y de enfoques. Por ello no deja de reiterarse la labor, encomiable sin duda, de quienes sentaron las bases (institucionales y de liderazgo) para el trabajo de las siguientes generaciones. Sin embargo también se advierten indicaciones sobre una cierta crisis de sentido, de liderazgo y de orientación. Para mí el punto estaría en saber hasta dónde la historiografía tal y como se practica actualmente ha conseguido autocomprenderse. ¿Hasta dónde ha podido reconocer sus propios límites y, en consecuencia, su función en el marco de una sociedad compleja dominada por la ampliación de los medios masivos de comunicación?

Pienso que aun sin utilizar explícitamente el término «crisis», esta noción circula por los entresijos y corredores en los que se desarrolla el trabajo de los historiadores. Por ejemplo, en los prólogos de algunos de los libros se reconoce que recientemente hay una aceleración del tiempo, la cual transmite la sensación de estar inmersos en un cambio incesante, razón de la aparición de nuevas y diversas interpretaciones sobre el pasado (12). Se apela, entonces, a factores externos al mismo funcionamiento de la disciplina para explicar cómo uno de los «grandes» momentos de nuestra historia, «la Revolución», ha modificado su interpretación, apelando en este caso al consabido impacto del derrumbe del muro de Berlín. También se suele atribuir la razón de estos cambios en la forma de hacer historia –lo cual estaría por verse– a otros factores externos como el del desarrollo de otras ciencias afines, o el avance de la historiografía en otros países. No se pueden negar que por el arte de la comparación con otras disciplinas o con otras historiografías –mexicanistas o no– se pueda percibir una sensación de «atraso», de desfase, o de un desarrollo insuficiente de la disciplina.

En este contexto, se reconoce que, no obstante los «logros indiscutibles, falta mucho por realizar [...] Los historiadores mexicanos tenemos el reto de mejorar la calidad de nuestros trabajos, utilizar metodologías más adecuadas y divulgar los resultados a los que hemos llegado, para lograr que lleguen a un público más amplio» (13).

Florescano es sin duda uno de los historiadores que probablemente ha enfatizado con más vigor los rasgos críticos de la cultura historiográfica mexicana. Afirma, por un lado lo siguiente: «en los últimos 30 años la investigación sobre el pasado mexicano sufrió un cambio cualitativo que modificó de manera notable la imagen y la comprensión de ese pasado» (14). De uno de sus fundadores de la institucionalidad y profesionalización de la disciplina, Silvio Zavala, destaca que «su aportación más notable al desarrollo de la investigación histórica contemporánea quizá sea el rigor para establecer los hechos históricos mediante un manejo acucioso de las fuentes originales [...]» (15). Para observar, finalmente, cómo gracias a esos antecedentes, se tiene en los últimos treinta años una historiografía más objetiva, plural y compleja sobre los distintos periodos. Pero, por otro lado, y he ahí la paradoja, el mismo Florescano señala que no sólo se tienen avances (en gran parte debidos a los historiadores extranjeros), sino también se encuentran «retrocesos, inconsistencias y fallas en la investigación histórica mexicana y en las instituciones dedicadas a ella». Hay un desfase entre la forma como se desarrollan los estudios históricos en el mundo y lo que se hace en México. No se está a la par en cuanto a la calidad. Hay una pérdida «de dirección en las instituciones», etc. (16).

Yo diría que su balance al final arroja un diagnóstico bastante pesimista de la historia que se escribe desde México y sobre México: el crecimiento y ampliación de las instituciones y de la disciplina parece avanzar sin rumbo, sin dirección ni rigor suficientes, si se el compara con la que se escribía en el pasado reciente o momento fundacional. En ese sentido, Florescano parece advertir una especie de quiebre o cesura generacional. Incluso llega a mencionar en su libro *El nuevo pasado mexicano* la necesidad de establecer un nuevo «pacto académico» de cara a la renovación de la historiografía (17).

Desde mi punto de vista, y en eso difiero de su explicación, lo que se requeriría para mejorar o salir de la «crisis» no es tanto el regresar a un supuesto momento originario o tipo de liderazgo para reencontrarse con la orientación, el rigor y la calidad de aquellos trabajos, sino más bien, habría que «volver a mirar» para reflexionar sobre el modelo que hegemonizó la forma de pensar a la historia. Se trataría sí de un regreso al origen, pero para reflexionar el sentido y los límites que tiene el saber histórico en la época moderna.

A mi juicio, más que volver a un supuesto rigor y formas de liderazgo tradicionales tendríamos que revisar la forma como se articuló teóricamente la disciplina y, sobre todo, como se llegó a autocomprender. ¿Qué sentido de temporalidad desarrolló? ¿Sobre qué idea de cambio se edificó? Tendríamos que saber hasta dónde este «nuevo pasado mexicano» ha modificado nuestra percepción lineal y progresiva de la evolución, que múltiples acontecimientos del siglo XX han venido a contradecir.

Hacia una reconceptualización de la noción de «crítica»

Hasta aquí he querido decir lo siguiente. Decimos que algo está en «crisis» cuando notamos que las expectativas sobre ese algo no se corresponden con nuestra experiencia. Esta percepción de las cosas como asimétrica o como desajuste entre lo que es y lo que debería ser (entre teoría y práctica) podría inscribirse dentro de lo que Koselleck denomina como la forma de la experiencia típicamente moderna (18). Por ejemplo, podría decirse que la idea de la historia que prevalecía en la década de los setenta entró en «crisis» al no corresponderse la práctica específica (lectura del pasado y escritura en el presente) con el acontecer general movido bajo otras reglas. Esta «crisis» de sentido provocado por el desajuste entre experiencia y expectativa, crearía las condiciones para abrirse a otro tipo de cuestionamientos, como por ejemplo, acerca de las relaciones entre lenguaje y mundo o entre las representaciones históricas y el pasado sucedido, así como las relativas al significado e importancia de estas representaciones para el presente (19).

Para intentar situar de mejor modo el significado de esta «crisis» y sus posibles implicaciones para la historiografía, recurro a los autores arriba mencionados: las reflexiones de Koselleck sobre la semántica de la temporalidad moderna y un artículo de Luhmann sobre las ciencias sociales y su futuro.

Al referirse a la construcción del saber histórico y sociológico en la época moderna, Luhmann nos recuerda que la noción de «crisis» aparece precisamente cuando estas ciencias fijaron a la sociedad como su objeto de estudio. Esto las obligó a explicitar su propio punto de vista lógico y metodológico fundado, básicamente, en el ejercicio de la «crítica» sustentada en una noción de «crisis». Lo interesante es que esta noción de «crisis» fue tomada prestada del campo de la medicina y trasladada al campo de la historia y de la sociedad. Esta noción tiende a designar fundamentalmente un estado pasajero, que se mueve de un punto inicial a otro punto subsecuente; lo central es que no refiere a un estado esencial no modificable. Por tanto todo cabe dentro de lo posible. La expresión «síntoma de la crisis», por ejemplo, nos indica una situación en tránsito entre lo mejor o lo peor o viceversa. Sus signos sólo nos pueden alertar frente a algo que se percibe como amenaza o por el contrario, alentarnos como signo de esperanza. Lo decisivo en estas consideraciones, y a la vez lo verdaderamente problemático, es que estas oscilaciones presuponen necesariamente una situación estable no-transitoria, que preexiste a los hechos.

Trasladado al objeto de estudio «sociedad» o «historia», su análisis presupone un modelo de sociedad o de hacer las cosas estable, al tiempo que se experimenta como en un continuo tránsito. El punto ciego radica en que ese modelo de sociedad generalmente sólo existe en el nivel de lo deseable o imaginable o de las representaciones. Se relaciona, por así decirlo, no con los «hechos en sí» –siempre en tránsito– sino con nuestras formas de percepción, que buscan, no obstante sus limitaciones, establecerse como la medida de las cosas, es decir, entre lo deseable y lo reprimible, entre lo amable y lo detestable. Hegel en el marco de las guerras napoleónicas señaló en algún momento que las «subjetividades» tienden a dominar en los periodos de «crisis». Y parecería que un elemento definitorio de nuestra época es esta situación de «crisis» (20).

Bajo estas consideraciones la noción de «crisis» no hace sino servir, de acuerdo a Luhmann, de autodescripción de una sociedad o de un presente que se experimenta en permanente cambio; de una sociedad, en consecuencia, que no acaba de entender la relación que se da entre la forma de su funcionamiento y sus consecuencias, o que su formulación teórico-normativa, es precisamente eso, solamente «teórica», ya que el acontecer puede seguir cursos diversos.

Esta distancia que separa a estos ámbitos formulables en términos de lo «real» y lo «legal», –que en términos de Koselleck, corresponden al «espacio de experiencia» (presente-pasado) y al «horizonte de expectativas» (presente-futuro) (21)–, presupone, por tanto, una sociedad o un modelo ideal de acción que preexiste a los hechos. De otra manera no sería posible hacer una evaluación respecto de su verdad o falsedad, de su bondad o maldad. De estos desfases se pueden explicar, como dice Luhmann, el surgimiento de todo tipo de movimientos sociales, culturales y políticos.

El problema teórico fuerte está en saber por qué el modelo ideal de futuro (la expectativa) no acaba de coincidir con el realmente existente (la experiencia). Por ejemplo cuando se contrastan los ideales de las revoluciones democrático-burguesas con la instalación dentro de la misma época de regímenes dictatoriales o absolutistas. Al tiempo que se podría hablar de crisis del modelo social, también se puede hacer lo mismo del modelo de ciencia histórico-social al observar que el elemento crítico explicativo aplicado al objeto de estudio, no habría conducido tampoco a los resultados esperados, es decir, poder establecer una relación acorde, no contradictoria entre la «teoría» y la «práctica».

Al observar que en el siglo XX la «crisis» ya no corresponde a fenómenos pasajeros, ni obedece puramente a razones de índole ideológica (los medios de comunicación masivos o el desarrollo de la industria cultural vinieron a acabar con esta visión), Luhmann llega a la conclusión de que lo que está en «crisis» es nuestra noción moderna convencional de «crítica». Por lo tanto, se necesita desarrollar una nueva noción de «crítica».

¿En qué radica para Luhmann la debilidad de la idea convencional de «crítica»? Básicamente en que esta clase de «crítica» se presupone poseedora de un «saber superior», o de una verdad moralmente impecable, pero la cual sin embargo no logra rebasar por lo general el nivel de una observación de primer grado. Es decir, se trata de una observación en la que primero se hace la descripción de la sociedad o de la historia y sus contradicciones y sólo después se preguntan por qué los otros no comparten su misma visión u opinión. La explicación a este desencuentro suele ser la de no haber leído los mismos autores, o no haber visto los mismos archivos o no compartir los mismos marcos teóricos, etc. En este nivel lo que se consigue es multiplicar las sectas o que sus esfuerzos se concentren en el mejoramiento de los procedimientos técnicos sin superar el ninguneo mutuo.

El reto de una ciencia social futura estaría fundado, entonces, siguiendo a Luhmann, en la misma razón de ser del movimiento ilustrado: en desarrollar la capacidad para observar cómo uno es observado por el otro o para incorporar el punto de vista del otro, sin reducirlo al propio. Desde esta perspectiva, el uso de la noción tradicional de «crítica» no conduce sino a elaborar descripciones externas que no hacen el menor esfuerzo por observar cómo observa aquél a quien se describe. No incluyen, en suma, el punto de vista del «otro». Esto sólo se supera mediante la posibilidad de desarrollar observaciones de observaciones.

Crítica y crisis en México: sus posibilidades

¿Qué elementos podrían derivarse de los planteamientos de Koselleck y Luhmann para observar el funcionamiento de la variante crítica/crisis en la historiografía contemporánea de México?

Aun cuando Koselleck y Luhmann se ocupan de Europa y sus reflexiones se originan en la situación política e intelectual de Alemania, creo que sus análisis centrados en las categorías de «crítica» y «crisis» son trasladables al ámbito mexicano. Porque salvo las particularidades dadas por cada contexto, sus análisis son una descripción de un fenómeno global, dentro del cual el no ser parte de la misma experiencia, no significa que sus diferencias tengan que explicarse a partir de una secuencia cronológica, como por ejemplo, bajo las nociones usuales, de atraso o progreso, desarrollo o subdesarrollo, primer mundo y tercer mundo, entre otras.

En ambos casos se trata de la aparición del saber histórico en la época moderna y su articulación institucional aun cuando no se puede negar que una fue después de la otra. Sin embargo a la luz de las reflexiones de Luhmann y Koselleck podemos observar que esos desfases cronológicos pierden importancia frente a la condensación de tiempos y lugares que se rigen por reglas y convenciones similares, y que han venido a caracterizar al tiempo presente.

Hay otro tipo de particularidades que pueden deberse, me parece, a las distintas formas que puede tomar la generación y desarrollo del espacio de opinión pública y que marcan sin duda las formas del Estado y de la cultura política en general (22). Todo esto resultado de procesos sociales complejos y no necesariamente unidireccionales. Sin embargo, en ambos casos se incorporan dos categorías históricas que marcan la simultaneidad de las experiencias: la de revolución (siempre un nuevo comienzo) y la de la nación. Koselleck refiere a la Revolución francesa y las guerras napoleónicas, contexto en el cual toma forma el proceso de articulación de la ciencia de la historia. Del mismo modo podemos decir que la Revolución mexicana se convierte en el referente explicativo del surgimiento de las principales instituciones que se van a dedicar a la investigación histórica.

Octavio Paz repitió en diversas ocasiones que México no había pasado por el termidor de la Ilustración, por lo cual había carecido de «crítica». Tal vez esa consideración sea una de las razones por la cual él sintió que a través de su obra los «tiempos perdidos» se condensaban, inaugurando y recuperando a la vez la «crítica», en México. Aun cuando esto pudiera tener algo de verdad, su percepción no se entendería si no se toma en cuenta la forma como el Estado de la Revolución puso las condiciones para la participación de los intelectuales en la vida pública nacional. El desarrollo de la ciencias sociales y de la historia en esas primeras décadas (1920-1940) nos permitiría observar ese proceso de condensación de tiempos que vendrían a cuestionar las nociones de atraso o progreso para explicar supuestos desfasamientos entre los países. La Revolución, se ha dicho repetidas veces de manera retrospectiva, significa, no el origen, sino sólo la «aceleración» de la inserción de México en la modernidad. Quizás lo que lo separe a países que igual se insertan en dicho proceso sin pasar necesariamente por un proceso revolucionario, sea el hecho de que la Revolución mexicana logró imponerse en el campo de las representaciones (del imaginario) como el referente esencial de la interpretación de la totalidad histórica mexicana (23), y éste es un fenómeno eminentemente de creación intelectual o cultural, no exclusivo, por supuesto, de los historiadores.

Estaríamos hablando de una revolución cultural en el que el mundo de los escritores y, en particular, el de la historiografía científico-profesional jugarían un papel preponderante. Menciono lo anterior para señalar que este gremio de historiadores se apropia y llega a padecer problemas similares a los descritos por Koselleck y reabiertos por Luhmann.

La «crítica», en el mundo moderno antecede a la caída del antiguo régimen, aunque sus críticos carecen de la información suficiente para prever la crisis política y social que se sucedería. Sobre esta ambigüedad se sientan las bases del nacimiento de la crítica histórica. A manera de hipótesis se puede decir que el nuevo régimen revolucionario y sus intelectuales convierten a la crítica liberal en su antecedente al tiempo que se fabrica a sí misma como culminación de un proceso general histórico; para ello requerirá entre otros científicos sociales de historiadores a fin de poder disponer de un retrato global de sí mismo, fundamentado, ahora no sólo política o militarmente, sino también «científicamente» (24).

Mientras a los críticos o «la Ilustración mexicana» representada en el Ateneo de la juventud (1906) tomó por sorpresa el desenlace de la Revolución («la revolución es la revolución» llegaría a decir Luis Cabrera), la reaparición de la crítica histórica a partir de la década de los veinte, sentó sus bases sobre el deseo de separación de las formas tradicionales de hacer historia, para dar inicio a una historiografía auténticamente científica.

Don Silvio Zavala podría representar mejor que ningún otro este impulso renovador fincado en el período de lo que se conoce como la etapa constructiva de la Revolución. Zavala es emblemático por ser uno de los que encabeza la cruzada para instaurar la historia científica en México (25). Aquí podríamos decir que la vieja historia anticuaria o de coleccionistas entra en «crisis», lo mismo que la historia política del siglo XIX. Entra en «crisis», en razón de la «crítica» hecha a los supuestos que las sostienen.

Zavala regresó a México en 1937 después de formarse en Madrid, convencido de introducir al oficio de la historia virtudes de las que según él, se carecían en el medio: la sobriedad, la objetividad, la imparcialidad, la honestidad intelectual. Dispuesto a hacer de la historia una tarea capaz de disciplinar la imaginación para proceder de acuerdo a un orden metódico. Su proyecto al regresar de España forma parte del programa que durante esos años desarrollaba su maestro español Rafael Altamira, en torno a una historia de las civilizaciones hispanoamericanas (26). En este, el papel otorgado al trabajo de archivo será central, si bien no como un fin en sí mismo, sino para validar «empíricamente» lo que tendría que desembocar en la presentación de este proceso civilizatorio, siempre en apego irrestricto «a la verdad de los hechos». Esta asociación de los hechos al documento será retomada también con bastante énfasis por don Daniel Cosío Villegas, otro de los «caudillos culturales» del periodo.

Cosío, ya en la década de los sesenta, reafirma esa misma convicción al sostener en una conferencia impartida en Brasil que en los Estados Unidos se produce una mejor ciencia social e histórica ya que las interpretaciones estaban mejor fundadas en los documentos de archivo. En cambio, a su parecer, el investigador latinoamericano persistía en la manía de inventar historias sin fundamentarlas en los registros del pasado, lo que conducía inevitablemente a la producción de falsas imágenes del país sobre sí mismo. Propone, por ello, realizar en esos años «una reforma revolucionaria», en la formación del historiador (27).

Se establece así un tipo de «crítica», enmarcada dentro de un proyecto de nación. La noción de «crisis», en el caso de la historiografía parte de la observación de que el ideal de veridicción en la historia no acaba por cumplirse. Este ideal es parte de un proyecto «naturalista» historiográfico que no toma en cuenta que la información que recoge para cubrir el lienzo del pasado es dato y a la vez producto. La Nación es una idea que preexiste al hecho mismo de recoger la información; con ello no consigue dar cuenta de sus presupuestos inscritos en el proceso de investigación mismo. Una de las consecuencias de ello es lo comentado por el historiador de la literatura alemán, H. R. Jauss, quien glosando a Adorno y Horkheimer en su *Dialéctica de la Ilustración* señala:

> La Ilustración burguesa con su separación de naturaleza y civilización ha producido la conciencia de una alienación fundamental de la vida social y ha abierto el camino del progreso de la razón instrumental que incluye al mismo tiempo una regresión, puesto que el dominio de la naturaleza extrahumana se paga con el rechazo de la naturaleza del hombre (28).

Este último punto espero aclararlo mejor al referirme a lo que el historiador mexicano Edmundo O'Gorman pretendió mostrar cuando publicó su libro *Crisis y porvenir de la ciencia histórica* (29). Es un texto que O'Gorman entregó a la imprenta universitaria unos meses antes de cumplir los cuarenta años, en 1946. En el da muestra de una brillantez intelectual poco común, lo cual todavía no deja de sorprender, aun cuando hubiera algunos pasajes del libro que él mismo podría hoy haber matizado. Visto en retrospectiva y a la luz de las discusiones teórico-historiográficas recientes, lo dejan ver como «el más moderno», entre los historiadores modernos mexicanos.

Se trata de un libro dividido en dos partes con la función de sentar las bases teóricas para realizar su obra de deconstrucción del «ser americano» o como la denominó *La invención de América*. *Crisis y porvenir* está dedicado a su maestro y amigo José Gaos, discípulo de Ortega y Gasset y traductor de *Ser y tiempo* de Martin Heidegger. Así no es nada difícil que sus reflexiones sobre la «crisis» estén bañadas de ese texto fundamental (30).

Para O'Gorman la «crisis» no está fuera sino dentro de la historia. Cabría decir: la historia está en «crisis» porque esta noción es constitutiva de una época que se define por esa característica. Pero es una característica que no todos logran identificar. Al comienzo del libro sentencia:

> A decir verdad, para la mayoría de quienes consagran a la historia sus desvelos, lo que esos desvelos significan no es cosa que por sabida callan, sino por ignorada. Dada la índole de la crisis que por todos rumbos invade a nuestra cultura, acertar o no acertar es secundario. Lo que importa es expresarse con valor; darle la cara a los verdaderos problemas, que siempre son los propios, los íntimos (O'Gorman 1947: XII).

Para enfrentar la «crisis» no hay sino el ejercicio de la «crítica», camino de la redención o como él lo llama, «la salvación intelectual». La «crítica» supone tomar parte en la esfera pública de opinión, por eso no cabe el refugiarse en la ambigüedad o en el silencio (no en balde O'Gorman siempre fue un polemista), por considerarla cobardía y más cuando se ampara en la fama. De lo que se trata entonces es de intentar «por cuenta y riesgos propios, hasta donde den las fuerzas, de aclarar por sí mismo y para los demás el significado de las propias actividades del espíritu». Tal es la única forma de «salvación intelectual; para quien guste concebirse a sí mismo como hombre de ciencia, es una obligación precisa» (ibid.).

Creo que durante la década de los cuarenta se tiene en México el desenlace de la disputa metodológica en el campo de la historia. Habría que estudiarla con más detalle y mayor profundidad. Ese mismo año de 1946 está en México Rafael Altamira y Crevea, formador de importantes historiadores latinoamericanistas en sus seminarios de la Universidad Central de Madrid. Está en

México para impartir el curso «Orientaciones para el estudio de la historia». En su planteamiento predomina la imagen gremial de los artesanos de antiguo régimen, sobre la base de la dependencia del aprendiz del maestro, así como contrapone el modelo de causalidad aristotélico, con el relativista de Croce.

La invitación de O'Gorman a elevar el grado de reflexividad en la historia, pero sobre todo a no disfrazar la subjetividad del historiador bajo el velo de la imparcialidad y la objetividad, no encontró entonces demasiado eco. Ese núcleo está presente a lo largo de su obra, pero tuvo que pagar el precio de ser etiquetado como «filósofo» y no como historiador.

Este libro de O'Gorman puede adquirir nueva actualidad a la luz de los debates contemporáneos sobre la historia cultural. Su crítica al naturalismo historiográfico (el pasado ya no afecta el presente) y a la supuesta imparcialidad y desinterés del historiador siguen vigentes. En su repaso sobre la forma como se instituyó la historiografía en Alemania, por ejemplo, devela el carácter político-ideológico de la construcción historiográfica rankeana. El gran beneficiario de este tipo de historia, señala, es «el nacionalismo moderno» (O'Gorman 1947: 34). Niebuhr, padre de la historia alemana, con todo su propósito desinteresado por la verdad histórica, no oculta su ferviente interés patriota por superar «la triste época de la humillación prusiana». Volvió su mirada a la historia de Roma, acota O'Gorman, para fortalecer su mente y «regenerar a los jóvenes para hacerlos capaces de realizar grandes cosas...» (ibid.: 37-38). La trayectoria de la obra de Ranke corre al parejo de la unificación alemana, advierte. Su verdad histórica, dice O'Gorman, era en realidad Alemania (ibid.: 47-50) En este sentido, el texto de O'Gorman es un excelente ejemplo de crítica de la ideología del discurso histórico-científico.

Lo que O'Gorman realiza en este trabajo de reflexión fue desenmascarar el carácter político-instrumental de la forma del método que se impuso en la investigación histórica en esos años. En aras de una supuesta objetividad dejó abiertos los problemas resultado del abandono de una teleología histórica de corte sagrado o laical, de corte providencial o utópico. ¿Cómo maniobrar con el futuro cuando se trata del pasado? es un problema que enfrenta al historiador a la cuestión de cómo concebir el presente en sus relaciones con el pasado y el futuro.

Es en este marco que los planteamientos de este historiador mexicano se entrelazan con los de Koselleck y Luhmann. Me parece que es en esa problemática –la de persuadir a alguien de que los juicios emitidos sobre el pasado no son exclusivamente de uno, sin que tampoco estén fincados en un factor externo o trascendental a la forma del discurso– en el que la consideración de la cultura como proceso social comunicativo adquiere pertinencia. Si al proyecto de Estado moderno –que surge con la Revolución– no condujo al resultado esperado, entonces se puede suponer que sin la consideración de la simultaneidad de lo antiguo y de lo moderno (ese futuro-pasado del que nos habla Koselleck) no estamos en condiciones de comprender el funcionamiento de nuestro tiempo presente.

Esta asintonía o asimetría entre el futuro y el pasado que se manifiesta en la distancia que separa el deber ser del ser de la ciencia de la historia, entre la teoría y la práctica, es aplicable a la historiografía. El «naturalismo historiográfico» al no desarrollar la capacidad de observar cómo observa, se ha privado aun sin renunciar a la búsqueda de la verdad, de la posibilidad de superar una suerte de idealismo y subjetivismo, tal como lo planteado por Luhmann. Al carecer de ello, la mostración de ausencias y fallas, dispositivos de toda crítica, es cubierta por elementos externos (intereses de grupo o particularistas no confesados) para solventar el problema de la contingencia que conlleva toda opinión en la época moderna. Se tiene, si se quiere, y esquematizando mucho, una historiografía instrumento de conocimiento moderno, pero establecido sobre las bases de una cultura política atrincherada de antiguo régimen.

En el marco de esta discusión, me parece pertinente y oportuno, la reconsideración de la obra de O'Gorman como preámbulo necesario para la comprensión de la historia como «historia cultural», cuya función en apego a Jauss, sería la de fundamentar expectativas para mostrar lo que en el horizonte del tiempo hay todavía de deseable, de pensable, y de cognoscible. Lo natural en el hombre no radicaría, glosando a Kant, tanto en regresar como «en volver a mirar» (31).

La intención de este ensayo ha sido, sin ser del todo consciente de lo que esto implica, la de emular el esfuerzo de Habermas por esbozar una especie de reconstrucción de la prehistoria del positivismo moderno para detectar momentos de «abandono» de la reflexión, a fin de reactivarla (32).

Notas y referencias

1 Me refiero en particular al texto de Niklas Luhmann (1992): «En el ocaso de la sociología crítica», en *Revista de la Universidad de Guadalajara* 1 (La colección de Babel), trad. de Javier Torres Nafarrate y Brunhilde Erker (Guadalajara), 11-20. Y Reinhart Koselleck (1965): *Crítica y crisis del mundo burgués*, traducción del alemán de Rafael de la Vega, Madrid: Ediciones Rialp.

2 Por ejemplo, Alicia Hernández Chávez y Manuel Miño Grijalbo (coords.) (1991): *Cincuenta años de historia en México*, 2 vols., México: El Colegio de México; Gisela von Wobeser (coord.) (1998): *Cincuenta años de investigación histórica en México*, México: UNAM / Universidad de Guanajuato.

3 *México e Hispanoamérica. Una reflexión historiográfica en el Quinto Centenario I* (1992) en *Historia Mexicana* 166 (México, El Colegio de México).

4 *México 75 años de Revolución. Educación, cultura y comunicación II* (1988), México: F.C.E. / INEHRM. Luis González y González fue el encargado de dar cuenta de los «75 años de investigación histórica en México» (651-704). Además del gran esfuerzo de síntesis que supone estas tareas, es interesante subrayar el hecho de que la historiografía se presenta como un hecho cultural de la Revolución.

5 Algunos de estos ejemplos son el *Homenaje a don Edmundo O'Gorman* (1997) en *Historia Mexicana* 184 (México, El Colegio de México); Shulamit Goldsmit y Guillermo Zermeño (coords.) (1992): *La responsabilidad del historiador. Homenaje a Moisés González Navarro*, México: Universidad Iberoamericana; Luis Jáuregui y José Antonio Serrano Ortega (coords.) (1998): *Historia y Nación II. Política y diplomacia en el siglo XIX mexicano*, México: El Colegio de México. Libro que recoge una parte de las ponencias presentadas en el Homenaje a Josefina Vázquez.

6 Enrique Florescano y Ricardo Pérez Montfort (comps.) (1995): *Historiadores de México en el siglo XX*, México: F.C.E. / CNCA; Jean Meyer (coord.) (1993): *Egohistorias. El amor a Clío*, México: CMCA; Alicia Olivera, Salvador Rueda y Laura Espejel (coords.) (1998): *Historia e historias. Cincuenta años de vida académica del Instituto de Investigaciones Históricas*, México: UNAM.

7 Alejandra Moreno Toscano (coord.) (1980): *Historia, ¿para qué?*, México: Siglo XXI; Enrique Krauze (1983) presentó su reacción a *Historia, ¿para qué?* en *Caras de la Historia*, México: Cuadernos de Joaquín Mortiz, 15-38.

8 Luis González (1988): *El oficio de historiar*, Guadalajara: El Colegio de Michoacán.

9 Enrique Florescano (1991): *El nuevo pasado mexicano*, México: Cal y Arena.

10 *Panorama actual de la historiografía mexicana* (1983), México: Instituto Mora; *El historiador frente a la historia* (1992), México: UNAM; *Reflexiones sobre el oficio del historiador* (1995), México: UNAM.

11 *Memorias del Simposio de Historiografía Mexicanista* (1990), México: Comité Mexicano de Ciencias Históricas / UNAM-IIH.

12 Por ejemplo Gisela von Wobeser (1995): «Prefacio», en *Reflexiones sobre el oficio del historiador*, 7.

13 Ibid., 8.

14 Enrique Florescano (1992): «La nueva interpretación del pasado mexicano», en *El historiador frente a la historia*, 7.

15   Ibid., 8.
16   Ibid., 18; véase también idem (1991): *El nuevo pasado mexicano,* 159-160.
17   Idem (1991): *El nuevo pasado mexicano,* 164. Muchos de sus ensayos antes de aparecer en forma de libro fueron publicados en revistas como *Nexos* o suplementos culturales de los diarios más importantes. Sus ensayos sobre la sociología de la historia aparecieron recientemente en una colección del Fondo de gran tiraje bajo el título *La historia y el historiador* (1997), México: F.C.E. (Fondo 2000 / Cultura para todos).
18   El punto crucial para determinar la particularidad de esta forma de experiencia estaría en el distanciamiento progresivo entre el pasado y el futuro, entre una normatividad extraída del recuerdo y otra clase de normatividad que se fija no en función de lo ya acontecido, sino de lo que falta o puede suceder; en función más de sus resultados situados en el futuro de la acción. Koselleck trabaja en su ya clásico libro *Futuro Pasado* sobre la hipótesis de que lo que se podría entender como «tiempo histórico» es determinable a partir de la diferencia que se establece entre el pasado y el futuro, o entre experiencia y expectativa. Biológicamente, incluso, se puede observar a partir de una biografía que las relaciones entre experiencia y expectativa pueden variar, bien porque la primera crece y la segunda disminuye, de modo que pueden conducir a que una compense a la otra. La especificidad del tiempo moderno consiste entonces, y ahí su particularidad en relación a otras experiencias «modernas» anteriores, en la pretensión de experimentar lo propio como «un tiempo siempre nuevo» (*modernus*); en esa medida la mayor carga se deposita no en el pasado sino en el futuro, Reinhart Koselleck (1993): *Futuro Pasado. Para una semántica de los tiempos históricos,* México: Paidós Básica, 15-16. Hay un momento «originario» definitorio de este tiempo estructural moderno (la experiencia temporal no es una cuestión meramente cronológica) que Koselleck sitúa alrededor de la aparición del término «historia» acuñado en el siglo XVIII, cuyo complemento son otros como los de «revolución», «azar», «destino», «progreso» o «desarrollo». Si bien este es el trabajo más conocido de Koselleck, para nuestro caso es necesario referirnos también al que fue producto de su tesis doctoral, Koselleck (1965): *Crítica y crisis del mundo burgués,* Madrid: Rialp, para identificar desde una perspectiva sociocultural la aparición de la variante crítica-crisis que va ser también un componente sustancial del pensamiento ilustrado y articuladora de la autocomprensión de la sociedad que surge tras la caída del Estado absolutista europeo, y podríamos decir por extensión, de la que surge a raíz de las independencias de los países hispanoamericanos. Lo interesante de su planteamiento, –que coincide si no es que afecta directamente la nueva historiografía cultural tipo Roger Chartier– es partir de la distinción entre experiencia y expectativa, una que no se entiende sin la otra, y que dependiendo de cómo se den sus relaciones se pueden producir diversos mundos o «tiempos históricos». Lo importante es que la determina-ción de estos se vincula estrechamente a la determinación de las unidades políticas y sociales de acción. El segundo punto a considerar se relaciona precisamente con el desencuentro en ese momento «originario», entre la «crítica» y la «crisis»: la crítica ejercida al Antiguo Régimen no previó la crisis política que desencadenaría, del mismo modo que el Antiguo Régimen creo las condiciones para la aparición del nuevo. De modo que toda crítica antecede a la crisis, pero mantiene al mismo tiempo una deuda con lo anterior.

19   Hayden White se pregunta en 1974: «¿Qué es lo que representan las representaciones históricas?», cf. White (1994): «El texto historiográfico como artefacto literario», en *Historia y Grafía* 2 (México, Universidad Iberoamericana), 9-34.

20   El pensamiento ilustrado fue el que transformó el campo de la Historia en un proceso. Mediante la «crítica» la Historia se convierte asimismo en Filosofía de la Historia como Tribunal supremo para dirimir la pugna entre las subjetividades. (Se debe anotar que esta nueva comprensión del tiempo y de los procesos sociales que escinde al futuro del pasado, se llevó a cabo primero en el campo de la crítica del arte y de la literatura). La idea de la historia en proceso o progresiva vino a sustituir la de la escatología cristiana; aunque habría que hablar como lo señala Koselleck, que se trata más bien de un movimiento en el que se transfieren y se aplican a la Historia los elementos constitutivos de la escatología cristiana: la del Tribunal divino y del juicio final al Tribunal de la razón de cara al futuro. La forma de impartición de la justicia sobre toda clase de acontecimiento –pasado, presente o futuro– se torna «subjetivo», en la medida en que se deja de contar con las medidas o magnitudes acostumbradas de corte universal. Esta modalidad transforma a la Historia en un proceso cuyo desenlace queda pendiente tanto tiempo cuanto las categorías privadas del juicio no sean capaces de dar alcance a los acontecimientos que ellas mismas ayudaron a desencadenar. El plan de salvación se convierte por tanto en una planificación del futuro obra de una nueva élite, justificada no sólo moral sino también militarmente. Por ello esta clase de «crítica» tomó en lo fundamental un carácter utópico. Lo paradójico, como ya se mencionó, es que el «siglo de la crítica y del progreso moral desconoció a la «crisis», en cuanto concepto central», Koselleck (1965): *Crítica y crisis del mundo burgués,* op. cit., 285.

21   Koselleck dedica un capítulo de su libro *Futuro Pasado* a explicar el sentido que da a estas categorías y su pertinencia. Se trata de dos categorías de carácter formal no históricas en su acepción empírica («Revolución mexicana», por ejemplo). Su función es fundamentar la posibilidad de una historia. Su validez se encuentra en que refieren a un dato antropológico previo a la misma operación: el de la condición humana universal o no hay historia posible que no esté constituida «mediante las experiencias y esperanzas de personas que actúan o sufren». Son categorías que no se entienden una sin la otra. Su tesis es la siguiente: «La experiencia y la expectativa son dos categorías adecuadas para tematizar el tiempo histórico por entrecruzar el pasado y el futuro. Las categorías son adecuadas para intentar descubrir el tiempo histórico también en el campo de la investigación empírica, pues enriquecidas en su contenido, dirigen las unidades concretas de acción en la ejecución del movimiento social o político». En particular intenta mostrar que la coordinación de experiencias y expectativa se ha desplazado y modificado en el transcurso de la historia. Con lo cual se dejaría ver que el tiempo histórico es «una magnitud que va cambiando con la historia, cuya modificación se podría deducir de la coordinación cambiante entre experiencia y expectativa». A este respecto no oculta su deuda al trabajo de Hans-Georg Gadamer (1988): *Verdad y Método,* Salamanca: Ediciones Sígueme.

22   Estas ideas han sido desarrolladas con un poco de mayor amplitud en A. Mendiola y G. Zermeño (1998): «Hacia una metodología del discurso histórico», en Jesús Galindo Cáceres (coord.): *Técnicas de investigación en sociedad, cultura y comunicación,* México: CNCA / Addison Wesley Longman, 165-206.

23   Cf. J. Habermas (1981): *Historia y crítica de la opinión pública. La transformación estructural de la vida pública*, traducción del alemán de Antoni Doménech, Barcelona: Gustavo Gili. En especial el apartado «La publicidad como principio de mediación entre política y moral (Kant)», 136-149.

24   Al respecto véase el trabajo de Víctor Díaz Arciniega (1989): *Querella por la cultura revolucionaria (1925),* México: F.C.E.; y el artículo de Guillermo Palacios (1973): «Calles y la idea de la revolución», en *Historia Mexicana* 3 (XXII), 261-278.

25   De alguna manera esta es la hipótesis que aplica y desarrolla de manera brillante Roger Chartier (1995) en su ensayo: *Espacio público, crítica y desacralización en el siglo XVIII. Los orígenes culturales de la Revolución francesa,* traducción del francés de Beatriz Lonné, Barcelona: Gedisa.

26   De Silvio Zavala escribió Alfonso Reyes lo siguiente: «En el descubrimiento o en la depuración de los datos, en la explicación, la narración o la síntesis, se abre Silvio Zavala con la brújula de su cordura y con esa sensibilidad para las pesas y los valores que no es facultad aprendida, sino una virtud tan innata en él como las exquisitas condiciones de su trato caballeroso y sereno. Consagrado al estudio del pueblo mexicano y su formación, singularmente a lo largo de los siglos modernos, nuestra historia no sólo le debe ricas aportaciones en cuanto al material mismo de las noticias, sino también un sentido, una orientación, un tratamiento aséptico. Todo lo cual señalarán su sitio eminente en el drama de nuestra cultura nacional», *Homenaje a Silvio Zavala. Estudios Históricos Americanos* (1953), México: El Colegio de México, 7.

27   Silvio Zavala (1982): «Conversación sobre la Historia», entrevista con el historiador Peter Bakewell, publicada originalmente en *The Hispanic American Historical Review* 4 (62), 553-568 y también en *Memoria de El Colegio Nacional* (1982), 1 (X), 13-28.

28   D. Cosío Villegas (1966): «Historia y ciencias sociales en la América Latina», (conferencia presentada en Río de Janeiro en marzo de 1965), en *Ensayos y notas II,* México: Editorial Hermes, 109-140.

29   H. R. Jauss (1995): *Las transformaciones de lo moderno. Estudios sobre las etapas de la modernidad estética,* traducción de Ricardo Sánchez Ortiz de Urbina, Madrid: Visor, 67.

30   Edmundo O'Gorman (1947): *Crisis y porvenir de la ciencia histórica,* México: Imprenta Universitaria.

31   El mismo E. O'Gorman comenta que en la década de los cuarenta cuando vinieron los maestros españoles esos temas (de la filosofía y la teoría de la historia) eran temas discutidos. El participó, dice, «en la medida de mis posibilidades» con un libro, *Crisis y porvenir.* Y añade: «ya es muy viejo, no lo he vuelto a leer, no sé hasta que punto suscribiría todo, pero de todas maneras lo que en ese libro expuse sigue siendo el meollo de lo que pienso a ese respecto», en *Premio Universidad Nacional 1986. Entrevistas* (1987), México: UNAM / Secretaría General, 127.

32   Jauss, op. cit., 24

33   Habermas (1982), «Prefacio», *Conocimiento e interés,* traducción del alemán de Manuel Jiménez, José F. Ivars y Luis Martín Santos, Madrid: Taurus, 9.

Bibliografía

Cosío Villegas, Daniel (1966): «Historia y ciencias sociales en la América Latina», en *Ensayos y notas II*, México: Editorial Hermes, 109-140.

Chartier, Roger (1995): *Espacio público, crítica y desacralización en el siglo XVIII. Los orígenes culturales de la Revolución francesa*, Barcelona: Gedisa.

Díaz Arciniega, Víctor (1989): *Querella por la cultura revolucionaria (1925)*, México: F.C.E.

Florescano, Enrique (1991): *El nuevo pasado mexicano*, México: Cal y Arena, México.

---(1995): «La nueva interpretación del pasado mexicano», en *El historiador frente a la historia*, México: UNAM.

---(1997): *La historia y el historiador*, México: F.C.E. (Fondo 2000 / Cultura para todos).

--- y Pérez Montfort, Ricardo (comps.) (1995): *Historiadores de México en el siglo XX*, México: F.C.E. / CNCA.

Gadamer, Hans-Georg (1988): *Verdad y método*, Salamanca: Ediciones Sígueme.

Goldsmit, Shulamit y Zermeño, Guillermo (coords.) (1992): *La responsabilidad del historiador. Homenaje a Moisés González Navarro*, México: Universidad Iberoamericana.

González y González, Luis (1988): «75 Años de investigación histórica en México», en *México 75 años de Revolución. Educación, cultura y comunicación II*, México: F.C.E. / INEHRM, 651-704.

---(1988): *El oficio de historiar*, Guadalajara: El Colegio de Michoacán.

Habermas, Jürgen (1981): *Historia y crítica de la opinión pública. La transformación estructural de la vida pública*, Barcelona: Gustavo Gili.

---(1982): *Conocimiento e interés*, Madrid: Taurus.

Hernández Chávez, Alicia y Miño Grijalbo, Manuel (coords.) (1991): *Cincuenta años de historia en México*, 2 vols., México: El Colegio de México.

El historiador frente a la historia (1992), México: UNAM.

Homenaje a don Edmundo O'Gorman (1997), en *Historia Mexicana* 184 (México, El Colegio de México).

Homenaje a Silvio Zavala. Estudios históricos americanos (1953), México: El Colegio de México.

Jáuregui, Luis y Serrano Ortega, José Antonio (coords.) (1998): *Historia y Nación II. Política y diplomacia en el siglo XIX mexicano*, México: El Colegio de México.

Jauss, Hans Robert (1995): *Las transformaciones de lo moderno. Estudios sobre las etapas de la modernidad estética*, Madrid: Visor.

Koselleck, Reinhart (1965): *Crítica y crisis del mundo burgués*, Madrid: Ediciones Rialp.

---(1993): *Futuro Pasado. Para una semántica de los tiempos históricos*, México: Paidós Básica.

Krauze, Enrique (1983): *Caras de la historia*, México: Cuadernos de Joaquín Mortiz.

Luhmann, Niklas (1992): «En el ocaso de la sociología crítica», en *Revista de la Universidad de Guadalajara* 1 (Guadalajara), 11-20.

Memorias del Simposio de Historiografía Mexicanista (1990), México: Comité Mexicano de Ciencias Históricas / UNAM-IIH.

Mendiola, Alfonso y Zermeño, Guillermo (1998): «Hacia una metodología del discurso histórico», en Jesús Galindo Cáceres (coord.): *Técnicas de investigación en sociedad, cultura y comunicación,* México: CNCA / Addison Wesley Longman, 165-206.

Meyer, Jean (coord.) (1993): *Egohistorias. El amor a Clío,* México: CEMCA.

Moreno Toscano, Alejandra (coord.) (1980): *Historia, ¿para qué?,* México: Siglo XXI.

México e Hispanoamérica. Una reflexión historiográfica en el Quinto Centenario I (1992), en *Historia Mexicana* 166 (México, El Colegio de México).

O'Gorman, Edmundo (1947): *Crisis y porvenir de la ciencia histórica,* México: Imprenta Universitaria.

---(1987): «Entrevista», en *Premio Universidad Nacional 1986. Entrevistas,* México: UNAM / Secretaría General, 125-136.

Olivera, Alicia / Rueda, Salvador / Espejel, Laura (coords.) (1998): *Historia e historias. Cincuenta años de vida académica del Instituto de Investigaciones Históricas,* México: UNAM.

Palacios, Guillermo (1973): «Calles y la idea de la revolución», en *Historia Mexicana* 3 (XXII) (México, El Colegio de México), 261-278.

Panorama actual de la historiografía mexicana (1983), México: Instituto Mora.

Reflexiones sobre el oficio del historiador (1995), México: UNAM.

White, Hayden (1994): «El texto historiográfico como artefacto literario», en *Historia y Grafía* 2 (México, Universidad Iberoamericana), 9-34.

von Wobeser, Gisela (coord.) (1998): *Cincuenta años de investigación histórica en México,* México: UNAM / Universidad de Guanajuato.

Zavala, Silvio (1982): «Conversación sobre la Historia (entrevista con Peter Blakewell)», en *Memoria de El Colegio Nacional* 1 (X) (México), 13-28.

¿Esencial o híbrida?
La cuestión de la cultura nacional en México

Pablo R. Cristoffanini
Aalborg Universitet, Dinamarca

Introducción

En el campo de la comunicación intercultural –tal cual se practica en los Estados Unidos y Escandinavia– existe una tendencia a equiparar cultura con nación. Así, se habla sin más de la cultura «americana», «francesa» o «española» o se equipara la cultura empresarial de un país con la cultura nacional (1). Las diferentes naciones son –en base a un tratamiento computacional que otorgaría la credibilidad científica– ordenadas y catalogadas en torno a cuatro o cinco variantes que darían cuenta de la esencia de la cultura en cuestión. Indudablemente que este tipo de estudios en una época macdonaldizada, tienen su atractivo ya que ahorran tiempo y liberan de la fatigosa tarea de entender como los diferentes grupos sociales y étnicos han ido conformando sus culturas e influido –con mayor o menor eficacia– en la formación de una cultura nacional. Pero, el resultado de estas enormes generalizaciones son análisis culturales pobres y aburridos que ni permiten comprender fidedignamente al Otro ni hacer una reflexión crítica de la propia cultura del investigador, observador o visitante.

El tipo de análisis cultural al que me vengo refiriendo es particularmente cuestionable en el caso de las naciones latinoamericanas. En ellas, las distancias entre los diferentes grupos que componen la nación son enormes y la heterogeneidad cultural es una característica sobresaliente. Entonces, el dilucidar la cuestión de la cultura nacional es una tarea importante a la hora de emprender un análisis cultural. Con respecto a la cultura nacional hay variadas y, a veces, contradictorias concepciones de ella.

En general, he entendido por cultura nacional significaciones y símbolos, valores y formas de vida compartidos por los miembros de la nación. Mi concepto de cultura arranca fundamentalmente de la aproximación de Clifford Geertz:

> La cultura denota un esquema históricamente trasmitido de significaciones representadas en símbolos, un sistema de concepciones heredadas y expresadas en formas simbólicas

por medio de las cuales los hombres comunican, perpetúan y desarrollan su conocimiento y sus actitudes frente a la vida (Geertz 1990: 88).

La antropóloga costarricense Carmen Murillo señala, con razón, la dimensión histórica en el proceso de construcción de una cultura nacional:

> El tratar de establecer generalizaciones sobre las prácticas culturales propias de un país, sin atender al análisis histórico de las bases sociales que generan, difunden y se apropian de la cultura, puede resultar un esfuerzo estéril, cuando no, una distorsión mistificante de la realidad (Murillo 1990: 11).

Carlos Monsiváis ha elaborado una sugerente definición de cultura nacional a la que me suscribiré en este trabajo:

> Aquello que dentro de una circunscripción territorial, distintas clases y grupos aceptan como suyo activa o pasivamente, consensual o coercitivamente: tradiciones y memoria colectiva, instituciones sociales y religiosas, formaciones históricas y políticas, creencias y costumbres, logros notorios en las artes, las humanidades y las ciencias, función de la familia y lugar de la mujer en la sociedad, sitio de las mayorías y de las minorías, asimilaciones de la cultura internacional, cultura populares desde artesanías a conductas, de mitologías y leyendas y cocina (Monsiváis 1985: 37).

Al hablar de cultura mexicana se presentan una serie de posibilidades: a) existe una cultura más o menos homogénea, compartida por todos los grupos sociales y étnicos que conviven en esta unidad llamada México. Si esto fuera así hay que preguntarse cuáles son sus características y cómo han sido conformadas; b) existen sólo culturas ordenadas en torno a parámetros sociales, étnicos, regionales y con escasa o ninguna relación entra ellas: indígenas, obrera, de clase media o alta, del norte o del sur, del altiplano o la costa, etc.; c) una combinación de a y b. Es decir, las divisiones sociales, étnicas y regionales tienen gran importancia, pero a pesar de ello habría significaciones y símbolos comunes.

Esta última idea es una hipótesis por la cual me inclino y mi investigación intenta dilucidar qué hechos y argumentos hablan a favor y en contra de ella.

Mi ponencia, constituye la primera parte de una estrategia doble para intentar dilucidar las cuestiones sugeridas. En esta parte de carácter teórico y metodológico, intento hacer un análisis y comentario de algunos estudios sobre la cultura mexicana. Las obras escogidas son las siguientes: Roger Bartra: *La jaula de la melancolía: identidad y metamorfosis del mexicano*

(México: Grijalbo, 1987); Néstor García Canclini: *Las culturas populares en el capitalismo* (México: Nueva Imagen 1989); Guillermo Bonfil Batalla: *México profundo: Una civilización negada* (México: Grijalbo, 1990). Sus autores son todos ellos antropólogos y las obras son relativamente recientes. Dos de ellos mexicanos (Bartra y Bonfil Batalla, éste último fallecido trágicamente) y el tercero (García Canclini) argentino radicado en México. Las obras, en cuanto a su contenido y a la visión que dan sobre la cultura mexicana son disímiles y a la vez comparten ciertos presupuestos. Las he elegido porque enfocan diferentes aspectos de la cultura mexicana y pueden contribuir a iluminar la cuestión principal que me ocupa y ayudar a responder la pregunta de en qué medida existen significados y símbolos, valores y formas de vida compartidas por todos los mexicanos.

Así Bartra examina la cultura nacional desde la perspectiva de la cultura política, García-Canclini desde la hibridez y Bonfil Batalla desde el punto de vista del choque de civilizaciones. A poco andar en el estudio de estos autores, se puede apreciar que –en mayor o menor medida y a pesar de las diferencias de contenido y visión– no nos encontramos frente a estudios científicos en el sentido riguroso del término. Es decir, estudios matizados en que los hechos y argumentos que hablan en contra de la tesis central del investigador tienen un cierto espacio. Son más bien visiones ideológicas en el sentido dado al concepto por Clifford Geertz, es decir «trabajos» críticos e imaginativos (estructuras simbólicas) que son respuesta a cuestiones planteadas por la situación en la que ellas surgieron. Son «mapas de una realidad social problemática y matrices para crear una conciencia colectiva» (Geertz 1990: 192). El estilo de los escritos ideológicos es «adornado, vívido, deliberadamente sugestivo al objetivar sentimientos morales valiéndose de esos mismos expedientes que la ciencia rehuye, la ideología trata de motivar a la acción» (ibid.: 200). En realidad este estilo caracteriza gran parte de los escritos de los pensadores latinoamericanos desde Sarmiento a Octavio Paz pasando por Martí, Rodó, Vasconcelos, Mariátegui y Haya de la Torre. Lo mejor de la producción de los pensadores latinoamericanos tiene este carácter ideológico; algo que tiene relación –entre otras cosas– con la situación del intelectual en América Latina, enfrentado a los enormes desafíos creados por las grandes diferencias sociales, económicas y étnicas. Los intelectuales se autoentienden como promotores de transformaciones políticas, económicas y mentales o como portavoces de los «sin voz». En todo caso, no como analistas desinteresados y objetivos de la sociedad y cultura. En los sesenta, Darcy Ribeiro escribía sobre este tópico:

> En las sociedades que enfrentan graves crisis sociales, las exigencias de la acción práctica no permiten dudas en cuanto a lo que es necesario hacer. Pueden los científicos de los pueblos satisfechos con su destino dedicarse a investigaciones de por sí válidas como contribuciones para pulir el discurso humano sobre el mundo y el hombre. Pero los científicos de los países insatisfechos consigo mismos, están por el contrario urgidos de usar los instrumentos de la ciencia para volver más lúcida la acción de sus pueblos en la lucha contra el atraso y la ignorancia (Ribeiro 1969: 10).

Como Geertz señala, el estudioso con una formación de ciencias sociales se siente, a menudo, impotente frente a la variedad de figuras y recursos estilísticos que utilizan los «ideólogos». Esta observación es aplicable al estudio de los ensayistas latinoamericanos, incluidos sociólogos y antropólogos. En efecto, ¿cómo enfrentarse a estas grandes construcciones que mezclan géneros, épocas y que se pronuncian con gran autoridad sobre cuestiones sumamente complejas? La respuesta de Geertz es que hay que evitar una fijación exclusiva en el carácter axiológico y epistemológico de este tipo de obras y estar atentos a las estrategia estilísticas utilizadas. Debido a que desde el horizonte comprensivo de muchos intelectuales latinoamericanos la palabra «ideología» tiene una connotación peyorativa, subrayo aquí que esta última y la ciencia son dos formas de pensamiento acerca de la realidad que difieren y también coinciden. Tampoco es una casualidad que Marx –cuyo pensamiento sigue teniendo gran arraigo en una parte considerable de los intelectuales latinoamericanos– haya sido uno de los pocos que ha combinado con éxito estas dos formas de pensamiento.

La cultura nacional como estereotipo

1) Según el antropólogo mexicano Roger Bartra en su libro, *La jaula de la melancolía: identidad y metamorfosis del mexicano*, una de las expresiones más elaboradas de la cultura hegemónica en México la constituyen los estudios sobre el carácter nacional elaborados por los intelectuales mexicanos y algunos extranjeros. Mediante ellos, la sociedad mexicana postrevolucionaria produjo los sujetos de su propia cultura nacional, entes mitológicos y literarios. En los 30 la reacción en contra del nacionalismo revolucionario fue la responsable de la codificación e institucionalización del mito del carácter mexicano. En los 50, las especulaciones sobre lo mexicano experimentaron

un auge con el ensayo de Octavio Paz, *El laberinto de la soledad*, que llegó a ser un clásico dentro del género. Este ensayo fue acompañado de otros estudios sobre «lo mexicano». Bartra considera este ensayo –y los escritos por Samuel Ramos y José Vasconcelos, Jorge Carrión, José Gaos, Salvador Reyes Nevares y Emilio Urunga– como el *corpus* filosófico y literario de los estudios sobre el carácter nacional. La intención de Bartra es la de destacar las ideas que han tenido mayor arraigo popular y mostrar como se articulan para formar el paradigma del mexicano típico. La idea misma de un sujeto único de la historia nacional constituiría una poderosa ilusión cohesionadora. El llamado carácter nacional de los mexicanos es, en opinión de Bartra, una construcción artificial creada por los intelectuales utilizando los materiales entregados por la literatura, el arte, el cine y en ella se utilizan arquetipos que tiene profundas raíces en la cultura occidental. Los estudios del carácter nacional han creado un mito nacionalista cuya función ha sido la de permitir la estabilidad política a pesar de la ausencia de democracia en México. ¿Cuáles son entonces algunos de estos estereotipos y mitos sobre el mexicano que intelectuales mexicanos han creado y difundido?

2) Uno de los estereotipos o mejor dicho arquetipos que los estudios sobre el carácter nacional han recreado es el del mexicano como ser que vive en un tiempo mítico, en un ritmo vital, apacible y lento. Para Bartra esta forma de ver las cosas es típica del hombre de la ciudad, que no entiende el transcurrir de las cosas en el mundo campesino. Por otro lado los «civilizados» han impuesto esta imagen del tiempo mítico para caracterizar la forma de vida de los salvajes en África y América. La creación de un pasado mítico es, de acuerdo a Bartra, necesaria para el mito opuesto del hombre moderno como un ser racional desprovisto de, y ajeno a los mitos.

3) Bartra polemiza también acerca de uno de los temas que más ha capturado la imaginación de los estudiosos de «lo mexicano»: la concepción de la muerte. La creencia de que para los mexicanos la muerte tiene sentido y que la afrontan con mayor facilidad que el hombre occidental moderno sería también un mito en que confluyen los estereotipos occidentales con la actitud de las sectores dominantes en México. Suponer que hay pueblos que son indiferentes a la muerte es pensar en aquellos pueblos como manadas de animales salvajes. La burla y el desprecio a la muerte de los mexicanos hay que buscarla en: a) la situación de miseria y desprotección favorecida por la religión y b) el desprecio de los poderosos por la vida de los trabajadores. A los intelectuales europeos les ha fascinado el mito de los mexicanos que no le temen a

la muerte, pero la pretendida indiferencia del mexicano por la muerte es una invención de la cultura moderna.

4) Samuel Ramos y Octavio Paz son oponentes importantes de Bartra, que los responsabiliza de la creación de una nueva figura estereotipada del mexicano. La tesis de Ramos –de que el sentimiento de inferioridad del mexicano arrancaba de la distancia entre lo que quiere hacer y lo que puede hacer– lleva a la afirmación de una inferioridad relativa: surge la imagen del país joven que a saltos quiere alcanzar el estadio en que se encuentra la vieja civilización europea. Octavio Paz también utiliza la imagen del mexicano como «ser incompleto». Ambos, junto con Carrión, contribuyen a la creación del mito del indio campesino obligado a ser proletario antes de tiempo. Esta figura, el héroe agachado (el hombre acurrucado en su sarape y bajo un enorme sombrero), se constituye en un símbolo con diferentes connotaciones: a) representa las virtudes aborígenes heridas que los mexicanos no volverán a ver y es el chivo expiatorio de las culpas de los mexicanos; b) sobre él se abaten las frustraciones de la cultura nacional mexicana. De estas consideraciones surge la metáfora del axolote: la larva de la salamandra que tiene la facultad de permanecer en su estadio larvario y no metamorfosearse necesariamente en salamandra. El mexicano –según la interpretación que hace Bartra de sus oponentes– es visto como un ser larvario marcado por complejos y tensiones que nacen de un alma colectiva con antiguas raíces.

5) La Revolución significó que el estereotipado y ajeno indio agachado es sustituido o complementado con un nuevo estereotipo con el cual las clases cultas pueden identificarse: el mexicano violento y revolucionario, emotivo y fiestero, urbano. Este hombre nuevo es un fugitivo del Paraíso violentado que se ha insertado en el mundo urbano, pero a pesar de esto, raras veces aparece como proletario. No obstante, siempre es diferente a su matriz campesina indígena. Algunos de sus disfraces son: el miembro de la «raza cósmica» de Vasconcelos, la vanguardia obrera pensada por los muralistas mexicanos y el «pelado» (de Ramos) o el «pachuco» (de Paz). Así como el indio era el prototipo del mexicano tradicional, este nuevo hombre es el personaje que simboliza el drama de la modernidad. El indio con su tristeza rural cede el paso al mito del mexicano moderno que contiene la tragedia del mestizaje en un contexto urbano. Su función es fundamentar y consolidar el nacionalismo del nuevo Estado. El «pelado» mestizo es un ser contradictorio e híbrido, por ello es un ser desconfiado y realista, escéptico, pesimista, indisciplinado, desordenado y terco que manifiesta una crueldad ancestral doble: indígena y española (Bar-

tra 1987: 110). Es un personaje que vive el colapso del mundo agrario y el inicio de la civilización industrial, es la imagen de una cultura anfibia. Intelectuales mexicanos como Caso, Vasconcelos y Ramos han creado la imagen del mexicano sentimental que –por sus tendencias a la pereza y a la indisciplina– sustituye la razón por las emociones y la ciencia por la intuición.

6) El perfil del mexicano que han dibujado sus oponentes es una proyección de la imagen (siempre distorsionada) que los intelectuales se han formado del pueblo. En efecto, al igual que las burguesías europeas han visto a la clase obrera de sus países con horror y desconfianza –atribuyéndole una serie de rasgos negativos: desconfianza, resentimiento, inmoralidad, mimetismo, complejo de inferioridad– las clases hegemónicas en México han creado una imagen estereotipada y negativa del mexicano del pueblo.

Comentarios críticos

Una de las intenciones centrales del trabajo de Bartra es «penetrar en la cuestión del nacionalismo mexicano para avanzar en el estudio de los procesos de legitimación del Estado moderno» (Bartra 1987: 15). Pero, ¿es legítimo plantear que la legitimación o las formas de legitimación del Estado moderno son las mismas en todas partes? ¿Es, por ejemplo, una misma legitimación del Estado la que ha sido utilizada en los países escandinavos, los Estados Unidos o el Japón? Cualquiera que conozca aunque sea superficialmente la historia de estas naciones afirmará que no. La segunda cuestión que surge es, ¿en qué medida el Estado mexicano es un Estado moderno? Recordemos lo que escribía el recientemente fallecido maestro mexicano, Octavio Paz (uno de los oponentes de Bartra) sobre ciertos elementos constitutivos del Estado mexicano. Primero sobre el partido del poder en México:

> El Partido (PRI) no es una agrupación política en el sentido recto de la palabra: ni su forma de reclutamiento es democrática ni en su seno se elaboran programas y estrategias para realizarlos. Es un organismo burocrático que cumple funciones político-administrativas. Su principal es la dominación política, no por la fuerza física sino por el control y la manipulación de los grupos populares, a través de las burocracias que dirigen los sindicatos obreros y las asociaciones de los campesinos y la clase media [...].

y más adelante acerca del Presidente y el Poder Judicial y Legislativo:

> El respeto fanático a la persona del Caudillo es un sentimiento de origen árabe que se encuentra en todo el mundo hispánico; la religiosa reverencia que inspiran los atributos

impersonales del presidente a los mexicanos es un sentimiento de raíz azteca [...] el Senado y la Cámara de Diputados han sido y son dos cuerpos parlanchines y aduladores que jamás han ejercido crítica alguna; el Poder Judicial es mudo e impotente (Paz 1979: 50-55).

Además ya Weber lo señalaba, la democracia no es la única forma de legitimación, ha habido y siguen existiendo otras (2).

Otro de los problemas de la obra de Bartra es que no se establece claramente qué entiende el autor por cultura nacional. No es, en todo caso, una cultura común que diferentes grupos sociales, etnias y regiones han contribuido a conformar, sino una cultura impuesta desde arriba, una cultura dominante cuyo contenido serían el manojo de rasgos psicoculturales elaborado por los estudios del carácter nacional y difundida por el cine, la radio, los cómics, la fotonovela y la televisión. La cultura nacional sería de esta manera algo compartido por dominados y dominadores (Bartra 1987: 189). Bartra se sitúa así entre aquellos que ven la cultura como una fuerza cohesionadora en la sociedad y su lectura entronca con la de los padres fundadores del marxismo (Marx y Engels) ya que confiere a la clase hegemónica la capacidad (con la ayuda de los intelectuales) de imponer su ideología sobre el conjunto de la sociedad. Sin embargo, una cosa es que los estudios del carácter nacional hayan creado una imagen estereotipada del mexicano y que esta haya sido difundida (aunque Bartra no entrega ningún ejemplo de cómo esto ha sucedido) y otra es cómo ha sido recibida y valorada esta imagen en los distintos grupos sociales y etnias que conforman la nación. ¿Qué significado tiene la construcción de los intelectuales –si es que lo tiene– para los grupos y etnias que componen México? La cuestión del significado es crucial en los estudios culturales (Lewis 1981: 85).

Hay ciertos hechos que contradicen la tesis de Bartra. Así, en un enjundioso artículo sobre la cultura popular, rico en fuentes, el autor escribe:

La 'mexicanidad', sin embargo, todavía siguió preocupando a las élites políticas y académicas durante los años cincuenta y sesenta. Pero para entonces el nacionalismo de origen revolucionario ya había perdido su fuerza original. Para esas fechas, la manipulación, la demagogia y la consolidación de los estereotipos nacionales habían minado la base popular de esa introspección, convirtiéndola en un discurso político hueco y con fuertes visos de agotamiento. La dimensión filosófica de esa 'mexicanidad', en cambio, siguió preocupando a una facción importante de la intelectualidad mexicana hasta bien entrados los años setenta. [...] el problema de 'la mexicanidad' no parece preocupar al ámbito popular, cuyos designios se inclinan con mayor insistencias hacia las modas y costumbres cosmopolitas (Pérez Montfort 1994: 343-344).

Otra pregunta que sugiere la interpretación de Bartra, es la de si los estudiosos del carácter nacional mexicano realmente tenían como intención contribuir a la legitimidad monolítica del Estado mexicano postrevolucionario, o, si ese ha sido el efecto real de estos estudios. En cuanto a lo primero, podemos afirmar que, al menos, la intención de Paz con sus ensayos sobre la problemática identidad mexicana, era la crítica y la terapia, analogía con el psicoanálisis: mediante la localización y análisis de los traumas, de infancia/surgimiento como nueva colectividad étnica en el caso de México, permitir la liberación o en el lenguaje de Paz «desprenderse de 'las máscaras'»:

> A mí me intrigaba (me intriga) no tanto 'el carácter nacional' como lo que oculta ese carácter: aquello que está detrás de la máscara [...] En aquella época no me interesaba la definición de lo mexicano sino, como ahora, la crítica: esa actividad que consiste, tanto o más en que en conocernos, en liberarnos (Paz 1979:10-12).

Paz mismo denominó su estilo como ejercicio de la «imaginación crítica». La crítica era para Paz la esencia de la modernidad y quizá el único logro del cual la civilización occidental podía sentirse legítimamente orgullosa (Cristoffanini 1999).

La visión que Paz entrega del mexicano (contemporáneo) es negativa y por eso ha fascinado a muchos intelectuales extranjeros, pero no es muy útil en la perspectiva de cohesionar a los mexicanos y de hecho la obra de Paz en México dividió y creo polémicas (3). A este respecto habría que distinguir entre: por un lado las obras que exaltan las cualidades del mexicano como Vasconcelos lo hace al subrayar las cualidades de la «raza cósmica», en parte los ensayos de Zea sobre el tema (Zea 1953, 1954), y por el otro obras críticas de lo mexicano como la de Ramos (1934) y las de Paz.

Curiosamente, uno de los estudiosos de lo mexicano, Jorge Carrión hizo en los años 70 –en los que marxismo-leninismo mezclado con el estructuralismo se convirtió en el paradigma interpretativo para gran parte de los intelectuales latinoamericanos– una dura y destructiva crítica de sus propios escritos de los 50 y de los de los otros estudiosos del tema. En esta «autoconfesión» se encuentra la idea seminal que recorre todo el libro de Bartra. En efecto, Carrión escribe:

> Como conjunto de estudios y ensayos los versados sobre el mexicano y lo mexicano –en su campo naturalmente– reflejan la ideología de una época, la dominante hace más de veinte años y que en muchos de sus rasgos sigue prevaleciendo, sobre todo entre los intelectuales pequeño burgueses y, repercutiendo asimismo en el pensamiento de econo-

mistas, sociólogos, funcionarios oficiales y en general en la ideología de la clase dominante y la impuesta a la dominada –con las variantes que ésta le imprime–, como modo
de reproducir la dominación ideológica y conservar las condiciones apuntaladoras de la
dominación material, de la explotación capitalista (Carrión 1980: 127).

A pesar de esta feroz autoflagelación está fuera de duda que se pueden seguir
encontrando en los ensayos de Carrión, en menor medida, y especialmente en
los de Ramos y Paz una vía de acceso para comprender la sociedad y cultura
mexicana de la época y también de hoy. Así, hay ciertos valores y creencias
muy bien expuestos y analizados por estos autores, como el machismo, el
culto a la Virgen de Guadalupe, que son compartidos por muchos mexicanos
cualquiera que sea su ubicación étnica o social.

Entonces, ¿qué nos muestra la ingeniosa construcción de Bartra? Que los
estudios del carácter nacional han creado una imagen estereotipada del mexicano. Sin embargo, como he mencionado estos estereotipos pueden contener
una parte de verdad (una diferente concepción de la muerte, el machismo, la
diferencia entre mexicanos y estadounidenses en cuanto a la efectividad,
sistematicidad, racionalidad como valores, etc.), pero Bartra los desecha sin
más como falsas construcciones. La intención del autor es liberar a los mexicanos de la jaula de los estereotipos: el de la melancolía y la metamorfosis;
liberarlos de «la estela de tristezas rurales, de barbaries domesticadas por
caciques, de obrerismo alburesco y cantinflesco, de ineficiencia y corrupción
en nombre de una cohorte de pelados» (Bartra 1987: 199). Que muchos mexicanos comienzan a rechazar las muy reales y contundentes jaulas descritas en
esta cita, parece evidente. Sin embargo, queda la duda de si los estudios del
carácter nacional alguna vez han sido símbolos y valores compartidos por
todos los mexicanos, es decir han constituido la esencia de la cultura nacional
como lo pretende Bartra. Es muy dudoso que los mexicanos, fuera de los
círculos intelectuales, alguna vez se hayan sentido aprisionados por la jaula
de la melancolía y la metamorfosis que les construyeron los estudiosos del
carácter nacional.

Néstor García Canclini y las culturas populares

El estudio de García Canclini, *Las culturas populares en el capitalismo*, se
realizó en la zona de Michoacán entre los años 1977 y 1980 y comprendió
diversas comunidades purépechas. El antropólogo argentino radicado en

México, intenta comprender las manifestaciones de la cultura popular en su conjunto.

Los primeros capítulos de su libro se articulan en torno a dos tesis centrales: a) El capitalismo dependiente no elimina necesariamente a las culturas tradicionales sino que las incorpora reorganizándolas; b) las clases dominantes con el objetivo de integrar a las clases populares al desarrollo capitalista las desestructuran y reorganizan en un sistema unificado de producción simbólica. García Canclini estudia las comunidades purépechas y sus expresiones culturales desde un horizonte comprensivo esencialmente marxista en las variantes que han desarrollado algunos teóricos gramscianos y pensadores como Bourdieu. Critica las aproximaciones funcionalistas y estructuralistas a la cultura por no dar cuenta del conflicto y las transformaciones. Igualmente rechaza el relativismo cultural por concebir a las culturas como aisladas unas de otras cuando en realidad existe una transnacionalización de la cultura y la imposición de un intercambio desigual no sólo de bienes sino también de símbolos. El razonamiento anterior lleva a García Canclini a la siguiente definición de cultura:

> la producción de fenómenos que contribuyen, mediante la representación o reelaboración simbólica de las estructuras materiales, a comprender, reproducir o transformar el sistema social, es decir todas las prácticas e instituciones dedicadas a la administración, renovación y reestructuración del sentido (García Canclini 1982: 41).

De su concepción de cultura García Canclini deriva ciertas consecuencias metódicas en el análisis de la cultura: a) la cultura no debe ser entendida como creación o expresión espiritual, como algo ajeno o exterior a las relaciones de producción; b) el análisis de las instituciones y condiciones sociales de la producción cultural es importante; c) el estudio de la cultura como producción significa considerar todos los pasos del proceso productivo: producción, circulación y recepción.

¿Qué son las culturas populares? García Canclini rechaza la concepción de ellas, que él denomina romántica y positivista. De acuerdo a la primera el pueblo sería un ente homogéneo y autónomo, en el que se pueden encontrar intactas virtudes biológicas y valores apreciados. La concepción positivista, por otro lado, se pierde en la acumulación de detalles sin fuerza explicativa. De acuerdo a García Canclini, las culturas populares son el resultado de una apropiación desigual del capital cultural, una elaboración propia de sus condiciones de vida y una interacción conflictiva con los sectores hegemónicos. La expresión «cultura popular» –que enfatiza la dimensión conflictiva de la cultura– abarca en ocasiones la acepción de tradicional (en oposición a moderna) y subalterna (en oposición a hegemónica).

La investigación de los conflictos interculturales –de acuerdo a García Canclini– debe evitar dos aproximaciones erróneas: a) la exaltación de la cultura popular; b) el aceptar el sentido que la propia comunidad atribuye a los hechos o dejarse llevar por el interés de adaptar la comunidad indígena a la modernización.

El estudio de las culturas populares de García Canclini está centrado en torno a dos expresiones: las artesanías y las fiestas. Ello por una serie de razones: a) porque son centrales en los pueblos indígenas y muchos mestizos, sintetizando los principales conflictos de su incorporación al capitalismo; b) mediante ellos se puede examinar la función económica, política y psicosocial de los hechos culturales.

Las comunidades indígenas que García Canclini estudia pertenecen al grupo étnico purépecha que vivía en la zona que actualmente comprende el Estado de Michoacán, partes de Guerrero, Guanajuato y Querétaro. En esta zona vivían alredor de un millón y medio de indígenas. La herencia cultural purépecha ha sobrevivido mejor que la de otras etnias por la resistencia a la conquista y la colonización y por la acción de Vasco de Quiroga. Las conmociones sociales y políticas que han sacudido México no han abolido totalmente el sentido comunal de la explotación de la tierra y los bosques, las formas de organización locales, las técnicas artesanales y algunos ritos y fiestas. Los pueblos estudiados son muy diferentes. Así, en un extremo se puede observar un pueblo mestizo como Tzintzuntzan en el que no se habla purépecha y que está integrado económica y socialmente a la sociedad nacional y en el otro Ihuatzio, geográficamente muy cerca, pero que conserva lengua, hábitos y formas de organización purépechas.

En relación con las artesanías surge la pregunta de cómo puede ser que experimenten un auge y de que una cantidad significativa de personas (6 millones en los años del estudio) se dedique a este tipo de actividades. La explicación estaría en el tipo de tecnología que se utiliza para trabajar la tierra –que da bajo rendimientos–, el tamaño improductivo de las tenencias, la demanda turística y la actividad promotora de los organismos estatales. La industria transnacional del turismo necesita mantener a las comunidades indígenas y su cultura como una especie de museos vivientes, para lograr atraer al turista es necesario motivarlo con lo exótico y folklórico. Se da entonces una paradoja: por un lado los habitantes de los pueblos indígenas reemplazan crecientemente sus vestidos y utensilios por los confeccionados industrialmente. La razón: el precio y el prestigio de la modernidad. Por otro, la venta de lo que antes producían para el consumo interno se dirige principalmente a la venta turística. El Estado mexicano postrevolucionario también ha estado interesado en promover las artesanías, como parte de un proyecto de reafirmación de una identidad común en la que la herencia cultural indígena ocupa un lugar importante. Por ello, el Estado ha creado instituciones, mecanismos y canales para el fomento de la artesanía indígena.

Un país fracturado lingüística, económicamente después de la Revolución requería una homogeneización económica, política y cultural. La última se realizó mediante la exaltación del indio y la castellanización del país. Las artesanías fueron fomentadas ya por Álvaro Obregón en 1921. Por su trasfondo histórico (expresión de la cultura indígena durante cientos de años) y mercancía importante son parte de una cultura híbrida. La dominación sobre los indígenas se ha realizado, históricamente, mediante la fuerza, el dominio cultural y económico, pero sobre todo en la época actual por la estrategia de disociación de lo económico y lo simbólico. El capitalismo impone una especialización del trabajo que escinde las diferentes esferas de actividad. Las familias indígenas, que producían artesanías para el consumo a la par de otras actividades productivas (agrícolas) e inspiradas en un universo simbólico propio, experimentan que su producción artesanal tiene principalmente un valor de cambio y que los intermediarios van escogiendo a los artesanos más hábiles e imponiendo ciertos diseños estandarizados.

El turismo ha llevado a categorizaciones homogeneizadoras que niegan las particularidades y características propias. Así se habla de artesanías indígenas o mexicanas y no purépechas o mixtecas de tal pueblo. La cultura nacional se le presenta al turista como un todo homogéneo, un espejo aburrido de la realidad y que no permite la reflexión sobre la pluralidad de culturas y formas de vida y la posibilidad crítica y autocrítica.

Las comunidades indígenas están cada vez más integradas al mercado y su occidentalización en parte producto de la venta de artesanías crece: uso de ropa occidental, radios portátiles, televisores, cocina a gas, medicina occidental, comida enlatada, etc. Ello se combina con la utilización de utensilios de confección propia, plantas medicinales, etc. Las artesanías mismas son expresión de la coexistencia y del conflicto de sistemas sociales y simbólicos en cuanto a materiales, motivos y utilización de ellas.

Comentarios y crítica

El mérito del trabajo de García Canclini es el mostrarnos el carácter híbrido de lo que él denomina culturas populares, pero que por razones de mayor claridad podríamos llamarlas simplemente indígenas, porque el término populares puede aplicarse también, y con mayor propiedad, a la cultura de los sectores urbanos menos privilegiados. Como se ha visto, las comunidades indígenas, estudiadas por García Canclini, se encuentran, de múltiples formas, ligadas no sólo a un mercado nacional sino también internacional y sus artesanías y fiestas con raíces anteriores a la llegada de los europeos tienen una dimensión y función externa significativa. Además los indígenas participan de una cultura nacional mediante el uso de ropa y artefactos comunes a muchos mexicanos.

Otra contribución del antropólogo argentino que vale la pena enfatizar en un mundo en que la americanización de cultura es cada vez más marcada es la desigualdad de las culturas. Con más ingenio que verdad García Canclini polemiza en contra del relativismo cultural que según él no da cuenta de esta desigualdad. Sin embargo, lo que el relativismo cultural sostiene es la idea de una igualdad de valor de las culturas y no que la igualdad sea la situación factual. Idea que tiene antiguos antecedentes en la rebelión en contra de la Ilustración y sus tendencias homogenizantes a partir del paradigma en aquel entonces francés. En todo caso, es necesario destacar como lo hace García Canclini que en el mundo de hoy no sólo se da un intercambio desigual de bienes sino también de símbolos. Siguiendo esta línea de razonamiento y pensando en el tipo de análisis cultural al que me refiero en la Introducción, la crítica de García Canclini a las generalizaciones que niegan las particularidades y la riqueza cultural de cada cultura indígena al utilizar generalizaciones como artesanías indígenas o mexicanas es muy pertinente. Este tipo de generalizaciones escribe García Canclini lleva a que «bajo el pretexto de facilitar el consumo, se nos acostumbra a percibir la realidad en un espejo aburrido» y agrega «es inquietante que exista una política general destinada a ignorar la pluralidad de hábitos, creencias y representaciones» (García Canclini 1982: 129).

En cuanto a la cuestión de la cohesión/falta de cohesión de la cultura nacional mexicana o la falta de ella de cultura mexicana García Canclini tiene una posición ambivalente. Por un lado subraya que la cultura nacional no es un todo homogéneo como desde la parte oficial (los organismos estatales) se pretende hacer creer, sino que incluye una variedad de culturas indígenas cada cual con sus peculiaridades, particularidades e idiosincrasia, en este caso, las diferentes culturas indígenas. Por otro lado, su visión marxista en la vertiente que he señalado lo lleva a presentar la cultura como cohesionada por las clases dominantes que «integran a las clases populares al desarrollo capitalista, las desestructuran y reorganizan en un sistema unificado de producción simbólica» (ibid.: 18). Es decir, la cultura conlleva tanto cohesión como lucha. Su aparato conceptual marxista, lo lleva también a reducir la cultura a cuestiones de reproducción material, al sistema social y al conflicto de clases. Sin duda que la cultura tiene que ver con todo esto, pero es mucho más que esto. ¿De qué forma contribuye un poema de Octavio Paz, una novela de Carlos Fuentes, el cuadro de un paisaje o un número de música instrumental mexicana a «reelaborar simbólicamente las estructuras materiales o a reproducir o transformar el sistema social»? (ibid.: 41).

En su visión de la cultura los sujetos desaparecen tras los mecanismos de producción y distribución de sus creaciones. García Canclini lo dice directamente cuando establece que la investigación de los conflictos interculturales debe evitar aceptar el sentido que la propia comunidad atribuye a los hechos. A García Canclini en este libro al menos no le interesan los «puntos de vistas nativos». En su extenso trabajo sólo esporádicamente y como algo secundario nos llegamos a enterar de qué sentido tienen para los indígenas sus fiestas y artesanías. No hay sujetos pensantes con planes y motivos, ideales, aspiraciones y objetivos, todo se reduce a estructuras de producción y circulación que los determinan.

Esta falta de interés por el punto de vista de los sujetos estudiados puede ser entendida a la luz de su visión de los sectores populares como víctimas del engaño de la cultura dominante que los aliena. En diferentes partes, el antropólogo argentino enfatiza esta situación de «falsa conciencia», en que se encuentran los sectores populares. De esta manera, cuestionando el populismo escribe que éste: «juzga bueno y bello todo lo del pueblo simplemente porque él lo hace, y olvida cuánto de sus objetos, prácticos y gustos son versiones de segunda mano de la cultura que lo oprime» (García Canclini 1982: 201). Más adelante, precisa esta afirmación:

> El pensamiento y la práctica del pueblo también han sido modelados por la cultura dominante (no sólo los intelectuales y los burgueses están «ideologizados»), con el agravante de que su centenario alejamiento de la educación y los centros de poder ha privado

al pueblo de instrumentos indispensables para entender el sistema que lo oprime y cambiarlo (García Canclini 1982: 207).

El horizonte interpretativo marxista le conduce, como todo pensamiento ideológico, a plantear proyectos de concientización y liberación de, en este caso, los sujetos oprimidos: los artesanos indígenas (6). El carácter ideológico de su trabajo une a García Canclini con Bartra y Bonfil Batalla, pero es no ésta la única semejanza. Al igual que estos dos últimos autores, García Canclini critica duramente al Occidente responsable de la dominación económica que ejerce con la ayuda de, entre otros agentes, la industria internacional del turismo. Además el Occidente impone sus concepciones estéticas y es responsable del intercambio desigual de símbolos.

Confrontación de civilizaciones y proyecto nacional

1) Para Bonfil Batalla, en México no existe una cultura única, sino que dentro de la sociedad mexicana y bajo el Estado viven una pluralidad de pueblos y grupos cada uno con su cultura específica. (Bonfil Batalla 1989, en ibid. 1995 II: 587). Las diferencias sociales no son la causa principal de esta diversidad. Para explicarla es necesario recurrir a la historia «reciente» es decir, en la visión de Bonfil, la de los últimos 500 años. Durante este período se ha vivido una confrontación entre dos civilizaciones antagónicas: la mesoamericana y la occidental. Estas dos culturas nunca se han amalgamado sino que han estado en oposición permanente. Se trata de culturas diferentes en su concepción del hombre y del mundo, en su relación con la naturaleza y jerarquía de valores. Durante la Colonia, se mantuvo al Indio segregado aunque la legitimación del dominio ejercido sobre él se buscaba en la tarea de incorporarlo a la civilización occidental, pero la mantención de la explotación podía continuar sólo si las diferencias continuaban. La Independencia no cambió está situación básica ya que los criollos y mestizos han continuado intentando imponer proyectos civilizatorios de estirpe occidental. Todos ellos han tenido en común que implicaban la disolución de las culturas indígenas y de este modo excluían la cultura de la mayorías.

El México profundo, el de la civilización mesoamericana ha resistido de múltiples formas ante las intenciones del México imaginario, el occidental y minoritario.

El trabajo de Bonfil Batalla esta dividido en tres grandes secciones:

a) una descripción del «México profundo» y sus manifestaciones en la actualidad; b) un recuento histórico de cómo se ha llegado ha esta situación y c) la formulación de un nuevo proyecto nacional. El objetivo del trabajo es el siguiente:

> De lo que se trata es de formular un nuevo proyecto de nación que incorpore como capital activo todo lo que realmente forma el patrimonio que los mexicanos hemos heredado [...] lo que requerimos es encontrar los caminos para que florezca el enorme potencial cultural que contiene la *civilización negada* de México, porque con esa civilización, y no contra ella, es como podremos construir un *proyecto real* nuestro, que *desplace* de una vez *para siempre* el *proyecto del México imaginario* que está dando las pruebas finales de su invalidez (Bonfil Batalla 1990: 12; mi cursiva).

2) La civilización negada es la civilización mesoamericana, una de las pocas creaciones originales de la humanidad, se caracteriza, esencialmente, por la adaptación original del hombre al medio natural. Los productos de esta adaptación están aún presentes: chinampas, terrazas, obras hidráulicas, la importancia del maíz, caminos, etc. y confieren a México su peculiar conformación. Los nombres dados a lugares y fenómenos geográficos contienen un mensaje que el español hablante monolingüe no puede descifrar: descripciones de fenómenos o señalización de la abundancia de algo en un lugar determinado. Las características biológicas del mexicano también están marcadas por el predominio indígena a pesar del mestizaje ya que la población indígena –inmensamente mayoritaria– hizo la contribución más decisiva. Además, hay que recordar que la dominación ha exigido un mantenimiento de las diferencias étnicas y por ello el mestizaje está menos influido por los rasgos indígenas en las clases dominantes.

3) Para eludir el problema indígena se ha intentado nombrarlos como los únicos depositarios de un pasado que ya no existe. Al indio se le reconoce por ciertos signos externos –la lengua, ropas, fiestas– y se le clasifica de acuerdo al estereotipo fácil: flojo, primitivo. Es difícil calcular el número real de indios en México. Los censos oficiales sólo incluyen a las personas mayores de cinco años que hablan una lengua indígena, pero hay indios que no reconocen que hablan una lengua indígena por el desprestigio de sus lenguas. Igualmente, hay autoridades locales que sienten que es su deber declarar que en su región no hay indios.

El indio –de acuerdo a Bonfil– se define no en razón de características externas sino por el hecho de pertenecer a un colectivo (pueblo, comunidad) con una cultura heredada (Bonfil Batalla 1990: 48). La cultura entendida como objetos y bienes que el colectivo considera suyos, idioma que contiene una cosmovisión, derechos y deberes con respecto a la familia y la comunidad, un abanico de sentimientos y creencias mediante los cuales se participa, acepta y cree. Un factor esencial a considerar es la dominación colonial de más de 500 años que ha llevado a la atomización de la cultura indígena y ha tendido a reducir el sentimiento de identidad en el ámbito de comunidades y de esta manera ha debilitado los lazos que unían a los pueblos indígenas antes de la invasión.

4) Lo indio penetra –de forma desigual– los diversos grupos sociales y el espacio nacional. El México no indígena se caracteriza por su falta de unidad, su dispersión y heterogeneidad cultural. Por ello, los proyectos nacionales que intentan integrar al indio a la cultura nacional están condenados al fracaso ya que ésta no existe:

> [...] no existe una cultura nacional unificada sino un conjunto heterogéneo de formas de vida social disímiles y aun contradictorias, que tienen como una de sus causas principales la manera diferente en que cada grupo se ha relacionado históricamente con la civilización mesoamericana (Bonfil Batalla 1990: 74).

Los orígenes de la diversidad son varios:

a) territorial, que tiene como trasfondo las diversas historias de las regiones y las actividades ligadas a ellas: de defensa, minera, agrícola, comercial, etc. Los contingentes colonizadores y la suerte de la población india local también han sido diferentes.

b) La contraposición entre campo y ciudad: el primero ha sido el refugio y el preservador de las culturas indias, la ciudad ha sido y es el centro desde el cual se irradia la dominación española y occidental. El mundo campesino no indio sigue manteniendo rasgos culturales indios en las técnicas agrícolas, las formas de cultivo y propiedad, las relaciones familiares y laborales, la medicina. Lo que lo distingue de las comunidades indígenas, es el hecho que el campesino no habla la lengua española y no tiene conciencia de su identidad cultural indígena. Lo último, de acuerdo a Bonfil Batalla, es la consecuencia de un etnocidio. La ciudad también es influida por la civilización mesoamericana. En ella se hablan lenguas indias y los indios han vivido allí desde los inicios del México actual, como marginados en barrios delimitados. La emigración del campo a la ciudad en el presente siglo, ha fortalecido el componente indio de la gran ciudad.

c) Las jerarquías sociales: la clase alta siempre ha defendido celosamente la cultura occidental y ha procurado distanciarse de lo indio, han buscado su inspiración en Europa y en la actualidad en los Estados Unidos. Las clases medias, con orígenes en las ciudades de provincias, en los pueblos pequeños o aún en las comunidades indígenas tienen un estilo de vida caracterizado por el consumo de aparatos domésticos financiados mediante el crédito, la ropa «falluca» (ropa con fallas, importada de los Estados Unidos) y los viajes a los Estados Unidos.

Lo indio es promovido desde arriba para fomentar el turismo. Con este objetivo se restauran las ruinas arqueológicas y se fomentan las artesanías. Los murales y museos son otras tantas muestras de la presencia de lo indio, como también lo son su expresión en la danza, la música y la literatura, pero –y esta es una idea central de Batalla– lo indio es presentado como algo perteneciente al pasado, un mundo muerto y nada en común existe entre ese mundo pasado y el mexicano actual. Para Bonfil Batalla la diferencia central entre la diversidad cultural mexicana y la de naciones como las europeas, tiene que ver con el hecho de que en estas últimas el desarrollo se da un origen común, mientras que en México la diferencia entre modernidad y tradición o mundo campesino y urbano no se deben a un desarrollo orgánico sino a la imposición de una civilización, la occidental sobre otra, la mesoamericana, a la que las élites dominantes nunca le han permitido desarrollarse como proyecto civilizatorio. El mundo campesino no es así el pasado del mundo urbano sino la expresión de una civilización diferente.

5) Una de las metas más importantes de Revolución fue el crear un país homogéneo y la base de la unidad debía ser el mestizaje. Ello porque los indios estaban divididos y desorganizados y los criollos ya no eran una categoría histórica importante. Sin embargo, los mestizos no querían ser criollos, pero mucho menos indios. En la visión del México mestizo, la Revolución ha sido la culminación de la historia de México. El pasado indio era reconocido: los diseños arquitectónicos, la arqueología, los instrumentos y ritmos prehispánicos. A Cuauhtémoc se le consideró como el primer héroe nacional. No obstante, con respecto al indio vivo, la política de la Revolución fue la de «redimirlo», es decir, incorporarlo a la cultura nacional e integrarlo a la civilización universal, la occidental. No se admitía que los indios pudieran continuar como un sector con cultura propia. Así, se devolvieron tierras con la intención de que el sector agrícola se modernizara, se abrieron escuelas para enseñar a los indígenas la cultura occidental y los esfuerzos médicos iban

encaminados al estudio de la medicina occidental y no a la mesoamericana. La gramática de las lenguas indias era estudiada no porque estas lenguas tuviesen un valor en sí mismas sino para poder enseñar mejor el castellano y el objetivo de la educación era que los indios aprendiesen la cultura nacional que es una variante de la occidental. Mientras, los indios y campesinos han querido mantener el control aunque sea restringido sobre ciertos elementos culturales: recursos naturales, formas de gobiernos, símbolos y lenguaje. Para Bonfil Batalla el objetivo del proyecto postrevolucionario ha sido entonces la des-indianización, es decir, la incorporación de los indios a la cultura dominante. Desde los años 60 ha habido un cambio hacia una cierta aceptación teórica del pluralismo étnico y cultural que existe en México.

6) La crisis de los 1980 mostró claramente el fracaso del proyecto nacional del México imaginario. México no es capaz de producir sus propios alimentos y la agricultura de exportación no ha sido una solución debido a los precios y a la política restrictiva de importación de los Estados Unidos. La agricultura destinada a servir de base a la industria también se ha visto afectada por la crisis. Por otro lado, México utiliza recursos considerables en producir alimento chatarra que no son mejores que los productos tradicionales de alimentación como la tortilla, el tamal y el atole. La publicidad contribuye a crear pautas de consumo que empobrecen y deterioran al consumidor. Los más afectados son los sectores populares urbanos que no tienen el mínimo margen de autoconsumo que disfrutan los indígenas y campesinos. Por otro lado, las diferencias sociales son abismales y se exhibe un derroche y consumo grotesco. La ciudad es un cáncer y no se pueden resolver los problemas históricos y sociales que México ha arrastrado mientras no cese su dominio sobre el campo. Los sectores cosmopolitas de la pequeña y mediana burguesía son los más grandes responsables.

Para salir de la crisis hay que formular un nuevo proyecto nacional con raíces en el México profundo. Se ha intentado, hasta ahora, construir un México ajeno al que existe, por eso el proyecto occidental es imaginario, no porque no exista sino porque pretende cambiar al México real. El México imaginario ve a los mexicanos sólo como individuos, pero estos son miembros de colectividades, pueblos y sociedades forjados en una historia. México no es una sociedad homogénea, sino que está conformado por diversas culturas, cada cual con su concepción del trabajo, la familia, la relación con la naturaleza... Una sociedad con diversos conocimientos y habilidades. Todo ello como producto de la existencia de dos civilizaciones. Este es un hecho que hay que reconocer y aceptar. No hay que buscar la homogeneidad sino aceptar la pluralidad. La tarea es elaborar un nuevo proyecto nacional. No continuar con los proyectos que, hasta ahora, han intentado sustituir la cultura existente con una u otra versión del paradigma occidental. El modelo de moda es la mayor industrialización para el mayor consumo. El proyecto del mestizaje no es viable. Una nación pluricultural que respetara las posibilidades de desarrollo de todas las culturas existentes en México, significaría un México con un mayor número de posibilidades.

Comentarios y crítica

Bonfil Batalla, me atrevo a decir, es uno de los pensadores mexicanos más polémicos de este siglo y sus escritos «contra la corriente» para utilizar la expresión acuñada por el gran Isaiah Berlin incitan a la reflexión y al debate. ¿Cómo no darle la razón en tantas de sus corrosivas críticas a los intentos de imponer servilmente paradigmas occidentales y las degradantes consecuencias de estos intentos? ¿Cómo no reconocer lo justo de su apasionada defensa de la cultura de los pueblos originarios de México y del continente americano en general? Sus argumentos y consideraciones marcan el comienzo de una nueva era en el ya largo debate sobre los indígenas de América. Constituyen un cuestionamiento de toda una línea de pensamiento que ha contado con figuras destacadísimas en el plano de las ideas y la política latinoamericana. como, p. ej., Manuel Gamio y Gonzalo Aguirre Beltrán en México y José Carlos Mariátegui en el Perú.

La tesis central que Bonfil Batalla rechaza, la expuso en forma contundente el pensador peruano: «no hay salvación para Indo-América sin la ciencia y el pensamiento europeos u occidentales» (Mariátegui 1968: 12). Para el antropólogo mexicano se trata por el contrario de que no hay para México salvación posible sin que se dé la oportunidad a la civilización mesoamericana, humillada, dominada y reprimida, pero viva, de que desarrolle sus potenciales. A los indios no hay que occidentalizarlos para hacerlos modernos sino que se debe dar lugar para que desarrollen las posibilidades de su cultura en cuanto a la organización política, las formas de cultivo, la medicina, el arte y tantos otros elementos culturales; y no sólo eso, los mexicanos de las grandes ciudades deben conocer al México indígena para poder desenvolverse humana y profesionalmente a cabalidad. México ya no debe aceptar el ser medido constantemente por el rasero de la civilización occidental, por el contrario los mexicanos deben acostumbrarse a evaluar esta cultura a partir de los valores de la civilización mesoamericana. El pensamiento de Bonfil Batalla ha tenido un carácter profético e iluminador y probablemente ha inspirado situaciones como las de Chiapas y la rebelión zapatista. Certeramente, el antropólogo mexicano señaló además algunas de las consecuencias que México y el continente latinoamericano en general están experimentando crudamente en la actualidad, producto de la aplicación de los modelos inspirados en la ideología neoliberal.

En lo que se refiere a estos temas, la argumentación de Bonfil Batalla es coherente y convincente. Donde surgen las dudas es cuando demoniza el mundo de la ciudad, sus habitantes y el cosmopolitismo. Al hacerlo se sitúa en la línea de pensadores románticos y nacionalistas que siempre han considerado al campo y su gente como los auténticos representantes de los valores originarios, que la gran ciudad corrompe y degenera. Porque, ¿qué tan imaginaria es la civilización occidental en el México de hoy?

Para algunos mexicanos, México no existía siquiera antes de 1521. Así, Mauricio González de la Garza escribe:

> México no existía en 1521. El México que nosotros conocemos es parte de lo que fue la Nueva España y si no somos la Nueva España en su totalidad territorial es porque primero los españoles vendieron Florida y Luisiana, y luego nosotros, cuando nos amputaron más de la mitad del territorio nacional, quedamos reducidos a lo que somos en la actualidad [...] Ni siquiera deberíamos aceptar lo azteca como símbolo de todo el país. Los aztecas nunca formaron ningún imperio, lo que hacían era saquear a quienes podían y exigir tributos a quienes no se podían defender [...] Fue España la que unió [...] lo que hoy conocemos como territorio nacional. Desde luego impuso unas leyes comunes, una religión común y un idioma común. Y esto iba desde Mérida hasta Los Ángeles, cosa ni pensada ni soñada jamás por pueblo prehispánico alguno (González de la Garza 1993: 129-131).

¿Qué significaría en el México de hoy desplazar a la civilización occidental? Significaría renunciar p. ej. a la lengua española que permite a todos los mexicanos comunicarse entre sí, al catolicismo la religión que una gran parte de los mexicanos practican en diversas variantes, a la informática, la electricidad, la ropa manufacturada, la música norteamericana, la música mexicana tocada en instrumentos occidentales, la democracia, etc.? ¿Por qué no pueden las capas medias y los obreros de las ciudades elegir formas de vidas y expresiones culturales occidentales? ¿Porque lo urbano es lo artificial, pecaminoso e inauténtico? ¿Es todo lo mesoamericano mejor y más auténtico por su antigüedad, en tierras mexicanas habría que agregar? ¿Por qué los indios son los únicos depositarios de las virtudes de la «raza»? (7).

Un México plural no significa precisamente que hay que aceptar que un mexicano liberal, marxista, perredista, panista o priista es tan mexicano, auténtico y originario de México como un indígena de una comunidad? ¿No es menos imaginario decir que el español de los mexicanos es tan propiedad de éstos como de los peninsulares (y más que de los gallegos, catalanes y vascos que lo tienen como segundo idioma), que los mexicanos han creado obras artísticas e intelectuales que se encuentran entro lo mejor que se ha escrito en lengua española?

Algunas observaciones de Gabriel Zaid ayudan a poner de relieve la debilidad de la argumentación de Bonfil Batalla en cuanto a desplazar la civilización occidental por no ser parte orgánica de México:

> En el orden de la cultura no hay bienes raíces, ni herencias por vía territorial. Alfonso Reyes fue más dueño del Siglo de Oro que millones de españoles. Así como muchos antropólogos extranjeros son más dueños de la cultura indígena que millones de mexicanos. ¿Quiénes son los descendientes de Sócrates? ¿Los filósofos europeos, o los guías de turistas de la Atenas actual? (Zaid 1975: 28)

Así como las culturas indígenas no son un todo homogéneo, esencial y ahistórico como parecen serlo para Bonfil Batalla, tampoco lo es la «civilización occidental». Sin embargo, Bonfil Batalla no hace distinciones entre los virreyes españoles de la Nueva España y Lázaro Cárdenas, entre la sociedad semifeudal y mercantil impuesta por los españoles y el paradigma capitalista norteamericano, todos son «occidentales».

La salida realista para México en su conjunto no parece ser una vuelta total al cultivo para el autoconsumo como el de las comunidades indígenas. Habría que preguntarse acerca de las posibilidades de la agricultura orgánica/ecológica, la utilización de formas de energía alternativa, etc. En lo político, la izquierda latinoamericana pagó un alto precio por confundir democracia con democracia de los capitalistas sin más y hoy cuando México realmente está logrando una independencia del poder legal con respecto al Presidente y se ven pequeñas señas de una cierta independencia del judicial, ¿no es erróneo decir que la democracia «occidental» es algo ajeno a la mayoría de los mexicanos?

La visión de Bonfil Batalla tiene muchas similitudes con la de los movimientos románticos, nacionalistas y telúricos europeos y con ciertas versiones del indigenismo peruano, representado por Luis Varcárcel. Ellos ven al campo/sierra y sus habitantes como el símbolo de lo auténtico, autóctono y originario, mientras que la ciudad es la sede de lo ajeno, lo inauténtico, la corrupción de las costumbres. En el discurso de Bonfil Batalla el primer término es sustituido por el mundo indígena. Su reivindicación de él, de su importancia para el México actual, de su derecho a desarrollar sus potenciales en una nación pluricultural es su contribución esencial. Su intento de hacerlo la única, verdadera y auténtica cultura de México es cuestionable.

Conclusiones

Las interpretaciones de estos tres antropólogos sobre la cuestión de la cultura o la conciencia nacional nos permiten apreciar la complejidad de la problemática. Por un lado está el problema de la comprensión del concepto mismo: cultura impuesta desde arriba vs. conjunto de culturas que conviven dentro de una nación Estado. Los autores analizados tienden a comprender la cultura nacional en el primer sentido. En segundo lugar, podemos percibir la variedad de temas que abarca el problema de la cultura nacional: cuestiones de cultura política, artísticas, económicas, conflicto entre civilizaciones, etc. Por último están los aspectos que los autores privilegian: énfasis en lo político en el caso de Bartra, choque de civilizaciones para Bonfil Batalla y las estructuras económicas y organizativas en relación a las artesanías y fiestas indígenas, por lo que se refiere a García Canclini.

Como se ha visto existen aspectos comunes que dan coherencia al pensamiento de estos tres antropólogos y que son un indicio de los paradigmas predominantes dentro del pensamiento mexicano y latinoamericano contemporáneo. Pienso aquí en la importancia que tiene para todos ellos la cuestión del dominio o hegemonía cultural, la dimensión de lucha y conflicto, la crítica de Occidente y la liberación de los sujetos que sus trabajos caracterizan como oprimidos. Esto confirma mi hipótesis sobre el carácter ideológico de los trabajados analizados. Las conclusiones sobre la cuestión de la cultura (nacional) mexicana difieren porque los esquemas interpretativos y los énfasis temáticos son disímiles. Así para Roger Bartra existe una cultura nacional en México: la dominante, compartida por dominantes y dominados. Su contenido ha sido elaborado por los estudiosos del carácter nacional que serían, en su lectura, intelectuales al servicio de las clases dominantes. Los estereotipos creados por ellos –con firme arraigo en ciertos estereotipos occidentales– han sido difundidos por los medios de comunicación.

Para García Canclini también existe una cultura (capitalista) dominante que engloba a dominantes y dominados y que ha creado culturas híbridas en la que hábitos, técnicas y creencias que hunden sus raíces en la civilizaciones americanas anteriores a la Conquista, son hoy funcionales al sistema dominante. Además, el antropólogo argentino, enfatiza el carácter heterogéneo y la pluralidad de hábitos, creencias y representaciones entre los indígenas mexicanos.

Finalmente para Bonfil Batalla no existe una cultura nacional mexicana sino sólo un conjunto heterogéneo de formas de vida social disímiles y aún contradictorias, que tienen que ver con la manera diferente en que cada grupo social se ha relacionado históricamente con la civilización mesoamericana. Esta última contiene las culturas auténticas y profundas y comprende a la mayoría de los mexicanos. La occidental es superficial, reciente, imaginaria y minoritaria.

Para el estudio de la cultura y de las ideas en América Latina pienso que hay algunos problemas centrales que la lectura de estos autores nos invita a profundizar:

1) la importancia del horizonte comprensivo (en el sentido que le confiere la hermenéutica de Gadamer al concepto) para los resultados que se obtienen en cuanto al carácter de la cultura estudiada. Pienso especialmente en los énfasis en los factores que cohesionan a una cultura o la dividen;

2) la relevancia que tiene el estudio de autores contemporáneos para, a través del análisis de los referentes compartidos, dar cuenta de los paradigmas dominantes en el pensamiento y la vida cultural e intelectual en la América Latina contemporánea. Lo que nos remite, a su lugar en una tradición en la que grandes corrientes de pensamiento como el indigenismo y el marxismo han ocupado un lugar privilegiado.

Notas y referencias

1 Geert Hofstede (1991): *Kulturer og Organisationer-Overlevelse i en grænseover- skridende verden,* Copenhague: Schultz; Edward T. Hall and Mildred Reed Hall (1990): *Understanding Cultural Differences,* Maine: Impressum Yarmouth, Me. Intercultural Press Cop.

2 Ver Cristoffanini (1989): «Latinamerikas politisk kultur: Patrimonial herredømme, autoritær politisk legitimitet», 114-115.

3 El *Laberinto de la soledad* fue considerado por algunos como «una elegante mentada de madre contra los mexicanos», ver Paz 1983: 18.

4 Vasco de Quiroga (1470-1565) jurista y religioso intentó realizar una utopía comunal entre los *tarascos* (nombre con que los españoles designaban a los purépechas). Ver Henri Favre (1998): 17-18.

5 Debería agregarse –como elemento compartido por mexicanos indígenas y no indí- genas– la religión católica, que es un mundo simbólico compartido por la mayoría de los mexicanos, independientemente de su ubicación social o étnica.

6 Véase, p. ej. García Canclini 1982: 59, 209, 210 y 211.

7 Uno de los últimos libros de Mario Vargos Llosa, *La utopía arcaica,* sobre el escritor y antropólogo peruano José María Arguedas, contiene puntos críticos sobre el indige- nismo que son aplicables a la obra de Bonfil Batalla.

Bibliografía

Bartra, Roger (1987): *La jaula de la melancolía: identidad y metamorfosis del mexicano,* México: Grijalbo.

Blancarte, Roberto (comp.) (1994): *Cultura e identidad nacional,* México: Fondo de Cultura Económica.

Bonfil Batalla, Guillermo (1970): «Del indigenismo de la Revolución a la antropología crítica», en idem (1995): *Obras escogidas de Guillermo Bonfil,* T. 1, México: Ins- tituto Nacional Indigenista, 293-315.

---(1985): «Panorama étnico y cultural de México», en idem (1995): *Obras escogidas de Guillermo Bonfil,* T. 2, México: Instituto Nacional Indigenista, 553-560.

---(1989): «El problema de la cultura nacional», en idem (1995): *Obras escogidas de Guillermo Bonfil,* T. 2, México: Instituto Nacional Indigenista, 587-596.

---(1990): *México profundo: una civilización negada,* México: Grijalbo.

---(1995): «El imperialismo y la cultura nacional», en idem (1995): *Obras escogidas de Guillermo Bonfil,* T. 1, México: Instituto Nacional Indigenista, 205-238.

Carrión, Jorge (1980): *Mito y magia del mexicano* (1952), 6ª ed., México: Editorial Nues- tro Tiempo.

Clavijero Francisco, Javier (1991): *Historia antigua de México* (1780), México: Editorial Porrúa.

Cristoffanini, Pablo Rolando (1989): «Latinamerikas politiske kultur: Patrimonialt herre-dømme, autoritær politisk legitimitet», en Jørgen Würtz-Sørensen (ed.): *Politisk kultur og nationalt identitet i den tredje verden,* Aarhus: Aarhus Universitets-forlag,104-126.

---(1999): «Identidad mexicana e interculturalidad en Octavio Paz», en idem (comp.): *Identidad y otredad en el mundo de habla hispánica* (libro de pronta aparición en México: Editorial UNAM).

Favre, Henri (1998): *El indigenismo,* México: Fondo de Cultura Económica.

Florescano, Enrique (1994): *Memoria mexicana* (1987), 2ª ed., México: Fondo de Cultura Económica.

Fuentes, Carlos (1994): *Nuevo tiempo mexicano,* México: Aguilar.

Gadamer, Hans-Georg (1996): *Verdad y Método I. Fundamentos de una hermenéutica filosófica,* Salamanca: Ediciones Sígueme.

Gamio, Manuel (1982): *Forjando Patria* (1916), México: Editorial Porrúa (primera edi-ción en la Colección «Sepan Cuantos», México: Porrúa).

García Canclini, Néstor (1982): *Las culturas populares en el capitalismo,* México: Edito-rial Nueva Imagen.

---(1997): «El patrimonio cultural de México y la construcción imaginaria de lo nacional», en Enrique Florescano (comp.): *El patrimonio nacional de México,* México: Fondo de Cultura Económica, 57-86.

Geertz, Clifford (1990): *La interpretación de las culturas* (1987), 4ª reimpresión, Barcelo-na: Gedisa.

González de la Garza, Mauricio (1993): *México rumbo a México,* México: Grijalbo.

Hall, Edward T. y Reed, Mildred (1990): *Understanding Cultural Differences,* Maine: Impressum Yarmouth, Me. Intercultural Press Cop.

Lewis, George H. (1981): «El estudio de la cultura en la sociedad moderna», en José M. Tortosa Blasco (ed.): *Estructura y procesos. Estudios de sociología de la cultura,* Alicante: Publicaciones de la Casa de Ahorros de Alicante y Murcia, 85-91.

Mariátegui, José Carlos (1968): *7 ensayos de interpretación de la realidad peruana* (1928), Lima: Biblioteca Amauta.

Monsiváis, Carlos (1976): «La nación de unos cuantos y las esperanzas románticas (notas sobre la historia del término 'cultura nacional')», en Héctor Aguilar Camín et al. (eds.) (1983): *En torno a la cultura nacional,* 2ª ed., México: Dirección General de Publicaciones del Consejo Nacional para la Cultura y las Artes, 159-221.

---(1978): «1968-1978: Notas sobre cultura y sociedad en México», en *Cuadernos Políti-cos* 17 (México), 44-58.

---(1985): «De algunos problemas del término 'cultura nacional' en México», en *Revista Occidental* 2 (México), 37-48.

---(1997): *Entrada libre. Crónicas de una sociedad que se organiza* (1987), 7ª reimpre-sión, México: Ediciones Era.

Murillo Chaverri, Carmen (1990): «La cultura nuestra de cada día», en *Herencia* 1 (2) (San José de Costa Rica), 3-14.

Pacheco, José Emilio (1976): «La Patria perdida. Notas sobre Clavijero y la 'cultura na-cional'», en Héctor Aguilar Camín et al. (eds.) (1983): *En torno a la cultura nacio-nal,* 2ª ed., México: Dirección General de Publicaciones del Consejo Nacional para la Cultura y las Artes, 17-45.

Paz, Octavio (1973): «Entre orfandad y legitimidad», prólogo al libro de J. Lafaye (1985): *Quetzalcóatl y Guadalupe. La formación de la conciencia nacional en México*, 2ª ed. en español, México: Fondo de Cultura Económica, 11-26.

---(1979): *Posdata*, México: Siglo XXI (primera ed. 1970).

---(1983): *El ogro filantrópico* (1979), Barcelona: Seix Barral (primera ed. 1979, México: Joaquin Mortiz).

---(1991): *El laberinto de la soledad* (1950), 14ª ed., México / Madrid: Fondo de Cultura Económica.

Pérez Montfort, Ricardo (1994): «Indigenismo, hispanismo y panamericanismo en la cultura popular mexicana de 1920 a 1940», en Roberto Blancarte (comp.): *Cultura e identidad nacional*, México: Fondo de Cultura Económica, 343-383.

Ramos, Samuel (1995): *El perfil del hombre y la cultura en México* (1934), 24ª reimpresión, México: Espasa-Calpe Mexicana.

Ribeiro, Darcy (1977): *Las Américas y la civilización*, México: Editorial Extemporáneos.

Schudson, Michael (1994): «Culture and the Integration of National Societies», en Diana Crane (ed.): *The Sociology of Culture. Emerging Theoretical Perspectives*, Oxford: Blackwell, 27-43.

Smelser, Neil J. (1992): «Culture: Coherent or Incoherent», en Richard Münch and Neil J. Smelser (eds.): *Theory of Culture*, Berkeley: University of California Press, 3-28.

Vasconcelos, José (1995): *La raza cósmica* (1949), 18ª reimpresión, México: Espasa-Calpe Mexicana.

Vargas Llosa, Mario (1996): *La utopía arcaica: José María Arguedas y las ficciones del indigenismo*, México: Fondo de Cultura Ecónomica.

Zaid, Gabriel (1975): «Problemas de una cultura matriotera», en *Plural*, Revista Cultural de *Excelsior*, 20 (México), 25-30.

El ensayo literario en Venezuela

Cesia Ziona Hirshbein
Universidad Central de Venezuela

Se habla mucho de «obras literarias», pero poco de «la literatura»: el discurso propiamente dicho del texto escritural. En tal sentido puedo decir que la práctica discursiva que se emplea en esta investigación se divide en dos partes. En la primera se elaboró un estudio teórico de la literatura, trascendiendo y haciendo posible el estudio experimental de las obras ensayísticas seleccionadas como tal y luego analizadas estructuralmente. Su justificación teórica subyace en el hecho que reconocemos cierto mensaje lingüístico como literario y en virtud del cual se reúnen los ensayos literarios precisamente bajo una misma etiqueta.

Este principio de unidad y distinción es el objeto de estudio de su estructura y evolución a un arreglo de sus constantes que se reúnen en la diversidad de escritos, en este caso de ensayos. Con esa premisa de un discurso que tiene su propia especificidad y su dinámica interna, entonces se sienta la base de la forma específica del ensayo como género, aceptando la teoría actual de los géneros y vinculando la conceptualidad con la especificidad literaria del texto. Se hace uso de la crítica literaria como de la teoría estética, para desembocar en la ubicación cronológica y análisis histórico para insertar el ensayo como género dominante en la historia de las ideas de nuestra América. Para el criterio de selección de los ensayistas hispanoamericanos estudiados, ha servido de aporte fundamental toda una escritura ensayística de primer orden de los pensadores insertos en la historia de los distintos países hispanoamericanos, además de un material bibliográfico de apoyo importante, donde se destaca la actividad productiva de dichos ensayistas.

Este trabajo va encaminado al desarrollo de la tesis sobre la importancia del ensayo en Venezuela desde los momentos mismos de la fundación de una expresión literaria en tierras americanas. Intenta igualmente servir de aporte al estudio genérico de la expresión literaria conocida con el nombre de *ensayo* y como punto de partida para poder restringir, reconocer y seleccionar, dentro del dilatado panorama de nuestra literatura, las obras (y los autores) puntuales que se han dedicado y dedican al ensayismo. En tal sentido lo he dividido de la siguiente manera:

a) Una introducción donde se intenta revisar ciertas características del ensayo, inevitable cuando de este tema se trata. En cuanto al primer aspecto nos preguntamos ¿qué distingue un ensayo literario de otro que no lo es? El ensayo que tanto perfilo como arte, ¿es tal o debemos considerarlo como una escritura semejante al tratado? Y en este sentido, ¿qué hace que un ensayo esté considerado dentro del ámbito de la literatura y no del científico? Se imbrica a este aspecto una reflexión de orden estética, lo que Walter Pater llama la «razón imaginativa» (1), esa compleja facultad por la cual forma y contenido se unifican en una sola acción: la artística.

b) En la segunda parte señalo la evolución del ensayo venezolano, –entendido este género como *forma estética*– e inserto dentro del latinoamericano, cuya historia no es muy vieja, data apenas del siglo pasado y tiene sus antecedentes en las Crónicas de Indias, pero que realmente comienza sus pasos modernos en la época de la Independencia, con Andrés Bello y Simón Bolívar.

Introducción

La circunstancia tan sugestiva del título obliga a recordar el origen de la palabra *ensayo*. En su sentido primitivo presagia lo incompleto, el hacer una prueba, intentar o más bien tentar como lo sugiere Chesterton –con su acostumbrado tono irónico– en el ensayo titulado «Sobre el ensayo», y donde compara este género con una serpiente que es tentativa en todos los sentidos de la palabra. «El tentador está siempre tentando su camino» (2) , nos dice el ensayista inglés. Y este engañoso aire de lo incompleto hace que yo también esté tentada por la serpiente, y quiera aclarar que, de igual modo, estoy ensayando aquí algunos caminos para perfilar este género, ya que es una de las formas más interesantes de la literatura y pensamiento latinoamericano en general y del venezolano en particular.

Para empezar ensayaré algunas características que nos acerquen al género, pues aunque muchos tratan de definirlo, buscarle ciertas fronteras o especificaciones, pareciera ser el ensayo una forma de expresión que no acepta ni límites ni definición precisa. Shipley en su *Diccionario de literatura mundial* afirma que «nunca se ha determinado con exactitud en qué consiste el ensayo» (3). Y es que aún más que la gran mayoría de las formas literarias, ésta se resiste a una definición estricta.

En efecto, el ensayo es camaleónico y tiende a adoptar la forma que más le convenga. De naturaleza reflexiva e interpretativa, es también flexible, subjetivo y donde existe muy especialmente la participación del lector, sobre todo por su intimidad. Es a la vez interesante observar que usa los más variados y sorprendentes recursos literarios: recordemos los ensayos dialogales de Oscar Wilde (como por ejemplo el titulado «Decadencia de la mentira») o las conversaciones imaginarias de Stevenson; tenemos también ensayos en forma de sueños, apuntes, diarios o epístolas. En cuanto al contenido, aún cuando generalmente se lo asocia con el tema literario, existencial y el filosófico, es importante destacar que acepta cualquiera de las múltiples e infinitas vetas del conocimiento humano; igual como hay ensayos sobre la verdad, sobre el entendimiento humano, los hay sobre la energía nuclear, la biología, el átomo o también sobre un abrigo de piel, un grano de especias, un desván elisabetano o unas papitas fritas, por sólo citar algunos ejemplos. Montaigne (el primero y más grande de los ensayistas) decía hacia 1580: «Tomo al azar cualquier tema que se me presenta. Todos me son igualmente buenos [...] Penetro en él, no con amplitud sino con la mayor *profundidad* que puedo [...]» (4).

De ahí que afirme que en el ensayo todo depende del enfoque, del modo original con el que se acerque la pluma de un escritor al texto, no del tema que circunstancial o coyunturalmente haya escogido (por azar, como dice Montaigne), pues es el autor quien con su perspicacia, talento y estilo peculiar crea el interés y el sabor del tema. Por eso creo que es lícito llamar al ensayo «prosa de ideas», de igual modo, «poema en prosa», pues son los ensayistas en el sentido que lo estoy apuntando, quienes transfiguran esas ideas en imágenes, visiones y vivencias, y éste quizás sea uno de sus aspectos más interesantes, pues es el hacedor de imágenes el que fija la diferencia entre un ensayo y un artículo periodístico, un tratado, una crónica o una monografía.

Pero por el otro lado, igualmente su tarea, así como lo afirma el profesor Ilan Stavans en su libro antológico *Latin American Essays*, es la de confrontar, discutir, contradecir y pensar (5). Surge según esto una confrontación inevitable: ¿es el ensayo arte? Pues como bien lo apunta Walter Pater –otro de los fundadores del ensayo actual– el arte trata siempre de independizarse de la mera inteligencia; de convertirse en percepción pura, de liberarse de sus responsabilidades con respecto a su asunto o material, y donde *forma y contenido* presentan un solo efecto a la «razón imaginativa» (6). Por su lado Oscar Wilde afirma que el objeto del Arte no es la verdad simple, sino la belleza compleja (7).

De manera que hemos llegado a lo que considero el punto neurálgico del género: Si el objetivo primordial del ensayo es el de conscientizar y confrontar, dónde insertamos el aspecto literario? Pues bien, lo literario está precisamente en la simbiosis entre *forma y contenido*, y ahí es donde se presenta en forma contundente su diferenciación del tratado, en el cual priva el contenido por encima de todo. Debo decir que en efecto, en el ensayo se expresa un pensamiento, pero es un *pensamiento creador e informal*, impulsado por la imaginación, que es artísticamente creadora y busca siempre una nueva forma. Y solamente adquiere existencia literaria por la intencionalidad estética, por ese afán de crear belleza.

Puedo ya decir que el ensayo *es literatura* inclusive y aun cuando su tema no sea literario, pues lo resaltante en este género es la finalidad literaria en sí, aquello que los estructuralistas no se han cansado en llamar la *literaturidad* del texto, aquello que hace que un texto sea literario.

Con estas consideraciones iniciales, debo subrayar que ésta así llamada «reflexión original» ha sido en Hispanoamérica en general y en Venezuela en particular, una de las manifestaciones de la creación literaria de mayor alcance para la expresión del pensamiento y la cultura nacional. Y es importante decir que ningún género literario ha sido tan adecuado para demarcar la psicología latinoamericana, sus patrones laberínticos y sus más profundos secretos.

El ensayo hispanoamericano / el ensayo en Venezuela

Es importante, al introducir el ensayo en Venezuela, enmarcarlo dentro de Hispanoamérica, ya que el nuestro –el venezolano– se inserta en forma armónica y muy destacada en el del resto del continente del sur. Entre las figuras más connotadas que fundan modernamente en toda Latinoamérica este género literario están los venezolanos Andrés Bello, Simón Rodríguez, Francisco de Miranda y Simón Bolívar quienes junto a Fray Teresa Servando de Mier, Fray Camilo Henríquez, Fernández de Lizardi, «fecundos, vastos y enormemente influyentes», son los padres del género.

Yendo hacia atrás, sus más remotos orígenes en Hispanoamérica se pueden trasladar a la época de la Colonia. Es así como algunas *Crónicas de Indias* se catalogan como ensayos, sobre todo con aquellas que se puede establecer cierta relación literaria. Comenzamos con Cristóbal Colón (c. 1451-1506) y sus cartas, diarios de navegación y relaciones breves, de igual modo los *Naufragios y comentarios* de Alvar Núñez Cabeza de Vaca (1507-1559) y la *Historia verdadera de la Nueva España* de Bernal Díaz del Castillo (1496-1585), soldado de Hernán Cortés, entran en la lista. Son especialmente importantes *Los Comentarios Reales* del Inca Garcilaso de la Vega (1539-1616) mestizo, hijo de un capitán extremeño y de una princesa incaica y la *Nueva Crónica y Buen Gobierno* del peruano Felipe Guamán Poma de Ayala (c. 1534– ...) entre otros. Haciendo la advertencia que estas crónicas se escribieron sin propósito literario confesado.

Otros ejemplos importantes de prosa colonial y ya con vetas literarias son los escritos barrocos del colombiano Hernando Domínguez Camargo, también la famosa *Respuesta a Sor Filotea de la Cruz* (México, 1691) de Sor Juana Inés de la Cruz (1648-95) y los escritos barrocos de Carlos de Sigüenza y Góngora (1645-1700). Es importante destacar que en los textos citados no es difícil percibir una *actitud americanista* que va a constituir una de las temáticas constantes del ensayo hispanoamericano moderno,

A partir de 1810, las luchas independentistas con sus evidentes preocupaciones políticas e ideológicas se van a convertir en el tema fundamental de la literatura de la época, y el ensayo, por su idiosincrasia reflexiva y concientizadora, es el texto más idóneo para expresar los conflictos y las preocupaciones de este momento histórico tan convulso. Es una literatura de combate, lo que inevitablemente hace que el pensamiento y la acción estén unidos en la mayoría de ellos. El escenario, en efecto sirve para los cuadros históricos y muestra el desafío de una literatura que se sumerge en el humus de la guerra, y donde en esa transición (desde el punto de vista cultural) del barroco al romanticismo de fines del siglo XVIII y principios del XIX se sorprende con rasgos ya de raigambre muy americana. Sin romper con la tradición hispánica, la escritura literaria de esta época abre un nuevo camino a la reflexión y la expresión de los problemas más candentes del momento. Es importante aclarar que estos hombres de la época independentista aún no están conscientes, al escribir, de la categoría de ensayo, y expresan sus ideas en un texto que algunos llaman «proto-ensayo» (8), y que en alguna medida se emparenta todavía con el tratado, el artículo, la epístola y la oratoria, pero que resalta por una forma que ya es propiamente literaria, lo que llamaba la intencionalidad del texto.

Se levantan voces que hablan de la tolerancia religiosa, de los derechos individuales, de la libertad intelectual y la sociedad igualitaria y republicana. El espíritu de la Ilustración se muestra en todo su alcance ya que circulaban

–aun cuando en forma clandestina– libros de orientación moderna para la
época: la *Encyclopédie*, las obras de Bacon, Descartes, Copérnico, Gassendi,
Boyle, Leibniz, Locke, Condillac, Buffon, Voltaire, Montesquieu, Rousseau,
Lavoisier, Laplace.

Es de rigor destacar a Simón Bolívar y a don Andrés Bello. En primer
lugar tenemos al Libertador Simón Bolívar (1783-1830) que como lo señala
Teodosio Fernández en *Los géneros ensayísticos hispanoamericanos* Bolívar
es autor de más de tres mil cartas y doscientos discursos, arengas o proclamas; y añado, algunos escritos que podría catalogar como de crítica literaria
poco conocidos y únicos en su género para la época (9). Todo esto conforma
un extraordinario testimonio de su decisiva participación en los hechos no
sólo militares sino también político-sociales y culturales que entonces determinaron el destino de Hispanoamérica. De su obra han merecido particular
atención *Mi delirio sobre el Chimborazo*, una apasionada y poética reflexión
sobre su misión libertadora, también el famoso *Manifiesto de Cartagena* de
1812 fundamental para el conocimiento de su pensamiento político, en esa
misma categoría están la *Carta de Jamaica* de 1815 y el *Discurso en el Congreso de Angostura* de 1819. Son interpretaciones de la realidad hispanoamericana de excepcional lucidez donde asoma la fe en el poder de la razón
(la Ilustración). Oigamos este fragmento de una carta que le escribe el Libertador al poeta José Joaquín Olmedo (el 27 de junio de 1825):

> Ya que Vd. ha hecho su gasto y tomado su pena, haré como aquel paisano a quien hicie-
> ron rey de una comedia y decía: «Ya que soy rey, haré justicia [...] he oído decir que un
> tal Horacio escribió a los Pisones una carta muy severa, en la que castigaba con dureza
> las composiciones métricas; y su imitador, M. Boileau, me ha enseñado unos cuantos
> preceptos para que un hombre sin medida pueda dividir y tronchar a cualquiera que
> habla muy mesuradamente en tono melodioso y rítmico [...] prepárese Vd. para oír
> inmensas verdades, o, por mejor decir, verdades prosaicas, pues Vd. sabe muy bien que
> un poeta mide la verdad de un modo diferente de nosotros los hombres de prosa. Seguiré
> a mis maestros [...] (10).

Permítaseme ahora extenderme en la figura de don Andrés Bello (1781-
1865), –reconocido por los críticos como el primer ensayista moderno latinoamericano– no sólo por el respeto universal que provoca su obra, movida
como está por el amor a la belleza y por el placer de conocer, sino también
por ese interés suyo de enseñar, encaminar y alumbrar. Además, ese afán de
compartir y impartir sus conocimientos se une en él a su «fe literaria» que

define en el tan citado «Discurso de Instalación de la Universidad de Chile», (1843) en donde defiende la libertad, pero dentro del orden:

> El arte! Al oír esta palabra, aunque tomada de los labios mismos de Goethe, habrá algunos que me coloquen entre los partidarios de las reglas convencionales, que usurparon mucho tiempo ese nombre [...] Yo no encuentro el arte en los preceptos estériles de la escuela, en las inexorables unidades, en la muralla de bronce entre los diferentes estilos y géneros, en las cadenas con que se ha querido aprisionar al poeta a nombre de Aristóteles y Horacio, y atribuyéndoles a veces lo que jamás pensaron. Pero creo que hay un arte fundado en las relaciones impalpables, etéreas, de la belleza ideal; relaciones delicadas, pero accesibles a la mirada de lince del genio competentemente preparado; creo que hay un arte que guía a la imaginación en sus más fogosos transportes; creo que sin ese arte la fantasía, en vez de encarnar en sus obras el tipo de lo bello, aborta esfinges, creaciones enigmáticas y monstruosas. Esta es mi fe literaria. Libertad en todo; pero yo no veo libertad, sino embriaguez licenciosa, en las orgías de la imaginación (11).

Me es imposible no asociar el crecimiento intelectual de Bello a su larga permanencia en Londres, que por ese entonces era uno de los centros más activos y fecundos del romanticismo. En las notas que escribe en la *Biblioteca Americana* y en el *Repertorio Americano* (ambas revistas editadas por él en Londres) hay numerosos ensayos –todos de gran interés y muy de vanguardia– donde el tono dominante es para nuestra sorpresa ecléctico, de seguro influido por las lecturas de los escritores ingleses de esa época cuya impronta aún se siente en el ensayo actual. Predomina pues, durante esta etapa de Bello, la libre curiosidad personal de un hombre a quien se le abren generosamente todas las perspectivas del conocimiento. Son los placenteros días en los que se aísla en la sala de lectura del Museo Británico. Finalmente ese equilibrio literario de Bello está dirigido hacia América. En efecto, su tema es América, la audiencia a la que se dirige es americana, americanos son sus sentimientos y sus conceptos. Incluso, durante su permanencia en Inglaterra, la vocación por lo americano se hace en él más profunda y decidida. La nostalgia del desterrado aviva en él ese sentimiento.

Ese estilo moderno de hacer ensayo se asocia con los nombres de ensayistas británicos tales como Francis Bacon (otro pionero junto a Montaigne del ensayo), Charles Lamb, William Hazlitt, Thomas de Quincey, Thomas Carlyle. Luis Beltrán Guerrero afirma que

> [...] las revistas inglesas de Steele y Addison, y las de la primera década del siglo XIX en Inglaterra, *Edinburgh Review* (1802), *Quarterly Review* (1809), donde colaboran Jeffrey, Scott, Macauly (de tanta influencia en nuestro López Méndez), Gladstone; y posteriormente los escritores Lamb, Hazlitt, Hunt, Ruskin, Carlyle, Newman, Walter

Pater (tan influyente en Díaz Rodríguez), Stevenson; [...] tienen inmensa influencia en nuestras letras (12).

De hecho, estos escritores ingleses del siglo XIX citados por Guerrero, eran en su mayoría esteticistas, mordaces, profundos, personales, filósofos, intelectuales y conscientes de estar escribiendo en el género, y efectivamente fascinaron a los latinoamericanos. Voraces lectores, muchos de ellos políglotas y capaces de leer en varios idiomas, además fueron los conductores hacia el romanticismo, positivismo y modernismo de tanta importancia en la historia literaria de Hispanoamérica.

Dentro del marco latinoamericano, mientras Bello figura como cauto, moderado y con sentido del orden, en cambio el argentino Domingo Faustino Sarmiento (1811-1888) resulta apasionado e impetuoso. De su fecunda obra ensayística hay un libro que destacar, *Civilización y barbarie: Vida de Juan Facundo Quiroga* (Santiago, 1845), donde plantea la antinomia Europa frente a América. De la misma época es Juan Montalvo (1832-89), quien aparte de escribir sobre la realidad americana, compone ensayos al estilo del inglés Francis Bacon con títulos como «De la nobleza», «De la belleza en el género humano», «Los héroes» (Simón Bolívar) y «Los banquetes de los filósofos». Como lo afirma José Miguel

[...] hay una clara línea que va del *Facundo* (1845) de Domingo Faustino Sarmiento al *Martín Fierro* (1872) de José Hernández y de éste a *Don Segundo Sombra* (1926) de Ricardo Güiraldes [...] el influjo de *El laberinto de la soledad* (1950) de Octavio Paz sobre la novela mejicana es también evidente, así como el magisterio de Reyes sobre algunos poetas contemporáneos de su país. Hay una viva interrelación entre los géneros que se cultivan en Hispanoamérica y en esa red de estímulos y ecos es de justicia reconocer el papel seminal que cumple el ensayo (13).

Y este ensayo latinoamericano se desarrolla vivamente, entrelazando una temática común a todos ellos: la de la preocupación por la identidad nacional a través de una expresión típicamente americana. Es la elaboración de un pensamiento, que sin desligarse de los contenidos universales, refleja un modo de ser, de reaccionar frente a las cosas típicamente latinoamericano. Hay que entender pues ese inicial auge del ensayo como un fenómeno asociado a las reflexiones sobre la realidad socio-histórica de un continente que quería cobrar total autonomía tanto política como culturalmente, América frente a Europa y frente a los Estados Unidos. Aparece pues este tipo de literatura flexible y versátil para una sociedad que estaba cambiando rápidamente, en una necesidad de expresar un pensamiento nuevo como instrumento pues, de la *búsqueda de la identidad y expresión original* de las nuevas naciones. Expresión que se une a la temática que quiere a través de la palabra conseguir la autonomía frente al dominio político-cultural de los Estados Unidos, hecho que era evidente en esos momentos. José Martí, Rubén Darío, José Enrique Rodó resumen después de Bolívar, un llamado continental de liberación; por un lado frente a los gigantes europeos y por el otro a los del Norte del Continente americano. Quiero subrayar como ambas temáticas; la de la preocupación por una *expresión americana original* y la de la *autodeterminación* de los pueblos de la América del Sur han quedado como unas constantes permanentes en el ensayo de los escritores hispanoamericanos más destacados de estos inicios y de todos los tiempos.

Después de la época de la definición de las nacionalidades, casi inmediatamente surge la generación positivista, favorecida especialmente por el éxito de las teorías de la ciencia, que en Venezuela (no tanto como en el Brasil por supuesto) va a consolidar un importante grupo de escritores. La historia, la sociología, la filosofía, el derecho, la psicología, la antropología, las ciencias naturales y la crítica literaria entran al mundo del ensayo dentro de una nueva concepción metodológica, novedosa entre los intelectuales latinoamericanos de fines del siglo XIX y principios del XX, concepción que se refleja también en un ensayo que va a profundizar en los temas históricos y también sociológicos.

Los más representativos fueron José Gil Fortoul, Lisandro Alvarado y César Zumeta. José Gil Fortoul (1862-1941) aborda la investigación sociológica para hacer una interpretación positivista de la historia venezolana y destaca sobre todo como historiador de la literatura venezolana en forma ensayística. Su compañero de generación es Lisandro Alvarado, desconcertante por su gran capacidad de abarcar varios terrenos del conocimiento al mismo tiempo. Es el polígrafo y políglota más impresionante de su generación y estuvo atraído por los más dispersos temas y motivos, pero a la vez fundamentado en una sólida cultura. Destacan sus ensayos *Los delitos políticos en la Historia de Venezuela* y *Neurosis de los hombres célebres*. Siguiendo el cuadro de esta época tenemos a Cesar Zumeta (1860-1955) quien sobresale en el cultivo de una prosa cuidada y lógica, que busca discutir y precisar los valores filosóficos y estéticos que en su época influyen sobre la literatura venezolana.

Paralelamente con el positivismo, el modernismo cobra vigencia literaria en toda Latinoamérica con la publicación de las *Prosas profanas* en 1896 de Rubén Darío. Señala Oviedo que hacia 1900 nace el ensayo hispanoamericano contemporáneo. Junto a los poemas de Darío tenemos el largo ensayo de José Enrique Rodó, el *Ariel*, publicado precisamente ese mismo año.

Desde la cúspide del así llamado movimiento modernista, el más esteticista es el venezolano Manuel Díaz Rodríguez (1871-1927), quien con sus signos llenos de sugestivas imágenes, publica su «elegante» obra titulada, *Camino de perfección* (1908), modelo de la prosa ensayística del momento a la vez que un penetrante retrato crítico del mismo modernismo. Su contemporáneo Rufino Blanco-Fombona (1874-1944) escribirá su diario titulado *Camino de imperfección*, en un contrapunteo paradójico de los destinos que se bifurcan pero que confluyen en un interés común, la preocupación por Venezuela.

Polémicos en la indagación sociológica y audaces en la definición histórica del país van a ser los ensayos de Laureano Vallenilla Lanz (1870-1936) y Pedro Manuel Arcaya (1874-1958), en quienes el rigor científico preconizado por el positivismo parece a veces teñido por la pasión o el interés político. Dos revistas sirven de vehículos de expresión de estos ensayistas, como en general de toda la obra de índole modernista: *El Cojo Ilustrado* y *Cosmópolis*.

No debemos dejar de mencionar en este período a los destacados Arístides Rojas, Fermín Toro, Juan Vicente González, José María Baralt y Cecilio Acosta. Es el tiempo de los gobiernos de José Antonio Páez, los hermanos Monagas, la guerra federal y Antonio Guzmán Blanco. Llega también a la presidencia un hombre distinto, distinguido y universitario, el Dr. José María Vargas, primer rector de la Universidad Central de Venezuela.

En estos principios del siglo XX se van dando cambios en el género, aún cuando éstos no son estructurales. La preocupación del destino de «nuestra América» sigue presente entre los intelectuales pero con un agregado: les duele cada uno de sus países de origen. Sienten la necesidad de explicar y analizar –sin olvidar el contexto latinoamericano– la crisis socio-política ya propiamente de sus países. Es de destacar que en esos momentos el género evoluciona también hacia la reflexión íntima, y paralelamente al tema americano surgen nuevos intereses, de tal modo que intercaladas a las especulaciones de índole histórica, política y social se entretejen temas más novedosos como el del conflicto entre el escritor y su arte, el estético propiamente dicho, el personal y el existencial entre otros.

De este período, en cuanto a Venezuela, debo mencionar a Mario Briceño Iragorry (1897-1958) quien dedicó la mayor parte de su vida a estudiar los aspectos más sobresalientes de nuestros orígenes, evolución, destino y transformación como nacionalidad; su obra *Tapices de Historia Patria. Esquema de una morfología de la cultura colonial* es una revaluación de lo histórico con lo cultural. Igual tendencia histórica, pero más biográfica se observa en Augusto Mijares (1897-1979) sobre todo con sus textos sobre *El Libertador*, aporte fundamental a la biografía e interpretación del héroe.

Este cuadro que cubre los primeros cincuenta años del siglo XX, lo cerramos –convencionalmente– con la importantísima figura de Mariano Picón Salas (1901-1965) cuya obra ha sido revalorizada en forma amplia y profunda por las nuevas generaciones de jóvenes ensayistas quienes descubren y reconocen en él al padre del ensayo venezolano actual. Penetrante en la mejor línea de la cultura contemporánea, es, sin lugar a dudas, nuestro máximo ensayista del período. Como lo señala Ricardo Lachtam al prólogo de sus *Ensayos escogidos*, «pocas mentes continentales encierran una potencia esclarecedora como la de Picón Salas [...]» (14). Tenemos que mencionar sus ensayos contenidos en *Comprensión de Venezuela* y *Los últimos días de Cipriano Castro*. Insertamos aquí el nombre de Luis Beltrán Guerrero (1914-1998), quien mantiene siempre viva la pluma para escribir sus impresiones y reflexiones americanistas, estéticas, vivenciales, poéticas y literarias recogidas en la serie *Candideces*; también a Arturo Uslar Pietri, quien recientemente cumplió noventa años, y que cuenta con una amplia audiencia dentro y fuera del país. Tenemos así sus ensayos: *Letras y hombres de Venezuela, De una a otra Venezuela, Apuntes para retratos, La ciudad de nadie y Las nubes*.

Entre los latinoamericanos debo mencionar al escritor dominicano Pedro Henríquez Ureña con su famosa y muy citado grupo de ensayos contenidos en el título *Seis ensayos en busca de nuestra expresión* (1928) y al «maestro» mexicano Alfonso Reyes, del cual tenemos *Visión de Anáhuac* (1917) y *Notas sobre la mentalidad americana* incluido en el libro *Ultima Thule* (1941).

Se va estructurando así un cuadro ensayístico latinoamericano de gran vigor, con una escritura siempre artística y con un gran sentido de lo estético. En todos ellos se destaca en forma evidente la imaginación y la habilidad de mezclar el ensayo con otras formas literarias, de ahí que se van a crear ciertas dificultades en establecer fronteras entre el género ensayístico y los otros géneros literarios. Y es así como el ensayo se podrá inclinar hacia la crónica de viajes, a veces hacia las memorias, diarios o confundir con el cuento corto, transgrediéndose así la delgada línea divisoria entre la ficción y la no-ficción; y el ejemplo más interesante lo podemos deleitar en la obra de Jorge Luis Borges (1899-1986) algunos de cuyos ensayos pueden leerse como cuentos y viceversa. Igual «problema» presentan muchos textos del poeta cubano José Lezama Lima (1910-1976), quien junto a Borges, además de ser gran poeta y novelista, es ensayista inolvidable.

Finalmente puedo decir que estos nombres añadidos a los de Alejo Carpentier (1904-1980), Miguel Ángel Asturias (1899-1974), Julio Cortázar (1914-1984), Octavio Paz (1914-1998) y los más actuales como los venezolanos Rafael Cadenas, José Balza, Luis Beltrán Guerrero, Francisco Rivera, Oscar Rodríguez Ortiz, Domingo Miliani y Eugenio Montejo junto a Ángel Rama y Ariel Dorfman demuestran la potencia y la vitalidad de un género atento tanto a las preocupaciones sociales y políticas del momento, como a las estéticas y culturales de cada hora, al empezar a explorar más a fondo el potencial de la forma.

Al concluir con estos nombres (y perdónenme las ausencias de otros) el recorrido hecho, ha sido para mostrar el esplendor del ensayo y su importancia en nuestra inquietante historia cultural, que necesariamente se expresa a través de este género literario. Y que responde a la necesidad de germinar una expresión auténticamente propia, original. Tierra americana donde nace una extraordinaria flor ensayística a través de escritores que son los legitimadores de nuestro pensamiento más original. Pensamiento que busca afanosamente la corroboración de nuestra identidad e independencia cultural.

Notas y referencias

1   Walter Pater (1960): «La escuela de Giorgione», en *Ensayistas ingleses,* 361.
2   Gilbert Chesterton (1985): *Ensayos,* 123.
3   J. Shipley (1962): *Diccionario de Literatura Mundial,* 244-245.
4   Ezequiel Martínez Estrada (1953): «Estudio preliminar», en *Ensayos de Miguel de Montaigne,* XI.
5   Ilan Stavans: *The Oxford Book of Latin American Essays,* 9.
6   Walter Pater (1960), op. cit., 361.

7   Oscar Wilde (1960): «Decadencia de la mentira», en *Ensayistas ingleses,* 422.
8   Oscar Ortíz (1983): «Introducción» en *Antología fundamental del ensayo venezolano,* 14.
9   Teodosio Fernández (1990): *Los géneros ensayísticos hispanoamericanos,* 32.
10 Simón Bolívar (1967): *Escritos del Libertador,* 33-34.
11 Andrés Bello: «Discurso pronunciado en la instalación de la Universidad de Chile», en *Antología fundamental del ensayo venezolano,* 87.
12 Luis Beltrán Guerrero (1989): «Interpretación del Bello humanista», en *Ensayistas venezolanos del siglo XX,* 17-18.
13 José Miguel Oviedo: *Breve historia del ensayo hispanoamericano,* 22.
14 Ricardo Lachtam: *Ensayos escogidos,* xxi.

Bibliografía

Adorno, Theodor W. (1961): «El ensayo como forma», en *Notas de literatura,* Barcelona: Editorial Ariel.
Alonso, Amado (1984): *Ensayo sobre la Novela Histórica. El Modernismo en la «Gloria de Don Ramiro»,* Madrid: Editorial Gredos.
Anderson Imbert, Enrique (1974): *Historia de la Literatura Hispanoamericana I. La Colonia, cien años de República,* México: Fondo de Cultura Económica.
---(1971): *¿Qué es la prosa?,* Buenos Aires: Editorial Columba.
Antología fundamental del ensayo venezolano (1983), introducción, selección, notas y bibliografía de Oscar Rodríguez Ortíz, Caracas: Monte Avila Editores.
Balseiro, José Agustín (1970): *Expresión de América,* Ts. 1 y 2, Madrid: Editorial Gredos.
Bello, Andrés (1981): *Obras Completas,* Ts. II, IX, XIV, XVII, XVIII, XX, XXIV, Caracas: Fundación La Casa de Bello.
---(1983): *Pensamientos de Andrés Bello (Libertador Espiritual),* selección y prólogo de Roberto Lovera de Sola, Caracas: Editorial Alfadil.
Blanco-Fombona, Rufino (1981): *Ensayos históricos,* Caracas: Biblioteca Ayacucho.
Bolívar, Simón (1967): *Escritos del Libertador,* III: *Documentos particulares II,* Caracas: Sociedad Bolivariana de Venezuela.
---(1975): *Discursos, proclamas y epistolario político,* edición preparada por M. Hernández Sánchez-Barba, Madrid: Editora Nacional.
---(1979): *Discursos y proclamas,* compilados, anotados, prologados y publicados por Rufino Blanco-Fombona, Buenos Aires: El Cid Editor.
---(1994): *Pensamientos del Libertador,* prólogo de Roberto Lovera de Sola, Caracas: Alfadil Ediciones.
Brioschi, F. y C. di Girolano (1988): *Introducción al estudio de la literatura,* Barcelona: Editorial Ariel.
Castagnino, Raúl (1971): *El análisis literario,* Buenos Aires: Editorial Nova.
Chesterton, Gilbert K. (1985): «El ensayo», en *Ensayos,* México: Editorial Porrúa.
Díaz Rodríguez, Manuel (1968): *Camino de perfección y otros ensayos,* Caracas: Ediciones Edime.
Ensayistas ingleses (1960), estudio preliminar por Adolfo Bioy Casares, selección de Ricardo Baeza, Buenos Aires: W. M. Jackson, Inc.

Ensayistas venezolanos del siglo XX. Una Antología (1989), Ts. 1 y 2, introducción, selección, notas y bibliografía de Oscar Rodríguez Ortiz, Caracas: Colección Medio Siglo de la Contraloría General de la República.

El ensayo literario en Venezuela (1988), compilación, prólogo y notas de Gabriel Jiménez Eman, Caracas: Ediciones de La Casa de Bello, T. 2.

Ensayos venezolanos (1979), Caracas: Editorial Ateneo de Caracas.

Escalona-Escalona, José Antonio (1977): *Bello y Maitin,* Caracas: Cuadernos Literarios de la Asociación de Escritores Venezolanos.

Fernández, Teodosio (1990): *Los géneros ensayísticos hispanoamericanos,* Madrid: Editorial Taurus.

Franco, Jean (1987): *Historia de la Literatura Hispanoamericana,* Barcelona: Editorial Ariel.

Frye, Northrop (1977): *Anatomía de la crítica,* Caracas: Monte Avila Editores.

Gaos, José (1945): *Antología del pensamiento de la lengua española en la edad contemporánea,* México: Editorial Séneca.

Garasa, Delfín Leocadio (1971): *Los géneros literarios,* Buenos Aires: Editorial Columba.

González, Juan Vicente (1983): *Mesenianas,* Caracas: Biblioteca Básica Venezolana.

Grases, Pedro (1981): *Antología del Bellismo en Venezuela,* Caracas: Monte Avila Editores.

Grossman, Rudolf (1971): *Historia y problemas de la literatura latinoamericana,* Madrid: Ediciones de la Revista de Occidente.

Guerrero, Luis Beltrán (1963): *Candideces,* Caracas: Editorial Arte.

Herrera, Earle (1983): *El reportaje, el ensayo,* Caracas: Editorial Equinoccio.

Historia de la Literatura Hispanoamericana (Del neoclasicismo al modernismo) (1987), T. 2, compilador Luis Iñigo Madrigal, Madrid: Editorial Cátedra.

Hombres e ideas en América (ensayos) (1946), Caracas: Ministerio de Educación Nacional de Venezuela.

Lachtam, Ricardo (1967): *Ensayos escogidos,* Buenos Aires: Editorial Sur.

Lukacs, Georg (1975): «Sobre la esencia y forma del ensayo», en *El alma de las formas y teoría de la novela,* Barcelona: Grijalbo, 15-39.

Macht de Vera, Elvira (1994): *El ensayo contemporáneo en Venezuela,* Caracas: Monte Avila Editores.

Martínez Estrada, Ezequiel (1953): «Estudio preliminar», en *Ensayos de Miguel de Montaigne,* Buenos Aires: Editorial Jackson, i-xxvii.

Mijares, Augusto (1987): *El Libertador,* Caracas: Academia Nacional de la Historia / Ediciones de la Presidencia de la República.

Montaigne, Michel de (1992): *Ensayos,* 3 ts., edición de Dolores Picazo y Almudena Montojo, Madrid: Ediciones Cátedra.

Obligado, Pedro Miguel (1964): *¿Qué es el verso?,* Buenos Aires: Editorial Columba.

Orrego Vicuña, Eugenio (1949): *Andrés Bello,* Santiago de Chile: Editorial Zig-Zag.

Oviedo, José Miguel (1990): *Breve historia del ensayo hispanoamericano,* Madrid: Alianza Editorial.

Pérez Badell, Mauricio (1982): «Vigencia de Bello», en *Elite* 2960, 22 de junio, (Caracas), 32-33.

Pérez Luciani, Lucy (1956): *Andrés Bello (1781-1865),* Caracas: Ediciones de la Fundación Eugenio Mendoza.

Picón Salas, Mariano (s/f): *Crisis, cambio, tradición. Ensayos sobre la forma de nuestra cultura*, Caracas: Ediciones Edime.

Ramos Sucre, José Antonio (1979): *Obra poética*, Caracas: Dirección de Cultura U.C.V.

Rojas, Reinaldo (1986): *Historiografía y política sobre el tema bolivariano*, Barquisimeto: Fondo Editorial Buria.

Rosenblat, Angel (1966): *Andrés Bello. A los cien años de su muerte*, Caracas: Cuadernos del Instituto de Filología Andrés Bello.

Salazar Seijas, Marcos César (1975): *Dialogando con el Libertador*, Caracas: Editorial Arte.

Sánchez, Luis Alberto (1963): *Escritores representativos de América*, Madrid: Editorial Gredos.

Shipley, J. (1962): *Diccionario de Literatura Mundial*, Barcelona: Ediciones Destino.

Stavans, Ilan (ed.) (1997): *Latin American Essays*, New York: Oxford University Press.

Stevenson, Robert Luis (1983): *Ensayos literarios*, Madrid: Ediciones Hyperion.

Subero, Efraín (1983): *Bolívar escritor*, Caracas: Dpto. de Relaciones Públicas de Lagoven.

Todorov, Tzvetan (1996): *Los géneros del discurso*, Caracas: Monte Avila Editores Latinoamericana.

Trompiz, Gabriel Bolívar (1977): *Auténtico y actual*, Caracas: Biblioteca de Autores y Temas Falconianos.

Uslar Pietri, Arturo (1969): *Veinticinco ensayos*, Caracas: Monte Avila Editorial.

Vallenilla Lanz, Laureano (1990): *Disgregación e integración*, Madrid: Alianza Editorial.

Vitier, Medardo (1945): *Del ensayo americano*, México: Fondo de Cultura Económica (Colección Tierra Firme).

Discurso literario y discurso historiográfico
Acerca de *Asalto al paraíso*, una novela histórica de Tatiana Lobo

Claudio Bogantes Zamora
Universidad de Aarhus, Dinamarca

La presente ponencia es la presentación del primer esbozo de una investigación que se propone estudiar las relaciones entre el discurso literario-ficcional y el discurso historiográfico, como punto de arranque teórico para un análisis de la novela de Tatiana Lobo, *Asalto al paraíso*, publicada en 1992 (1).

Los elementos, o quizá más exactamente, los puntos de partida básicos para tal reflexión son los siguientes:

1) Los acontecimientos que tuvieron lugar a finales del siglo XVII e inicios del siglo XVIII en la aldea de Cartago, la capital de la provincia de Costa Rica, que por entonces formaba parte de la Capitanía General de Guatemala, en relación con los intentos de conquista, pacificación y reducción a poblado de los indígenas de la región de Talamanca; la subsecuente rebelión de algunos de esos indios y el castigo a que fueron sometidos, culminando todo con el juicio y ejecución, el 4 de julio de 1710, de su líder Pa-Brú Presbere.

2) Evidentemente que ni historiador, ni novelista, ni estudioso de lo literario, o simple lector, tienen acceso directo a esos acontecimientos que, como toda acción humana, se esfumaron tan pronto como ocurrieron. La memoria de ellos se encuentra en los documentos redactados por las autoridades civiles y eclesiásticas durante e inmediatamente después de su acaecimiento para ser enviados a sus superiores en Guatemala y España.

3) Algunos detalles de esos documentos pasaron a formar parte de la historia oficial del país, como elemento constitutivo de la historia de los vencedores. Tal es el caso, por ejemplo, de la *Cartilla histórica de Costa Rica* de Ricardo Fernández Guardia, que consagra una escasa página al relato de tales sucesos. Esta crónica fue, durante generaciones, libro de texto para la enseñanza de la historia patria en escuelas y colegios del país (2). Actualmente la actitud frente a la figura de Pa-Brú Presbere ha cambiado. Así, en 1996 la Asamblea Legislativa declaró a Presbere «Defensor de los pueblos originarios», reservando a su memoria el día 4 de julio, convertido desde entonces en día de fiesta nacional (3).

4) En este momento de mi investigación, ignoro aún si los descendientes de los indios talamanqueños guardan memoria de esos acontecimientos bajo la forma de alguna leyenda o mito.

5) Sí tengo conocimiento de la existencia de trabajos de estudiantes y estudiosos de la revuelta indígena dirigida por Presbere, los cuales, que yo sepa, desafortunadamente no han sido publicados.

6) Finalmente disponemos de la novela de Tatiana Lobo, que en el fondo constituye un estudio muy completo de los acontecimientos referentes a Pa-Brú Presbere. No carece de significado el hecho de que *Asalto al paraíso* apareciera precisamente en 1992, al cumplirse el quinto centenario del Descubrimiento de América, el encuentro de dos mundos, la invasión europea o la destrucción de las Indias, o simplemente, del asalto al paraíso.

La novela

En su novela, Tatiana Lobo crea todo un mundo alrededor de la rebelión de Presbere que, vista en el inmenso contexto de la conquista y destrucción de las Indias, no tiene la envergadura y la importancia de otras rebeliones indígenas que tuvieron lugar a lo largo y ancho del continente. En el contexto local costarricense ni siquiera se puede invocar importancia alguna, como se suele hacer en tales casos, pues la rebelión fue prácticamente borrada de la memoria colectiva, no llegando nunca a formar parte de imaginario nacional alguno.

Con respecto a la arquitectura de la novela, me parece importante subrayar el acierto feliz de Tatiana Lobo de confiar el punto de vista a Pedro Albarán, un joven letrado español que en Sevilla trabajaba en un convento corrigiendo pruebas de obras prohibidas por la Inquisición, y a quien el Santo Oficio envió a mazmorras por creerle partidario de que fueran los Borbones quienes heredaran la corona española a la muerte de Carlos II, el Hechizado. El azar hizo que Pedro Albarán fuese a dar con sus huesos a Costa Rica, donde logró que le nombrasen secretario del cabildo, lugar privilegiado en que se escriben, y más a menudo aún, se dejan de escribir, los documentos que para la posteridad constituirán las fuentes para los trabajos de historiadores y literatos. Sin embargo, a través de las confidencias a su amigo, el zapatero de la aldea, librepensador como él, nos enteramos de los tejes y manejes de la pequeña comunidad, de las intrigas y las luchas por el poder en el seno del pequeño grupo dominante, de las corruptelas y maledicencias que corren por «la muy noble y leal ciudad de Cartago».

Otro acierto feliz de parte de la escritora es la manera en que ha dado voz a las víctimas. Para ello Tatiana Lobo saca provecho no sólo de su larga convivencia con los indios actuales de Talamanca y de sus conocimientos de historia y de antropología y otras disciplinas, sino también de la tradición de la literatura indigenista del continente. En efecto, la novela se inaugura con un hermoso capítulo en donde el futuro líder indio, Pa-Brú, entra en contacto onírico, gracias al Kapá, el sacerdote, con los dioses duales de su gente y su cultura: Surá, Señor del Mundo más Abajo, y Sibú su contraparte en el Mundo de Arriba, quienes le confían la misión de reestablecer el orden del universo que fuera trastocado por los misioneros de allende el mar, pues:

> [e]llos ordenan el universo al revés, tienen un único Dios en el cielo, y no ven que Sibú es imposible sin Surá. Engañados por su dios solitario, caminan con sus largos vestidos, de aquí para allá, de allá para acá: nunca se sientan, nunca están satisfechos (Lobo 1992: 9).

Por eso la lucha que se aproxima será primero una batalla entre dioses, una guerra de religiones, después, una lucha contra los hombres de quijada de musgo y contra su dudosa empresa civilizatoria.

Mi aproximación al estudio de la literatura latinoamericana en general, y de la costarricense en particular, ha sido primordialmente de inspiración socio-histórica, de ahí mi interés por las relaciones entre el desarrollo histórico de la sociedad, la historia, y el desenvolvimiento de la literatura y la historia literaria. Por ello me ha parecido pertinente partir en mi investigación sobre las relaciones entre el discurso de la ciencia de la historia y el discurso literario, del estudio de un texto novelístico lo más cercano posible al texto historiográfico. La novela histórica es un campo privilegiado para este tipo de reflexiones, pues constituye precisamente un punto de entrecruzamiento y de contacto muy estrecho entre la explicación del historiador y el trabajo de recreación del novelista.

Una reflexión conjunta sobre el discurso de ficción y el discurso historiográfico levanta inmediatamente una serie de problemáticas que, para abreviar, se pueden agrupar en dos campos mayores: vista desde el plano de la ficción, la problemática de la referencialidad; percibida desde el terreno de la historiografía, la problemática de la narratividad.

De la referencialidad

Al irrumpir la modernidad, las teorías sobre el fenómeno literario, y en especial sobre la ficción, que han dominado el panorama de los estudios literarios son, en su mayoría, teorías que guardan alguna relación, más o menos estrecha, con la semiótica en sus diferentes versiones y variantes. Las concepciones semióticas sobre la relación entre lenguaje y realidad, tal y como lo demuestra por ejemplo Linda Hutcheon (4), representan la última etapa de la modernidad. Para los semióticos, una vez establecido su postulado metodológico sobre la autosuficiencia del lenguaje literario, el problema de la relación del lenguaje a la realidad pierde interés hasta dejar de ser pertinente. Para estas teorías lo real es incognoscible, pues lo que sabemos de él, es ya una construcción lingüística, un producto cultural: «la realidad». Así las investigaciones de los semióticos pasan a concernir, a ocuparse de «la realidad», dejando «lo real» fuera de su óptica y de sus preocupaciones. Esta posición se definió polémicamente frente al llamado «realismo ingenuo» que tanto en literatura como en teoría literaria no veía un problema en la relación entre el lenguaje y las cosas designadas por el lenguaje.

Esta postura teórico-metodológica que critica las concepciones decimonónicas del realismo tiene como consecuencia que para el novelista moderno la escritura adquiere primacía sobre lo acontecido, «la realidad» sobre «lo real». Así pues, la novela moderna no pretende reproducir en un medio lingüístico una realidad preexistente, anterior a su formulación literaria, sino que constituye la creación de una nueva realidad que sólo refiere a sí misma o a otros textos. Por ello, la literatura moderna se ha convertido en una literatura autorreferencial e intertextual.

Esta óptica hace que autores como Carlos Fuentes y Mario Vargas Llosa, en sus conocidos ensayos (5), distingan entre una narrativa tradicional –inmediatamente anterior a su propia producción–, que sería precisamente tradicional por partir de la idea de que los textos literarios reflejan, recrean, traducen al medio lingüístico, una realidad no lingüística: el paisaje, los conflictos sociales, las pasiones, las ideas, etc., que podrían existir independientemente de lo lingüístico y que por ende son anteriores a su representación literaria. A esta narrativa tradicional, y su correspondiente concepción de las relaciones entre lenguaje y realidad, se contrapondría la nueva literatura de creación. Los nuevos creadores, por ejemplo Vargas Llosa y Fuentes, parten de la idea de que la función de la literatura no es recrear, a través del lenguaje, una realidad ya existente, sino muy al contrario, crear, gracias a la utilización artística del lenguaje, nuevos universos, realidades nuevas. Este cambio de perspectiva en las concepciones de las relaciones entre lenguaje y realidad, marca un corte de época que se sitúa en los alrededores de la segunda Guerra Mundial y que en América Latina separa la novela tradicional de la novela de creación.

Otro tanto valdría para el historiador, quien trabaja, precisamente, no sobre los acontecimientos del pasado como tales, sino sobre las fuentes, sobre el relato escrito de los acontecimientos que una vez acaecieron en el ámbito de «lo real». Es el trabajo del historiador sobre las fuentes escritas, sobre los textos lingüísticos, el que transforma los acontecimientos en hechos históricos. Pero estos hechos históricos, que existen en el texto historiográfico, no son, evidentemente, idénticos a los sucesos que tuvieron lugar en el pasado y que el historiador analiza. Según esta concepción la historia es una ciencia tan textual y lingüística como la literatura, *in casu* la novela histórica.

Me parece, empero, que para el historiador, la problemática de la referencialidad, la relación entre la fuente y el hecho real, no constituye un problema tan central que le quite el sueño; o dicho en otras palabras, mi impresión es que este debate epistemológico ha interesado menos a los historiadores que a los estudiosos de lo literario. Es posible que para el historiador, el problema de la referencialidad se presente más bien bajo el aspecto del valor de verdad de las fuentes. Pues es en el terreno de las fuentes, y de su relación a la verdad, que se juega, en última instancia, la posibilidad misma de la cientificidad de los estudios históricos. Sin embargo, el concepto de verdad en historia no puede ser sino relativo. En consecuencia, para la investigación histórica, un documento que miente sobre un hecho histórico puede, o hasta quizá debe ser considerado tan valioso como un documento fidedigno, pues una tergiversación o aún una versión falsa y maliciosa de los acontecimientos puede ser tan útil al historiador para dilucidar las verdaderas causas y motivos de una parte interesada en un conflicto como una fuente considerada fidedigna. El trabajo del historiador consistirá en buena medida en demostrar, o cuando menos intentar de demostrar, sopesando las diferentes fuentes, la que le parece más acorde a los hechos, es decir, la que los explica mejor o más coherentemente. Vistas así las cosas, la validez de la verdad histórica durará hasta el descubrimiento de nuevas fuentes, que prueben lo contrario, o hasta que una nueva interpretación de las mismas fuentes vengan a matizar la antigua verdad.

El novelista, por su parte, no está sometido a las mismas exigencias metodológicas y epistemológicas que el historiador. El historiador ha hecho de la búsqueda de la verdad histórica una obligación científica. La historia es una disciplina de investigación cuidadosa en definir sus conceptos, en fundamentar las relaciones que establece entre los acontecimientos, de autentificar sus enunciados. Para el novelista, más importante que la verdad es la verosimilitud, pues es de ella que emana la credibilidad de su texto. Por ello el sorprendente precepto de la *Poética* de Aristóteles según el cual «el poeta debe preferir lo que es imposible, pero verosímil a lo que es posible, pero no persuasivo» sigue teniendo validez (6). El valor de persuasividad de un texto, es el envés de la medalla de la verosimilitud. Y en este terreno, el lector es juez. El trabajo del historiador versa sobre lo que realmente ocurrió, sus causas, motivaciones y consecuencias; el del escritor de novela histórica no trata tanto de lo que realmente ocurrió, sino más bien sobre el cómo ocurrió o cómo pudo haber ocurrido. Su discurso no necesita echar mano de justificaciones externas, pues es auto-explicativo gracias a su coherencia interna que asegura su verosimilitud.

De la narratividad

La otra serie de problemáticas a las que me he referido bajo la rúbrica de problemática de la narratividad me parecen estar, al contrario, más en la mira de la reflexión metodológica y epistemológica del historiador. Por lo menos aparece más claramente en el debate teórico en historia. Dos tradiciones parecen enfrentarse en este campo: por un lado, la escuela anglosajona, con mucha influencia en Escandinavia, con Hayden White a la cabeza del debate, y, por otro lado, la tradición de la Escuela francesa de los *Annales*, que ha tenido una influencia importante en América Latina. La escuela anglosajona es narrativista, mientras que en Francia, la lucha de Marc Bloch y sus discípulos y colaboradores contra la tradicional *histoire événementielle* fue en gran medida una lucha contra la narratividad. De allí el abandono, en sus estudios, de la historia política, en favor del cultivo de la historia económica, social y cultural.

Paul Ricœur se pregunta si la historia puede eliminar, de manera absoluta, toda narratividad en su discurso. Su respuesta es negativa, pero matizada, como lo son todos sus razonamientos de filósofo analítico. Al desaparecer el énfasis en la historia política, en la Escuela de los *Annales*, desaparecen igualmente «los grandes hombres» como sujetos de la Historia, dejando el lugar a otro tipo de agentes, las llamadas entidades de primer orden: pueblos, naciones, civilizaciones. Esta postura está muy clara en la famosa y paradigmática obra de Braudel: *El Mediterráneo y el Mundo mediterraneo en la época de Felipe II*. Para Ricœur esas instancias de primer orden son cuasi-personajes, y desempeñan la función de sujetos transicionales entre los «grandes hombres» quienes, según Hegel, eran los que hacían la historia, y los personajes de un relato posible, por ejemplo el relato ficcional de la novela histórica.

La puesta en intriga

La narratividad es una condición constitutiva del lenguaje, y por ende también del discurso historiográfico. Ricœur lo demuestra a través de un cuidadoso análisis de las aporías sobre el tiempo en San Agustín (7) y del concepto de mito en Aristóteles (8).

Toda actividad humana se desarrolla en el tiempo. Ahora bien, lo paradójico es que el tiempo no existe. El tiempo como pasado no existe, puesto que ya pasó y no es más. El futuro tampoco existe, porque todavía no es. Y el presente tampoco es, porque carece de extensión. Pero, por otra parte, todos podemos registrar en nuestra experiencia cotidiana que la noche sigue al día y que un nuevo día sigue a la noche; que las estaciones también llegan una después de la otra, y año tras año. Vemos igualmente que el niño se convierte en adolescente, y el adolescente en adulto; que el hombre nace crece y muere. Todos estos fenómenos permiten al hombre registrar si bien no el tiempo, sí el paso del tiempo. Pero el tiempo en sí es invisible. Lo que vemos es que las cosan pasan. Lo que conocemos es la ansiedad del futuro y la nostalgia del pasado. Pero esa ansiedad y esa nostalgia no aparecen a nuestra conciencia como algo que existe en el futuro o que yace en el pasado, sino como algo que está presente. El pasado existe, pues, para nosotros, como presente del pasado. Y el futuro, como presente del futuro. Y el presente, que carece de extensión tal y como lo hemos visto, dura en nosotros sin embargo, como una suerte de distensión del alma. Este es el mecanismo psíquico que nos permite transformar el tiempo cósmico en tiempo humano.

Visto desde otro ángulo, se puede decir que el pasado es la presencia actual del reino de nuestros predecesores; el futuro, el reino de nuestros descendientes y el presente, nuestro reino y el de nuestros contemporáneos.

El discurso del historiador nos hace pues presente el pasado. Ahora bien, ¿cómo construye el historiador su relato?

Para responder a esta pregunta, Ricœur vuelve una vez más su mirada hacia Aristóteles, hacia su concepto de *mythos*. Este concepto no se puede verter, al español por ejemplo, diciendo simplemente: *mythos* significa «mito»; pues ¿qué significa mito para nosotros hoy? ¿Significa lo mismo que significaba para Aristóteles?

Decimos: la democracia burguesa es un mito; y mito significa entonces algo que es falso, una mentira. Y cuando decimos 'Pelé es un mito', o 'Evita Perón se convirtió en un mito', no entendemos por ello algo falso, sino muy al contrario, algo muy real y cargado de mucha significación. También hablamos del mito de la creación en la Biblia, en el Popol Vuh, etc. Utilizamos el concepto de mito, igualmente, en el sentido en que lo usa Roland Barthes en *Mythologies* (9), al analizar ciertos fenómenos modernos como la moda, la publicidad, el deporte, etc., las cuales son realidades que existen de una manera un tanto diferente a la democracia burguesa, falsa o veradera, a Evita Perón, o a la creación del mundo según los hebreos o el pueblo maya quiché.

En la *Poética* de Aristóteles *mythos* significa otra cosa. Las nuevas traducciones vierten *mythos* por «puesta en intriga». No por intriga (*plot*), pues esa traducción crearía la impresión de algo estático; «puesta en intriga» (*emplotment*), denota precisamente el carácter dinámico del concepto, la idea de proceso que tenía para el filósofo griego.

La puesta en intriga es el proceso mismo de organización del relato. Es decir, *mythos*, es una estrategia de composición del texto, según el principio aristotélico del *di'allèla* «uno a causa del otro» y no «uno después del otro». En la puesta en intriga opera, pues, el principio de causalidad.

Este principio rige todo tipo de narratividad, desde la más simple y cotidiana, hasta la que subyace a la organización razonada que dirige la explicación del historiador, pasando por la lógica de la verosimilitud que gobierna la composición del relato de ficción. La narración es ya un intento de explicación.

Otras reflexiones

Hay evidentemente toda una serie de reflexiones de otro tipo que se deben tomar en cuenta, por ejemplo, una revisión de la tradición teórica sobre la novela histórica se hace necesaria. Primero que todo, la teoría de Lukacs y sus discípulos. Esta relectura debe ser crítica. No tanto de las teorías de Lukacs como tales, sino de su aptitud para explicar el surgimiento tan tardío de la novela histórica en un país como Costa Rica. O para entender el interés actual por ejemplo de un nuevo tipo de novela de historia, como en el caso de Max Gallo, en Francia. O el de la metaficción historiográfica posmoderna que analiza Linda Hutcheon, en la cual la historia tiene una función diferente a la que tiene en la novela histórica de corte más tradicional, como es el caso de *Asalto al paraíso*.

Es necesario, pues, considerar tanto el nivel general, filosófico, epistémico, metodológico así como las condiciones históricas específicas de cada sociedad. Y si uno sufre de la ingenua dolencia realista que le impide renunciar a la realidad y contentarse con lo «real», la aproximación socio-histórica al estudio de la literatura me parece ser un buen antídoto contra la negación de los semióticos fundamentalistas de la relevancia del estudio de las relaciones entre la lengua y lo real y de una correlación igualmente significativa entre la historia de la sociedad y la historia de la literatura, actitud que, en el peor de los casos, puede llevar a posiciones reaccionarias tanto en el terreno académico como en el político (10).

Notas y referencias

1   Lobo, Tatiana (1992): *Asalto al paraíso,* San José: Editorial de la Universidad de Costa Rica.

2   «Durante veinte años los trabajos apostólicos de los misioneros continuaron en Talamanca, sin que su celo consiguiera domar la índole bravía de aquellos indios. Desde 1701 los padres no entraban en Talamanca sino con escoltas para evitar que los matasen. Creyendo que existía un plan de traer mayor número de soldados para sacarlos de sus tierras, los indios se sublevaron en 1709 contra los misioneros y su escolta, dieron muerte a fray Pablo de Rebullida, a fray Antonio de Zamora, a diez soldados, una mujer y un niño, y quemaron las catorce iglesias fundadas en sus tierras por los padres. Para castigar esta rebelión, la Audiencia envió armas y dinero de Guatemala, y en 1711 salió de Cartago el gobernador Granda y Balbín con 120 hombres, por la vía de Boruca, y después de pasar la cordillera fue a reunirse con el maestre de campo don José de Casasola y Córdoba, que a la cabeza de 80 más había llegado a Cabécar por el camino de Chirripó. Esta expedición consiguió apresar a muchos indios, que se trajeron a Cartago, donde fue juzgado y arcabuceado el cacique Pablo Presbere, principal caudillo de la revuelta», Fernández Guardia, Ricardo (1976): *Cartilla Histórica de Costa Rica*, 48ª edición, San José: Imprenta Lehman, 58-59

148   *C. Bogantes Zamora: Discurso literario y discurso historiográfico*

(Nótese que Fernández Guardia indica el año de 1711, mientras que estudios más modernos sitúan los acontecimientos en 1710).

3   El acuerdo de ley reza: «La Asamblea Legislativa de la República de Costa Rica acuerda: Artículo 1: Declarar Defensor de la Libertad de los Pueblos Originarios de Costa Rica a Pablo Presbere, y colocar su retrato en ceremonia especial en la galería de defensores de la libertad de Costa Rica de la Asamblea Legislativa. Artículo 2: Declárese Día Nacional el 4 de julio en Conmemoración de la lucha libertaria del cacique Pablo Presbere», copia autenticada del Expediente n° 12.649 del Archivo de la Asamblea Legislativa.

4   «A arte modernista –visual ou verbal– tiende a declarar seu status antes como arte, 'autónomo en relação à linguagem que está encerrada no realismo representacional' (Harkness 1982: 9). Na literatura, o extremo atualizado dessa visão pode ser encontrado na superficcão americana, nos textos de Tel Quel na França e nas obras do Gruppo 63 na Itália» (Hutcheon 1991: 183; el paréntesis se refiere a James Harkness: «Introduction of the translator», en Foucault 1982: *This Is Not a Pipe*, Los Angeles: University of California Press).

5   Se trata sobre todo de las siguientes obras: Carlos Fuentes (1969): *La nueva novela hispanoamericana*, publicada en México; y el estudio de Mario Vargas Llosa (1971): *García Márquez: historia de un deicidio*, aparecido en Barcelona.

6   Aristóteles: *Poética*, 60 a 26-27, citado por Paul Ricœur (1983): *Temps et récit* I, 81.

7   Ver el capítulo 1 de *Temps et récit* I, 19-53.

8   Ver ibid., 55-84: el capítulo 2 trata de la teoría de la puesta en intriga.

9   Barthes, Roland (1957): *Mythologies*, París: Seuil.

10 He desarrollado más ampliamente estas ideas en mi libro: *Lo fantástico y el doble en tres cuentos fantásticos de Fernando Durán Ayanegui*, que está en prensa y aparecerá en San José: Editorial de la Universidad de Costa Rica.

Bibliografía

Barthes, Roland (1957): *Mythologies*, París: Seuil.

Bogantes Zamora, Claudio (1999): *Lo fantástico y el doble en tres cuentos de Fernando Durán Ayanegui*, San José: Editorial de la Universidad de Costa Rica (en prensa).

Copia autenticada del Decreto Ley de la declaración de Pablo Presbere Defensor de los pueblos originarios de Costa Rica; Expediente n° 12.649 del Archivo de la Asamblea Legislativa de la República de Costa Rica.

Fernández Guardia, Ricardo (1976): *Cartilla Histórica de Costa Rica*, 48ª edición, San José: Imprenta Lehman.

Fuentes, Carlos (1969): *La nueva novela hispanoamericana*, México: Cuadernos Joaquín Mortíz.

Hutcheon, Linda (1991): *Poética do pós-modernismo; história, teoria, ficção*, Río de Janeiro: Imago Editora (Traducción de Hutcheon 1987: *A Poetics of Postmodernism*, London: Routledge).

Lobo, Tatiana (1992): *Asalto al paraíso*, San José: Editorial de la Universidad de Costa Rica.

Ricœur, Paul (1983): *Temps et récit* I, París: Seuil.
---(1984): *La configuration du temps dans le récit de fiction* II, París: Seuil.
---(1985): *Le temps raconté* III, París: Seuil.
Vargas Llosa, Mario (1971): *García Márquez: Historia de un deicidio,* Barcelona: Barral Editores.

El encuentro Dickens-Sarmiento en Nueva York
Escucha historiográfica, producto cultural y «desenvoltura» literaria

Beatriz Vegh
Universidad de la República, Uruguay

> [...] *un testimonio vergonzoso para las épocas venideras: cómo civilización y barbarie paseaban juntas en esta isla tan jactansiosa.*
>
> Charles Dickens: *Casa desolada*

En 1868, pocos meses antes de ser elegido Presidente de Argentina, Domingo Faustino Sarmiento escribe desde Nueva York una carta a sus lectores de la revista *Ambas Américas* (1) donde hace un pormenorizado y entusiasta análisis de un evento cultural que considera particularmente significativo: una lectura pública de Carlos Dickens en el amplio y moderno edificio del Steinway Hall de esa ciudad, en la que el novelista interpreta pasajes de algunos de sus más conocidos relatos *(David Copperfield, Los papeles de Pickwick)* en un espectáculo unipersonal y ante una muy numerosa audiencia. En su análisis, Sarmiento se interesa muy especialmente en detallar e interpretar las estrategias lectoras de Dickens (caracterización individualizada e idiomática de los personajes, juego contrapuntístico de voces, protagonismo de la oralidad) así como también algunos factores del contexto urbano y económico de Nueva York (nueva arquitectura, mundo editorial, consumismo cultural) cuya incidencia en la construcción y el éxito del evento protagonizado por Dickens dentro del espacio de poder de la ciudad moderna considera igualmente de interés subrayar y comentar para la comunidad argentina e hispanoamericana.

Se trata aquí de enfocar estas páginas de reflexión sarmientina sobre un fenómeno urbano-literario desde una perspectiva que parece central en su pensamiento y que remite básicamente a un estilo histórico y político de interpretación que tiene en cuenta lo literario como herramienta hermenéutica pero también como privilegiado registro de escucha de la realidad (no literaria) que se busca analizar (2). Y desde el momento en que una de las misiones de la revista *Ambas Américas*, fundada y dirigida por el propio Sarmiento, es la de propagar su nombre, su prestigio y su viabilidad como candidato presidencial para las próximas elecciones argentinas, su reseña del espectáculo Dickens se encuentra enmarcada en ese contexto histórico-político y responde a sus exigencias (3). Surge así la posibilidad de preguntarse en qué medida las «jugadas» literarias de Dickens que Sarmiento destaca en su artículo también le interesan –a él y al discurso historiográfico que él representa– como jugadas igualmente válidas, útiles y creativas dentro del contexto histórico-político específico que era el suyo en el momento de asistir a la lectura de Dickens y comentarla desde Nueva York con sus lectores de ambas Américas (4).

Relato literario y episteme contrapuntística

Refiriéndose a la reseña de Sarmiento sobre el espectáculo Dickens, R. A. Arrieta señalaba ya en 1930 el efecto especular que la eficaz retórica oral del novelista inglés y su poder de captación de público debieron ejercer en el Sarmiento auditor y espectador de ese despliegue actoral de gran impacto en la audiencia en que se transformaba la lectura hecha por Dickens de sus propios textos narrativos:

> [Sarmiento] que se precia de lector magistral, y que tanto ha escrito sobre la lectura, sus métodos, su arte, su eficacia [...] admira la dicción, la comprensión de las pausas, la mímica, la habilidad para traducir sucesivamente distintos estados de ánimo en diversos personajes, que revela Dickens (Arrieta 1930: 25) (5).

Y es con esta justa apreciación del texto de Sarmiento en lo que éste tiene de identificación del autor con el arte de la lectura del «otro» reseñado que quisiéramos relacionar algunos pasajes del artículo de *Ambas Américas*. En ellos se podría leer una búsqueda de legitimación por parte de Sarmiento de su propia figura de líder político y del discurso histórico que la promueve, por la vía del saber dickensiano, literario y popular a la vez, que revela y remite a una episteme eventualmente capaz de dar fuerza y eficacia al discurso histórico y su praxis política.

Así, según los subrayados de Sarmiento a lo largo de su reseña, el arte de la lectura en Dickens juega con los registros de lo grotesco, lo humorístico y lo emotivo para inscribir y destacar en sus relatos lo particular y lo diferente; y el interés de Sarmiento en la inscripción dickensiana de esas particularida-

des y diferencias pasa muy especialmente por el modo contrapuntístico que
Dickens le imprime a esta inscripción y que comenta en estos términos:

> A medida que leía, volvíanle las impresiones de cuando escribía, los imaginarios perso-
> najes fueron tomando forma, y de sus labios empezaron a salir las palabras con el metal
> de voz, acento y accidentes de cada uno [...] estaba ante el público absorto, haciendo lo
> que pocos actores alcanzan e hiciéramos todos si supiéramos leer: todos los papeles
> imaginables al mismo tiempo (Sarmiento 1952: 232).

En el juego del contrapunto musical se trata de hacer oír separada y
simultáneamente varias y diferentes líneas temáticas e instrumentales que se
superponen sin confundirse y que dialogan en y por su misma diferencia,
dentro de una única composición que las abarca y las concierta. Es este tipo
de composición contrapuntística que Sarmiento escucha a través del entramado de voces diferentes que Dickens crea a partir de su propia voz que va
modulando según las exigencias de sus personajes y las situaciones de su
narrativa y que dibuja así en toda su diversidad y disenso el mapa de la sociedad de su tiempo. Y es evidente su aprecio por esta estrategia discursiva (escrita y oral) que le permite a Dickens construir a través de sus ficciones una
voz propia y a la vez plural, al dar a cada uno –caballero o rústico, civilizado
o bárbaro– su voz individual. Es por ser individual y plural al mismo tiempo
y sólo en la medida en que se logra este concierto que la voz se vuelve propia
y la lectura tiene realmente lugar. Y esa lectura es modélica. Esta parece ser
la verdad que Sarmiento encuentra o confirma al escuchar a Dickens en Nueva York y a la que alude cuando comenta en otro pasaje de su entusiasta
reseña: «Dickens es algo más que lo que la naturaleza otorga a todos, la verdad, a la que podemos acercarnos» (Sarmiento 1952: 234). Su elogio de la
lectura multivocal de Dickens expresa su estima por un multivocalismo que,
implícita o explícitamente, se encuentra en su propio pensamiento, discurso y
práctica políticos y que nos permite leer sus escritos e interpretar sus actua-
ciones más allá de posturas dicotómicas y excluyentes. Al retomar una vez
más, en 1868 y en el contexto de su candidatura presidencial, el tema de la
lectura como saber y como arte, subrayando esta vez muy especialmente su
lado inclusivo y abarcador, Sarmiento está haciendo un doble y simultáneo
trabajo de exploración: una reflexión esclarecedora del discurso del otro que
es también y a la vez reflexión y reflejo identificatorio del discurso propio.

Al subrayar el giro contrapuntístico que toma el discurso narrativo de
Dickens –una voz que es a la vez la misma y diferente–, Sarmiento está desta-

cando la *episteme* que legitima ese tipo de discurso y que no trabaja sobre la base (o por lo menos sobre la única base) de dicotomías sino de formas de pensamiento más inclusivas. Quizá, y más allá de su intencionalidad, a Sarmiento le interese este tipo de trabajo epistemológico en literatura por su utilidad dentro del marco de un discurso histórico-político moderno que ya sería el suyo en 1868 y que también se puede elaborar desde esta perspectiva (6). Al señalar la existencia de vasos comunicantes y de juegos de lenguaje comunes entre discursos de especificidades distintas (literarias, políticas) pero que pueden remitir y responder a una misma naturaleza epistémica –contrapuntística, inclusiva, abarcadora– se estaría validando una posible y eventualmente eficaz articulación entre discurso literario y discurso historiográfico.

Dentro de esta perspectiva hay un segundo pasaje en la reseña de 1868 que parece igualmente significativo. Se trata de las páginas que dedica Sarmiento a comentar la lectura dramática de Dickens interpretando al pescador y marino Peggotty en *David Copperfield*. El comentario, que ocupa tres páginas de las diez que tiene el artículo e incluye la traducción que hace el propio Sarmiento de los pasajes interpretados, subraya la fuerza retórica de la oralidad de Dickens cuando representa en toda su singularidad idiomática la lengua campesina hablada por Peggotty:

> ¿Cómo dar una idea de la personificación del viejo marino Peggotty, a quien visitaban en su cabaña a orillas del mar dos jóvenes de familia decente, y a quienes cuenta, en su *inglés de paisano,* el motivo de los ratos de dicha a que se entrega? [...] Además de lo que pierde toda traducción [...] pierde la mía por la imposibilidad de usar el lenguaje *desatinado, incorrecto* de que tanto partido saca el novelista inglés, haciendo hablar a sus personajes como Walter Scott con los *dialectos escoceses*, que en tanto aprieto ponen al lector extranjero. Cervantes hizo hablar a Sancho, los cabreros y las maritornes tan buen castellano como el Cura y Don Quijote, por lo que nadie ha osado [...] introducir en lo escrito el rudo y adulterado lenguaje del paisano (Sarmiento 1952: 235-236; los subrayados son nuestros).

Se ha señalado que, al escribir el *Facundo*, y siguiendo las pautas de la historiografía romántica europea que ve en la literatura un discurso ejemplar para oír la voz de la tradición, Sarmiento encuentra en el discurso literario el lugar adecuado para esa escucha como modo de mediar entre la civilización y la barbarie, la modernidad y la tradición, la escritura y la oralidad (Ramos 1989: 27).

En el insistente y consistente aprecio que muestra Sarmiento en su reseña por el trabajo dickensiano de oír, registrar y dar protagonismo a la oralidad idiomática del marino Peggotty, se puede leer su interés por lo que esta escucha, este registro y este protagonismo suponen como reconocimiento de heterogeneidades y desviaciones respecto a los cánones lingüísticos aceptados por una cultura central.

Desde su contexto siempre violentamente anti-español, Sarmiento señala la difícil traductibilidad de lo oral dentro de las tradiciones literarias del castellano, en las que observa la ausencia, salvo raras excepciones, del registro de la oralidad. En contraposición con esta tradición y esta ausencia, Sarmiento insiste en señalar y valorar el trabajo de contrapunto y concertación realizado por Dickens desde su saber literario al incluir en su novela y elegir para su lectura pública una línea de voz que representa al marginado de la ciudad, el desarrollismo y el progreso de la modernidad urbana e industrial. Este trabajo de contrapunto le permite entonces a Dickens concertar, desde y gracias a su saber literario, voces diversas, particulares y diferentes, desoídas desde otros lugares y otros discursos, y que sólo se conocen si se escuchan y se registran. Y paradójicamente, la centralidad del rústico marino Peggotty en la novela de Dickens proviene precisamente de su marginalidad respecto a la modernidad y el progreso, como sucede con el personaje de Facundo en la novela de Sarmiento (7).

Muy recientemente y desde la perspectiva del nuevo historicismo, W. J. Palmer ha señalado que, a lo largo de toda su obra, Dickens no solamente ha dado una voz a los marginalizados participantes de la historia del siglo 18 y de la era victoriana contemporánea del autor sino que ha desarrollado una filosofía de la historia dibujada desde la perspectiva de esas voces marginalizadas (8). Ya en 1868 Sarmiento destacaba en su artículo para *Ambas Américas* este entramado de literatura e historia dentro de la ficción de Dickens, indicando también de este modo sus propias orientaciones de pensamiento y escritura así como también los caminos de lectura a seguir por parte de sus lectores dentro de su propia obra.

Textos ficcionales, consumismo literario y evento cultural

Significativamente, para presentar a sus lectores iberoamericanos la popularidad de Dickens y celebrarla como ejemplarizante, Sarmiento se va a servir de uno de sus procedimientos retóricos favoritos en tanto escritor de la generación romántica: la antítesis. Ella le permite contraponer el ejercicio de un poder político arbitrario y dictatorial, militar y cortado del pueblo, al ejercicio de un poder literario civil, generador de satisfacciones personales y comunitarias en una sociedad consumista de productos culturales:

> ¡Qué necedad la de Napoleón, darse tanta molestia para ser emperador, sin una hora de verdadera dicha, roído por los cuidados, viendo surgir delante de sí nuevas dificultades y caer una tras otra sus pasadas combinaciones ante el soplo de la realidad, rebelde a la acción de la fuerza! ¿No era mejor ser Dickens, escribir lindas novelas, pasearse por sus dos reinos, entrar triunfalmente en su buena ciudad de Boston, en [sic] sacar los pesos, y dejar correr los aplausos como la espuma del champagne? (Sarmiento 1952: 231) (9).

Y también significativamente, ya que sabemos que su figura nunca se corresponde totalmente con una u otra corriente de pensamiento y menos aún con una u otra escuela literaria, Sarmiento se esta pronunciando implícitamente, en el pasaje citado, contra la tradición romántica del artista pobre y signado por la fatalidad que encarnara entre otros el Chatterton celebrado por Alfred de Vigny.

En su antítesis Napoleón / Dickens, Sarmiento reivindica la figura exitosa del novelista inglés en la medida en que en ella tiene lugar el encuentro del artista ya no con un lector, oyente o espectador aislado en su experiencia artística lectora sino con un *demos* que, al demostrar colectiva y masivamente su interés en la obra del escritor, aparece como fuerza legitimadora de la propia actividad artística y no sólo generadora de su canonicidad. Sarmiento celebra en Dickens al escritor orgánico, y utilizamos este adjetivo en el sentido en que se habla, por ejemplo, de Sartre –o de Gramsci– como uno de los (últimos) intelectuales orgánicos de nuestro siglo (10).

Puede interesar aquí relacionar este perfil de artista orgánico a la sociedad y productor de obras orgánicas al mercado (11) que Sarmiento ve y celebra en Dickens con la teoría institucional del arte, hoy aceptada mayoritariamente (12). Según este enfoque, es el público –espectador, oyente o lector–, organizado e institucionalizado de distintas formas (curadurías de museos, asociaciones artísticas, editores y editoriales, círculos intelectuales o de la crítica, centros universitarios, club de lectores o simplemente grupos de café) quien decide cuáles son los «artefactos» que se pueden presentar válidamente a la apreciación del público como obras de arte y volverse así objeto de experiencia estética. La interrelación entre obra y público, entre arte y colectividad, se vuelve entonces un elemento definitorio y condicionante de la obra de arte. Obviamente Sarmiento no podía explicitar de este modo en 1868 su postura frente al fenómeno artístico literario que Dickens representa, pero su insistencia en subrayar, a lo largo de todo su artículo, la presencia de un multitudinario público urbano organizado y entusiasta lo coloca claramente dentro de esta teoría del arte. Citemos algunos pasajes que indican esta perspectiva: «[Dickens] hoy se pasea de ciudad en ciudad de los Estados Unidos, esperado con ansia, recibido con aplauso, oído con asombro tranquilo, y amenazado de una plétora incurable de medio millón de pesos» (Sarmiento 1952: 232); «desde las tres de la mañana se forma la línea de compradores de entradas, desde la calle 14 hasta la calle 15, a pesar de la fuerte nevada que cae y el riguroso frío que se experimenta. La muchedumbre se entretiene con bromas, marcando el paso al mismo tiempo para mantener la circulación de la sangre» (ibid.: 239), etc. Y Sarmiento se complace una y otra vez en comprobar y destacar el singular encuentro entre calidad y cantidad, entre la calidad del «artefacto» artístico literario que son las novelas de Dickens y la cantidad (de personas y de dinero) que asegura la permanencia de la institución promotora de estos artefactos como productos culturales urbanos (13).

Comprobar la existencia de una industria cultural orgánica al mercado que difunda un producto de la calidad y el nivel del producto Dickens y que se venda bien parece ser uno de los puntos que más ha marcado a Sarmiento en su experiencia cultural de 1868 en el Steinway Hall y que comenta con insistencia a sus lectores hispanos, en actitud de «integrado» frente a un fenómeno cultural masivo. Por otra parte, al subrayar y valorar el papel protagónico de ese público dickensiano lector-espectador, Sarmiento está presentando el momento de la recepción como una de las instancias a tener en cuenta dentro de la producción literaria y de la actividad artística en general. Y deja constancia de las formas urbanas, colectivas y masivas que el acercamiento al texto y a la lectura puede tomar en una ciudad moderna y progresista como Nueva York.

Por otra parte, el biculturalismo de este producto artístico –el británico Dickens esponsoreado por instituciones estadounidenses– es subrayado especialmente por Sarmiento. Dickens, luego de su primer viaje a Estados Unidos en 1842 (que es también su primer gira exitosa en términos de público fuera de Inglaterra), ha sido muy severo en su crítica a la sociedad estadounidense (tanto en sus *American Notes* como en su novela *Martin Chuzzlewitt*), marcando claramente las diferencias entre el «ellos» cultural estadounidense y el «yo» cultural británico, es decir, entre los «dos reinos» que menciona Sarmiento en su reseña, en el pasaje citado anteriormente. Al comentar la favorable acogida reservada a Dickens en su segunda visita a Estados Unidos, a Sarmiento le interesa señalar y destacar cómo, dentro de un ámbito artístico-literario y una compartida unidad lingüística entre naciones –se refiere a Inglaterra y Estados Unidos, pero entrelíneas aparecen España y las naciones iberoamericanas–, las diferencias nacionales y culturales (que a menudo se dan como incompatibles sobre todo cuando los interlocutores son metrópolis y colonia como en el caso de Dickens y Estados Unidos) modulan y cambian simplemente de tonalidad, perdiendo así ese carácter de aparente incompatibilidad y abriéndose a un diálogo exitoso dentro de un disenso nacional y cultural asumido y aceptado:

> no había tal enojo ni rencor [previsto y anunciado por la prensa] del pueblo norteamericano, porque no hubo tales ofensas, en tomar el novelista el ridículo de este lado del Atlántico con la misma *desenvoltura* que lo hace del otro; pues los errores, extravagancias, crímenes, pasiones y caracteres ingleses han dado materia para sus novelas, que son las más populares del mundo (Sarmiento 1952: 231; el subrayado es nuestro).

Gracias a la «desenvoltura» que, según el expresivo término de Sarmiento, caracteriza la práctica literaria de Dickens, éste puede inventar con toda naturalidad (es decir, no sólo sin mayores riesgos de censura o rechazo por parte de sus lectores sino asegurándose por lo contrario un alto grado de receptividad) un texto de placer y al mismo tiempo analítico y cuestionador de los distintos aspectos y de las distintas voces de la realidad social en que se encuentra inmerso su lector. Tal «desenvoltura» (des-envoltura, des-ocultamiento) remite a un rasgo definitorio de la literatura, aquel que R. Barthes llama la per-versión de lo específicamente literario (Barthes 1978: 23 y 25; el prefijo «per» significaría aquí exceso) y que J.-F. Lyotard designa como «el trabajo de hostigamiento» llevado a cabo por la lengua literaria (Lyotard 1994: 28). Y dado que en el juego de lenguaje político tal «desenvoltura» (o per-versión, exceso u hostigamiento) no suele formar parte de sus reglas, reivindicar su validez y su valor en un contexto político como es el de *Ambas Américas* en 1868 puede resultar beneficioso dado el potencial de lucidez que esa postura discursiva puede aportar a todo pensamiento que esté dispuesto a adoptarla.

En esa misma línea de análisis, Sarmiento también va a destacar la prosperidad de la industria editorial norteamericana a nivel de difusión masiva de su producto, señalando que uno de los editores de Dickens, «el señor Tienor de Boston, tiene seis ediciones de las obras completas de las novelas de Dickens, y Appleton ha emprendido tres numerosas ediciones al mismo tiempo, una de ellas a sesenta centavos el volumen» (Sarmiento 1952: 239).

En este sentido la perspectiva de Sarmiento se alejaría de la perspectiva aurática frente a la cultura artística al estilo de la de Martí en los años 80 (o de la de Ortega y Gasset ya en las primeras décadas del siglo XX), es decir, de una postura que busca y defiende para lo literario y artístico un territorio social específico y desde donde el intelectual expresa su extrañeza ante el arte que produce la ciudad para «la masa pujante» –según el término de Martí en su ensayo «Coney Island»–, que Julio Ramos presenta como una de las primeras críticas latinoamericanas a la industria cultural (Ramos 1989: 203-204). Consistente además con su posición de defensor de la ciudad como centro de prosperidad, Sarmiento muestra cómo la ciudad puede atender las necesidades imaginativas de la población mediante la promoción de un producto cultural literario de gran calidad y al mismo tiempo multimediático y masificado como lo fue el producto Dickens casi desde el comienzo de su lanzamiento al mercado lector (14). En términos actuales se diría que Sarmiento apunta a destacar cómo una economía de mercado no supone obligatoriamente una sociedad de mercado sino que puede conciliarse con una sociedad de bienestar y calidad culturales.

Asimismo, en su reseña, Sarmiento menciona algunos palacios diseñados por los arquitectos innovadores de Nueva York, en uno de los cuales –el Steinway Hall– tiene lugar el espectáculo Dickens. En ellos se desarrollan actividades industriales, comerciales, periodísticas y culturales y Sarmiento los considera significativos representantes de lo que él denomina la nueva «nobleza» arquitectónica moderna. Se detiene en la presentación de uno de ellos, el neo-clásico palacio Astor donde funciona el equivalente de los bazares parisinos que Zola pinta en algunas de sus novelas, y que es también un precursor de los *shopping centers* de nuestro siglo XX:

> Astor cubre de columnas corintias de hierro los cuatro costados de una manzana toda cerrada, con dos pisos subterráneos y seis exteriores, que contiene en cien salones una tienda al menudeo, cuyas mercaderías han pagado en un año diez millones de pesos de derechos a la aduana (Sarmiento 1952: 232-233).

En algunos de sus escritos W. Benjamin observa y subraya algunos rasgos de la modernidad urbana que Sarmiento ya destaca en su descripción del palacio Astor. Se trata, nos dice Benjamin, por un lado de la necesidad de «distinguirse de lo anticuado, esto es del pasado reciente», y por la otra, de la necesidad de interpenetrar lo nuevo con lo viejo y así poder «borrar o transfigurar las deficiencias del orden social de producción y la imperfección del producto social» (Benjamin 1980: 125). Al levantar clásicas columnas corintias –elemento antiguo y arcaizante, tiempo recobrado y aurático– utilizando el novedoso y modernísimo material de hierro se está atendiendo y respondiendo a ambas necesidades. Al analizar esta nueva arquitectura urbana dentro del marco de su reseña sobre un espectáculo básicamente literario, Sarmiento está aportando a su lector iberoamericano, desconocedor de las nuevas realidades urbanas vinculadas a la sociedad consumista emergente en el siglo XIX, elementos de información y reflexión sobre el tema de la relación entre las tareas intelectuales y el mercado, un tema que sólo dos décadas más tarde comenzará a presentarse como problemático y crucial por parte de los escritores latinoamericanos y que sigue siendo motivo de debate en el mundo de nuestro fin de siglo.

En el marco de *Ambas Américas* y desde el contexto histórico-político de esta revista y el suyo personal en 1868, Sarmiento presenta así la lectura literaria de Dickens en el Steinway Hall neoyorquino como un producto de calidad de la industria cultural dentro del espacio de la ciudad moderna y subraya el papel que juega en el éxito de este producto la «desenvoltura» lúcida y cuestionadora con que el discurso novelístico dickensiano escucha, registra y entreteje las diferentes voces del contexto social y cultural. En su implícito reconocimiento de vasos comunicantes entre campos y discursos específicamente distintos –literarios, históricos– podemos ver una reivindicación de esa singular des/envoltura de lo literario y sus abarcadores registros de conocimiento como horizonte epistemológico a tener en cuenta en la elaboración de otros discursos culturales que, como el historiográfico, también se interesan en analizar y concertar particularidades, heterogeneidades y disensos.

Notas y referencias

1   La revista *Ambas Américas*, dirigida por Sarmiento y publicada en Nueva York, sacó cuatro números entre abril-mayo 1867 y julio 1868. Pero del artículo «Lecturas de Dickens» que aquí comentamos, escrito en 1868, la primera publicación que se conoce hasta ahora es de 1899, en el volumen 29 de las *Obras Completas,* Buenos Aires: Imprenta y Litografía Mariano Moreno, 239-250.

2   Recordamos por ejemplo al catedrático de «Historia de las ideas» François Chatelet, en su curso de 1979-80 (Facultad de Derecho, París VII, Universidad de la Nueva Sorbona) recomendar como imprescindible e inmejorable material de información

para el estudio de la revolución de 1848 en Francia la lectura de *L 'éducation senti-mentale* de Flaubert y *Lucien Leuwen* de Stendhal. O a Carlos Altamirano y Beatriz Sarlo señalando en *El matadero* de Echeverría «un borrador de la sociología rioplaten-se».

3   Adolfo Prieto en su artículo «Sarmiento: Casting the Reader, 1839-1845» ya analiza-ba, dentro del temprano período de Sarmiento periodista en Chile, su interés en ir dibujando a través de los distintos artículos su propia figura pública e ir creando un público lector que asegurara el éxito de proyectos más vastos de educación pública donde el papel de la persuasión y por lo tanto de la retórica se iban a jugar en una escala masiva (en Halperín Donghi et al. 1994: 259-271).

4   Utilizo los términos de «jugada» y «juego», en el sentido wittgensteiniano con que utiliza ambos términos J.-F. Lyotard en *La condición posmoderna*, especialmente en los capítulos «El método: los juegos de lenguaje» (Lyotard 1994: 25-28) y «La desle-gitimación» (ibid.: 73-78).

5   El texto completo de Arrieta dice: «[Sarmiento] que se precia de lector magistral, y que tanto ha escrito sobre la lectura, sus métodos, su arte, su eficacia, y que a tantos de sus alumnos a quienes enseñara primeramente a leer enseñóles luego a interpretar los matices teatrales de la lectura en público, admira la dicción, la comprensión de las pausas, la mímica, la habilidad para traducir sucesivamente distintos estados de ánimo en diversos personajes, que revela Dickens» (Arrieta 1930: 25).

6   Troncoso y Castro señalan que una lectura dicotómica de *Facundo* –como la que hace Alberdi por ejemplo del binomio campo/ciudad en ese texto– no da cuenta de la sutileza y complejidad en el uso de los términos que hay en Sarmiento. Y desde esta perspectiva, subrayan el concepto más inclusivo y abierto (respecto al sentido en que lo toma Alberdi) al que remite el término *bárbaro* en Sarmiento (Cancino Troncoso / Castro Becker 1992: 143-144). El aprecio de Sarmiento por un trabajo conceptual fuera y/o más allá de lo dicotómico es el que también aparece claramente en el artícu-lo que estamos comentando.

7   Desde una perspectiva freudiana, la crítica dickensiana ha señalado recientemente que el perfil primitivo que marca la caracterización que hace Dickens de Peggotty en *David Copperfield* remite a una suerte de «otro» oscuro del autor que desplegaría en su personaje algunas de sus secretas tendencias, deseos o pulsaciones (Garnett 1997: 225); desde esa misma perspectiva se ha visto a menudo en Facundo el «otro» oscuro y bárbaro del yo civilizado y europeísta de Sarmiento.

8   Véase también el reciente libro de Jeremy Tambling donde, también desde el nuevo historicismo –en este caso de raíz claramente foucaultiana–, se subrayan y analizan los fuertes cuestionamientos de Dickens en sus novelas al desarrollo de Londres como ciudad moderna y su interés, como Sarmiento, por la provincia (Kent, Surrey).

9   Los anglicismos y galicismos de Sarmiento (aquí el uso francés del «en» remitiendo a un lugar que en este caso es Boston) tan frecuentes en su prosa podrían quizá ex-plicarse freudianamente como *lapsus* indicadores o de un deseo de mundialización lingüística.

10 En *El canon occidental*, H. Bloom dedica la mitad del capítulo sobre la novela canó-nica al análisis de *Casa desolada* de Carlos Dickens y para justificar esa elección, dentro de la proliferación de grandes títulos que ofrece el panorama de la novela occidental, se basa muy especialmente en la popularidad que tuvo Dickens a lo largo de toda su vida y que es diferente tanto en naturaleza como en grado de la de todos

los demás escritores, incluidos Goethe y Tolstoi, que no tuvieron el efecto universal en todas las clases sociales de tantas naciones que tuvo el novelista inglés. Y concluye Bloom: «Quizá Dickens, más que Cervantes, es el único rival de Shakespeare como influencia en el mundo y por eso representa, con Shakespeare, la Biblia y el Corán, el auténtico multiculturalismo del que ya disponemos» (Bloom 1994: 320). Sarmiento, en sus subrayados y análisis a lo largo de todo su artículo y desde su horizonte político iberoamericano va a localizar y destacar algunos de los procedimientos y estrategias literarias que habían fundado y siguen estableciendo la fuerte canonicidad de Dickens a lo largo de los años, mostrándose especialmente receptivo de la figura exitosa, popular y universalista de Dickens que parece fascinarlo como una imagen especular.

11 Tomo la expresión de «producto cultural orgánico al mercado» de Julio Ramos quien explora las relaciones entre los intelectuales latinoamericanos y el mundo de la producción a partir del último cuarto del siglo XIX en varios pasajes de su libro *Desencuentros de la modernidad en América Latina*, y muy especialmente en el capítulo «Masa, cultura, latinoamericanismo». En la nueva redistribución de las tareas intelectuales que tiene lugar en ese período, Ramos señala una tensión entre «una producción intelectual orgánica al mercado y otra que reclama autonomía y distancia del mismo». La misma tensión entre autonomía y subordinación de la producción y difusión intelectual y artística respecto a los condicionamientos y legitimaciones exteriores y comerciales actuales (en el campo específico de la televisión) es analizada muy críticamente por Pierre Bourdieu en un reciente ensayo (cf. Bourdieu 1996).

12 Como se sabe, esta teoría (opuesta a una teoría conceptual en la línea de B. Croce) desarrollada con variaciones por G. Dickie en EE.UU. y G. Genette en Francia, entre otros, ya estaba implícita en la exhibición que hacía Marcel Duchamp en los museos y salas de exposición de sus *ready-made* en las primeras décadas de este siglo, en pleno período de modernismo vanguardista.

13 G. Genette ya utilizaba el término «artefacto» –actualmente de uso corriente en este contexto– para definir la obra de arte en su curso en la Escuela de Altos Estudios de París en 1979-1980: «la obra de arte es un artefacto que un grupo de personas, representando a una institución, propone a la apreciación del público». Ver su uso más reciente del término en *L'œuvre de l'art* II: *La relation esthétique* (Genette 1997: 171).

14 Claro que, contrariamente a lo que puede ser una postura postmoderna de corte similar, esta postura en Sarmiento es pre-crítica y condice con «la visión optimista de la expansión del proceso civilizatorio [...] de la que Sarmiento participa con el conjunto de su generación» y que ve dicho proceso civilizatorio con «el carácter de una ley del desarrollo social» como lo señalan H. Cancino y M. C. Castro (Cancino Troncoso / Castro Becker 1992: 144). Sabe por otra parte que está presentando algo nuevo ya que conoce la reticencia sudamericana a agruparse en centros urbanos de cierta importancia, como lo expresa en *Argirópolis*, esa utópica propuesta de fundación urbana en la isla Martín García: «nuestro juicio no está habituado a la repentina aparición de ciudades populosas. Estamos habituados a verlas morir más bien de inanición» (Sarmiento 1938: 131).

Bibliografía

Altamirano, Carlos y Sarlo, Beatriz (1983): *Ensayos argentinos: de Sarmiento a la Vanguardia*, Buenos Aires: Centro Editor.

Arrieta, Rafael Alberto (1930): «Prólogo», en G. K. Chesterton: *Dickens*, Buenos Aires: Editorial Cóndor, 7-27.

Barthes, Roland (1978): *Leçon*, París: Seuil.

Benjamin, Walter (1980): *Poesía y capitalismo. Iluminaciones II*, Madrid: Taurus (Persiles).

Bloom, Harold (1994): *The Western Canon: The Books and School of the Ages*, Nueva York: Harcourt Brace / Papermac.

Bourdieu, Pierre (1996): *Sur la télévision*, Paris: Liber (Raisons d'agir); (trad. española: *Sobre la televisión*, Barcelona: Anagrama /Argumentos, 1997).

Cancino Troncoso, Hugo y María Cecilia Castro Becker (1992): «Europa como paradigma y referente del discurso civilizatorio de Alberdi y Sarmiento en el contexto de la formación del Estado Nacional en Hispanoamérica», en *IX Congreso internacional de historia de América*, Asociación de historiadores latinoamericanistas europeos (AHILA), Sevilla, 129-146.

Garnett, Robert R. (1997): «Why not Sophy? Desire and Agnes in David Copperfield», en *Dickens Quarterly* 4 (XIV) (Louisville), 213-231.

Genette, Gérard (1997): *L'œuvre de l'art II: La relation esthétique*, París: Seuil.

Halperín Donghi, Tulio et al. (Eds.) (1994): *Sarmiento, Author of a Nation*, Berkeley: University of California Press.

Lyotard, François (1994): *La condición postmoderna*, Madrid: Ediciones Cátedra (Teorema).

Palmer, William J. (1998): *Dickens and New Historicism*, Nueva York: Editorial Saint Martin's Press.

Prieto, Adolfo (1994): «Casting the Reader, 1839-1945», en Halperín Donghi, Tulio et al. (eds.): *Sarmiento, Author of a Nation*, Berkeley: University of California Press, 259-271.

Ramos, Julio (1989): «Saber del Otro: escritura y oralidad en el *Facundo* de D. F. Sarmiento», «Masa, cultura, latinoamericanismo», en idem: *Desencuentros de la modernidad en América Latina. Literatura y política en el siglo XIX*, México: Fondo de Cultura Económica (Tierra firme), 19-34; 188-228.

Sarmiento, Domingo Faustino (1952): «Lecturas de Carlos Dickens», en idem: *Obras Completas*, vol. 29: *Ambas Américas*, Buenos Aires: Editorial Luz del Día, 229-239.

---(1938): *Argirópolis (Obras de Domingo F. Sarmiento*. Edición del cincuentenario), Buenos Aires: Editorial Tor.

Tambling, Jeremy (1995): *Dickens, Violence and the Modern State. Dreams of the Scaffold*, Londres: Editorial Mac Millan.

La joven élite argentina al filo de los siglos XIX y XX: una propuesta metodológica

Marcela Beatriz González
Universidad Nacional de Córdoba, Argentina

El marco teórico

El campo de estudio de la historia de las ideas se identificó originalmente con la filosofía, en reconocimiento a que fue la constitución de estudios filosóficos sistemáticos en las universidades, lo que posibilitó el conocimiento de las ideas vigentes en un determinado momento histórico. Filósofos fueron, por lo tanto, los primeros en ocuparse de ese campo del saber. Sin embargo, sus alcances no fueron definidos con precisión en los momentos fundadores, lo que produjo –en la primera mitad del presente siglo– una bifurcación en dos orientaciones. Una, ceñida a su origen, derivó en una filosofía de la historia mientras la otra, ampliando su temática, abarcó ideas relativas a otras ciencias humanas.

El objeto de ésta última fue el estudio de las ideas de un sujeto sobre sí mismo y su propia realidad, fuera ésta la de su entorno social o un enmarque nacional más amplio. Pero mientras para algunos (José Gaos) la historia de las ideas era un modo de hacer historia de la filosofía, con la consiguiente aproximación a la historia y la filosofía, para otros (Francisco Romero) existía una separación entre ambas, en tanto la historia de la filosofía era un saber de doctrinas y sistemas, mientras la historia de las ideas tenía por objeto las proyecciones sociales de esos sistemas (1).

Esas consideraciones, reflejo de la formación de quienes se ocuparon originalmente de la problemática, explicó un cierto academicismo que focalizó el campo de esta disciplina en la investigación de influencias y la exposición de doctrinas, limitadas por determinados encuadres periódicos enraizados en modelos filosóficos. El abordaje tuvo como sujeto de estudio la producción de los intelectuales, variando entre quienes desechando otras manifestaciones se adscribieron a la concepción de que es posible aprehender y explicar los clásicos en forma textual, sin necesidad de hacerles depender de factores externos, y los que, haciendo un ejercicio de recomposición contextualista consideraron imprescindible construir el marco teórico y analizar en él, en profundidad, la complejidad de problemas históricos concretos, con todas sus mediaciones y relaciones con la estructura lógica del texto (2).

La interpretación textual buscaba alcanzar la definición de teorías o sistemas, ubicando en un segundo orden, como tarea complementaria, los datos que aportaban los investigadores sobre la época en que la misma se inscribía. Sus cultores partían de la afirmación de la existencia de problemas permanentes, atemporales, que justificaban el análisis interno, buscando hallar en él la correlación de las ideas entre sí.

Sin desconocer la importancia que tiene el estudio del «texto en sí», la difusión de la posición contextualista que consideraba a la historia intelectual como «reflejo» de circunstancias incidentes, se generalizó rápidamente y al promediar el siglo pocos aceptaban la posibilidad de aprehender el texto aislado, sino era en referencia a un algo que integrara en una explicación lógica los diferentes factores presentes en un determinado momento histórico. El rechazo de la atemporalidad textualista fincaba en la importancia de las ideas en el proceso de adaptación del hombre en el ámbito concreto de una sociedad determinada, lo que no era posible satisfacer con el mero análisis interno del discurso o de las ideas que en él se encontraban. Era menester estudiarlas en relación con los acontecimientos para advertir el grado de influencia que mutuamente se aportaban (3).

Ello motivó a los investigadores de la historia de las ideas a canalizar sus esfuerzos en el estudio de la función social de las mismas en pro de comprender los diversos procesos que incidían en la conflictiva y compleja realidad del hombre. Sin embargo, el contexto no es algo natural por sí mismo, sino que es un esquema organizado por el investigador como metodología de estudio, basado en los postulados de la investigación histórica; por lo que, ante la cantidad de circunstancias presentes en el entorno se hacía imprescindible la selección que efectuaba el investigador según su mejor criterio; porque, es de rigor decirlo, la aceptación de la *contextualidad* no niega la necesaria selección de los factores que pudieron influir en una obra ya que, como acertadamente sostiene Vallespín, una cosa es «influir», otra «condicionar» y otra, por cierto, «determinar».

Esa apertura que trajo aparejada la contextualidad, condujo a buscar el aporte de otros campos de estudio que permitieran comprender en el texto la influencia de otras fuerzas subyacentes que él reflejaba, fueran éstas políticas, sociales, económicas, religiosas, etc. La historia económica y la lingüística –con la semiótica, la teoría de la comunicación y la teoría del texto– acudieron al llamado y su influencia fue tal que produjo un relativo abandono de la exclusividad filosófica y, por consiguiente, la modificación de las normas que la filosofía había estructurado para la investigación de la historia de las ideas.

Ese proceso dio origen a un nueva posición metodológica, defendida por la *New History*, que prioriza el análisis de los significados lingüísticos vigentes en el momento en que el texto tuvo origen.

A partir de la década de los 60 los teóricos de esa metodología incorporaron el análisis del discurso en el marco de los significados lingüísticos usados en el momento de su concepción, lo que presupone descodificar las palabras, expresiones y conceptos vertidos, para conocer y hacer inteligible su significado histórico (4). Ello también aporta a la necesaria comprensión de la intencionalidad que puso el autor al escribirlo, en tanto éste fue protagonista activo en la emisión del mensaje (5).

Esta metodología sostiene que para alcanzar una correcta interpretación del texto es fundamental comprender la coherencia interna y el sentido del material analizado, para luego definir y exponer sistemas de pensamiento. Los autores cuyas obras se analizan deben ser susceptibles de ser estudiados «individualmente; dentro de un determinado período; al hilo del análisis de un determinado concepto o, como integrantes de una corriente de pensamiento específica» (6).

El cambio principal que la aceptación de esta metodología significó para la historia de las ideas fue que la «idea», en el abordaje de la investigación, dejaba la pertenencia exclusiva al «mundo de las ideas», para ser considerada parte del «mundo del lenguaje» (7).

El proceso en la Argentina

Como mencioné anteriormente la historia de las ideas surge en estrecha relación con la filosofía, como una historia de la filosofía, priorizando las ideas y considerando el entorno y las circunstancias históricas sólo como referenciales a aquellas, con una finalidad ilustrativa. En la Argentina, los trabajos pioneros de José Ingenieros y de Alejandro Korn, principalmente de éste último, corroboran que el objetivo de la historia de las ideas fue la significación filosófica de éstas, desprendida de otra connotación histórica que excediera el plano explicativo. Posición que si bien favoreció la expansión de esos estudios por el establecimiento de centros y cátedras dedicadas a ese objetivo, limitó al mismo tiempo su campo de conocimiento al sólo saber filosófico;

con lo que el estudio de las ideas se redujo al estudio de un determinado grupo social, el de los intelectuales.

La preocupación de quienes integraron esas cátedras universitarias y principalmente los centros de investigación, se orientó hacia una especialización en el estudio del pensamiento argentino, en el que se ponderó lo referido a exposición de teorías, determinación de influencias y sistematización metodológica del pensamiento nacional, ubicando las manifestaciones locales como inflexiones tardías del pensamiento europeo y generalizando el empleo de la periodización generacional. Sin embargo, esa etapa no aportó respecto a la obra pionera de los mencionados Korn e Ingenieros, mas novedades que la adopción de la periodización indicada, rápidamente difundida por la influencia que Ortega y Gasset tuvo en el país.

Como se advierte en las obras de los dos filósofos argentinos mencionados en el párrafo anterior, la historia del pensamiento en ese período fue orientada para acompañar la constitución de la nacionalidad dentro del esquema de consolidación del Estado liberal; lo que más allá de entender la filosofía y analizar la historia de ese proceso, significó un esfuerzo de interpretación del sentido que las ideas tuvieron para la nacionalidad.

Al promediar el presente siglo se advierten los primeros síntomas del abandono de la exclusividad filosófica en el ámbito de la historia de las ideas, producto de la necesidad de salir de ese aislamiento y, también, de la exigencia de conocer la función que aquella había tenido respecto de la realidad social. Había un rechazo a una filosofía entendida exclusivamente como quehacer de los «filósofos», para abarcar el discurso del saber vulgar, para incorporar a la historia de las ideas una literatura que en apariencia no era filosófica, habida cuenta que ambas tienen una estructura epistemológica común.

Esa ampliación condujo necesariamente a incorporar el campo de saber de otros estudios humanos al de la historia de las ideas, que desde entonces no se abordará a partir de campos epistemológicos, sino de una contextualidad previamente definida.

A ese cambio convergieron los estudios económicos y sociales, aportando su especificidad a la ampliación del espacio hasta entonces exclusivamente filosófico. El campo del saber de ambos –aunque más el del primero que el del segundo– fue la punta del ovillo que los investigadores devanaron durante la etapa de la denominada *teoría de la dependencia* (8).

Una característica de los argentinos de la que tardíamente nos lamentamos, ha sido, durante años, privilegiar la relación con Europa antes que con el resto de América, al menos hasta que dolorosos conflictos mostraron al hombre común que existían vivencias compartidas. Pero antes de eso, a mediados del siglo, los historiadores de las ideas parecieron encontrar una problemática latinoamericana, desde la que y junto a las respuestas obtenidas para cada uno de sus casos, debía abordarse el estudio de la especialidad.

El cambio metodológico más significativo fue la adopción e internalización de lo que estudiosos del tema estaban realizando en otros horizontes, y posibilitó la inserción del objeto de estudio en un marco más amplio, como es el latinoamericano.

Esa toma de conciencia apoyó el abandono del exclusivismo local, o regional cuando más, para ubicar el estudio de las ideas en un marco de mayor amplitud como el latinoamericano y surgió, en buena medida, como producto de la comunicación personal con investigadores de otras regiones, que habían avanzado en un planteo diferente e, inclusive, habían trabajado aspectos de la historia de las ideas en nuestro país desde otra perspectiva (9).

Posición iniciada sistemáticamente por el mexicano Leopoldo Zea, continuada y enriquecida por investigadores de otros puntos del continente, la denominada *teoría de la liberación*, se propuso ubicar al hombre americano a través de sus concretas realidades, superando las limitaciones nacionales y tratando de encontrar el sentido que la filosofía y la historia tienen para la realidad cultural del continente (10).

Tras ese objetivo el historiador de las ideas aborda el análisis de los procesos políticos, económicos, sociales y culturales, ponderando los condicionantes que intervinieron en la gestación de las ideas, así como el poder transformador de ellas en ese inacabable proceso de ida y vuelta que el hombre protagoniza en la sociedad que lo contiene. La función del historiador es impulsar al hombre del subcontinente en el proceso de conocimiento que le permita asumir y construir su propia historicidad (11).

La historia de las ideas es entendida por ese movimiento como una historia de la conciencia social latinoamericana a partir un supuesto de unidad del proceso histórico en el que influyeron las ideas de origen académico y los movimientos populares, entre los que se cuentan, ciertamente, los de liberación.

En círculos académicos argentinos, entre ellos algunas universidades, se manifiesta en la última década una tendencia a incorporarse decididamente a esta teoría de la liberación. Ello se advierte en las modificaciones de los planes de estudio de las facultades correspondientes, donde lo que desde la década de los cincuenta surgió como historia del pensamiento argentino con carácter obligatorio, ha sido suprimido o relegado a condición de opcional, priorizando una historia del pensamiento latinoamericano.

Los cambios alcanzan también a las personas que se ocupan de la enseñanza y de la investigación de ese campo, pretendiendo que no sea *métier* de filósofos e historiadores, sino de investigadores de letras y de filosofía. La antigua relación entre filosofía e historia con que comenzó el abordaje de la historia de las ideas en las universidades y medios académicos en general ha sido virtualmente suprimida, ocupando su lugar el análisis del discurso realizado por gente formada en el mundo del lenguaje.

La carencia de definición metodológica de la historia de las ideas no ha sido ajena a este cambio, que quizás sea uno más en su evolución. De todos modos y con un criterio pragmático, creo que en tanto el hombre tenga libertad para escoger su profesión podrá abordar desde ella el análisis de las ideas con una conceptualización teórica en estrecha relación con su formación. Hasta ahora ello ha enriquecido a la historia de las ideas, que se ha beneficiado con el aporte de la filosofía, la historia y la lingüística, y se ha abierto a buscar su inserción en un panorama más amplio. Quizás esa búsqueda nos proporcione cada vez más puntos de contacto entre estudios que tienen como objetivo al hombre con su problemática; ojalá, también, que esa búsqueda nunca culmine, porque estaríamos entonces al final de un camino del que nada más se puede esperar.

Nuestro punto de vista

Un rápido repaso de los aspectos significativos de las metodologías mencionadas precedentemente nos permite posicionarnos frente al abordaje de la historia del pensamiento que, desde ya, entendemos contextualista.

Creemos en la conveniencia de encarar el estudio de las ideas desde distintos enfoques disciplinarios, sin que las conclusiones de uno desautoricen los de otros, en tanto la disposición de quien lo ejecuta es diferente, lo que, en definitiva, contribuye a enriquecer y ampliar el conocimiento de ese campo del saber.

Los aportes de la teoría de la liberación han realizado una invalorable contribución, al posibilitar el abordaje desde nuestro presente, señalando los condicionamientos sociales y el poder transformador de las ideas. Sin embargo, creo que para alcanzar con éxito su propuesta de continentalización, se impone una gradación que partiendo de un marco más reducido permita, con estudios parciales concluidos, alcanzar la propuesta formulada. La existencia de procesos comunes en Latinoamérica no invalida el análisis de las diferencias, que se deben tener en cuenta a la hora de alcanzar la comprensión de las ideas que conforman la conciencia social latinoamericana. Del mismo modo deberá operarse con las particularidades que relacionan a sus protagonistas con procesos históricos propios, antes de considerar su inserción en un espectro más amplio.

Es de lamentar en el caso de las universidades argentinas, que se pretenda limitar el estudio de la historia de las ideas al análisis del discurso en el contexto latinoamericano, en lugar de comenzar por lo nacional –como se inició en otros países– y desde los diferentes enfoques aportados según las distintas formaciones de quienes lo ejecuten. Afirmar o negar la comunidad de experiencias en nuestras repúblicas sólo tendrá validez si ese concepto se alcanza luego de un exhaustivo trabajo heurístico, de amplia crítica y enlazado en la lógica explicación causal. Forzarlo a partir de esquemas apriorísticos es fundarlo con probabilidades de corta duración; por ello es deseable que superados los momento iniciales que supone la adquisición de novedades, la realidad ceda paso al reconocimiento de diferentes maneras de estudiar e interpretar un proceso.

Antes que limitar, el abordaje multidisciplinario enriquece y, en medio de esa búsqueda de una metodología propia en que se halla sumergida la historia de las ideas, la mejor contribución es adentrarse en la investigación con los recursos específicos que aporta la propia formación consolidada en experiencias previas, rechazando un epistemologismo radical y aceptando un eclecticismo integrador, articulado en un sano pragmatismo.

El caso de estudio

El hombre mantiene un permanente diálogo con el mundo que le rodea y con la sociedad que le contiene. La realidad influye en él, le acicatea y en la búsqueda de respuesta elabora ideas que, al realizarse, pueden modificar el medio y ser éste, otra vez, el estímulo que al influir modificado, genere nuevas ideas. En ese constante proceso de «ida y vuelta», la idea motiva y justifica la acción humana, operando como articulador en la relación causa efecto que origina el hecho histórico.

Las ideas informan los actos del hombre y su conocimiento revela la mentalidad de un período o de un grupo. Insertas en un contexto determinado bajo condicionantes sociales, justifican permanencias o promocionan cambios en procesos de corta y larga duración; por el contrario, aisladas del entorno en el que surgen y operan, carecen de interés para el investigador de historia.

Con las limitaciones de nuestra especial formación profesional, el acercamiento a una posición contextualista –despojada de las pretensiones de un excesivo marco lingüístico–, nos permite la mayor aproximación a las ideas contenidas en el texto. Partiendo de la afirmación que todo texto se escribe bajo la influencia de la política, considerada ésta en su más amplia acepción, se pueden analizar en él las ideas que operan como argumentos ideológicos de una transformación o de una permanencia, al tiempo que revelar a su autor como protagonista activo a través del acto *ilocutorio*.

El hombre y su medio, y la expresión de su pensamiento como agente capaz de proponer los cambios en la sociedad de la cual forma parte en una estrecha relación intercausal, guía nuestra investigación. El universo de estudio seleccionado se compone con los egresados de la Facultad de Derecho de la Universidad de Córdoba en el período 1880-1910, grupo de élite en un período de cambio, que buscó la pertenencia a una Facultad cuyos estudios le posibilitaban la participación en funciones dirigentes con la correspondiente cuota de poder. Un escalón importante en ese aspecto lo constituía la elección del padrino de tesis, persona que al dirigirle ligaba su nombre al del futuro doctor, a la par que éste afianzaba una relación que le facilitaría el ingreso a ciertos espacios. La elección para ese rol de personas de consideración en el medio local y también en el nacional, principalmente político, es una variante que estudiamos en los casos en que ha sido posible determinarlo.

Los que cursaron el tipo de estudios que se impartía en la Facultad de Derecho, tenían la legítima ambición de ser protagonistas activos de la sociedad de la que formaban parte, razón por la cual analizamos la participación de esos egresados en la función pública y también como docentes. En este caso se estudió la de nivel universitario considerando la importancia que ella tiene como formadora de conciencias y en la transmisión de las innovaciones y transformaciones a las que el docente adhiere. También se consideró la desarrollada en institutos de nivel medio dependientes de la Universidad.

La otra variable analizada fue el marco ideológico en que se formaron, así como las manifestaciones que expresaron en sus trabajos de tesis, reveladores del pensamiento y de las intenciones de la joven élite dirigente del momento.

El análisis de las variables que fue posible, se trabajó con el paquete para PC *Statistical Package for Social Sciences (SPSS)*.

Consideraciones sobre la élite

El desarrollo de la teoría de las élites surge a caballo de los dos siglos, como una justificación a la concentración del poder en pocas manos, al entrar en crisis el orden liberal por el ingreso de las masas al escenario político. A partir de la ampliación del sufragio, comienza un período que augura el advenimiento de la democracia y la consecuente participación política de un mayor número de personas, basada en el supuesto racional de que todos los hombres pueden producir acciones lógicas. Ello está ineludiblemente asociado al posible triunfo de nuevas ideologías en un tiempo relativamente breve, lo que previene a los sectores más conservadores, que creen asistir a un proceso en el corrían el riesgo de ser fagocitados por lo que consideran el poder despótico de la mayoría.

Es entonces cuando Gaetano Mosca publica *Sulla teorica dei governi e sul governo parlamentare: Studi storici e sociali*, en el que sostiene que en toda agrupación humana es un grupo reducido el que ejerce la responsabilidad de la conducción del mismo

> [...] aquellos que tienen y ejercen el poder público, serán siempre una minoría, bajo la cual encontramos una numerosa clase de personas que nunca participan en el gobierno, en ningún sentido *real*, sino que simplemente se someten a éste: se las puede llamar la clase gobernada (12).

Siguiendo esa tesis, Vilfredo Pareto denominó élite al grupo social que detentaba el poder político y económico; distinguiendo, por primera vez dentro de ella, a una fracción específicamente gobernante que presuponía, a su vez, la existencia de una élite no gubernamental (13).

Desde el punto de vista de esa teoría, la ampliación del sufragio y la incorporación de la masa en la sociedad política no constituye un temor para los sectores conservadores, en tanto la participación de mayor número de personas no autoriza la desaparición de una minoría gobernante que, por el contrario y más allá de cual sea el sistema político, es una constante demostrada por la historia. Con igual énfasis Mosca y Pareto niegan que las teorías racistas –favorecidas por la aplicación de la teoría de la evolución al estudio de las sociedades–, influyan en la composición de las élites; el darwinismo social, ampliamente difundido en esa etapa, es considerado por ambos como una construcción ideológica que encierra una vocación expansiva de dominación y cuya función es la eliminación de posibles competidores por el poder (14).

Alejadas de esas preocupaciones, la élite se orienta hacia la captación de la clase gobernada, de esa mayoría sin voz real que se expresa por medio de sus líderes, jugando en ello un papel fundamental la posesión de aquellas cualidades que confieren a sus poseedores prestigio moral y preeminencia intelectual (15). En ese aspecto, los dos investigadores citados coinciden en que son atribuciones subjetivas –cualidades– las que determinan que un grupo sea o no considerado como élite.

Por lo general es la posesión de cualidades intelectuales y morales superiores con respecto al común de la sociedad, los atributos que conlleva implícita la caracterización de la élite. Más como tales cualidades no son necesariamente inherentes a la condición de minoría dirigente, si la élite consigue mantenerse en el poder, es porque, como sostiene Pareto, tiene cualidades para gobernar: se distinguen de la masa de los gobernados por ciertas cualidades que les da una cierta superioridad material e intelectual o incluso moral. El punto fundamental es que los gobernados crean que los miembros de la élite son poseedores de cualidades aceptadas como superiores. Ese convencimiento es el que da la fuerza necesaria a una élite determinada para que aspire a llegar y mantenerse en el poder, objetivo fundamental de toda clase política. La ponderación de esas cualidades es variable según el tiempo y el lugar, pero son las que hacen que se considere a esos miembros como «los mejores» y por tanto capaces de dirigir la voluntad de los demás (16). Las características ponderables de una élite están estrechamente relacionadas con la historia del lugar donde se desarrollan y difieren en relación al grado de civilización de un pueblo, aunque se encuentren, por supuesto, ciertas condiciones que les son comunes.

La negación de ascendencia nobiliaria reconocida en las naciones americanas hace que su élite no provenga de ella, aunque tampoco se origina en cualquier grupo social, sino que proceden, generalmente, de familias ilustres, de grupos de profesionales y/o comerciantes, advirtiéndose que mientras más alta es la función que desempeñan más elevado suele ser su origen. La semejanza de nacimiento de los miembros de la élite queda subrayada y aumentada por el hecho de su educación común.

C. Wright Mills en sus pioneros trabajos sobre la élite norteamericana sostiene que la afinidad social y psicológica de sus miembros descansa en razones sociales, familiares y/o económicas que ligan a sus miembros unos con otros, les sostienen y refuerzan recíprocamente: «A fin de captar la base personal y social de la unidad de *élite* del poder, tenemos que recordar primero los datos del origen, la carrera y el modo de vida de cada uno de los círculos cuyos miembros componen dicha *élite*» (17).

Mucho se ha escrito acerca del significado de la palabra «poder», nos interesa su acepción política en tanto se refiere a la actividad cuyo marco de referencia es el Estado y que desempeñan funcionarios cuyas tareas se imputan al mismo. Quienes ocupan los cargos públicos manifiestan una tendencia cada vez mayor a concentrar sus instrumentos de poder en instituciones centralizadas e interdependientes, y son los que intentan conducir a los demás de acuerdo con su propio proyecto para la empresa común de la comunidad política, por lo que las «creencias políticas» de esa clase inciden de manera directa en el cambio o permanencia de diferentes características de la sociedad. El triunfo o el fracaso de esos proyectos está en relación con la actitud coincidente de sus integrantes para llevar adelante un determinado proyecto de país, más allá de las diferencias coyunturales entre algunos de ellos (18).

De acuerdo a las consideraciones precedentes definimos tiempo atrás al grupo que egresó de la Universidad de Córdoba en el lapso 1880-1900 como un sector de élite (19). Con posterioridad extendí la evaluación de algunos parámetros al análisis del grupo en la década siguiente, lo que me permite afirmar que el universo de estudio es compatible con esa calificación (20).

Ubicación ideológica

Desde 1880 la Universidad de Córdoba ingresa en un paulatino proceso de reforma –demasiado paulatino para algunos– que quizás obedezca a la intención de adecuarse a los nuevos tiempos, a los cambios que se orientan desde el orden nacional antes que éste se imponga por otros medios.

En el aspecto que nos ocupa, lo que constituye nuestra fuente primaria para analizar el mundo de ideas de los egresados de la Facultad de Derecho –las tesis– responden a esa modificación que aludimos y es el resultado de la supresión, a partir de 1884, de la tradicional *Ignaciana* como conclusión de los estudios, y la correlativa sustitución por la elaboración de una tesis. El cumplimiento de ese requisito se inicia con la preparación de un manuscrito por parte del postulante con el asesoramiento de un «padrino», él que, controlado y aceptado por una comisión designada al efecto por la Facultad, habilita al estudiante a efectuar la defensa pública de la misma. En ese acto el futuro doctor responde a preguntas que previamente le han hecho llegar los «replicantes», conjunto de noveles egresados y compañeros del tesista, sobre temas del plan de estudios de la carrera pero diferentes a la temática abordada en la tesis. Superado el trámite, el flamante doctor debe esperar al 8 de diciembre para recibir su título en ceremonia pública, o al 8 de julio para obtenerlo en ceremonia privada (21).

Uno de los aspectos más interesantes de esas tesis es la elección temática, que junto a las preposiciones accesorias que acompañan esos escritos, indican las tendencias ideológicas de los noveles autores. Y si bien en muchos casos son repetición de lo aprendido en las cátedras, antes que el resultado de una profunda y meditada elaboración, permiten conocer lo que pensaban en un determinado momento de sus vidas, y que muchas veces es mantenido en la madurez.

El período que nos ocupa es lo suficientemente amplio como para rastrear la presencia de diferentes corrientes ideológicas, que no fueron otras que las que se manifestaban contemporáneamente en otros ámbitos del país.

En efecto, en los años posteriores al ochenta, el positivismo era conocido en la mayoría de los sectores intelectuales del país y la Universidad no fue ajena a ello. Si bien es recién en 1906 que se establece la cátedra de Sociología, y la sección anexa de Psicología y Pedagogía (22), también lo es que desde veinte años antes, la cátedra de Derecho Penal enseñaba las teorías de Lombroso y el programa de la materia reflejaba la influencia de dicha corriente. De todos modos, lo que se desprende del análisis de las tesis de los egresados no es una adhesión a los más puros conceptos positivistas, sino la aceptación de una adecuación de los mismos, bañada por un tinte espiritualista, producto de la aplicación en el campo social de conceptos empleados en la física y en las ciencias naturales, paradigma de ciencia por entonces.

Junto a ello impera la neo-escolástica, o tercera escolástica, visión remozada de una corriente tradicional en el medio, que atribuyendo un primer puesto a la metafísica –sosteniendo que tal es la naturaleza del espíritu humano– rechaza el reemplazo de la especulación por la observación empírica. Esta corriente busca la conciliación entre la ciencia y lo religioso, entre la materia y el espíritu, habida cuenta que ciencia y religión responden, respectivamente, a las necesidades físicas y espirituales del hombre. Aunque por cierto, en el caso del Derecho, esa compatibilidad desempata en caso de ser necesario a favor de lo divino, en tanto el derecho «natural» como ley de Dios, es anterior y superior a la legislación humana.

Se advierte también la presencia del krausismo, que se difundió desde la segunda mitad del siglo y que si bien no logró «hacer escuela» tuvo su lugar en la Facultad desde 1856 en la prédica del profesor titular de Derecho Natural, Luis Cáceres; y fue continuada por Telasco Castellanos, quien ocupó la cátedra de Introducción al Estudio del Derecho en 1884, y por Rodolfo Ordóñez, titular de Filosofía General desde 1886. La persistencia del krausismo hay que buscarla en su respuesta a la crisis moral del momento, y como una transacción entre católicos y liberales que posibilita el paso del individualismo liberal a uno solidarista de consideración más humanitaria y con cierta vocación social, adecuado a las exigencias progresistas de la burguesía liberal conservadora (23).

Esa corriente, matizada con los principios de otras, dio lugar al krauso-positivismo, y fue luego desplazada por la neo-escolástica.

La decantación de este proceso de incorporación de nuevas ideologías en el ámbito de una Facultad donde por siglos reinó la escolástica, es la aceptación del significado de ciencia que aporta el positivismo, despojado de su criterio materialista. Un positivismo espiritualista, proveniente de la incorporación de una metodología científica, y la ruptura de la actitud antimetafísica con una vuelta a Kant.

Estas corrientes desembocaron en un «espiritualismo racionalista», donde Dios es el fundamento absoluto y el hombre un ser inteligente, racional y libre, pero sujeto a reglas morales de acción y de conducta (24).

Otras corrientes ideológicas, como el marxismo, no tuvieron espacio en la cátedra y sólo se conocieron a nivel de algunos docentes que lo evalúan negativamente, reconociéndole valor como implementación teórica surgida para justificar una campaña política y explicar una actitud, pero sin fundamento científico (25). Sin negar la existencia de conflictos entre capital y trabajo, la postura de los docentes es idealista al sostener que los mismos se solucionarán con el mejoramiento paulatino del proletariado y no por el enfrentamiento revolucionario de los grupos sociales. Esa postura explica la ausencia de referencias a esa corriente en las tesis.

No es igual la apreciación del socialismo, ponderado como una doctrina social en expansión, cuya influencia abarca desde centros universitarios a simples reuniones obreras.

En este marco complejo, que no logra desprenderse totalmente de la tradición escolástica pero alcanza a dar cabida a nuevas ideologías, se construye en un claro eclecticismo el *substratum* en el que se formaron los egresados de la Facultad y a él responden ideológicamente las tesis de los egresados. Junto a ellos, entrelazado en diferente grado con las posiciones anteriores pero manifestándose en la Universidad más como conceptos aislados que como estructura de pensamiento organizada, hace su ingreso en el plano ideológico una línea que se ubica muy cerca de las primeras manifestaciones del nacionalismo y que se manifiesta con diferentes matices en casi todos sus miembros.

El análisis de las tesis tiene para nosotros el valor de indicarnos la ideología de sus autores, a la par que son manifestaciones de lo que posteriormente serán políticas que convenientemente implementadas, les permitirán mantener o modificar su presente, en ese proceso de «ida y vuelta» que se entabla entre ellos y la sociedad en recíproca influencia.

En otras investigaciones analizamos esa preocupación y su conclusión fue la ubicación de este grupo, en sus lineamientos generales, como participantes de la generación liberal reformista que actúa en el país en la primera mitad del presente siglo y que tuvo como objetivo canalizar idealmente, en forma no violenta y dentro de un proceso evolutivo, políticas que permitieran la erradicación de lo que su diagnóstico juzgaba nocivo para el cuerpo social (26).

Protagonismo de la élite

Es lugar común en los discursos de colación de grados, que los docentes efectúen una invocación a esa minoría selecta que recibe sus diplomas, para que no olviden su condición de tales y la función de conducción que a través de las acciones de gobierno les están reservadas (27). Pero no solamente entonces se aborda el tema; las aulas universitarias se hacen eco a diario de discursos referidos al rol que desempeñarían al egresar, realidad que con ejemplos prácticos les muestra un medio donde los que les han precedido en los estudios protagonizan los papeles más importantes.

Habida cuenta que el ingreso a la vida pública suele conseguirse por el desempeño de un cargo en algún orden de la administración estatal y/o en la función política, es preocupación de los que intentan tener protagonismo en el medio, el acceso a los mismos, desde donde pueden ejercer el poder de decisión privativo del mundo de gobierno.

En una sociedad donde no existen blasones nobiliarios, la posesión de un título doctoral suple otras carencias a la hora de ocupar cargos y dignidades, y quienes pueden exhibir un título de bachilleres, maestros, licenciados y doctores de la histórica Universidad son parte de la clase letrada, para los que está reservado el primer lugar entre los grupos sociales de Córdoba (28).

El reconocimiento externo de la sociedad basado en las «cualidades» del grupo, se complementa con el convencimiento que tienen sus miembros de ser los mejor capacitados para desempeñar el papel que los demás le asignan y que, en el caso de una élite política, son las funciones de gobierno. De ese modo, la minoría busca desempeñar un cargo que con la necesaria cuota de poder le permita constituirse en dirigencia efectiva.

El protagonismo político se alcanza en representación de los partidos, o más propiamente agrupaciones políticas, que en el momento se orientan en dos grandes líneas. Una liberal, laica, anticlerical, abierta a las influencias y al capital extranjero; y otra defensora de lo nacional, en algunos aspectos tradicional y católica, más próxima a algunos sectores del radicalismo. La identificación partidaria no es totalmente ortodoxa en tanto el momento es de decantación y reorganización de las fuerzas, que culminará en la formación de nuevos partidos en los que tendrán activa participación varios egresados de nuestro estudio. A modo de rápido ejemplo señalamos que ellos están presentes en el autonomismo (movimiento de extracción liberal); con una sola excepción los encontramos en la fracción oficialista del radicalismo, «la azul» (partido con fuerte influencia del krausismo, principalmente en la lucha contra la corrupción y la defensa de lo ético); en el Partido Demócrata que surge en 1913 (reagrupación de antiguos sectores conservadores de filiación neotomista); un grupo reducido defenderá al socialismo, y también serán parte de agrupaciones confesionales influyentes en el medio político (a modo de ejemplo cito la *Corda Frates*, agrupación de católicos que nuclea a dirigentes de distintas fuerzas, con peso significativo en las decisiones políticas).

En nuestro universo de estudio, la minoría que constituye la élite busca, compartiendo con otras tendencias contemporáneas, constituir políticamente un nuevo elitismo que reemplace a la tradicional dirigencia de origen conservador, con la finalidad de enfrentar y derrotar el desafío que constituye un medio donde la descomposición, el materialismo y las consecuencias negativas aportadas por los cambios sociales aparecen como una constante del momento. En una amalgama de liberalismo, conservadurismo, nacionalismo y rechazo al extremismo liberal al que culpan de la corrupción, la anarquía, los anarquistas, los conflictos de los asalariados y los males que sufre el país, los doctores egresados de la Universidad de Córdoba quieren ingresar a un escenario en el que habrán de demostrar sus cualidades. El acceso al cargo público es vital para ello, y si bien la denominación comprende tanto a los empleos de la administración estatal como a las funciones directivas y de conducción de la sociedad, nuestro interés está centrado en estos últimos en razón de brindar a la élite mayores posibilidades de operar como sujeto histórico transformador.

Es sintomático que habiendo elegido una profesión liberal, más de la mitad de los egresados en este período desempeñan en algún momento de su vida un cargo público. Interés que se incrementa con el paso del tiempo, advirtiendo en el análisis de este variable una mayor tendencia a ese tipo de ocupación en las promociones más jóvenes; opción en la que se conjugan diferentes factores como la falta de otras actividades en el medio, más la renta y el prestigio que los mismos generan. El cómputo de los 30 años estudiados indica que sobre un total de 399 egresados se ocuparon, al menos, 354 cargos en el orden nacional, provincial y muncipal (29), y que si bien no corresponde un cargo por persona, más de la mitad de los egresados desempeñó alguno (30). La banda de ocupación oscila entre 1 y 11 cargos por persona, advirtiéndose que la mayor acumulación es signo de mayor importancia personal de quien lo desempeña (31).

Es común, también, que al concluir una función ingresen en otra, o que distribuyan su tiempo en más de un cargo en forma simultánea. En estos casos, por lo general, uno se inserta en el ámbito educativo; y, en él, lo más apreciado es la docencia universitaria. Ser parte de los cuadros docentes de las casas de altos estudios otorga un prestigio que pocos rechazan, más si se tiene en cuenta que aún no han llegado las innovaciones educativas, y la función docente mínima se limita a la lectura de sus clases frente al curso. Situación que superan algunos docentes al establecer fructífero contacto con sus alumnos y estimular el razonamiento y la discusión:

Y ese hombre que tanto adoctrinaba, bajaba a veces al alma de sus alumnos para prender. Antes de hablar de la pena de muerte pedía opinión a cada uno sobre su mantenimiento o su abolición, pues sociólogo profundo, veía en esos juicios escuetos y espontáneos como los quería el índice de una corriente humana, la inclinación social en un momento dado hacia la severidad o la misericordia.

Años después, quienes por entonces fueron discípulos pueden señalar respecto a algunos docentes que

Había tal elevación en su pensamiento y tanta dignidad en su expresión que salíamos del aula con la mente agrandada y a veces el corazón conmovido: es que no trasmitía conocimientos sino sugestiones, es decir modelos, ideales, emociones, ansias de ser mejor (32).

La función docente permiten a los doctores expresar y transmitir sus ideas convirtiéndose en formadores de conciencia, a la par que posibilita que sus concepciones trasciendan a través de sus alumnos, lo que no tiene poca importancia en una sociedad en transformación y puntualmente en una Facultad de Derecho, en la que se insinúan primero y se desarrollan después, argumentaciones de peso orientadas a mantener o modificar la estructura vigente.

178 egresados ejercen la docencia como profesores titulares o suplentes. A nivel directivo son rectores, vice rectores, en las facultades son decanos y vice decanos, mientras otros son académicos –sólo hasta 1918–, consejeros docentes y conciliarios (33). Las modificaciones que se operan en la Universidad en la década de 1930, dan lugar a nuevas escuelas que luego se transforman en Facultades y también al establecimiento de institutos de investigación, que tienen como profesores y como directores, respectivamente, a profesionales egresados de la Facultad de Derecho en este período. También los hay quienes ocupando un cargo docente desempeñan labores administrativas en el ámbito educativo, como son los secretarios generales y prosecretarios de la Facultad y de la Universidad, así como los directores de la Biblioteca Mayor dependiente de la Casa de estudios.

Los egresados no despreciaron la docencia de nivel medio, lo que es explicable en razón de que ésta se limitaba a pocos establecimientos que, por lo mismo, gozaban de prestigio en el medio. Al respecto vale como ejemplo que años después, cuando existían en la ciudad numerosos colegios, la gente seguía refiriéndose a ellos como si fuera uno sólo, diciendo «el Colegio Nacional». Estos establecimientos –por entonces existían sólo en las principales ciudades del país– y los denominados «incorporados», aseguraban a sus egresados el ingreso a la Universidad y uno de ellos, el Colegio Nacional de Monserrat, en el que la mayoría de nuestros egresados que desempeñaron tareas a nivel docente, dependía de la misma Universidad (34).

Es de hacer notar que las mujeres sólo tenían acceso en el nivel secundario al Colegio Normal Nacional y a escuelas dirigidas por la Sociedad de Beneficencia. En la primera de ellas, aunque sólo coyunturalmente, hubo participación de nuestros egresados en períodos tardíos (35).

Si bien no se puede computar como docencia sistemática a la que se ejerce a través de publicaciones periódicas generales y/o específicas del ámbito de la cultura, es necesario destacar que doctores que obtuvieron su título en nuestro período de estudio, se desempeñaron como directores de publicaciones de distinta índole, y también en diarios de circulación masiva (36).

También están los que se ocupan de dirigir y presidir instituciones dedicadas a actividades económicas relacionadas al rubro agrícola y ganadero, y están al frente de sociedades literarias, artísticas, profesionales y religiosas.

Los padrinos

La conclusión de los estudios con un trabajo de tesis, otorga a éstas una importancia especial en la que no poca corresponde a quien elige el futuro doctor como padrino de la misma.

La función del padrino es la que en la actualidad se asigna al director. Es decir, una persona de reconocida actuación académica y con logros suficientes como para guiar al próximo egresado en la elaboración de un trabajo de investigación. Ese acto tiene también importancia para el estudiante, en tanto la aceptación de apadrinarlo es desde el comienzo un aval para su capacidad de llevar adelante la tarea, además de afianzar una relación que podrá ser útil para su actividad futura, sea ésta profesional o política. En esos casos, la búsqueda de una persona importante para desempeñar el rol de padrino se explica en la atracción de ingresar o darse a conocer más en el seno de los grupos de poder a que aquellos pertenecen.

Lamentablemente no en todas las tesis consultadas se puede establecer quien ofició de director de la misma, ya que a veces se omite su indicación; sin embargo en la mayoría, el nombre del padrino ocupa un lugar importante en las primeras páginas de la publicación, a continuación del título. De los 399 individuos que egresan como doctores en Derecho en el lapso estudiado, conocemos los padrinos de 222, es decir el 55,63% del total. Desglosando la relación entre los padrinos y los futuros doctores, se advierte que la mayor parte de ellos la tiene a nivel docente-alumno, desempeñándose los directores como profesores o académicos de la Facultad al momento de ejercer esa conducción; situación que en muchos casos se superpone con el de parentesco directo que guardan entre ambos, lo que pone de manifiesto la pertenencia a un sector minoritario. Un grupo más reducido mantiene sólo relación de parentesco en distinto grado y, el resto busca personas de significación en el medio, preferentemente políticos. En esos casos los que son de otras provincias eligen por lo general a personas de muy destacada actuación –con los que además mantienen contacto a nivel familiar en distinto grado–, y no falta uno que sea dirigido por el Presidente de la Nación, en ejercicio; variante que permite inferir que la dirección no debió haber sido demasiado efectiva tanto por razón de la ocupación del director, como por la distancia geográfica y los medios de comunicación de la época.

Esta última variante, en otros casos, se supera con la elección de dos padrinos, cumpliendo uno la tarea en forma efectiva y el otro sólo honorífica.

Conclusión

El período estudiado muestra la presencia de diferentes variantes ideológicas en las que participan la tradicional concepción escolástica, matizada en los últimos años con un tercer movimiento –la neo-escolástica–, junto a un liberalismo que con diferentes matices positivistas se abre campo entre el tradicionalismo. No están ausentes manifestaciones de un incipiente nacionalismo, ni los primeros esbozos de la superación del positivismo, junto a una tenue defensa de los movimientos socialistas.

Ninguna de las corrientes se manifiesta en grado puro, estando todas ellas influenciadas por las otras, lo que les otorga un cierto eclecticismo, característico de la historia de las ideas en la Argentina y, principalmente, en este período.

Los egresados manifestaron su preocupación por ocupar un cargo público, desde el que ejercieron una cuota de poder que les permitió articular políticas sociales de carácter benéfico, acordes al liberalismo reformista que la mayoría de ellos defendió. La misma posición se manifestó en la dirección de agrupaciones o sociedades literarias, artísticas y de fomento, donde se evidenciaron políticas de protección y beneficio de la minoría dirigente hacia sectores ubicados socialmente por debajo de ellos.

Junto a la preocupación por acceder al cargo público y/o a la función política, se puso de manifiesto la del desempeño docente, principalmente a nivel universitario pero sin rechazar la enseñanza secundaria. En esto es necesario tener presente que eran pocos los establecimientos de ese nivel, lo que contribuía a otorgar más significación al cargo docente.

Los egresados fueron parte de una minoría dirigente que permite caracterizarlos como un sector de élite.

Estas conclusiones fueron posibles por la aplicación de una metodología que partiendo de la especial formación histórica, permitió analizar el discurso de los tesistas con el objetivo de extrapolar la concepción que los egresados tenían sobre distintas problemáticas que afectaban a la sociedad en la que estaban insertos. Ello permitió ubicarlos ideológicamente y explicar luego desde las ideas, la conexión con los hechos. El universo de estudio que se eligió no se compuso sólo de «intelectuales», entendiendo por tales a los que luego tuvieron actuación descollante en el campo de las ideas, sino de los egresados de una Facultad en la que se formaron convencidos de ser parte de un sector de élite y que por lo mismo pudieron influir en la articulación de políticas que modificaran o mantuvieran una situación dada.

Las conclusiones de este trabajo me han permitido recuperar aspectos propios de nuestro pasado, que es la cotidiana ocupación que asumo como historiadora. Creo, como decía Zea, que no basta conocer el ser del hombre americano, sino que es menester, además, conocer el puesto del hombre y la cultura americanas en lo universal; pero sostengo que desde estos estudios microhistóricos que rescatan lo propio y diverso sobre lo ajeno y plural, será posible aspirar posteriormente a una construcción de lo americano basada en el correspondiente rigor metodológico.

Notas y referencias

1   Arturo Andrés Roig (1993): «La historia de las ideas», en idem: *Historia de las ideas, teoría del discurso y pensamiento latinoamericano*, Bogotá: Universidad Santo Tomás, USTA.
2   Fernando Vallespín (1990): «Aspectos metodológicos de la historia de la teoría política», en idem: *Historia de la teoría política*, T. 1, Barcelona: Alianza Editorial, 24-25. El autor sostiene que es posible encontrar un contexto aun en aquellos autores enrolados en una concepción textualista.

3   William Raat (1970): «Ideas e Historia en México, un ensayo sobre metodología», en *Latinoamérica (Anuario de Estudios Latinoamericanos)* 3 (México, UNAM), 177.

4   Quentin Skinner (1974): «Some Problems in the Analysis of Political Thought and Action», en *Political Theory* 2 (3) (Beverly Hills, Calif.), 277-278.

5   Idem (1972): «Philosophy, Politics and Society», en P. Laslett, W. G. Runciman y Q. Skinner (eds.): *Social Meaning and the Explanation of Social Actions,* Oxford: Blackwell, 141-142.

6   Fernando Vallespín: «Aspectos metodológicos de la Historia de la teoría política», en idem: *Historia de la teoría política,* op. cit., 21.

7   Arturo Andrés Roig: «La historia de las ideas», en idem: *Historia de las ideas,..,* op. cit., 21. La idea se visualizaba, dice Roig, «[...] como el contenido semántico de un signo que, como todo signo, exige desciframiento», en Fernando Vallespín (1990): «Aspectos metodológicos de la historia de la teoría política», en idem: *Historia de la teoría política,* op. cit., 21.

8   El autor precedentemente citado sostiene que el desarrollo de ambas ha sido incompleto, lo mismo que el de la historia de las ideas. Al respecto dice que en ello: «[...] ha influido sin duda la tardía constitución de una historiografía socioeconómica, cuyo nacimiento es posterior a la constitución de la historia de las ideas y no ha alcanzado un volumen satisfactorio. Tampoco la historiografía de las ideas filosóficas ha avanzado en general en la Argentina hacia una visión continental de su desarrollo, salvadas siempre las excepciones, y se ha reducido a un trabajo que no ha superado los límites nacionales», cf. Arturo Andrés Roig: «Historia de las ideas», en idem: *Historia de las ideas, ...,* op. cit., 34.

9   En este aspecto es ilustrativo el raconto personal que realiza el historiador de las ideas mencionado anteriormente, cf. ibid., 34-40.

10   Ese objetivo guió el trabajo de Leopoldo Zea (1971): *La esencia de lo americano,* Buenos Aires: Pleamar.

11   Como ejemplo del desarrollo de ese esquema puede consultarse el clásico libro de Leopoldo Zea (1976): *El pensamiento latinoamericano,* Barcelona: Ariel. Una versión anterior se publicó en México en 1949 bajo el título de *Dos etapas del pensamiento en Hispanoamérica: del romanticismo al positivismo.*

12   Gaetano Mosca (1884): *Sulla teorica dei governi e sul governo parlamentare: Studi storici e sociali,* citado por James Miesel (1975): *El mito de la clase gobernante: Gaetano Mosca y la élite,* Buenos Aires: Amorrortu, 42 (la cursiva me pertenece).

13   Citado por María de los Ángeles Yannuzzi (1993) en *Intelectuales, masas y élite. Una Introducción a Mosca, Pareto y Michels,* Rosario: Universidad Nacional de Rosario, Facultad de Ciencia Política y Relaciones Internacionales, 20-24.

14   María de los Ángeles Yannuzzi (1993): *Intelectuales, masas y élite..,* op. cit., 16.

15   Norberto Bobbio, Nicola Mastteucci y Gianfranco Pasquino (1995): *Diccionario de política,* México: Siglo XXI, 520.

16   Ettore A. Albertoni (1989): «De la doctrina de la clase política de Gaetano Mosca (1858-1914) a la teoría de la competencia entre las élites políticas en el moderno sistema del pluralismo partidario», en Rafael Pérez Miranda y Ettore A. Albertoni (comps.): *Clase política y élites políticas,* México: Plaza y Janés, 23.

17   C. Wright Mills (1957): *La élite del poder,* México: Fondo de Cultura Económica, 261 (la cursiva es del original).

18 Sus miembros, si bien tienen características que los diferencian del resto, no necesariamente son homogéneos, pudiendo establecerse distintas maneras de distinguirlos. Natalio Botana (1986), en su clásico libro, *El orden conservador. La política argentina entre 1880-1916*, emplea una gradación de acuerdo a la cantidad de cargos públicos que llegaron a ocupar.

19 Marcela B. González y Norma Dolores Riquelme (1994): «Élite social, universidad y dirigencia», en *Studia* 4 (Córdoba, Universidad Nacional de Córdoba).

20 Marcela B. González (1998): «Los universitarios, ideas y protagonismo, 1880-1910», en Hugo Cancino Troncoso, Carmen de Sierra (orgs.): *Ideas, cultura e historia en la creación intelectual latinoamericana, siglos XIX y XX,* Quito: Abya Yala.

21 La fecha coincide con la celebración de la Inmaculada Concepción, patrona de la Universidad, y es uno de los actos más comentados socialmente en el medio, contando generalmente con la presencia del Ministro de educación y representantes diplomáticos de naciones latinoamericanas.

22 Universidad Nacional de Córdoba, Archivo General de la Universidad Nacional de Córdoba, (en adelante AGUNC) (1907): «Notas», Libro 64, f. 101.

23 El mejor estudio sobre el tema es el que realizó Arturo Andrés Roig (1969): *Los krausistas argentinos,* México: José M. Cajica Jr. S. A.

24 Sandra Cazón (1996): «Panorama ideológico en Córdoba tras la declinación del positivismo», en *Studia* 5 (Córdoba, Universidad Nacional de Córdoba), 18.

25 Enrique Martínez Paz (1922): *Elementos de Sociología,* Córdoba: Beltrán y Rossi, 324.

26 Marcela B. González (1996): «El medio, los actores y las ideas en la Universidad de Córdoba, 1900-1910», en *Studia* 5 (Córdoba, Universidad Nacional de Córdoba).

27 Me refiero al discurso que pronunciaba un docente de la Facultad en el acto de concesión de grados del 8 de diciembre. Los mismos se pueden consultar en los diarios de mayor circulación del primer día hábil siguiente al indicado. Sólo excepcionalmente se imprimían, e igual derrotero seguía el discurso del mejor egresado, que hablaba a continuación del docente.

28 Manuel Río y Luis Achával (1904): *Geografía de la Provincia de Córdoba,* Buenos Aires: Publicación Oficial, 374-375.

29 Los cómputos ofrecidos son los de mínima, habida cuenta que siendo buena parte de los egresados originarios de otras provincias, a las que algunos regresan al concluir sus estudios, es casi seguro que también desempeñaron cargos en ellas que no siempre hemos podido registrar.

30 El detalle de los cargos públicos desempeñados en este período puede verse en Marcela B. González: «Los universitarios, ideas y...», op. cit.

31 Este estudio ratifica lo oportunamente afirmado por Natalio Botana en *El orden conservador...*, op. cit., 157.

32 Sofanor Novillo Corvalán (1937): «Maestros y estudiantes: dos épocas», en idem: *Ideas y creaciones universitarias,* Córdoba: Universidad Nacional de Córdoba, 43-55. La referencia puntual es al profesor de Derecho Penal, Dr. Cornelio Moyano Gacitúa, pero también hay recuerdos de otros docentes.

33 La Reforma estatutaria de 1918 suprime las Academias y las reemplaza por Consejos Directivos en cada Facultad; cf. Universidad Nacional de Córdoba (1944): *Constituciones de la Universidad de Córdoba,* Publicación del Instituto de Estudios Americanistas 7, Córdoba: Imprenta de la Universidad.

34 Los alumnos que terminaban sus estudios en los incorporados, rendían un exámen final con profesores de colegios nacionales, a pesar de tener programas análogos.

35 La Sociedad de Beneficencia se establece en Córdoba en 1855, el Gobierno le encomienda la dirección de establecimientos educativos para niñas, y en 1884 le encarga la Escuela Normal. A principios de siglo esas escuelas pasan definitivamente a depender del gobierno. Cf. Marcela Peppoloni (1996): «Niñez e ilegalidad: el trasfondo ideológico», en *Studia* 5, (Córdoba, Universidad Nacional de Córdoba), 74-76.

36 En este aspecto es interesante rescatar que la relación se dio con diarios de diferente orientación ideológica. *La Libertad* de Pedro C. Molina respondió al radicalismo, mientras *Los Principios*, de tendencia católica, fue dirigido por Lisardo Novillo Saravia.

Bibliografía

Albertoni, Ettore A. (1989): «De la doctrina de la clase política de Gaetano Mosca (1858-1914) a la teoría de la competencia entre las élites políticas en el moderno sistema de pluralismo partidario», en Pérez Miranda, Rafael y Albertoni, Ettore A. (comps.): *Clase política y élites políticas,* México: Plaza y Janés, 7-52.

Bobbio, Norberto / Mastteucci, Nicola / Pasquino, Gianfranco (1995): *Diccionario de Política,* México: Siglo XXI.

Botana, Natalio (1986): *El orden conservador. La política argentina entre 1880-1916,* Buenos Aires: Ed. Sudamericana.

Cazón, Sandra (1994): «Universidad e ideologías a principios del siglo XX», en *Studia* 4 (Córdoba, Universidad Nacional de Córdoba), 27-42.

González, Marcela B. (1996): «El medio, los actores y las ideas en la Universidad de Córdoba, 1900-1910», en *Studia* 5 (Córdoba, Universidad Nacional de Córdoba), 175-224.

---(1998): «Los universitario, ideas y protagonismo, 1880-1910», en Cancino Troncoso, Hugo y de Sierra, Carmen (orgs.): *Ideas, cultura e historia en la creación intelectual latinoamericana, siglos XIX y XX,* Quito: Abya Yala, 95-125.

--- y Riquelme, Norma Dolores (1994): «Élite social, universidad y dirigencia», en *Studia* 4 (Córdoba, Universidad Nacional de Córdoba), 45-93.

Martínez Paz, Enrique (1922): *Elementos de Sociología,* Córdoba: Beltrán y Rossi.

Miesel James (1975): *El mito de la clase gobernante, Gaetano Mosta y la élite,* Buenos Aires: Amorrortu.

Novillo Corvalán, Sofanor (1937): «Maestros y estudiantes: dos épocas», en idem: *Ideas y creaciones universitarias,* Córdoba: Universidad Nacional de Córdoba.

Peppoloni, Marcela (1996): «Niñez e ilegalidad: el trasfondo ideológico», en *Studia* 5 (Córdoba, Universidad Nacional de Córdoba), 59-80.

Raat William (1970): «Ideas e historia en México, un ensayo sobre metodología», en *Latinoamérica* (Anuario de Estudios Latinoamericanos) 3 (México, Unam).

Río, Manuel y Achaval, Luis (1904): *Geografía de la Provincia de Córdoba,* Buenos Aires: Publicación Oficial.

Roig, Arturo Andrés (1969): *Los krausistas argentinos,* Puebla: José M. Cajica Jr. S. A.

Roig Arturo Andrés (1993): «La historia de las ideas», en idem: *Historia de las ideas, teoría del discurso y pensamiento latinoamericano,* Bogotá: Universidad Santo Tomás, USTA, 11-22.

Skinner, Quentin (1972): «Philosophy, Politics and Society», en P. Laslett / W.G. Runciman / Q. Skinner (eds.): *Social Meaning and the Explanation of Social Actions,* Oxford: Blackwell, 136-157.

---(1974): «Some Problems in the Analysis of Political Thought and Action», en *Political Theory* 2 (3) (Beverly Hills, Calif.), 277-303.

Universidad Nacional de Córdoba, Archivo General de la Universidad Nacional de Córdoba, Libros de «Notas» y de «Matrículas» de los años comprendidos en este estudio.

Universidad Nacional de Córdoba (1944): *Constituciones de la Universidad de Córdoba,* Publicación del Instituto de Estudios Americanistas 7, Córdoba: Imprenta de la Universidad.

Vallespín Fernando (1990): «Aspectos metodológicos de la historia de la teoría política», en idem: *Historia de la teoría política,* T. 1, Barcelona: Alianza Editorial, 19-52.

Wright Mills, C. (1957): *La élite del poder,* México: Fondo de Cultura Económica.

Yannuzzi, María de los Ángeles (1993): *Intelectuales, masas y élite. Una Introducción a Mosca, Pareto y Michels,* Rosario: Universidad Nacional de Rosario, Facultad de Ciencia Política y Relaciones Internacionales.

Zea, Leopoldo (1971): *La esencia de lo americano,* Buenos Aires: Pleamar.

---(1976): *El pensamiento latinoamericano,* Barcelona: Ariel.

El estudio de las ideas sociales
en la Argentina de principios del siglo XX
Consideraciones metodológicas

Norma Dolores Riquelme
Consejo Nacional de Investigaciones Científicas y Técnicas, Argentina

El marco teórico

Consideraciones acerca de la conformación de un marco teórico: En la segunda mitad del siglo que concluye, eminentes intelectuales han revitalizado el estudio del pensamiento, facilitando el conocimiento del «mundo de ideas» vigente en un determinado momento histórico. Pero ¿qué se entiende por ello? Los primeros estudiosos de la historia de las ideas la entendieron como una filosofía de la historia. Aparecieron luego los que la concibieron casi exclusivamente como ideas políticas y, a éstas, como un puente por el que, azarosamente, el mundo occidental pasó desde el pensamiento griego hacia el Estado constitucional liberal. Entretanto los historiadores preferían orientar sus investigaciones hacia el análisis de procesos económicos, sociales o institucionales, pero han otorgado poca importancia al desarrollo de las ideas que han acompañado dicho proceso.

La segunda mitad del siglo XX ha sido pródiga en cuanto a propuestas de abordajes metodológicos dentro de las ciencias sociales e históricas.

Al principio la sistematización de la obra de autores descollantes dio lugar a la caracterización de los sistemas de pensamiento, pero, medida que avanzó el siglo, se buscaron métodos más exquisitos. Ciertos investigadores se inclinaron por el estudio del texto «en sí», convencidos que las ideas tienen vida propia y que hay problemas permanentes y atemporales que justifican su análisis «interno», buscando la correlación que las ideas guardan entre sí. Otros estudiosos juzgaron imprescindible tener en cuenta el medio social en el que se formaron los autores y su grado de incidencia en la obra (1). Estos creyeron conveniente hacer un análisis «externo», o sea referirse a ellas pero siempre en relación con los acontecimientos.

Pero, sin duda, quienes revolucionaron el método dentro del área que nos ocupa fueron los miembros de la *New History*, quienes a partir de los años sesenta, comenzaron a introducir sofisticados sistemas de análisis que, centrados en el «discurso», efectuaban complicadas disecciones del contexto lingüístico (2). Sus cultores piensan que la adecuada interpretación del objeto exige analizar el texto dentro del conjunto de significados lingüísticos existentes cuando fue creado. Ello presupone que el investigador debe conocer las convenciones lingüísticas del momento que estudia, amén de otros aspectos contextuales (3). Hoy, los llamados deconstructivistas tratan de demostrar al mundo el poder de la lengua (4).

Este desafío teórico ha comenzado a aplicarse en nuestro país y, por lo que conozco, con alentadores resultados (5). Empero, la mayoría de los intentos más serios proceden del campo de las letras y su aplicación exige una preparación previa no siempre presente entre los cultivadores de la ciencia histórica. No obstante, la aplicación de este método exige un esfuerzo de especialización teniendo en cuenta que el lenguaje es un reflejo de la propia sociedad (6).

Muchos de los que se han acercado a la historia de las ideas desde distintos ángulos, se han preguntado acerca de su fundamentación teórica, tarea que, en sus albores, encararon los filósofos (7). A algunos de los de América Latina les cabe el honor de haber encontrado lo que ellos estiman una metodología que responde a sus aspiraciones. Le pertenece a Leopoldo Zea el mérito de haber marcado nuevos y meritorios rumbos en este campo, los que José Gaos orientó definitivamente cuando afirmó que las investigaciones de Zea tenían un sentido y que, de él, se derivaba una nueva filosofía la que podía considerarse propiamente una filosofía americana. En adelante, Zea trabajaría en ese sentido, intentando situar a la historia de América en su propio contexto, «la historia sin más, la historia del hombre a través de sus múltiples y concretas realidades» (8).

Este grupo procuró explicar la particular manera de ser de los hispanoamericanos y su tendencia a adoptar corrientes foráneas de pensamiento, de las que se «apropiaron» para aplicarlas a su realidad. Ello los hizo sentirse incapaces de lucubrar un pensamiento original y es aquí donde los filósofos latinoamericanos de las ideas, encontraron la «dependencia» americana respecto a una realidad «superior», de donde procedían los sistemas filosóficos (9).

Estos pensadores, –que nosotros englobamos con el nombre de escuela mexicana– trabajaron en pos de la superación de ese complejo de inferioridad, tras lo cual los americanos se reconocieron capaces de originalidad y de concebir las líneas ideológicas de su propia historia. Originalidad que muchos juzgan como la capacidad de aplicar con formas propias las ideas surgidas en un contexto extraño, fundamentalmente el europeo; mientras otros, como el peruano Francisco Miró Quesada, llevan esto a sus últimas consecuencias al afirmar que los pensadores americanos han logrado crear una filosofía auténtica en «el más prístino sentido de la palabra».

Miró Quesada insiste en que la historia de las ideas tiene como meta última el descubrimiento de la autenticidad, para lo cual hay que conocer la forma en que las ideas fueron tomando cuerpo en América, pero no desde el horizonte académico, sino desde el social e histórico. Las expresiones propias, surgidas en el esfuerzo de adaptación de las ideas importadas a su propio contexto, dieron paso a una filosofía que también lo es (10).

Estos estudiosos latinoamericanos intentaron continentalizar su pensamiento, sugiriendo pautas sobre las que deberían trabajar los interesados en el tema. Ellas fijaban:

1) Partir de una concepción de la idea entendida como un elemento significativo que integra una estructura más amplia, con todas las connotaciones de este último término (económicas, políticas, etc.) dando cabida, además, a las ideas en sus diversas manifestaciones: filosofemas, vivencias, ideologías, concepciones del mundo, etc.

2) Aplicar un tratamiento dialéctico a la historia de las ideas, subrayando especialmente dos aspectos: la conveniencia de encararla desde nuestro presente y la necesidad de señalar a la vez los condicionamientos sociales y el poder transformador de las ideas (11).

3) No abordar la historia de las ideas como historia académica, abriéndose a la incorporación de las ideas y en particular de los grandes movimientos de liberación e integración latinoamericana, frente a las ideologías de dominación.

4) Encarar la historia de las ideas no a partir de campos epistemológicos (filosofía, pedagogía, etc.), sino de problemas concretos latinoamericanos y las respuestas dadas a cada uno de ellos desde aquellos campos.

5) Tratar todo desarrollo de historia de las ideas latinoamericanas a partir del supuesto de la unidad del proceso histórico de Latinoamérica.

6) Ir más allá de una historia de las ideas de tipo nacional y avanzar hacia uno más amplio de regiones continentales, sin olvidar el supuesto señalado antes.

7) Señalar en lo posible la función de las influencias en relación con los procesos históricos propios.

8) Dar preferencia a la historia de las ideas entendida como historia de la conciencia social latinoamericana (12).

Las *Recomendaciones* indicaban prestar atención a las diversas manifestaciones con que las ideas aparecen, las que se encuentran tanto en formas discursivas dentro del nivel de la vida cotidiana, como en exposiciones académicas donde, a pesar de su pretendida cientificidad, siempre está presente una determinada cosmovisión del mundo.

No hay duda que estamos en presencia de una historia de las ideas filosóficas comprometida con un programa determinado de liberación lo cual a mi criterio es meritorio pero, estimo, no invalida otros puntos de vista que permitan enriquecer el conocimiento de las ideas de nuestro pasado. Respecto a la propuesta de continentalización de estos estudios, considero que amerita una especialización y que ésta debe partir de conocimientos puntuales, que aún se encuentran en proceso de elaboración. Por otra parte, si bien es cierto que el proceso histórico latinoamericano tiene más puntos de coincidencia que de disidencia, también es cierto que existen particularismos dignos de tenerse en cuenta, sin lo cual no se alcanzaría una comprensión acabada de los distintos pensadores y sus ideas. El conocimiento de casos particulares permitirá, por comparación con otros, comprender ajustadamente el proceso hispanoamericano.

Y precisamente constituye un ejemplo particular el del Instituto Argentino de Estudios Constitucionales y Políticos, que nació hace algunos años en la provincia argentina de Mendoza, un caso puntual al que quiero referirme, y de cuyo seno han surgido importantes investigaciones en el campo específico de las ideas políticas.

Si bien dicho Instituto es interdisciplinario, cuenta con una mayoría de sus integrantes que –procedentes del campo del derecho– han privilegiado el estudio de la señalada temática con aportes que no pueden ser ignorados. Su enfoque, por otra parte novedoso, surge a partir del estado de derecho y, particularmente del constitucionalismo, el que –según afirman– da sustento y explicación a todo orden jurídico y político, orden que «para lograr vigencia debe ser el producto de una combinación equilibrada de historia, realidad y razón» (13). Es decir plantean una perspectiva metodológica que destaca la inescindible vinculación entre ideología y orden constitucional y consecuentemente la necesidad de una especial lectura de la fuente normativa que, en el campo del pensamiento político, está pletórico de contenidos. Ello implica la comprensión previa del clima ideológico existente en un determinado momento histórico, clima que abarca una visión integral, donde se conjuga tanto lo político como lo social, lo económico o lo cultural y que, luego, se encuentra plasmado en las normas de convivencia que rigen a cualquier sociedad. Desde mi punto de vista –desde ya ajeno al campo específico de lo jurídico–, el invalorable aporte de los miembros de este Instituto radica justamente en el análisis del clima ideológico que precedió a la norma (14).

De lo expuesto parece inferirse que los historiadores de las ideas están inmersos en un tembladeral metodológico y buscan afanosamente diferentes maneras de estudiarlas e interpretarlas y que ello depende, por supuesto, de su propia formación. La conceptualización teórica, entonces, será acorde a lo que cada uno se propone y, según mi particular manera de entender, los paradigmas metodológicos, si es que existen, carecen de significado, aunque en líneas generales acuerdo con Fernando Vallespín en que la historia de las ideas aún busca un método propio, siendo más adecuado buscar caminos alternativos que sentirnos dueños de la panacea metodológica. Como el mencionado autor, creo que ante un objeto tan matizable y escurridizo como éste, es preferible no dejarse llevar por un excesivo radicalismo epistemológico y conviene apostar por una postura ecléctica que sepa integrar las mejores intuiciones de cada enfoque (15).

Por otra parte, me parece digno de destacar que la vaguedad del término «historia de las ideas», la hace propensa a ser encarada desde distintos puntos de vista. Por eso creo importante insistir que de la orientación profesional de los cultores de esta temática, dependerá tanto la definición del objeto de investigación cuanto las formas de aproximación empleadas para llegar a él. Y, desde ya, los enfoques teóricos variarán según la relevancia que cada estudioso otorgue a determinadas ideas en la mente del autor o de los actores sociales y, se complicarán todavía más, cuando se tomen en cuenta las ideologías, con todas las limitaciones que ello significa. Esta observación no pretende establecer barreras entre lo estrictamente disciplinario y otras ciencias sociales. Por el contrario pienso que el quehacer historiográfico, aún sacudido por una crisis de identidad de la que no es el caso ocuparnos ahora y de la que pareció salir maltrecho, se ha enriquecido notablemente.

La cuestión social entre los jóvenes intelectuales

Es nuestra intención dedicar las páginas que siguen al análisis del impacto que las luchas obreras causaron entre la aristocracia criolla de una provincia mediterránea de la República Argentina, tal como lo era la de Córdoba, ateniéndonos a la opinión de los egresados de su Universidad Nacional con el título de doctor en Derecho y Ciencias Sociales y entendiendo que ellos son representantes calificados de una determinada clase social y que son testigos y parte de un determinado mundo de ideas. Para ello recurrimos a sus tesis, último escalón de su carrera, las cuales nos permiten abarcar el fenómeno dentro de un espectro amplio y, en ciertos casos, novedoso (16).

– *Católicos y liberales*: En la Universidad de Córdoba, católicos y liberales convivieron desde fines del siglo XIX, cuando en especial los más jóvenes incorporaron las novedades que esta última corriente imponía en la sociedad. Estas posturas, muchas veces en franca oposición a las sostenidas por el sector conservador, renovaron las disputas ideológicas sobre cuestiones que estaban en la raíz de las distintas vertientes del pensamiento político abrazado por la sociedad de la época.

El pensamiento cristiano, de larga tradición en las aulas de Córdoba, adhería a la convicción de que la sociedad no apareció en circunstancias fortuitas, sino que hombre y sociedad son una sola cosa; porque aquél, en cuanto racional, es social. La sociología recientemente incorporada, por lo tanto, era incapaz de solucionar las cuestiones inherentes a la naturaleza, origen y fin del hombre y, por supuesto, lo relativo a la sociedad cuya consideración sólo podía hacerse teniendo en cuenta las tres categorías anteriores.

El hombre subordina sus intereses a los de la sociedad, pero ello sólo es posible cuando hay también subordinación de las pasiones antisociales y aquél reconoce en el otro a un igual a quien no se puede usar como medio para satisfacer instintos egoístas. Los fundamentos de la igualdad no pueden encontrarse en la naturaleza la que, por el contrario, es la madre de todas las desigualdades y prueba de ello es que la ciencia se había encargado de demostrar la existencia de razas superiores e inferiores y el darwinismo había dado carácter científico a la desigualdad. Sólo la fe en la existencia de un Ser hacedor de todo lo creado, pudo arreglar estas cuestiones: somos hermanos y por lo tanto somos iguales (17).

A partir del Iluminismo aparecieron diferentes explicaciones acerca del surgimiento de la sociedad, cuya característica común era interpretar la cuestión desde un punto de vista agnóstico. El racionalismo reivindicó la bondad natural del hombre e imputó a la sociedad el haberlo pervertido; el individualismo había hecho su entrada triunfal en el pensamiento occidental. Desde entonces el cristianismo, convencido de la existencia del pecado original y de la consecuente naturaleza caída del hombre se opuso al liberalismo.

Esta manera de entender a los seres humanos y a la sociedad condiciona, como es fácil entender, toda la cosmovisión del hombre y, dentro de ella, la política.

– *La denominada «cuestión social»:* Los jóvenes que a lo largo del siglo decimonónico concurrieron a las aulas, en cualquier nivel de formación, hicieron suyo el convencimiento de que la Argentina era un país predestinado a ocupar un lugar de privilegio entre las naciones más importantes del globo.

No obstante la pertenencia a una determinada clase, parece haber sido una valla importante al juzgar la verdadera situación de la clase obrera argentina. Los tesistas afirmarán, sin sonrojarse, que al obrero no le preocupaba perder el trabajo, pues si dejaba de ser zapatero le esperaba el pescante de un tranvía y si abandonaba un ingenio, pronto podía entrar en otro, en los aserraderos del Chaco, o en las chacras de Córdoba; el salario percibido satisfacía sus necesidades, sobre todo en la campaña. En las ciudades la situación era más dura, pero nunca alcanzaba situaciones desesperantes pues el trabajo no faltaba (18).

No hay duda que el joven aspirante a doctor no captaba integralmente el problema social que aquejaba a sus compatriotas, cuyas míseras viviendas se extendían a pocas cuadras del centro de la ciudad y cuyas necesidades describían por entonces con mucha crudeza sus pares de la Facultad de Medicina (19).

No obstante es necesario aclarar que Telasco Castellano, a pesar de estas manifestaciones, llegaría al absoluto convencimiento del derecho que asistía a los obreros argentinos para reclamar mejores condiciones de vida y de trabajo. Esto acordaba con los vientos de cambio que soplaban por el mundo. La sociedad reclamaba cada vez más igualdad, más justicia y más participación, así sucedía en otras partes del planeta y no había razón para que la Argentina, tan afecta a imitar conductas europeas, se mantuviera al margen cuando estaban en juego valores de semejante trascendencia.

La «cuestión social» había afectado a los países adelantados a lo largo del siglo XIX y, hacia su culminación, se instaló en este extremo del mundo. La inmigración masiva, la urbanización y la industrialización acarrearon problemas nuevos que la Argentina no estaba preparada para afrontar. Si bien muchos inmigrantes se radicaron en el campo, aquellos que lo hicieron en las ciudades transformaron la fisonomía urbana y contribuyeron a evidenciar su incapacidad para absorber adecuadamente a sus nuevos integrantes: la falta de vivienda, la inexistencia de la salud preventiva, la creciente criminalidad y prostitución, sacaron carta de ciudadanía en las ciudades más importantes de la Argentina. Esta realidad habría de sacudir a sus clases dirigentes, que debieron adecuar su mentalidad y la política a la nueva realidad. Cabe aclarar que sería ingenuo suponer que antes de 1880 aquellos problemas no existían; ellos estaban pero su presencia no incomodaba a una sociedad que había encontrado en el positivismo y su vertiente darwinista una estupenda base científica para despreocuparse por el destino de los «menos aptos». Sin embargo estaban dadas las condiciones para que las cuestiones sociales pasaran a un primer plano. Y, por sobre todo, los recién llegados reivindicaron peligrosas corrientes de ideas cuya vigencia se hacía necesario combatir con medidas concretas.

A principios del siglo XX arreciaron las críticas contra el sistema y se cuestionó la capacidad del liberalismo vigente para aportar soluciones concretas. Políticos e intelectuales, conscientes de la necesidad de introducir cambios, discutieron las pautas vigentes entre la sociedad y el Estado y propusieron reformas tendientes a superar la urticante «cuestión social» (20).

El tema haría tambalear, incluso, la idea de progreso, a la que gran parte del mundo occidental había adherido como parte de su propia estructura mental. Apoyados en un andamiaje teórico al que colaboraron muchos pensadores argentinos, la clase dirigente soñó y trabajó en pos de ideales concretos. Efectivamente, dentro de un esquema de mayor materialismo y menor espiritualidad, el anhelado progreso se había trasladado a cuestiones reales que tenían mucho que ver con la riqueza material del país. Nadie por entonces era capaz de negar que aquellas naciones que tuvieran mayor capacidad industrial y comercial estarían en mejores condiciones para hacer más felices a sus pueblos. Se consolidaba así una Argentina diferente, apoyada en un orden que mitificaba el progreso y la ciencia. Los valores habían cambiado; la larga lucha por la libertad parecía haber cedido espacio ante la lucha por el enriquecimiento. No obstante empezarían también nuevos problemas y, entre ellos, las luchas obreras en busca de merecidas reivindicaciones.

La llegada masiva de inmigrantes y su parcial asentamiento en las ciudades, introdujo en el país la novedad de las concentraciones urbanas masivas carente de recursos, lo que aumentó la existencia de mano de obra que fue ocupada en las nacientes fábricas y talleres por salarios misérrimos. De allí al estallido de las primeras huelgas en el país había un paso que, pronto, y con el ejemplo de lo que sucedía en otras partes del mundo, los obreros de la Argentina estaban dispuestos a dar.

Su repercusión dentro de la esfera de los universitarios reviste particular importancia si tenemos en cuenta que eran ellos los que pertenecían a la clase gobernante y se preparaban en las aulas para conducir el país. Efectivamente, durante los primeros años del siglo aparecieron los trabajos que intentaban develar el fondo de esta difícil cuestión. Los que hemos podido consultar fueron efectuados por dos tesistas católicos; no obstante hay entre ellos marcadas diferencias a la hora de considerar el tema (21).

Telasco Castellano, partidario de la necesidad de promover un cambio radical de las leyes obreras, pensaba que desde el seno de la universidad de donde egresaba, debían partir los primeros estudios y las primeras tendencias de modernización de los códigos, que –aunque recientemente dictados– ya habían sido superados por la realidad. Contrariamente, afirmaba que la constitución argentina era la más avanzada del mundo; sus declaraciones de derechos y garantías para todos los hombres del mundo que quisieran habitar su suelo, no las acordaban las naciones europeas ni siquiera a sus propios habitantes, y allí se encontraba el marco para encuadrar la cuestión social. Estaba convencido que la prosperidad sólo podía existir sobre la base de la paz; ello obligaba a evitar la revolución y a reemplazarla por una evolución natural.

– *La ley y la justicia social*: El ultra católico Francisco Funes Garay, se ocupó de las huelgas remontándose al análisis del derecho natural. Entendía que el origen de la ley estaba en Dios y que ella existía con Dios antes de la creación del mundo y comprendía en ella a todo cuanto existe y, entre ese todo, el hombre (22). Esta ley, llamada «rectitud moral», indicaba al hombre el sendero a seguir y sostenía que se equivocaban aquellos que pretendieran legislar en materia social, prescindiendo de ese fin moral y que toda ley que no se apoyase en él, no podía obligar al hombre.

El tesista entendía que en la base de la naturaleza del hombre se encontraba la libertad, no obstante estar sometido a una fuerza llamada Dios. O sea que aquél se diferenciaba de todos los demás seres, pues sólo él era libre, pero simultáneamente era también responsable de sus acciones. Y si la libertad se hubiese comprendido en estos términos por todos los hombres, nunca hubieran existido el despotismo, la demagogia, las revoluciones ni la anarquía.

De la ley eterna, el autor derivaba la ley natural que definía como «el conjunto de obligaciones impuestas al hombre, por una causa superior para acomodar a ella su actividad considerada en sus relaciones de justicia» (23). Y agregaba que la ley natural es el reflejo de la razón divina y el hombre no puede apartarse de ella. El que niega estos principios, inclinándose por el racionalismo, la denigra.

No deja de ser sorprendente el análisis de filosofía cristiana desplegado por el tesista antes de entrar al tema de la ley civil y llegar finalmente a las huelgas. Su camino es indicativo acerca de su convicción de que las posturas, ideologías y tomas de posición –así como su reflejo en medidas concretas de la vida social– encuentran su razón de ser en la cosmovisión del mundo que cada uno, o en todo caso el círculo que ostenta el poder, adopte.

Funes Garay afirmaba que la ley positiva debía afirmarse en la ley natural y que ese era el camino para evitar cataclismos sociales «y especialmente las huelgas, en cuya llaga social, se erige como principio la destrucción de todo orden y la destrucción de todo derecho, la verdadera anarquía [...]» (24). Las cuestiones sociales amenazaban la estabilidad de las naciones a causa de la irreligiosidad de los pueblos, y la irreligiosidad de los Estados, incapaces de legislar teniendo en cuenta el bien común.

Este autor entendía que las huelgas se producían porque «los soberanos» se habían apartado de la recta capaz de conducir al pueblo a su destino. Aseveraba que ellas giraban entre dos polos, primero la irreligiosidad de los pueblos y por ende la falta de moralidad, segundo, el peso abrumador de los impuestos que soportaba el obrero lo cual hacía imposible la satisfacción de sus necesidades por medio del trabajo. Gracias al liberalismo, afirmaba, se había perdido la fe. ¿Qué resultado se espera del obrero que ha perdido la idea religiosa? Se entrega al concubinato, se rompen los lazos de familia, se cae en el alcoholismo y se pierde la templanza y la sobriedad. Además, los lazos de solidaridad aparecidos entre los obreros, habían sido aprovechados por los socialistas para arrastrarlos a las huelgas.

En otro capítulo el autor analizaba las tres corrientes principales que se «disputaban» la cuestión social: el liberalismo, el socialismo y el catolicismo.

Refiriéndose al primero afirmaba que su concepto de la libertad humana era, precisamente, la negación de toda libertad y, sus leyes, fueron incapaces de evitar los males sociales. Era más drástico cuando se refería a la doctrina socialista sólo para decir que ocupándose de una materia científica «es muy poco agradable descender a semejante terreno salvo el caso que sea para condenarla» y destacaba que ella atacaba la propiedad y los derechos individuales, dejando todo sometido a la voluntad del Estado (25). Terminaba por aclarar que él seguía la escuela católica.

Definía la huelga y reconocía que la mayoría de los autores se inclinaban por aceptar la licitud de estos movimientos. No obstante él agregaba:

[...] debo decir que esta cuestión no debe zanjarse de esta forma, pues todo depende de como se consideren los antecedentes que la originen, para poder contestar [...] Si las leyes que rigen los Estados son como el último eco de la ley eterna o emanación directa de la ley natural [...] y las pretensiones de los obreros son injustas; no solamente no hay derecho para las huelgas, y son ilícitas, sino que son un delito, que debe figurar en la carátula de todos los códigos del mundo, para ser prevenidos y fuertemente castigados [...] más si las leyes civiles [...] se apartan de la ley natural y por ende de la moral [...] son esclavizadoras las pretensiones de los patrones de tal manera que al obrero no se le pague lo suficiente para sufragar sus gastos necesarios, las huelgas no solamente son lícitas [...] sino que son un deber [...] y habiendo verdadera colisión entre las leyes eternas y temporales o naturales y positivas, el hombre debe obedecer a las primeras, cuyo deber lo debe realizar aunque para ello no solo sea necesario, pasar por las huelgas hasta llegar a la revolución, sino que la misma revolución es necesaria (26).

El de Funes Garay es un planteo teórico sin soluciones concretas. El afirma que la huelga es justa si las leyes también lo son y, en caso contrario, justifica incluso la revolución. No obstante, cuando habla de las huelgas lo hace en los peores términos. Y las empareja con el alcoholismo, el concubinato y otros vicios sociales, que poco tienen que ver con la realidad del trabajo.

Las huelgas venían agitando al mundo al extremo que el siglo XIX podría calificarse como «el siglo de las luchas obreras» y, para combatirlas, nada más adecuado que conocerlas. ¿Qué era una huelga? Sólo una manera natural de ejercer derechos y de nivelar potencias, las pequeñas fuerzas aisladas del obrero frente a la grande del patrón, decía Telasco Castellano. Sin ser conscientes que, en realidad, se estaba en los comienzos de una revolución social, por entonces la mayoría de las huelgas buscaban fines más inmediatos y tangibles: el salario, la higiene, la seguridad o las horas de trabajo. El tesista tomaba claro partido por los obreros, pero reservaba duros conceptos para los agitadores profesionales (27). No obstante las huelgas debían evitarse, agregaba el autor, en virtud de los daños económicos que causaban. Para ello el Estado debía adelantarse a los hechos mediante una legislación previsora, no represiva, que siendo capaz de prever los conflictos fuera también capaz de solucionarlos favorablemente. No obstante ni la Nación ni las provincias habían hecho nada en este sentido.

– *¿Dos tendencias opuestas?* Las corrientes de ideas vigentes a comienzos de siglo se habían pronunciado de una u otra forma por el tema social. Y, en especial, se ocupaban de él los socialistas y los católicos, sobre todo después del pronunciamiento del papado en este sentido. No obstante, gracias a una parte de la prensa, se había difundido la convicción de que el movimiento obrero obedecía al socialismo, al cual se achacaban sus éxitos, pero también sus excesos y ello contribuía a que todos aquellos que rechazaban las propuestas de esta corriente, tampoco colaboraran en la búsqueda de soluciones reales para superar el problema social.

Castellano, con gran pragmatismo, afirmaría que no se enrolaba en ninguna corriente y que sólo lo guiaba la intención de encontrar soluciones, recurriendo al sistema jurídico argentino. Afirmaba que toda tendencia cuya aspiración fuera el bien y la libertad, debía sostener también el mejoramiento obrero. Rechazaba, como muestra de ignorancia, la tendencia a oponerse a toda iniciativa proveniente del socialismo y afirmaba la necesidad de tomar sus buenos principios, afirmando que así debían actuar los seres humanos, en lugar de aferrarse al pasado por suponerlo siempre lo mejor, esta concepción le cabía a los «rutinarios» pero no a los «hombres de estudio» (28).

Castellano hacía notar también que los católicos, quienes debían preocuparse prioritariamente por la suerte de sus semejantes, nada habían hecho por cambiar las leyes:

> [...] ni una sola voz se ha hecho oír en favor de las tendencias nuevas sobre el mejoramiento de las clases obreras, en sus condiciones morales y económicas [...] en un parlamento que el elemento genuinamente católico ha dominado, hasta que recién, y por primera vez, tan solo un representante del socialismo ha entrado en su seno, para que se oiga la voz de alarma, mitad científica, mitad convencional, sin que hasta esa hora se hubiera oído hablar de la necesidad de impedir que un párvulo sea despedazado por una sin fin de aserradero o desaparezca entre los cilindros de un ingenio azucarero, o que, jóvenes menores de sexo femenino, en la promiscuidad informe del taller, sin trabas de ninguna clase, sean los lugares propicios donde se recluten las porta plagas e infecten y minen la sociedad en toda hora, en la forma más repugnante y asquerosa (29).

El proyecto de ley del trabajo pergeñado por Joaquín V. González llegó recién después que agudos conflictos agitaron a Buenos Aires durante dos años, y vino también a salvar a los católicos que, ciegos a la hoguera circundante, no fueron capaces de darse cuenta que el incendio amenazaba a la hasta entonces pacífica República Argentina:

> Este proyecto de ley, eruditísimo en verdad, no salva los cargos que nos debemos hacer los católicos [...] El deber de los católicos está en afrontar de una vez por todas la lucha social, no despreciemos ni anatematicemos desde la cátedra, ni en la obra, las buenas tendencias del socialismo [...] Este estudio, me permito repetir, es de todos, para no dejar librado al obrero ni al bello porvenir prometido por un socialismo ateo, ni a la beneficencia egoísta liberal, ni tampoco nuestra a nuestra caridad cristiana [...] (30).

Telasco Castellano, desde sus jóvenes años, se daba cuenta que entre el socialismo y el cristianismo había muchos puntos en común, aunque pensaba que los católicos compartían la manera de actuar de los socialistas, pero no sus principios, pues eran realistas, mientras los socialistas se dejaban llevar por la utopía «en un grado inimaginable». Hechas estas consideraciones, el tesista afirmaba que los católicos tenían el deber de inmiscuirse en la cuestión social, perseguidos por la sana intención de mejorar y proteger la situación del obrero; de concluir con las discusiones teóricas y las divagaciones académicas. En una palabra, decía, «hablemos menos y obremos más» (31).

No obstante el tesista pensaba que el medio más eficaz para prevenir las huelgas era darle al hombre un Dios y una moral absoluta a la cual ajustar sus actos. El individuo sin Dios, afirmaba, no veía otra vida más que la terrestre, se consagraba al egoísmo y éste no da más frutos que el individualismo. Esa es la peor herencia dejada por este sistema, en contraposición al «amaos los unos a los otros». El individualismo liberal, tomó a la máquina y abandonó al hombre:

> No proclamó más dogma que la utilidad personal y egoísta, las malas pasiones, las ruindades, y todo lo que más tiene de mezquino el hombre fueron dogmatizadas por la ley, con destierro de las bondades y virtudes del alma. Borrar ese pasado es la tarea de las nuevas leyes y en ello están conformes todas las escuelas, *excepto la individualista liberal que se bate en retirada, arrollada por la reacción de los elementos que ella desterró* (32).

Prevenir antes que lamentar – la propuesta de Castellano era clara: no permitir que estalle el conflicto, sino evitarlo mediante una legislación adecuada. Por entonces las huelgas y reclamos obreros se sucedían por doquier, reclamando la jornada de ocho horas, seguridad contra accidentes, medidas de higiene, limitación de los hacinamientos de personas en recintos inadecuados, vacunación, control de los alimentos de primera necesidad, seguridad en las minas etc. Las leyes eran las destinadas a solucionar estas cuestiones, ello era una cuestión de humanidad y cualquier persona capaz de albergar el más mínimo sentimiento por el prójimo, debía interesarse en su reforma. Las malas leyes, las incompletas o absurdas, eran las culpables del mal social.

– *La igualdad*: A nuestro criterio este era el gran dilema que se implantaba con el siglo, aunque sus teóricos no lo plantearan en esos términos. La lucha por la igualdad no era una novedad en el pensamiento del naciente siglo XX y los pensadores que, de una u otra forma, habían caído en su consideración. A lo largo del tiempo esos vientos igualitarios soplaron en la Argentina, no sólo en su capital –que por su carácter portuario era más propensa a asimilar las novedades del mundo– sino también en las ciudades del interior.

La Constitución, al establecer las bases de la legislación civil, pretendió establecer el equilibrio mediante una igualdad absoluta. Telasco Castellano se preguntaba si ella era posible para el caso del trabajo y se respondía que no. ¿Porqué? Porque las bases contractuales que regían sus relaciones ponían al obrero, sin más capital que sus brazos, en inferioridad de condiciones frente al patrón, dueño del capital y del crédito. El sindicato era la única forma de poner coto a este y otros problemas.

Al final de su obra el tesista se preguntaba cómo acceder a toda la protección de que la clase obrera era acreedora, lo que era lo mismo que entrar a la «parte práctica de la obra social, en la liberación del trabajo» y pensaba que contar con estadísticas sobre su verdadera situación eran ponerse en el camino de trabajar por su igualdad (33). De otra manera las leyes daban la libertad pero no realizaban la igualdad y donde no hay más que hambre y miseria, la libertad y la igualdad son una mentira, y agregaba «ayuda al débil para que haya igualdad, el equilibrio de los elementos es la estabilidad de la Nación» (34). Afirmaba que América, tierra de libertades, fue la primera en encontrar el laboratorio de la igualdad y que ella estaba destinada a ser un territorio de paz, donde todos los hombres encontraran la libertad y la igualdad:

[...] las naciones americanas dan el ejemplo en las nuevas tendencias de paz. [...] inician su evolución [...], con solo el ideal de preparar las tierras de promisión y felicidad «para nosotros para nuestra posteridad y para todos los hombres de buena voluntad» que arrojados por el mar de la vida a estas playas, quieran habitar la gran patria argentina, que no tiene más lema que libertad e igualdad, escrito en su pendón formado por dos jirones tomados de la inmensidad (35).

Nuestra opción metodológica

Desde mi posición de historiadora, pienso que si todo acto humano tiene un pensamiento agente que lo motiva y da sentido, parece evidente que no se pueden desentrañar ni los actos individuales ni los colectivos, sin conocer el pensamiento que los informa. En consecuencia, entender el mundo de ideas es el paso necesario e ineludible tanto para comprender el fenómeno histórico como para explicar el presente en tiempos como los que vivimos. Pienso que muchas de las incógnitas de dicho mundo histórico se disimulan en una inmensa serie de testimonios que esconden, tanto la mentalidad de una época o de una sociedad determinada, como la ideología de un grupo o una clase social y ello, obviamente, está en estrecha relación con los hechos históricos. Ideas y hechos son inseparables, a veces las primeras gestan a los segundos; otras, los justifican o critican después de sucedidos. Pero, de una u otra forma, esa imbricada relación explica la importancia de las ideas para la comprensión total de la historia.

Por estas razones adhiero, en términos generales, al contextualismo y como Crane Brinton pienso que las ideas son un instrumento de adaptación y supervivencia del hombre dentro de la realidad en que se encuentra (36). Ellas le ayudan a justificar ciertas condiciones dentro de la sociedad, convirtiéndose en un factor de control social o, por creerlas injustas, a pregonar un cambio. Esto las convierte en un factor de transformación, aún cuando esta aparezca a largo plazo.

Si bien, por nuestra formación, no estamos en condiciones de formular nuestra investigación en los términos propuestos por Skinner, pensamos, como él, que la mayoría de los textos se escriben bajo la influencia de la política práctica, y pertenecen a distintas tradiciones del discurso político, funcionan por tanto, como argumentos ideológicos.

Finalmente, adherimos a las *Recomendaciones* citadas en este trabajo, en lo referente a entender que las ideas constituyen un elemento significativo integrante de una estructura más amplia, en la que se engloban cuestiones de todo tipo y en la necesidad de encarar su estudio desde nuestro presente y señalando sus condicionamientos sociales y poder transformador. Y, desde ya, entendiendo que ellas conforman la conciencia social latinoamericana y están relacionadas a procesos históricos propios.

De acuerdo a lo expuesto, es fácil darse cuenta que preferimos ser eclécticas y coincidiendo otra vez con Vallespín, pensamos que lo metodológico debe ajustarse de acuerdo a los problemas y acumular las respuestas en torno a ellos.

Adhiriendo a lo antes expuesto, decidimos enfrentar esta investigación desde nuestra manera de entender lo histórico y, además, desde nuestra particular formación histórica. Ella, como otras en torno a cuestiones semejantes, me permitió comprobar que, desde lo ideológico, podía arribar a conclusiones que explicaran lo social, teniendo presente que, en la historia de las ideas, la conexión ideas-hechos es esencial.

Para llevar adelante mi trabajo, conjugué tanto la tendencia que pretende reconstruir los problemas sociales o políticos para justificar la reacción intelectual del escritor, como la que intenta explicar el cambio social en virtud de la adopción de ciertas y determinadas ideas previas. En lo operativo recurrí –de manera especial– a fuentes éditas no tradicionales: las tesis de doctorado mencionadas oportunamente. Ello significa que opté por partir de arriba hacia abajo, o sea desde un grupo de elite hacia el común de la gente, ubicándome conscientemente «contra la corriente» que, a partir de los sesenta, abjuró del «hacer» de los dueños del poder. Trabajé con las obras de algunos miembros de la elite. Lo hice porque ellos son los que «escriben lo que piensan» y es lo que han dejado impreso para las generaciones posteriores. Una parte de ese grupo, conforma una minoría rectora respecto a la mayoría de la sociedad; son los que se aprestan a engrosar la «clase gobernante», para lo cual se los prepara especialmente desde las aulas universitarias.

No nos ocupamos, además, de eximios pensadores; sino de jóvenes que se aprestan a iniciar su carrera profesional capaces de receptar las grandes líneas de pensamiento presentes en el país, pasándolas por el tamiz de su experiencia de vida. En este sentido adhiero al presupuesto epistemológico que, asociado al historicismo, revaloriza el acontecer histórico.

En este caso nos interesamos por la postura del grupo frente a la «cuestión social» y las formas de enfrentar esta lucha que se inaugura en Córdoba justamente con el siglo. En las postrimerías del siglo XIX, conservadores y liberales pensaban que el problema social, entendido en la dimensión de «conflicto social», no existía en la Argentina sino sólo en Europa. Los primeros rechazaban la violencia y creían que había que vivir la realidad de acuerdo al Evangelio, único camino para establecer la igualdad. Para los segundos, las desigualdades eran el fruto de la naturaleza del hombre y la justicia residía en el respeto de esas diferencias.

Unos años más tarde ambos coincidirán en condenar la violencia como método. Los liberales piensan que el necesario corolario de la evolución es el progreso y que la evolución de las cuestiones sociales está ligada a un precepto superior, es una fuerza misteriosa que ineludiblemente concluye en el progreso, porque su dinámica obedece a una ley universal. El progreso es una fuerza social, por la cual la autoridad y la ley prestan su protección a la división del trabajo; el Estado, mero administrador de justicia, debe velar por el cumplimiento de las leyes capaces de conducir al progreso. Los católicos, como vimos, creen que el hombre es merecedor de la igualdad de oportunidades aunque, a la hora de proponer soluciones concretas, hay sensibles diferencias entre ellos.

A medida que avanzamos en el tiempo la preocupación por el tema se instala en la sociedad y en nuestros jóvenes intelectuales y, a la necesidad de encontrar respuestas, se suma el convencimiento de que ellas pasan por la dignificación del trabajador.

Como conclusión podríamos decir que esta investigación confirma nuestras hipótesis. Tal como dijimos, las posiciones de nuestros tesistas respecto a los grandes problemas sociales de su tiempo hay que rastrearlas en su cosmovisión del mundo, en donde están presente las corrientes liberales y conservadoras. Existe un marco paradigmático que le permite a nuestros doctores experimentar su propio mundo y trasladar dicha experiencia a su manera de pensar.

Para terminar quiero rescatar la idea de que, por razones que se hunden en las raíces mismas de su historia, los egresados de la Universidad de Córdoba, serán portadores de un pensamiento que les es propio, donde se conjuga tanto su formación académica como su experiencia de vida y el se proyectará en el futuro instalándose como parte del bagaje mental de la sociedad argentina del siglo XX. Analizar ese pensamiento, así como sus proyecciones es una forma de comprometernos con nuestro pasado y nuestro presente, aceptando los desafíos contemporáneos de recuperar lo particular sobre lo universal, lo nuestro sobre lo ajeno, la diversidad sobre la pluralidad, la heterogeneidad sobre la homogeneidad, la microhistoria sobre la macrohistoria, teniendo presente que tanto las ideas como los hechos que originaron son solo nuestros. Y dichas concepciones deben servir también para legitimar los caminos que empleemos para arribar al objetivo propuesto. Esto es lo que desde mi sencilla posición de historiadora inclinada por la historia de las ideas, he intentado realizar, sin pretender por cierto integrar el grupo de pensadores que hoy dan forma a la filosofía americana, tarea que por su especificidad –pienso– no me corresponde.

Notas y referencias

1   «Es obvio que todo texto debe comprenderse en relación a *algo*. Nadie puede ser tan necio como para pretender que pueda hacerse inteligible como ente aislado, en su soledad de cuerpo inerte. El problema estriba precisamente en definir los contornos de ese *algo*», Fernando Vallespín (comp.) (1992): *Historia de la teoría política,* T. 1, Madrid: Alianza Editorial, 23.

2   «[...] hablar constituye una forma de hacer, [...] la lengua es una fuerza activa dentro de la sociedad, un medio que tienen los individuos y grupos para controlar a los demás o para resistir tal control, un medio para modificar la sociedad o para impedir el cambio, un medio para suprimir identidades culturales», Peter Burke (1995): *Hablar y callar. Funciones sociales del lenguaje a través de la historia,* Barcelona: Gedisa Editorial, 38.

3   Por fin, Quentin Skinner se encargó de resaltar la importancia de los silencios; cf. Fernando Vallespín (1992): «Aspectos metodológicos en la historia de la teoría política», en idem (comp.): *Historia de la teoría política,* T. 1, Madrid, Alianza Editorial, 33-34.

4   «En un nivel más general, lingüistas, sociólogos e historiadores por igual afirman frecuentemente que la lengua desempeña una parte central en la 'construcción social de la realidad' y la lengua crea o 'constituye' la sociedad, así como la sociedad crea la lengua», Peter Burke (1995): *Hablar y callar...,* op. cit., 39.

5   Patricia Vallejos de Llobet (1992): *El léxico intelectual en el español bonaerense de principios del siglo XIX. Contribución al estudio del Iluminismo en el Río de la Plata,* 2ª ed., Bahía Blanca: Gabinete de Estudios Lingüísticos, Departamento de Humanidades, Universidad Nacional del Sur.

6   «El lugar de la 'idea' no es ya 'el mundo de las ideas', sino 'el mundo del lenguaje', con lo que ha quedado confirmada, por otra vía, la problemática del valor social de la idea que había planteado la historia de las ideas en sus inicios, allá por los años 40», Arturo Andrés Roig (1993): «La historia de las ideas», en idem: *Historia de las ideas, teoría del discurso y pensamiento latinoamericano,* Santa Fe de Bogotá: Universidad Santo Tomás, USTA, 21; sobre el mismo tema confrontar también A. Roig: «La teoría del discurso», en ibid., 107-113.

7   José Gaos, ya en la década de los cuarenta, se planteó la cuestión de los alcances de la historia de las ideas, como una de las formas del saber, infiriendo que era un modo de hacer historia de la filosofía. Francisco Romero, en cambio, pensaba que ésta era diferente de la de las ideas; la primera se ocupaba de los sistemas; la segunda, de la proyección social de los mismos. Los dos tuvieron interpretaciones diferentes: Gaos

tendió hacia lo nacional y continental, con un fuerte sentido latinoamericanizante, mientras que Romero fue panamericanista, entendiendo de muy distinta manera el ideal de unidad continental. Arturo Andrés Roig (1993): «La historia de las ideas y sus motivaciones fundamentales», en idem (1993): *Historia de las ideas, teoría del discurso y pensamiento latinoamericano,* op. cit., 19.

8　Leopoldo Zea (1987): *Filosofía de la historia americana,* primera reimpresión, México: Fondo de Cultura Económica (Colección Tierra Firme), 11.

9　Ibid.

10　Francisco Miró Quesada (1993): «La *Filosofía de lo americano* treinta años después», en Leopoldo Zea (comp.): *Fuentes de la cultura latinoamericana,* T. 3, México: Fondo de Cultura Económica (Tierra Firme), 29 y ss.

11　«[...] pretender hacer la historia haciendo abstracción de los problemas del momento –del momento de la sociedad–, así como de los problemas del historiador, sería una hipocresía», Pierre Vilar (1995): *Pensar la historia,* México: Instituto Mora, 110.

12　Arturo Andrés Roig (1993): «*La Historia de las ideas* cinco lustros después», en idem: *Historia de las ideas ...,* op. cit., 61.

13　Dardo Pérez Ghilhou (1997): *Liberales, radicales y conservadores. Convención constituyente de Buenos Aires, 1870-1873,* Buenos Aires: Plus Ultra, 11.

14　Entre otras obras de este grupo pueden consultarse: Carlos Egües y Juan Fernando Segovia (1994): *Los derechos del hombre y la idea republicana,* Mendoza: Instituto Argentino de Estudios Constitucionales y Políticos; Dardo Pérez Guilhou (1994): *Historia de originalidad constitucional argentina. Políticas y debates, 1810-1880,* Mendoza: Instituto Argentino de Estudios Constitucionales y Políticos; Cristina Seghesso de López Aragón: *El Congreso constituyente de 1824-1827: debate, ideologías y proyecto político,* conferencia de incorporación a la Academia Nacional de la Historia (en prensa).

15　Fernando Vallespín (1992): *Historia de la teoría política,* T. 1, op. cit., 20.

16　Aun cuando consideramos que los autores estudiados eran parte de un grupo de élite, cabe aclarar que él era también francamente heterogéneo ya que nucleaba a gran parte de los miembros de la sociedad tradicional de Córdoba, pero también a hijos de comerciantes e inmigrantes enriquecidos. Sobre las características de la élite universitaria cordobesa, cf. Marcela González de Martínez y Norma Riquelme de Lobos (1994): «Elite social, universidad y dirigencia», en *Studia* 4 (Córdoba, Universidad Nacional de Córdoba); de las mismas autoras (1993): «La universidad y la formación de las élites en la Argentina (Córdoba, 1880-1914)», en Dorando Michelini et al. (eds.): *Racionalidad y cultura en el debate Modernidad-Posmodernidad,* Río Cuarto: Instituto de Investigación y Postgrado del ICALA (Intercambio Cultural Alemán-Latinoamericano).

17　Para las consideraciones expuestas hemos seguido la obra de Luis G. Martínez Villada (1909): *Religión y sociología,* Córdoba: Universidad Nacional de Córdoba, Facultad de Derecho y Ciencias Sociales.

18　Telasco Castellano (1906): *Las huelgas en la República Argentina. Modos de combatirlas,* Córdoba: Facultad de Derecho y Ciencias Sociales, Universidad Nacional de Córdoba, 70.

19　Cf. Norma Dolores Riquelme (1998): *Los médicos y su mundo. Ideas y sociedad a principios del siglo XX,* inédito.

20 Eduardo Zimmermann afirma que apareció en el país una corriente liberal reformista, dispuesta a modificar las instituciones vigentes y que, en política social, estaba decidida a abandonar el liberalismo pero que, también, se oponía al socialismo y al anarquismo y a sus propuestas revolucionarias-radicales. Esta corriente se extendió entre las diferentes agrupaciones políticas y convivió con otras vertientes reformistas de origen diferente, tales como el socialismo y el catolicismo. Pensaban que el ámbito de donde debían surgir las soluciones era el parlamento. Cf. E. Zimmermann (1995): *Los liberales reformistas,* Buenos Aires: Editorial Sudamericana y Universidad de San Andrés. Para el caso cordobés cf. Norma Dolores Riquelme, *Intervencionismo estatal y cambio social,* inédito.

21 Además de las tesis consultadas, Federico Figueroa escribió otra titulada *Las huelgas en la República Argentina.* Nuestra pesquisa resultó infructuosa a la hora de localizarla.

22 Francisco Funes Garay (1906): *Las huelgas ante la Ley,* Córdoba: Facultad de Derecho y Ciencias Sociales, Universidad Nacional de Córdoba, 28-29.

23 Ibid., 54.

24 Ibid., 67.

25 La frase en cursiva corresponde a ibid., 98.

26 Ibid., 99, 100, 101.

27 «[...] el hacedor de huelgas, valiéndose de todas las licencias que le son permitidas, con ampuloso lenguaje con palabras altisonantes hace ver los males, las explotaciones de que son víctimas los obreros [...] Los ingenios azucareros de Tucumán sienten los efectos del paso de varios de estos supuestos apóstoles del socialismo que de vez en cuando hacen sus apariciones... a traerles la palabra de consuelo y a recordarles que el reinado de ellos, de los pobres, de los trabajadores, está próximo y que sólo hay que organizarse y hacer fondos de huelgas para las eventualidades de la lucha», Telasco Castellano (1906): *Las huelgas en la República Argentina...,* op. cit., 64.

28 Ibid., 73.

29 Ibid., 76.

30 Ibid., 78.

31 Ibid., 79.

32 Ibid., 270. La cursiva nos corresponde.

33 La frase transcripta corresponde a ibid., 255.

34 Ibid., 257.

35 Ibid., 278.

36 Crane Brinton (1952): *Las ideas y los hombres. Historia del pensamiento de Occidente,* Madrid: Aguilar.

Bibliografía

Armony, Victor (1993): *El análisis textual asistido por computadora: aspectos de su aplicación en la investigación social*, documento de trabajo del *Groupe de Recherche en Analyse du Discours Politique*, Montreal: Université du Québec.

Brinton, Crane (1952): *Las ideas y los hombres. Historia del pensamiento de Occidente*, Madrid: Aguilar.

Burke, Peter (1994): *Sociología e historia*, Madrid: Alianza Editorial.

---(1995): *Hablar y callar. Funciones sociales del lenguaje a través de la Historia*, Barcelona: Gedisa Editorial.

Castellano, Telasco (1906): *Las huelgas en la República Argentina. Modos de combatirlas*, Córdoba: Facultad de Derecho y Ciencias Sociales, Universidad Nacional de Córdoba.

Egües, Carlos y Juan Fernando Segovia (1994): *Los Derechos del hombre y la idea republicana*, Mendoza: Instituto Argentino de Estudios Constitucionales y Políticos.

Funes Garay, Francisco (1906): *Las huelgas ante la Ley*, Córdoba: Facultad de Derecho y Ciencias Sociales, Universidad Nacional de Córdoba.

González, Marcela y Norma Riquelme (1993): «La Universidad y la formación de las élites en la Argentina (Córdoba, 1880-1914)», en Dorando Michelini et al. (eds.): *Racionalidad y cultura en el debate Modernidad-Posmodernidad*, Río Cuarto: Instituto de Investigación y Postgrado del ICALA (Intercambio Cultural Alemán-Latinoamericano), 178-195.

---(1994): «Elite social, universidad y dirigencia», en *Studia* 4 (Córdoba / Universidad Nacional de Córdoba), 45-92.

Magid, Henry M. (1996): «John Stuart Mill (1806-1873)», en Leo Strauss y Joseph Cropsey (comp.): *Historia de la filosofía política*, México: F.C.E., 737-753.

Martínez Villada, Luis G. (1909): *Religión y sociología*, Córdoba: Universidad Nacional de Córdoba, Facultad de Derecho y Ciencias Sociales.

Michelini, Dorando / San Martín, J. José / Wester, Jutta (eds.) (1993): *Racionalidad y cultura en el debate Modernidad-Postmodernidad*, Río Cuarto, Primeras Jornadas Internacionales del ICALA.

Miró Quesada, Francisco (1993): «La *Filosofía de lo americano* treinta años después», en Leopoldo Zea (comp.): *Fuentes de la cultura latinoamericana*, T. 3, México: F.C.E. (Colección Tierra Firme), 29-40.

Pérez Ghilhou, Dardo (1994): *Historia de originalidad constitucional argentina. Políticas y debates, 1810-1880*, Mendoza: Instituto Argentino de Estudios Constitucionales y Políticos.

---(1997): *Liberales, radicales y conservadores. Convención constituyente de Buenos Aires, 1870-1873*, Buenos Aires: Plus Ultra.

Riquelme, Norma Dolores (1998): «La Historia de las ideas desde una perspectiva diferente», en *Investigaciones y Ensayos* 48, Buenos Aires: Academia Nacional de la Historia, 465-483.

---(1998): *Intervencionismo estatal y cambio social*, inédito.

---(1998): *Los médicos y su mundo. Ideas y sociedad a principios del siglo XX*, inédito.

Roig, Arturo Andrés (1978): *Problemática de la Filosofía Latinoamericana*, (Area III: Pensamiento latinoamericano y ecuatoriano), Ecuador, Pontífica Universidad Católica del Ecuador, Departamento de Filosofía.

---(1993): *Historia de las ideas, teoría del discurso y pensamiento latinoamericano*, Santa Fe de Bogotá: Universidad Santo Tomás, USTA.

---(1993): *Rostro y filosofía de América Latina*, Mendoza: EDIUNC.

Seghesso de López Aragón, Cristina: *El Congreso constituyente de 1824-1827: Debate, ideologías y proyecto político*, conferencia de incorporación a la Academia Nacional de la Historia en el mes de abril de 1998 (en prensa).

Vallejos de Llobet, Patricia (1992): *El léxico intelectual en el español bonaerense de principios del siglo XIX. Contribución al estudio del Iluminismo en el Río de la Plata*, 2ª ed., Bahía Blanca: Gabinete de Estudios Lingüísticos, Departamento de Humanidades, Universidad Nacional del Sur.

Vallespín, Fernando (1992): *Historia de la teoría política*, 7 tomos, Madrid: Alianza Editorial (El Libro de Bolsillo).

---(1992): «Aspectos metodológicos en la Historia de la teoría política», en idem (comp.): *Historia de la teoría política*, T. 1, Madrid: Alianza Editorial (El libro de Bolsillo), 19-52.

Vilar, Pierre (1995): *Pensar la historia*, México: Instituto Mora.

Zea, Leopoldo (1987): *Filosofía de la historia americana*, primera reimpresión, México: F.C.E. (Colección Tierra Firme).

Zimmermann, Eduardo (1995): *Los liberales reformistas*, Buenos Aires: Editorial Sudamericana / Universidad de San Andrés.

Ingerência do poder público na produção das idéias: a censura no Brasil no início dos oitocentos

Lúcia Maria Bastos P. Neves
Universidade do Estado do Rio de Janeiro

Leonard Defrance, em um quadro de fins do século XVIII, intitulado *Sob a égide de Minerva*, retratou a conversa amigável, diante de uma livraria, de vários ministros de diferentes confissões reformadas com padres católicos, exaltando assim, na visão de François Furet, tanto a política esclarecida, adotada em 1781, pelo imperador José II, em matéria de tolerância religiosa, quanto a filosofia como um instrumento capaz de destruir os efeitos funestos do fanatismo. Em frente à livraria, no entanto, pacotes de livros aguardavam seu envio para Portugal e Espanha. Obras que, sem dúvida, proibidas nessas regiões, tinham a missão de espalhar as Luzes nos países ibéricos, onde o Antigo Regime ainda se fazia sentir (1).

Essa oposição entre o Antigo Regime e as Luzes pode ser considerada como um sinal, talvez o mais evidente, do surgimento daquilo que muitos denominaram a *Modernidade*. Tal ingresso no mundo contemporâneo não se fez no mesmo ritmo, nem da mesma forma em todo Ocidente. Muito menos, limitou-se, como se pensava há algumas décadas, à introdução da produção fabril e a implantação efetiva do capitalismo. Na realidade, trata-se de um complexo processo, envolvendo a dimensão econômica e social, sim, mas que dependeu, fundamentalmente, da difusão de uma nova concepção de mundo, em termos políticos e intelectuais. Daí, o caráter fundador que adquiriu a Revolução francesa em relação a essa Modernidade (2).

De 1789 a 1815, ruiu o Antigo Regime. Com ele, tendiam a desaparecer o peso da *tradição*, entendida como a permanência de valores e atitudes sem perspectiva sobre o passado e, por isso, satisfazendo-se em reencenar quotidianamente uma ordem imemorial, que devia ser mantida a qualquer custo, e o valor da *religião* como catalisador das crenças e dos anseios dos indivíduos. Como dizem Furet e Ozouf, as vítimas desse processo foram o ancião e o sacerdote (3). Em seu lugar, vieram o ocupar o proscênio a idéia de *progresso* e a noção de *maleabilidade* do ser humano (4), infinitamente perfectível, valorizando, num segundo plano, a ciência, a história e a pedagogia. A primeira porque fornecia os meios para assegurar o progresso; a segunda, como instrumento de aferição deste progresso; a terceira, por fim, enquanto canal de difusão e de inculcação dessa nova visão-de-mundo. Visão-de-mundo secularizada, em que cabia aos homens transformar a realidade para dar-lhe as proporções e a forma adequada ao Homem, a partir de uma esfera crescentemente pública de poder, no sentido que lhe atribui Habermas (5), no qual definiam-se os interesses em jogo. Donde a importância cada vez maior da imprensa, em geral, e da periódica, em particular.

No espaço ibérico das metrópoles e suas colônias, como sugere o quadro de L. Defrance, essas transformações seguiram um curso próprio (6). O presente trabalho, ao tratar dos mecanismos de censura no Brasil de inícios do século XIX, pretende destacar alguns desses aspectos que fizeram a especificidade desse processo, do ponto de vista de uma história intelectual, pensada em termos de estruturas de pensamento partilhadas em uma determinada época (7).

Se havia uma preocupação com a exportação das idéias da Ilustração para os países de além-Pirineus, estes, por sua vez, tomavam todas as precauções a fim de evitar a contaminação de sua elite intelectual por tais princípios, considerados como revolucionários. Em Portugal, à medida que surgiam as notícias da «extraordinária e temível revolução literária e doutrinal», que havia propagado «novos, inauditos e horrorosos [...] sentimentos políticos», desencadeou-se a preocupação das autoridades governamentais com a difusão dos «abomináveis princípios franceses» no país (8). De um lado, organizou-se a repressão policial contra a infiltração e a propaganda das idéias revolucionárias, cabendo essa tarefa sobretudo ao célebre Intendente de Polícia, Diogo Inácio de Pina Manique. Produto típico de seu tempo, ele foi, sem dúvida, responsável pela perseguição à maçonaria portuguesa, aos franceses residentes em Portugal suspeitos de partilharem idéias jacobinas e aos portugueses simpatizantes com as idéias revolucionárias; mas mostrou-se também capaz de atitudes ilustradas, como a de *policiar* a cidade de Lisboa e a de organizar a filantrópica Casa Pia (9). De outro, as autoridades passaram a questionar a eficácia da própria Real Mesa da Comissão Geral do Exame e Censura dos Livros, responsabilizando-a pela difusão no território luso de milhares de livros escandalosos, libertinos e sediciosos, vindos do estrangeiro, que «confundiam a liberdade e felicidade das nações com a licença e ímpetos grosseiros dos ignorantes, desassossegavam o povo rude, perturbavam a paz pública e procuravam a ruína dos governos» (10). Em conseqüência, alteraram-se os procedimentos de censura a partir de 1794. Uma carta de lei, de 17 de dezembro deste ano, aboliu o antigo tribunal e restabeleceu em Portugal, como no Brasil, as tradicionais instâncias: a Inquisição, o Ordinário e a Mesa do Desembargo do Paço. Afinal, nas palavras do texto, «toda a prudência religiosa e política» era necessária para combater «com maior vigor e eficácia» a «tantos males e ruínas» (11).

No Brasil, tal situação não se alterou até a transferência da Corte portuguesa para o Rio de Janeiro, em 1808. O enriquecimento da vida cultural deu-se a partir das necessidades da elite dominante, que nela encontrava as formas de sociabilidade indispensáveis para sua própria existência. A novidade dos procedimentos característicos do círculo real exerceram extraordinário fascínio sobre todos aqueles expostos à sua influência, produzindo um poderoso efeito *civilizador* em relação à cidade.

A criação da Imprensa Régia, pelo decreto de 13 de maio, contribuiu como nenhuma outra medida, para despertar essa vida cultural da colônia. Além dos inevitáveis documentos oficiais, esse órgão cuidou da publicação de jornais e de muitas obras de cunho científico e literário. Paralelamente cresceu o número de livrarias e um outro tanto de estabelecimentos que revendiam, juntamente com artigos variados, as publicações do dia.

Em contrapartida, na esteira das guerras napoleônicas, a Coroa passou a adotar medidas de controle mais eficientes contra a propaganda e a infiltração das idéias ilustradas, dando-se início a um processo de ingerência do poder público na vida cultural. Assim, a partir da instalação da Imprensa Régia, a censura foi atribuída à sua Junta Diretora. Contudo, ainda em 1808, numa típica atitude de competição por privilégios entre órgãos administrativos do Antigo Regime, a Mesa do Desembargo do Paço reivindicou, o direito de exercer a jurisdição sobre o exame dos livros, incluindo os importados. A solicitação foi atendida e, nada mais imprimia-se sem a prévia censura da Mesa. Tampouco, livro algum importado poderia ser retirado das Alfândegas sem a devida licença do Desembargo, e toda a divulgação das obras estrangeiras, que passaram a invadir o Brasil, só poderia ser realizada mediante a apresentação dos respectivos anúncios à polícia. Era ainda o medo, no Brasil, dos «princípios franceses», difundidos pelo século das Luzes (12).

A despeito da incessante intervenção dos censores régios, zelosos em seus pareceres para preservar os bons costumes, a religião e a estabilidade do governo, as obras típicas da Ilustração francesa não deixaram, contudo, de infiltrar-se, *sous le manteau*, ou até mesmo com a aprovação desses indivíduos esclarecidos, em ambas as margens do Atlântico. Em Portugal, quando da invasão napoleônica, alguns oficiais franceses manifestaram surpresa ao encontrarem em algumas bibliotecas provinciais «livros de declarada apologética às idéias da Revolução» (13). No Brasil, um folheto publicado em 1822, também afirmava que «os escritos filosóficos dos Mablys, dos Rainaes, dos Rousseaus, dos Voltaires, dos Dupradts», introduzidos «pelas brechas feitas nas barreiras coloniais», circulavam pelas mãos dos brasileiros (14). Apenas um pouco mais de dois meses após a liberdade de imprensa (28 de agosto de 1821), o livreiro Paulo Martin anunciava nos jornais, aos 10 de novembro, que se encontrava à venda em sua loja *O Contrato Social* de Rousseau, em francês, como obra «outrora proibida», mas que «nas atuais circunstâncias se torna mui interessante». Ora, considerando-se que, em média, a viagem de travessia do Atlântico levava de seis a oito semanas, parece, na melhor das hipóteses, extraordinário que o pedido do livreiro e a remessa da mercadoria tenha tomado menos de onze, quando o mínimo esperado seria de doze, sem contar o tempo para despachar a mercadoria e as inevitáveis irregularidades na partida dos navios, sugerindo que a obra já se encontrava em seu estoque ou, pelo menos, encomendada sob o capote no momento em que a lei foi decretada (15).

Foi ainda comum o pedido, entre 1808 e 1822, por parte de livreiros franceses estabelecidos no Rio de Janeiro, de licenças ao Desembargo do Paço para importar obras de autores franceses, embora quase sempre negadas pelos censores régios, como José da Silva Lisboa e Mariano José Pereira da Fonseca (16). Estes mostravam em seus pareceres estarem perfeitamente familiarizados com o conteúdo de tais obras, e a apreensão da biblioteca do último, implicado na suposta Conjuração Carioca de 1794, já revelara a posse de volumes de Voltaire e do abade Raynal. José da Silva Lisboa, por seu turno, no segundo número de *O Conciliador do Reino Unido*, publicado em 12 de março de 1821, enquanto a liberdade de pensamento ainda era discutida nas Cortes, citava a *História da América* de Robertson, uma das obras proibidas e algumas vezes impedida de entrar no Brasil por seu próprio parecer (17).

Homens conservadores, mas esclarecidos, os censores defendiam a adoção de idéias ilustradas para reorganizar a sociedade, mas temiam que nelas se escondesse a proposta de uma revolução. Tal perspectiva revela-se com nitidez em um parecer de Mariano José Pereira da Fonseca, no qual, receando a leitura dos livros franceses, que considerava «popular e vulgar», dava preferência aos escritos em outros idiomas, como o inglês, que alcançavam um público mais restrito, devido à dificuldade da língua e à complexidade das matérias de que tratavam. Os primeiros eram sempre «ímpios, sediciosos, inflamatórios e de uma execranda obscenidade, diretamente compostos e destinados para abalar e subverter o trono, o altar e os bons costumes», devendo exercer-se particularmente contra eles a «severidade censória», que exigia «medidas mais austeras e vigorosas do que contra a peste, cujo dano parece muito menor que o do moderno contágio mental e moral» (18).

A atitude dos censores, contudo, nem sempre era monolítica. Com alguma freqüência, os pareceres careciam de coerência quanto à proibição de um conjunto de obras ou de critérios rígidos e equivalentes. Se José da Silva Lisboa não admitia que um negociante francês importasse e vendesse ao público a *História da decadência do Império romano* de Gibbon e as *Cartas persas* de Montesquieu, outro censor, Francisco de Borja Garção Stockler, ao emitir seu parecer sobre as mesmas obras, solicitadas pelo desembargador Manoel Caetano de Almeida e Albuquerque, mostrava-se favorável. Segundo ele, o livro de Gibbon era de «valor inestimável entre os muitos bons escritos do século passado», devido à influência que teve no «aperfeiçoamento das instituições sociais», no que toca à «política externa ou à ordem interna, defesa, segurança e tranqüilidade dos Impérios, de que mais que tudo dependem a sua permanente segurança» e, por isso, julgava, em 1819, que aos homens cultos, em função de seus cargos, cabia a permissão para lê-la. Quanto às *Cartas persas*, reconhecia que nelas a jovialidade fora levada «mais longe que a razão e a decência pediam», mas não supunha que isso fosse motivo suficiente para proibi-las sob o argumento de que podiam «dar nascimento às heresias ou às revoluções políticas» (19).

Algumas vezes, o confronto de opiniões se instaurava entre o censor e algum funcionário menor. Frei Rodrigo de São José, da ordem de São Bento, proveniente da Bahia, enviado por seu superior para dar aulas de filosofia no mosteiro do Rio de Janeiro, pediu licença para desembarcar seus livros. O censor régio, frei Antonio d'Arrábida, nada encontrou na lista de livros que desmerecesse «a graça» que o suplicante pedia. O escrivão da Real Câmara, Bernardo José de Souza Lobatto, no entanto, apontou a obra *Romans d'histoire, contes de M. Voltaire* como proibida por despacho da Mesa do Desembargo do Paço de 20 de novembro de 1817, conforme parecer do conselheiro José da Silva Lisboa. A frei d'Arrábida não restou senão reconhecer que, tendo Sua Majestade declarado a obra interdita, se executasse a real determinação e fosse proibida, determinando a Mesa, em janeiro de 1820, em seu despacho final, que ficassem em seu arquivo os três volumes proibidos (20).

Por outro lado, também ocorria que a opinião pessoal do censor interferisse na avaliação das obras, até mesmo quando não integrassem a lista dos livros proibidos, desde que pudessem dar margem a discussões ligadas aos princípios franceses. Assim, José da Silva Lisboa, negou licença à obra *De la liberté des mers*, escrita por Barreres [sic], porque

> [...] o autor desta obra foi um dos mais sanguinários sócios do monstro Robespierre. Que se pode esperar desse arqui-revolucionário? Ainda que o escrito parece ter por objeto mera questão de direito das gentes, sobre a liberdade de navegação, ele [...] [é], sobretudo, um pregão continuado de princípios revolucionários da soberania do povo, igualdade e liberdade, ódio aos monarcas, até com calúnia à religião (21).

A censura ainda se fazia sentir, naturalmente, nas lojas dos livreiros. Certa feita, por uma casualidade – alguém comprou uma lata de rapé que veio embrulhada em uma lista de livros impressa na tipografia da Bahia – o Escrivão da Real Câmara tomou conhecimento de obras proibidas anunciadas para venda na loja da Gazeta. Imediatamente, o conde da Palma, em ofício de 7 de setembro de 1820, alertou o desembargador e ouvidor geral do crime. Na referida loja foram, então, encontrados livros «expostos à venda pública» de Pigault le Brun, de Louvet de Couvay e de Laclos. Apenas «um exemplar de cada obra». O conde da Palma considerou o fato «muito crível», pois naquela cidade, «há mui poucas pessoas, que entendam línguas estrangeiras, e muitos menos que gostem de ocupar o tempo em ler livros». Entretanto, de acordo com legislação de 1795, consistiam de textos proibidos, devendo ser apreendidos e remetidos, num «prazo de trinta dias», à Secretaria do Governo, sob as penas inerentes ao caso (22).

A censura, por parte do poder público, exercia-se por fim na análise das solicitações para a impressão de livros. Requeridas ao Desembargo do Paço, essas licenças, nem numerosas, nem sistemáticas, tratavam, em sua maioria, de pedidos para publicação de elogios fúnebres, de orações de ação de graças, de tratados de teologia, de textos comerciais e de escritos comemorativos de eventos históricos. Os pareceres que suscitaram confirmam a preocupação de evitar a propagação de idéias consideradas perigosas e perturbadoras da ordem pública. Assim, um *Elogio à Sua Majestade Imperial e à Nação, por ocasião de se celebrar a Pacificação de Pernambuco* contou com uma série de restrições por parte de Silva Lisboa, a começar pelo próprio título *Pacificação de Pernambuco*, pois era «frase imprudente em si», supondo o termo «anterior estado de guerra entre potências», não sendo, portanto, «aplicável à mera suplantação, por força militar, da rebeldia de insurgentes contra o governo legítimo» (23). Da mesma forma, um discurso de autoria do padre José Constantino Gomes de Castro, recitado por ocasião da gloriosa aclamação de D. João VI, apesar da motivação e do autor, foi censurado pelo mesmo censor que questionou a pertinência de alguns termos utilizados pelo autor, em especial os de «Estados Gerais», «representantes» e «sufrágio consultivo». Com alguma presciência, considerava que, nas circunstâncias daquele momento, não era prudente «excitar no vulgo a espécie de *Cortes*». Não se tratava de substituir a expressão Estados Gerais por Cortes, mas de uma questão doutrinal, pois era

> notória a vertigem dos tempos e a mania de excitar nos povos os desejos e desatinos das Cortes, como [produtoras] de forais da nação, a pretexto de representarem necessidades e conveniências do público.

Alertava ainda que o termo Estados Gerais associava-se àquelas questões suscitadas pelos notáveis em França,

> que não corresponderam às reais pretensões do soberano, o qual imprevidentemente os convocou; eles começaram por súplicas e representações e acabaram com as infâmias e horribilidade, que o mundo viu.

Dessa forma, para a publicação do texto, cumpria retirar as referências que poderiam conduzir os leitores às idéias absurdas de pacto social, partilhadas pelos escritores da moda (24).

Para o mundo luso-brasileiro, foi de fato a chamada Revolução do Porto de 1820, que provocou uma certa ruptura nessa sistemática, com os primeiros ensaios de uma relativa liberdade de imprensa. Com a pronta adesão das províncias do Pará e da Bahia, logo seguidas pelo Rio de Janeiro a esse movimento constitucional, o ano de 1821 converteu-se, nos dois lados do Atlântico, naquele da pregação liberal e do constitucionalismo. Pregação estimulada pela circulação cada vez mais intensa de folhetos, panfletos e jornais, que chegavam de Lisboa ou que se imprimiam no Rio e na Bahia. Literatura de circunstância, essas obras faziam chegar notícias e informações a uma platéia mais ampla, a qual passava a encará-las como novidades não mais do domínio privado, mas sim do domínio público. Seus artigos acabam por serem discutidos na esfera pública dos cafés, das academias, das livrarias e das sociedades secretas (25).

Tais discussões ultrapassavam, sem dúvida, os limites estreitos da elite que dominava o escrito, e atingiam mesmo, pelo «falar de boca», os indivíduos situados nas fímbrias dos grupos privilegiados, transformando-os em um público virtual significativo. Em um «Rapport sur la situation de l'opinion publique» ao Intendente-Geral da Polícia da Corte, alertava-se para a gravidade do momento, uma vez que muitas obras eram lidas «diante de um auditório predisposto» a ser influenciado pelas «passagens mais infestadas do espírito revolucionário das obras francesas mais perniciosas», traduzidas «para o português, para a edificação dos ignorantes». Propaganda esta que não se limitava a «reuniões secretas», mas se manifestava «no salão dourado, na humilde loja e mesmo na praça pública» (26). Segundo o «Mestre Periodiqueiro», personagem de um folheto, o botequim era lugar de grande «falácia», em que se discutiam autores como Locke, Grotius, Montesquieu e outros, mas também «casas de reuniões patrióticas», em que a «opinião pública encontrava os seus verdadeiros intérpretes», formulando-se as questões por «vozes estrondosas», que retumbavam «nas vidraças da loja» (27).

Através da análise desses folhetos e panfletos, pode-se tentar identificar as linguagens políticas desenvolvidas, que traduzem os principais valores da nova cultura política que se esboçava no mundo luso-brasileiro e que ainda serviam para alimentar as discussões públicas (28). Predominava a idéia de uma monarquia constitucional, aliada a uma Igreja inteiramente subordinada aos seus interesses, pois, à falta de uma ideologia da nação, ainda se fazia necessária a doutrina cristã para reunir os indivíduos em um corpo social; a idéia de uma sociedade em que reinavam os homens ilustrados, cujo papel era o de orientar a opinião pública; a idéia de uma liberdade que não ultrapassasse os direitos alheios e de uma igualdade que se restringisse ao plano da lei.

Apesar dessas limitações, a vitória do constitucionalismo não deixou de instaurar, no Brasil, ao menos por um certo período, uma nova linguagem política, capaz de converter a palavra em coisa pública, em oposição à política de segredo do Antigo Regime. Contudo, para os ilustrados autores de folhetos e redatores de jornais, tal situação implicava sobretudo a necessidade de transformar seus escritos em instrumentos educacionais. Em primeiro lugar da própria elite, mas, secundariamente, também das camadas situadas nas margens dos grupos privilegiados, com o intuito de formar uma opinião pública (29). Um deles afirmava «ser um dever do cidadão, que [escrevia], dirigir a opinião pública, e levá-la, como pela mão, ao verdadeiro fim da felicidade social». O jornal *O Papagaio* suspendeu seus trabalhos porque julgava que os objetivos propostos tinham sido alcançados, uma vez que se achava «consolidada a opinião pública sobre os verdadeiros interesses do Brasil e de toda a família portuguesa». Enfim, em quase todos os periódicos pode ser encontrada a preocupação de dirigir ou de ser um porta-voz da opinião pública. Anos mais tarde, Januário da Cunha Barbosa ainda reconhecia esse propósito, quando, em um requerimento de 1841, solicitou uma pensão em remuneração de seus feitos, entre os quais o de ter dirigido, através de seu periódico, o *Revérbero Constitucional Fluminense*, a «opinião pública em prol da liberdade, Independência e monarquia constitucional representativa», reunindo em um só, com suas doutrinas, «os votos de todos os brasileiros» (30).

Sem dúvida, resultaria em anacronismo atribuir, nesse momento histórico, à idéia de opinião pública a concepção de uma «pluralidade de indivíduos que se exprimem em termos de aprovação ou sustentação a uma ação, servindo de referencial a um projeto político definido», com o poder de alterar os rumos dos acontecimentos. Ao final do Antigo Regime, segundo Keith Baker, foram os «meios de comunicação universal», isto é, os escritos públicos, principalmente os jornais e folhas avulsas, mas não só, que emprestaram densidade a uma opinião pública paulatinamente convertida em voz geral, cuja objetividade provinha da razão e cuja força resultava do progresso das Luzes (31). No Brasil, porém, em 1821/1822, era de cima para baixo que a opinião pública se impunha às demais opiniões individuais, cabendo aos homens de letras o papel de produzi-la. Ao invés de manipuladores de idéias, estes acreditavam encarnar os porta-vozes de uma evidência. A opinião pública não era ignorada, pois, como informava o redator de *O Macaco Brasileiro*, o príncipe d. Pedro conhecia e buscava «este termômetro», percebendo que o idolatravam pelo calor e energia com que soube merecer o título de Perpétuo Defensor do Brasil. No entanto, cumpria formá-la e guiá-la, por meio de práticas como a distribuição gratuita, juntamente com os jornais, de proclamações e cartas, como o juramento das bases da Constituição portuguesa, anexada à *Gazeta do Rio de Janeiro*, em 1821, ou até entregá-las nas casas (32).

De outro lado, a preocupação de formar uma opinião pública não eliminou os procedimentos tradicionais dos poderes constituídos para conter as idéias que poderiam revolucionar a população. Em 1820, um registro da Polícia comprova que soldados espanhóis tinham sido presos porque, num domingo, depois das três horas da tarde, passavam pelas ruas do Rio de Janeiro «cantando coisa que parecia ser o seu hino constitucional» (33). De modo semelhante, o já citado periódico *O Conciliador do Reino Unido* julgava seu «dever dirigir bem a opinião pública, a fim de atalhar os desacertos populares, e as efervescências frenéticas», pois «os periódicos e papéis avulsos» eram também «lidos sôfrega e inconsideramente pelas classes ínfimas». Em 1823, um ofício da Polícia determinava que fossem retirados das «esquinas das ruas e das portas das igrejas, os papéis manuscritos e proclamações incendiárias, que há dias [constavam] ter aparecido na cidade» (34). Dessa forma, ao invés de confiar na possibilidade de transformar o escrito em arma de influência para dirigir a opinião pública, as autoridades pareciam aferradas à tradição de cercear as idéias que circulavam e que podiam revelar-se perigosas aos planos arquitetados por seus próprios agentes.

Nesse ambiente, compreende-se que os primeiros fulgores da liberdade de imprensa se mostrassem ainda bem tênues. Em Portugal, uma portaria de 21 de setembro de 1820 não deixou de mandar

> facilitar a impressão [...] dos bons livros nacionais e estrangeiros, para que não se retarde a notícia dos acontecimentos nem a comunicação de idéias úteis para se dirigir a opinião pública, segundo os princípios de uma bem entendida liberdade civil.

Curvando-se às novas idéias, o governo do Rio de Janeiro, «zeloso do progresso e da civilização das letras», em 2 de março de 1821, abolia aparentemente a censura prévia dos escritos, estabelecendo-a sobre as provas tipográficas. Não houve, contudo, mudança efetiva, pois os impressores não correriam o risco de proceder à impressão de um trabalho, sob a ameaça de perdê-lo posteriormente, em função das correções exigidas ou de sua proibição, ao que se acrescentavam as multas previstas, de não «menos de cem mil réis, nem mais de seis contos», e a «correcional de custódia, de oito dias aos menos ou de três meses ao mais». Mantinha-se, ainda, sob as mesmas penas, a proibição em relação aos «livros contra a religião, a moral, os bons costumes, a Constituição, a pessoa do soberano e a tranqüilidade pública», devendo os livreiros mandar «ao diretor de estudos, ou quem as suas vezes fizer, lista de livros que tiver de venda». Com esse «ato espontâneo» de sua soberania, D. João VI suspendia a censura prévia até a promulgação da Constituição, mas não era sua intenção «abrir a porta à libertina dissolução no abuso da imprensa» (35).

Essa fresta entreaberta no aparelho repressor português, no entanto, acarretou diversos questionamentos quanto à entrada de livros no Brasil. Por exemplo, D. João Carlos de Souza Coutinho, recém-chegado de Portugal por essa época, tendo tomado na Universidade de Coimbra «grau de licenciado, Conselheiro da Fazenda», solicitou ao Desembargo do Paço a liberação de livros que trouxera para seu uso. «Pelo seu grau, pelo seu título e pelo seu distinto merecimento e qualidade» julgava merecer consideração e «não apresentaria relação de livros que exigissem proibição e carecessem censura». Em função do decreto de 2 de março, a Mesa do Tribunal hesitou. No entanto, o parecer final, datado de 9 de abril de 1821, recomendou a Sua Majestade que continuasse a caber a este órgão o direito de emitir as licenças que dava até então, porque não estava derrogado por este decreto o que se achava «estabelecido pelos Alvarás de 17 de dezembro de 1794 e de 30 de julho de 1795». O despacho do rei mostrou-se de acordo com o parecer emitido pela Mesa (36).

Da mesma forma, o pedido de Roberto Hill, «professor de doutrinas», para despachar livros, vindos de Liverpool para seu uso e retidos na alfândega da Corte, recebeu um primeiro parecer favorável de José da Silva Lisboa, em 1818. Entretanto, um segundo parecer de Mariano José Pereira da Fonseca, escrito já em março de 1820, apontou quatro obras «dignas de reprovação»: *Abelardo e Heloísa*, *Delolme sobre a Constituição Inglesa*, *Revolução Francesa de Madame de Staël* e *Junius*. A última obra, segundo o parecer, era uma coleção de cartas, publicada entre os anos de 1769 a 1772, em uma gazeta inglesa, censurando a vida pública e privada dos principais ministros de Estado. Segundo ele, essas cartas tiveram «grande celebridade» e «ainda são muito estimadas na Inglaterra», mas natureza das cartas «faz inadmissível e intolerante a sua leitura na nação portuguesa, onde nãos se permite a liberdade ilimitada de imprensa». Somente em agosto de 1822, o solicitante, mediante um novo requerimento à Mesa do Desembargo do Paço, obteve licença para tirar suas obras retidas pela censura (37).

Em Portugal, as Cortes de Lisboa proclamaram a liberdade de imprensa pela lei de 4 de julho de 1821, mas desde o juramento das bases da Constituição, em 9 de março, estabelecera-se o princípio. No Brasil, d. Pedro foi obrigado a jurar as mesmas bases em 5 de junho, e a questão da liberdade de imprensa continuou a ser discutida, apesar do decreto, já mencionado, de 2 de março, motivando um aviso do príncipe regente, de 28 de agosto, em que se extinguia a censura prévia, mas conservavam-se as penas para os abusos da liberdade. Em 15 de novembro, o *Revérbero Constitucional Fluminense*, jornal de tendência mais radical e democrática, voltava a insistir no assunto. Remontava suas críticas ao «antigo estado de coisas», em que «era permitido falar, com tanto porém, que fosse em abono daqueles mesmos que sob uma vara de ferro esmagavam e maltratavam o povo». Era uma época em que a «adulação havia tomado posse da imprensa e até dos templos: os calabouços da polícia faziam expirar nos lábios as queixas que a opressão arrancava ao peito». Agora, surgiam novos tempos, e a liberdade de imprensa era um direito concedido ao povo pela Constituição. Nesse sentido, criticava o surgimento de «atletas a combater a liberdade de imprensa», numa alusão aos últimos decretos impostos no Brasil (38).

Se o governo aceitava, ou parecia aceitar, alguns dos princípios constitucionalistas, não perdera, porém, todos os ranços do Antigo Regime. Em primeiro lugar, alarmado com a proliferação de tipografias e de folhetos e periódicos, em sua maioria anônimos, o príncipe regente d. Pedro resolveu proibir, em janeiro de 1822, o anonimato das obras, ao menos daquelas publicadas pela imprensa oficial, a fim de que fosse possível estabelecer responsabilidade pelo seu conteúdo. Na mesma portaria, mandou apreender a tiragem de um escrito, *Heroicidade brasileira*, por nele existirem proposições não só indiscretas, mas falsas, apesar de ser seu autor, José da Silva Lisboa, censor régio e membro da junta diretora da Tipografia Nacional. Era a primeira das violências que o jovem regente praticava contra a liberdade de imprensa (39).

Na época da convocação da Assembléia Geral Constituinte e Legislativa para o reino do Brasil, o regente, preocupado também com a manutenção da ordem tradicional, elaborou um decreto, em 18 de junho de 1822, contra os abusos da imprensa em relação ao Estado. O pretexto foi a crítica de *O Correio do Rio de Janeiro* às eleições indiretas para a Constituinte, que, na opinião do conselheiro José Mariano, continha «doutrinas criminosas». Era preciso, por conseguinte, evitar excessos ou, de acordo com o próprio texto da lei, cumpria evitar que «ou pela imprensa, ou verbalmente, ou de qualquer outra maneira, propaguem e publiquem os inimigos da ordem e da tranqüilidade e da união, doutrinas incendiárias e subversivas», que, «promovendo a anarquia e a licença, ataquem e destruam o sistema que os povos» deste Reino, «por sua própria vontade, escolheram, abraçaram e requereram» (40).

Ao convocar-se uma Assembléia Constituinte, de acordo com um dos pontos proclamados pela Declaração dos Direitos do Homem e do Cidadão, estabelecia-se uma nova lógica, segundo a qual todos os indivíduos livres deveriam ser elevados à categoria de cidadãos, aí incluindo-se os elementos até então marginalizados ou completamente excluídos do processo político. A transformação desse conjunto em autêntica esfera pública de poder exigiria uma série de procedimentos que a elite dirigente, porém, não estava predisposta ou não tinha condições de implementar. Em seu lugar, tendia a escolher atitudes e iniciativas destinadas a garantir a exclusão daqueles que não comungavam com os seus ideais políticos. Inclusive, no interior da própria elite. E tanto mais quanto o jogo de interesses entre as facções da elite propiciava manifestações por parte das camadas mais baixas da população, perturbando a ordem e a tranqüilidade pública. Embora reconhecendo que a «liberdade só existe debaixo do império de uma boa Constituição» e que «a faculdade de a emudecer dá origem ao despotismo», a elite dirigente temia sobretudo «o poder de a perturbar e confundir», que conduzia à anarquia. Ou, como dizia a paródia de uma oração constitucional, importava livrar-nos «destes males, assim como do despotismo [...] ou anarquia popular. Amém!» (41).

Nesse clima permeado pelos vestígios do Antigo Regime, a liberdade de imprensa em seu sentido pleno não podia se instaurar. O decreto de junho de 1822 permaneceu em vigor até o ano de 1823, quando passou a vigorar o projeto de lei sobre a liberdade de imprensa, oferecido à Assembléia Constituinte pelos alguns deputados. Nele, determinava-se que «nenhum escrito, de qualquer qualidade, volume ou denominação [era sujeito] à censura, nem antes, nem depois de impressos». Tornava-se, portanto, «livre a qualquer pessoa imprimir, publicar, vender e comprar os livros e escritos de toda a qualidade, sem responsabilidade», exceto nos casos de se «abusar da liberdade de imprensa». Como tais, eram arrolados os excessos que se cometessem não só à «forma de governo representativo, monárquico e constitucional», com a proibição de «difamar e injuriar a Assembléia Nacional», mas incluíam-se as penas em relação aos crimes cometidos contra a religião, os bons costumes e as pessoas públicas e particulares, com a discriminação de diversas multas pecuniárias e de prisão, sendo que as penas mais graves – «dez anos de degredo para uma das províncias mais remotas e pagamento de 800$000 réis» – eram atribuídas àqueles que utilizassem a imprensa, «excitando os povos à rebelião». A qualificação desses delitos pertencia aos Conselhos de juízes, criados nas Comarcas (42).

Dissolvida, porém, a Assembléia Constituinte em 12 de novembro de 1823, a votação do projeto de 1823 foi interrompida. Sobre a matéria, a Constituição de 1824 limitou-se a declarar: «Todos podem comunicar os seus pensamentos, por palavras, escritos e publicá-los pela Imprensa, sem dependência de censura»; deviam, porém, «responder pelos abusos que cometerem no exercício deste Direito, nos casos, e pela forma, que a Lei determinar». Somente, em 20 de setembro de 1830, que se regulou este dispositivo; três meses depois, ele foi integrado ao Código Criminal, onde permaneceu até 1890 (43).

O que concluir ao término desse panorama sobre censura, repressão e o esboço de uma esfera pública de poder no Brasil no momento da construção do Império do Brasil?

Em primeiro lugar, cumpre destacar o papel da censura na sociedade luso-brasileira. A quantidade e o teor das obras introduzidas no Brasil demonstram que, apesar de toda uma tentativa de rigidez, a censura não se constituiu em um obstáculo intransponível para a circulação de idéias e livros proibidos, especialmente no interior de uma elite esclarecida. Permitiu, aliás, que ao lado de um conjunto de intelectuais moldados pelo liberalismo mitigado português, adquirido na Universidade de Coimbra, tenha se constituído um outro grupo que encontrava nesses escritos proibidos a única via de acesso ao mundo exterior, absorvendo idéias e concepções mais radicais sobre a forma de governo para o futuro Império brasileiro. Na realidade, a ausência de critérios rígidos e sistemáticos para exercer essa censura, aliada à formação ilustrada dos próprios censores, no início dos oitocentos, levou-os a hesitar entre manter um controle rígido, destinado a evitar a contaminação das idéias perigosas, e uma certa liberalidade, que propiciasse as reformas esclarecidas, cujo ideal partilhavam.

Contudo, por trás dessas hesitações, escondia-se uma dificuldade maior. O poder oficial, certamente contido pela estrutura social escravista, continuava a encarar a censura como o instrumento por excelência para evitar a influência de idéias perigosas. Ele não quis – ou não pôde – vislumbrar a possibilidade de transformar a palavra escrita e a imprensa em arma de combate, capaz de propagar seus próprios valores, nem mesmo para enaltecer a figura do soberano, como fizeram, desde o século XVII, Richelieu e Colbert (44). No fundo, as idéias ainda não se tinham transformado em mercadorias comercializadas na *arena da política*, para decidir os conflitos de interesse dos setores dominantes.

Não se constituiu, portanto, durante o processo da Independência, essa *arena da política* que denominamos de esfera pública de poder. O monopólio das decisões continuou a pertencer ao Estado, como um segredo corporativo do reduzido grupo que gozava, durante certo período, dos favores do soberano. *Segredo* que, ao estilo do Antigo Regime, conservava a figura do monarca como pólo aglutinador e árbitro das vontades políticas. *Segredo*, por fim, que subvertendo o liberalismo, ainda que mitigado, que lhe servira de inspiração, reduziu a idéia da *nação*, abstrata em demasia, a um mero artifício retórico, destinado a legitimar o domínio tradicional de uma pequena elite, assegurando a exclusão dos demais.

Esboçava-se, assim, no Império do Brasil, a *Modernidade* mas confundida ainda, de maneira peculiar, com a pesada herança da tradição. Longo será o caminho a percorrer, no qual se insere este texto, até o momento que venha a ser possível desembaraçar essa trama.

Nota: Esse trabalho é resultado de um projeto de pesquisa, financiado pelo CNPq (Conselho Nacional de Desenvolvimento Científico e Tecnológico), intitulado *O público e o privado nas relações culturais do Brasil com Portugal, França e Espanha, 1808-1922*, por mim coordenado e pela Prof. Tania Maria Bessone Ferreira.

Notas e referências

1 F. Furet (1988): *La Révolution: 1770-1880*, Paris: Hachette, 32-33.
2 Cf. Jacques Le Goff (1984): «Antigo / Moderno», *em Enciclopédia Einaudi: Memória-História*, Lisboa: Imprensa Nacional-Casa da Moeda, 370-392; R. Koselleck (1985): *Futures Past. On the Semantics of Historical Time*, Massachusetts: The MIT Press, 21-38.
3 F. Furet e J. Ozouf (1977): «Trois siècles de métissage culturel», em *Annales E.S.C.* 32 (3) (Paris): 488-502.
4 Para a noção de maleabilidade humana, ver Maurice Mandelbaum (1977): *History, Man and Reason: a Study in Nineteenth-Century Thought*, Baltimore: Johns Hopkins University Press, 141-145.
5 Jürgen Habermas (1984): *Mudança estrutural na esfera pública*, Rio de Janeiro: Tempo Brasileiro, 42.
6 Para a análise desse processo de modernização na América Latina, ver François-Xavier Guerra (1992): *Modernidad e independencias. Ensayos sobre las revoluciones hispánicas*, passim, México: Mapfre / Fondo de Cultura Económica..
7 Cf. Roger Chartier (1998): «Histoire intelectuelle et Histoire des mentalités», em idem: *Au bord de la falaise. L'Histoire entre certitudes et inquiétudes*, Paris: Albin Michel, 27-66. Ver também Robert Darnton (1990): «História intelectual e cultural», em idem: *O beijo de Lamourette. Mídia, cultura e revolução*, São Paulo: Companhia das Letras, 175-197; F. Falcon (1997): «História das idéias», em Ciro F. Cardoso e Ronaldo Vainfas (orgs.): *Domínios da História: ensaios de teoria e metodologia*, Rio

de Janeiro: Campus, 91-125; Leonard Krieger (1980): «The Autonomy of Intellectual History», em G. G. Iggers e H. T. Parker: *International Handbook of Historical Studies: Contemporary Research and Theory*, Londres: Methuen, 109-125.

8   Carta de Lei de 17 de dezembro de 1794, apud Antonio Delgado da Silva (1828): *Colleção da Legislação Portuguesa (legislação de 1791 a 1801)*, Lisboa: Tipografia Maigrense, 194.

9   Para a análise de Pina Manique, ver Adérito Tavares e José dos Santos Pinto (1990): *Pina Manique: um homem entre duas épocas*, Lisboa: Casa Pia de Lisboa.

10 Caetano Beirão (1944): *D. Maria I: 1777-1792*, Lisboa: Empresa Nacional de Publicidade, 389.

11 Carta de Lei de 17 de dezembro de 1794, apud Antonio Delgado da Silva (1828): *Colleção ...*, op. cit., 194.

12 Aviso de 24 de junho de 1808, apud José P. de F. Araújo (1836): *Legislação brasileira [...] de 1808 até 1831*, Rio de Janeiro: J. Villeneuve & Comp., 28-30. Para a questão da divulgação de obras estrangeiras e sua censura, cf. Lúcia Maria Bastos P. Neves (1993): «Comércio de livros e censura de idéias: a atividade dos livreiros franceses no Brasil e a vigilância da Mesa do Desembargo do Paço (1795-1822)», em *Ler História* 23 (Lisboa), 61-78.

13 A expressão em grifo é de Daniel Roche (1988): *Les républicains des Lettres: gens de culture et Lumières au XVIIIe siècle*, Paris: Fayard, 26. Para a citação, ver José Timóteo da Costa (1983): *História da censura intelectual em Portugal*, 2ª ed., Lisboa: Moraes Editores, 132.

14 *O Brasil indignado contra o projeto anti-constitucional sobre a privação das suas atribuições, por um filantrópico* (1822): Rio de Janeiro: Typ. Nacional, 5.

15 Para o anúncio, ver *Gazeta do Rio de Janeiro* 109 (Rio de Janeiro, 10 novembro 1821).

16 Para a análise sobre os livreiros franceses no Rio de Janeiro, cf. Tania Maria Bessone da C. Ferreira e Lúcia Maria Bastos P. Neves (1990): «Livreiros franceses no Rio de Janeiro: 1808-1823», em Tania Maria Bessone da C. Ferreira (org.): *História hoje: balanços e perspectivas*, Rio de Janeiro: Taurus / Timbre / ANPUH-RJ, 190-202.

17 Inácio Miguel Pinto Campello (1901): «Relação dos livros apreendidos ao bacharel Mariano José Pereira da Fonseca – Seqüestro feito em 1794», en *Revista do Instituto Histórico e Geográfico Brasileiro* (doravante RIHGB) 63 (Rio de Janeiro), 15-18. Para o parecer de Silva Lisboa contra o autor Robertson, cf. Arquivo Nacional do Rio de Janeiro (doravante AN-RJ). Desembargo do Paço. Caixa 169, pac. 2, doc. 72, 14 abril 1809.

18 AN-RJ. Desembargo do Paço. Caixa 171, pac. 3, doc. 43, 16 outubro 1820 e 21 janeiro 1819.

19 AN-RJ. Desembargo do Paço. Caixa 170, pac. 3, doc. 75, 18 junho 1819.

20 AN-RJ. Desembargo do Paço. Caixa 171, pac. 4, doc. 55, 13 janeiro 1820.

21 AN-RJ. Desembargo do Paço. Caixa 169, pac. 3, doc. 101, 14 fevereiro 1818. O nome correto do autor deve ser Bertrand Barère: cf. J. Tulard, J.-F. Fayard e A. Fierro (1987): *Histoire et dictionnaire de la Révolution Française, 1789-1799*, Paris: Robert Laffont, 561-562.

22 AN-RJ. Desembargo do Paço. Caixa 170, pac. 4, doc. 82. Todos os documentos são de 1820.

23 AN-RJ. Desembargo do Paço. Caixa 169, pac. 1, doc. 19, 1818.

24 AN-RJ. Desembargo do Paço. Caixa 171, pac. 4, doc. 78, 25 agosto 1818.
25 Para o conceito de esfera pública de poder, cf. supra nota 5.
26 «Rapport sur la situation de l'opinion publique», em Angelo Pereira (1956): *D. João VI, príncipe e rei*, vol. 3, Lisboa: Empresa Nacional de Publicidade, 306.
27 *A forja dos periódicos ou o exame do Aprendiz Periodiqueiro* (1821), Lisboa: Nova Imp. da Viúva Neves & Filhos, 8.
28 Para a perspectiva de linguagens políticas, ver J. G. A. Pocock (1988): *Virtue, Commerce and History. Essays on Political Thought and History, chiefly in the Eighteenth Century*, Cambridge: Cambridge University Press.
29 Cf. Lúcia M. Bastos P. Neves (1995): «Leitura e leitores no Brasil, 1820-1822: o esboço frustrado de uma esfera pública de poder», em *Acervo*, Revista do Arquivo Nacional 8 (1-2) (Rio de Janeiro), 123-138; M. Morel (1995): *La formation de l'espace public moderne à Rio de Janeiro, 1820-1840: opinion, acteurs, sociabilité*, tese de doutorado apresentada à Universidade de Paris I-Panthéon-Sorbonne.
30 As citações foram retiradas, respectivamente de *O Conciliador Nacional* 1 (Pernambuco), transcrito de *O Volantim* 13 (Rio de Janeiro, 16 setembro 1822); *O Papagaio* 12 (Rio de Janeiro, 8 agosto 1822); *Prospecto para um novo periódico intitulado «Correio do Rio de Janeiro», que sairá todos os dias, exceto nos domingos e dias santos*, Rio de Janeiro: Tip. Nacional [1822], Biblioteca Nacional do Rio de Janeiro (doravante BN-RJ), DMss, Documentos Biográficos C 822,37, 2 março de 1841.
31 Para a discussão sobre o conceito de opinião pública, ver Mona Ozouf (1987): «L'opinion publique», em Keith M. Baker (ed.): *The French Revolution and the Creation of Modern Political Culture*, vol. 1: *The Political Culture of the Old Regime*, Oxford: Pergamon Press, 419-434. A citação encontra-se: 427; Keith M. Baker (1993): *Au tribunal de l'opinion. Essais sur l'imaginaire politique au XVIIIe siècle*, Paris: Payot; J. Habermas !984): *Mudança estrutural ...*, op. cit., 110-126. Cf. ainda R. Darnton e D. Roche (1996): *Revolução impressa: a imprensa na França, 1775-1800*, São Paulo: Edusp.
32 *O Macaco Brasileiro* 5, [1822] (Rio de Janeiro); para a prática da distribuição gratuita, ver *Gazeta do Rio de Janeiro* 73 (Rio de Janeiro, 18 agosto 1821); *Diário do Rio de Janeiro*, 20 fevereiro 1822 (Rio de Janeiro).
33 AN-RJ, Códice 327, Códice 327, Registros de Ofícios da Polícia, vol. 1, f. 90, 20 outubro 1820.
34 Ver respectivamente, *O Conciliador do Reino Unido* 4 (Rio de Janeiro, 31 março 1821) e 6 (14 abril 1821); AN-RJ, Códice 327, Registros de Ofícios da Polícia, vol. 1., f. 109, 7 agosto 1823.
35 Portaria de 21 setembro 1820, apud C. Rizzini (1945): O livro, o jornal e a tipografia no Brasil (1500-1822), Rio de Janeiro: Kosmos, 328. Decreto de 2 março 1821, apud José P. de F. Araújo (1836): *Legislação brasileira [...]*, op. cit., 150.
36 AN-RJ, Desembargo do Paço, Caixa 169, pac. 3, doc. 97, 9 abril 1821.
37 AN-RJ, Desembargo do Paço, Caixa 171, pac. 4, doc. 50, 1818, 1820, 1822.
38 *Revérbero Constitucional Fluminense* 5 (Rio de Janeiro, 15 novembro 1821).
39 Brasil, Portaria de 19 de janeiro de 1822, Rio de Janeiro, Tip. Nacional, 1822. Cf. C. Rizzini (1945): *O livro, o jornal ...*, op. cit., 330; cf. ainda Bento da Silva Lisboa (1958): *Biografia de José da Silva Lisboa*, Rio de Janeiro: Cia. Brasileira de Artes Gráficas, 29.

228   *L. M. Bastos P. Neves: Ingerência do poder público*

40   Cf. Senado Federal (1973): *Atas do Conselho de Estado,* dir. e int. de José Honório
     Rodrigues, vol. 1, Brasília: Centro Gráfico do Senado Federal, 17; «Decreto de 18 de
     junho de 1822», apud José P. de F. Araújo (1836): *Legislação brasileira [...],* op. cit.,
     289.
41   *O Constitucional* 2 (Rio de Janeiro, 1822); *Regeneração Constitucional ou guerra e
     disputa entre os corcundas e os constitucionais* (1821), Rio de Janeiro: Imp. Régia,
     20.
42   BN-RJ. DMss II – 31, 27, 23. Projeto de lei sobre liberdade de imprensa, 2 outubro
     1823. Esse projeto tornou lei provisória por decreto de 23 novembro 1823. Cf. Brasil
     (1823): *Decreto mandado por em execução o Projeto de Lei sobre a Liberdade de
     Imprensa,* Rio de Janeiro: Tip. Nacional, 3 f.
43   A. Campanhole e H. L. Campanhole (1976): *Todas as Constituições do Brasil,* São
     Paulo: Atlas, 542; cf. Lei de 20 de setembro de 1830. Brasil (1876): *Coleção das leis
     e decisões do governo do Brasil de 1830,* Rio de Janeiro: Typ. Nacional, 36-46.
44   Cf. P. Burke (1994): *A fabricação do rei. A construção da imagem pública de Luís
     XIV,* Rio de Janeiro: Jorge Zahar.

Fontes manuscritas

Arquivo Nacional do Rio de Janeiro
---: «Desembargo do Paço», Caixa 169, pac. 1, doc. 19, 1818; pac. 2, doc. 72, 14 abril
     1809; pac. 3, doc. 101, 14 fevereiro 1818; pac. 3, doc. 97, 9 abril 1821.
---: «Desembargo do Paço», Caixa 170, pac. 3, doc. 75, 18 junho 1819; pac. 4, doc. 82,
     1820.
---: «Desembargo do Paço», Caixa 171, pac. 3, doc. 43, 16 outubro 1820 e 21 janeiro
     1819; pac. 4, doc. 50, 1818, 1820, 1822; pac. 4, doc. 55, 13 janeiro 1820; pac. 4, doc.
     78, 25 agosto 1818.
---: «Registros de Ofícios da Polícia», Códice 327, v. 1, f. 90, 20 outubro 1820 e f. 109,
     7 agosto 1823.
Biblioteca Nacional do Rio de Janeiro
---, Divisão de Manuscritos: «Documentos biográficos» C 822, 37, 2 março de 1841.
---, Divisão de Manuscritos: «Projeto de Lei sobre Liberdade de Imprensa», 2 outubro
     1823, II – 31, 27, 23.

Fontes impressas e bibliografia

A forja dos periódicos ou o exame do aprendiz periodiqueiro (1821): Lisboa: Nova Imp.
     da Viúva Neves & Filhos.
Araújo, José P. de F. (1836): *Legislação brasileira [...] de 1808 até 1831,* Rio de Janeiro:
     J. Villeneuve & Comp.
Baker, Keith M. (1993): *Au tribunal de l'opinion. Essais sur l'imaginaire politique au
     XVIIIe siècle,* Paris: Payot.

Beirão, Caetano (1944): *D. Maria I: 1777-1792,* Lisboa: Empresa Nacional de Publicidade.

Brasil: «Decreto mandando pôr em Execução o Projeto de Lei sobre a Liberdade de imprensa», Rio de Janeiro: Typ. Nacional [1823], 3 f.

Brasil (1822), Portaria de 19 de janeiro de 1822, Rio de Janeiro: Typ. Nacional.

Brasil (1876), Coleção das leis e decisões do governo do Brasil de 1830, Rio de Janeiro: Typ. Nacional.

Burke, Peter (1994): *A fabricação do rei. A construção da imagem pública de Luís XIV,* Rio de Janeiro: Jorge Zahar.

Campagnolle A. E Campanhole, H. L. (1976): *Todas as Constituições do Brasil,* São Paulo: Atlas.

Campello, Inácio Miguel Pinto (1901): «Relação dos livros apreendidos ao bacharel Mariano José Pereira da Fonseca – Seqüestro feito em 1794», *em Revista do Instituto Histórico e Geográfico Brasileiro* 63 (Rio de Janeiro), 15-18.

Chartier, Roger (1998): «Histoire intelectuelle et Histoire des mentalités», em idem: *Au bord de la falaise. L'Histoire entre certitudes et inquiétudes,* Paris: Albin Michel, 27-66.

Costa, José Timóteo da (1983): *História da censura intelectual em Portugal,* 2ª ed., Lisboa: Moraes.

Darnton, Robert e Roche, Daniel (1996): *Revolução impressa: a imprensa na França, 1775-1800,* São Paulo: Edusp.

Darnton, Robert (1990): «História intelectual e cultural», em idem: *O beijo de Lamourette. Mídia, cultura e revolução,* São Paulo: Campanhia das Letras, 175-197.

Diário do Rio de Janeiro, 20 fevereiro 1822 (Rio de Janeiro).

Falcon, Francisco (1997): «História das idéias», em Ciro F. Cardoso e Ronaldo Vainfas (orgs.): *Domínios da história: ensaios de teoria e metodologia,* Rio de Janeiro: Campus, 91-125.

Ferreira, Tania Maria Bessone da C. e Neves, Lúcia Maria Bastos P. (1990): «Livreiros franceses no Rio de Janeiro: 1808-1823», em Tania Maria Bessone da C. Ferreira (org.): *História hoje: balanços e perspectivas,* Rio de Janeiro: Taurus / Timbre / ANPUH-RJ, 190-202.

Furet, François (1988): *La Révolution: 1770-1880,* Paris: Hachette.

Furet, François e Ozouf, Jacques (1977): «Trois siècles de métissage culturel», *em Annales E.S.C.* 32 (3) (Paris), 488-502.

Gazeta do Rio de Janeiro 73 (Rio de Janerio, 18 agosto 1821) e 109 (10 novembro 1821).

Guerra, François-Xavier (1992): *Modernidad e independencias. Ensayos sobre las revoluciones hispánicas,* México: Mapfre / Fondo de Cultura Económica.

Habermas, Jürgen (1984): *Mudança estrutural na esfera pública,* Rio de Janeiro: Tempo Brasileiro.

Koselleck, Reinhart (1985): *Futures Past. On the Semantics of Historical Time,* Massachusetts: The MIT Press.

Krieger, Leonard (1980): «The Autonomy of Intellectual History», em G. Iggers e H.T. Parker: *International Handbook of Historical Studies: Contemporary Research and Theory,* Londres: Methuen, 109-125.

Le Goff, Jacques (1984): «Antigo / Moderno», em *Enciclopédia Einaudi: Memória-História,* Lisboa: Imprensa Nacional / Casa da Moeda.

230   *L. M. Bastos P. Neves: Ingerência do poder público*

Lisboa, Bento da Silva (1958): *Biografia de José da Silva Lisboa*, Rio de Janeiro: Cia. Brasileira de Artes Gráficas.

Mandelbaum, Maurice (1977): *History, Man and Reason: a Study in Nineteenth-Century Thought*, Baltimore: Johns Hopkins University Press.

Morel, Marco (1995): *La formation de l'espace public moderne à Rio de Janeiro, 1820-1840: opinion, acteurs, sociabilité*, tese de doutorado apresentada à Universidade de Paris I-Panthéon-Sorbonne.

Neves, Lúcia M. Bastos P. (1993): «Comércio de livros e censura de idéias: a atividade dos livreiros franceses no Brasil e a vigilância da Mesa do Desembargo do Paço (1795-1822)», em *Ler História* 23 (Lisboa), 61-78.

---(1995): «Leitura e leitores no Brasil, 1820-1822: o esboço frustrado de uma esfera pública de poder», em *Acervo*, Revista do Arquivo Nacional, 8 (1-2) (Rio de Janeiro), 123-138.

O Brasil indignado contra o projeto anti-constitucional sobre a privação das suas atribuições, por um filantrópico (1822), Rio de Janeiro: Typ. Nacional.

O Conciliador Nacional 1 (Pernambuco), transcrito de *O Volantim* 13 (Rio de Janeiro, 16 setembro 1822)

O Conciliador do Reino Unido 4 (Rio de Janeiro, 31 março 1821) e 6 (14 abril 1821).

O Constitucional 2 (Rio de Janeiro, 1822).

O Macaco Brasileiro 5 (Rio de Janeiro, [1822]).

O Papagaio 12 (Rio de Janeiro, 8 agosto 1822).

Ozouf, Mona (1987): «L'opinion publique», em Keith M. Baker (ed.): *The French Revolution and the Creation of Modern Political Culture*, vol. 1: *The Political Culture of the Old Regime*, Oxford: Pergamon Press, 419-434.

Pereira, Angelo (1956): *D. João VI, príncipe e rei*, vol. 3, Lisboa: Empresa Nacional de Publicidade.

Pocock, J. G. A. (1988): *Virtue, Commerce and History. Essays on Political Thought and History, chiefly in the Eighteenth Century*, Cambridge: Cambridge University Press.

Prospecto para um novo periódico intitulado «Correio do Rio de Janeiro», que sairá todos os dias, exceto nos domingos e dias santos (1822), Rio de Janeiro: Tip. Nacional.

Regeneração Constitucional ou guerra e disputa entre os corcundas e os constitucionais (1821), Rio de Janeiro: Imp. Régia.

Revérbero Constitucional Fluminense 5 (Rio de Janeiro, 15 novembro 1821).

Rizzini, Carlos (1945): *O livro, o jornal e a tipografia no Brasil (1500-1822)*, Rio de Janeiro: Kosmos.

Roche, Daniel (1988): *Les républicains des Lettres: gens de culture et Lumières au XVIIIe siècle*, Paris: Fayard.

Senado Federal (1973): *Atas do Conselho de Estado*, dir. e int. de José Honório Rodrigues, vol. 1, Brasília: Centro Gráfico do Senado Federal.

Silva, Antonio Delgado da (1828): *Colleção da Legislação Portuguesa*, vol. 6, Lisboa: Tipografia Maigrense.

Tavares, Adérito & Pinto, José dos Santos (1990): *Pina Manique: um homem entre duas épocas*, Lisboa: Casa Pia de Lisboa.

Tulard, J. / Fayard, J. F. / Fierro, A. (1987): *Histoire et dictionnaire de la Révolution Française, 1789-1799*, Paris: Robert Laffont.

A linguagem política do Império luso-brasileiro: Portugal e Brasil no final do século XVIII e início do XIX

Guilherme Pereira das Neves
Universidade Federal Fluminense, Niterói, Rio de Janeiro

Nos últimos anos, multiplicaram-se os estudos, sobretudo no Brasil – mas igualmente em Portugal, e até em outros países – de revisão do conhecimento historiográfico sobre o império português nas últimas décadas do século XVIII e nas primeiras do XIX. Tais trabalhos não só salientaram alguns aspectos que passaram desapercebidos às gerações anteriores de historiadores, como adotaram ainda preocupações e abordagens diversas, por efeito de um certo distanciamento do marxismo, predominante há alguns anos, e também sob a influência de uma maior familiaridade com a historiografia européia sobre o Antigo Regime, a Ilustração, o Absolutismo e os movimentos sociais dos Tempos Modernos. Nessa perspectiva, vale destacar o questionamento a uma «crise» do sistema colonial, o aprofundamento da hipótese quanto à presença na colônia de mecanismos internos de acumulação e circulação de capitais, a crescente importância concedida ao surto reformista ilustrado português de fins do século XVIII e a identificação de especificidades tanto do processo da Independência do Brasil, quanto da cultura política luso-brasileira do período, mesmo quando avaliadas em comparação com os demais países latinos da América (1).

Contudo, quase nada de equivalente surgiu ainda com a preocupação de reexaminar os movimentos de rebeldia do período, que conservam a ótica da historiografia tradicional de manifestações precursoras de anseios da nacionalidade e de autonomia. Por outro lado, embora um passo importante tenha sido dado, conforme mencionado, com a introdução do conceito de uma cultura política luso-brasileira, tampouco difundiu-se a metodologia de análise das linguagens ou discursos políticos, desenvolvida pelo chamado *Grupo de Cambridge*, liderado por Quentin Skinner e J. A. G. Pocock, o mais interessante instrumental disponível, a meu ver, para tratar da questão da formação de um pensamento político no Brasil independente, cuja análise,

232 G. Pereira das Neves: A linguagem política do Império

nas últimas décadas, os acontecimentos contemporâneos têm tornado cada vez mais urgente.

Assim sendo, a partir dessa perspectiva, a presente comunicação, sem ter a pretenção de trazer grandes novidades, nem, muito menos, uma análise acabada, gostaria de apontar algumas questões, que podem ser identificadas a propósito de um desses episódios rebeldes: a chamada *Conspiração dos Suassunas,* ocorrida na capitania de Pernambuco em 1801.

Na realidade, não existe trabalho específico algum sobre essa suposta conspiração, e as fontes pertinentes disponíveis limitam-se, tanto quanto sei, à devassa e demais documentos publicados, em 1955, no último volume de uma prestigiosa série intitulada *Documentos Históricos.* Na «Explicação» que redigiu para esse volume, José Honório Rodrigues evidencia, com clareza exemplar, quase caricatural, a atitude ferozmente nacionalista com que a historiografia brasileira tem encarado esses movimentos. Segundo ele, na inconfidência pernambucana de 1801, como

> [...] na Inconfidência Mineira não se descobre uma arma, e tudo não passa de conversas e debates sobre as idéias de liberdade e independência. Por isso não foi um fato como 1798 e 1817. Foi um pensamento sem ação, e como tal pertence à História das idéias formadoras da consciência nacional. Atos ou pensamentos rebeldes filiam-se num nexo íntimo: a expulsão dos holandeses, a revolta de Beckman, os Emboabas e Mascates, a Inconfidência Mineira, a Revolução dos Alfaiates, a Conspiração dos Suassunas e 1817 têm sua conclusão em 1822.

E arrematava: «A inconfidência dos Suassunas é mais um elo na cadeia da conspiração nacional contra o domínio colonial» (2).

Hoje em dia, é verdade, poucos encampariam integralmente essa genealogia da nação, capaz de remontar até as guerras de Pernambuco contra os holandeses em meados do século XVII ou até a revolta no Maranhão, em 1684, provocada por certas medidas da Coroa e conhecida pelo nome de seu líder, Beckman. E nem mesmo até os conflitos locais de emboabas e mascates, ocorridos em Minas Gerais e Pernambuco, nos princípios do século XVIII (3). Contudo, a maioria continuaria a insistir no papel fundamental dos movimentos de final deste século como indicativos do surgimento de um sentimento nacional ou, pelo menos, de oposição e rejeição à tutela de Portugal sobre a colônia, como é o caso da Inconfidência de Minas Gerais, em 1789, a da Bahia de 1798 e a de Pernambuco de 1817, todas já dispondo de uma considerável bibliografia (4).

Como a também suposta conspiração do Rio de Janeiro de 1794, a chamada Conspiração dos Suassunas, talvez pela ausência de estudos a respeito,
goza de um estatuto mais ambíguo, embora não deixe de ser considerada
igualmente um indício de certa inquietação social e intelectual na colônia,
alguns anos antes da independência. O episódio, em si, pode ser rapidamente
resumido.

Na tarde de 21 de maio de 1801, um juiz da cidade de Olinda foi procurado por um comerciante para a apresentação de uma denúncia. Alguns dias
antes, Francisco de Paula Cavalcante, importante personagem local, pertencente a uma família de senhores de engenho, lhe teria lido uma carta de seu
irmão José, então em Lisboa, com «notícias políticas da Europa», em que
dizia que «a Espanha viria sobre Portugal» e em que, após expor «algumas
idéias revolucionárias, advertia ao dito seu irmão que não concorresse para o
empréstimo [solicitado pela Coroa] que vinha a pedir-se a esta praça, nem [o
fizessem] aqueles que pudessem entrar 'nos nossos projetos'». Dois dias depois, o mesmo Francisco de Paula lhe teria lido outra carta, em que o irmão
repetia idênticas idéias «revolucionárias», acrescentando, após a leitura, «que
era preciso procurar a liberdade», para o quê poderia haver «socorro de nação
estrangeira como a França» (5).

O juiz procurou imediatamente o governo interino da capitania, exercido
então por uma junta, constituída pelo bispo Azeredo Coutinho e duas outras
autoridades. À noite daquele mesmo dia, mandou-se prender Francisco de
Paula e seu irmão, Luís; abriu-se uma devassa, conduzida pelo próprio juiz de
Olinda, auxiliado por outro da Paraíba, a capitania imediatamente ao norte de
Pernambuco; e ordenou-se uma busca na casa dos denunciados. No dia seguinte, mandou-se prender também o denunciante. Ao comandante do brigue
correio marítimo ainda se cuidou de ordenar que, ao chegar a Lisboa, não
permitisse a comunicação de ninguém a bordo com pessoas da terra antes que
a correspondência do governo chegasse às mãos de Rodrigo de Souza Coutinho, secretário da Marinha e Ultramar, de modo que o irmão dos denunciados, em Portugal, não tomasse conhecimento do episódio.

Da devassa que se seguiu, porém, nada resultou, concluindo os sindican-
tes, em 8 de junho de 1801, que, tendo ouvido

[...] de 21 a 27 de maio passado mais de oitenta testemunhas, maiores de toda a exceção
e da maior amizade com os denunciados, destas não só não tem resultado prova alguma
contra os mesmos, mas quase todas a uma voz os abonam de fiéis e religiosos vassalos.

Por conseguinte,

> das perguntas e acareações apensas à devassa não resultou prova alguma, de maneira a que aparece contra os denunciados é a que resulta de denúncia que parece verossímil, já pelo comportamento do denunciante, já pela amizade com os denunciados (6).

No final do ano, um aviso de 1º de dezembro, assinado pelo substituto de Rodrigo de Souza Coutinho – que tinha, entrementes, assumido a presidência do Real Erário – mandava libertar os presos, para que se justificassem em liberdade. Alguns meses depois, em fevereiro de 1802, o príncipe regente transferia Azeredo Coutinho, o bispo integrante do governo, para Portugal, e, em julho, o prelado retornava ao reino. Aparentemente, muito pouco. No entanto – como, aliás, salienta José Honório Rodrigues – os originais da devassa de 1801 foram anexados à da revolta, muito mais grave, de 1817, quando a Corte portuguesa já residia no Rio de Janeiro, indicando que, desde então, surgira a idéia de relacionar os dois episódios, como se o dos Suassunas, assim chamado por causa de um engenho dos irmãos Cavalcante, constituísse o prenúncio do outro. Relação reforçada pela constatação de que vários revoltosos deste segundo movimento tinham integrado o círculo de amizade dos Cavalcante em 1801 e de que, eles próprios, em 1817, acabaram um preso e o outro morto, juntamente com o filho, pela repressão. Interpretação esta que foi adotada pela influente obra do padre Joaquim Dias Martins, *Os mártires pernambucanos, vítimas da liberdade nas duas revoluções ensaiadas em 1710 e 1817*, elaborada, sem muito rigor, a partir da tradição oral ainda existente na época de sua publicação, em 1853, e, posteriormente, seguida por outros historiadores pernambucanos (7).

Por outro lado, no final da década de 1960, Manoel Cardozo nada encontrou a respeito da conspiração no Arquivo Histórico Ultramarino (8). Tampouco o bispo Azeredo Coutinho em suas informações, após retornar a Portugal, menciona o episódio, tanto quanto me lembre, pois não pude tornar a examiná-las (9). Não deixa de ser estranho, assim, não só o resultado inconclusivo da devassa no Brasil, mas também esse silêncio em Portugal, pois alguma medida deve ter sido tomada contra o irmão dos Cavalcante que lá estava, José, que se julga ter fugido para a Inglaterra, embora mais tarde, justamente em 1817, viesse a ocupar o cargo de governador de Moçambique (10).

Por conseguinte, a interpretação da suposta conspiração de 1801 em Pernambuco parece ainda exigir maiores e mais detalhadas investigações, em particular, relacionadas à revolta de 1817. Na impossibilidade de fazê-lo nesta ocasião, gostaria de aproveitar para tentar situá-la em seu contexto próprio, sob um duplo aspecto. Em primeiro lugar, o das propostas reformistas do então ministro da Marinha e Ultramar, Rodrigo de Souza Coutinho; e, em segundo, o do período do bispo Azeredo Coutinho no governo de Pernambuco. Não se trata de enunciar uma nova interpretação do episódio, mas, sim, de apontar algumas questões, que julgo indispensáveis, para ancorá-lo em seu tempo, a fim de fugir à concepção simplista – que a historiografia nacionalista partilha com a *histoire événementielle* – do evento como aparição súbita «do único e do novo na cadeia do tempo», incapaz de ser comparado a qualquer antecedente, e, por isso, somente integrável à história pela atribuição de um sentido teleológico. Se «não tem passado, terá futuro», como dizia F. Furet em um célebre artigo (11).

Quanto ao primeiro aspecto, o conhecimento mais detalhado da segunda metade do século XVIII luso-brasileiro tem permitido estabelecer uma distinção menos turva entre o período do marquês de Pombal (1750-1777) e o reinado de d. Maria I (1777-1816), substituída desde 1792 pelo filho, o futuro d. João VI, na condução dos negócios da Coroa. Ao contrário da truculência pombalina – mais própria à implantação efetiva de um modelo absolutista em Portugal – a partir de 1777, a Coroa portuguesa parece mover-se crescentemente em direção a um modelo característico do absolutismo ilustrado, com a difusão das idéias da fisiocracia e da Ilustração, ainda que esta em sua vertente moderada, de origem católica, por influência italiana. De qualquer forma, alguns anos após a reforma pombalina da universidade de Coimbra, em 1772, a criação da Academia das Ciências de Lisboa, com apoio da Coroa, em 1779, parece marcar uma inflexão importante, com a descoberta pelos dirigentes do novo papel assumido pelo saber na condução do poder. Deixava-se de propor a pura e simples manutenção de uma ordem vigente como meta, para buscar, através de uma intervenção, que se pretendia racional e apoiada no conhecimento empírico alcançado pela observação da natureza, graças aos naturalistas, uma nova ordem, adequada aos tempos, e que atendesse aos anseios da população. A Coroa esboçava-se em Estado.

Colocada a questão dessa forma, talvez pareça que Portugal seguia as pegadas de França e Inglaterra, o que obviamente não era o caso. Na realidade, essa tendência não deixou de encontrar profundas resistências e aparentes contradições, como no caso de uma das personagens paradigmáticas do período, o intendente de polícia de Lisboa Pina Manique, responsável tanto por iniciativas modernas ligadas à urbanização da cidade, tipicamente ilustradas, quanto pela caça implacável de supostos jacobinos. Mas são essas contradições e resistências que tornam o período fascinante. E fundamental para a compreensão da trajetória posterior da modernidade em Portugal e no Brasil.

De todas as correntes ilustradas, em sintonia com os desenvolvimentos europeus da época, nenhuma talvez tivesse o alcance daquela liderada por Rodrigo de Souza Coutinho. Nascido em 1755 de uma família nobre tradicional e afilhado de Pombal, o futuro conde de Linhares recebeu uma educação esmerada no Colégio dos Nobres e na Universidade de Coimbra, completada por uma viagem à Suíça e à França, onde se encontrou com Raynal e d'Alembert, tornando-se admirador de Necker. Em seguida, serviu por numerosos anos de embaixador em Turim, essa encruzilhada intelectual da Europa, segundo Robert Mandrou, quando aproveitou para estudar a administração do Piemonte e aprofundar suas leituras, que incluíram até mesmo a *Riqueza das Nações* de Adam Smith (12). Chamado de volta a Portugal em 1796, assumiu a pasta da Marinha e Ultramar, nela permanecendo até 1801, quando se transferiu para a presidência do Real Erário. Em 1803, porém, desgastado pela oposição feita a suas iniciativas e pela vitória da diplomacia de Araújo Azevedo, outro ilustrado, de aproximação com a França napoleônica, demite-se, para só retornar ao poder nas vésperas da partida da família real para o Brasil, em 1807. Morreu no Rio de Janeiro em 1812, ministro do Estrangeiro e da Guerra.

Embora poucas de suas iniciativas tenham tido êxito, o papel de d. Rodrigo não pode ser ignorado. Consciente da importância que o Brasil tinha assumido no interior do império português e temeroso das novidades da Revolução francesa e da independência das Colônias Inglesas da América, ele concebeu um vasto plano de reformas que, embora destinadas a conservar alguns valores fundamentais do Antigo Regime, implicariam numa grande reorganização administrativa e política para transformar o Brasil e Portugal em um *império luso-brasileiro*. Acredito que a maior originalidade de d. Rodrigo residisse, porém, numa percepção tipicamente ilustrada do conhecimento como poder, que devia ser manejado por uma elite de talentos, a qual encarregar-se-ia de assegurar a unidade desse império por meio de um esforço pedagógico, que, divulgando suas concepções, as transformasse em profundas convicções. Ou seja, que elaborasse e promovesse uma *ideologia secular*, no sentido de F. Furet e J. Ozouf (13). Numa passagem, particularmente significativa, da *Memória sobre o melhoramento dos domínios de Sua*

Majestade na América (1797/1798), o texto mais acabado e sistemático que nos deixou, d. Rodrigo chega a afirmar:

> Este deve ser sem dúvida o primeiro ponto de vista luminoso do nosso Governo, e já que ditosamente, segundo o incomparável sistema dos primeiros reis desta monarquia, que fizeram descobertas, todas elas foram organizadas como províncias da monarquia conde-coradas com as mesmas honras e privilégios [...], todas reunidas ao mesmo sistema administrativo [...], todas sujeitas aos mesmos usos e costumes, é este inviolável e sa-crossanto princípio da unidade, primeira base da monarquia que se deve conservar com o maior ciúme, a fim de que o Português nascido nas quatro partes do mundo se julgue somente português, e não se lembre senão da glória e grandeza da monarquia a que tem a fortuna de pertencer, reconhecendo e sentindo os felizes efeitos da reunião de um só todo composto de partes tão diferentes que separadas jamais poderiam ser igualmente felizes [...] (14).

Para alcançar esse objetivo, d. Rodrigo soube atrair e reunir à sua volta um importante grupo de intelectuais, na maioria naturalistas, com passagem pela Universidade de Coimbra, muitos dos quais nascidos no Brasil. Chamado por K. Maxwell de *Geração de 1790*, esse grupo ocuparia, posteriormente, postos importantes na administração do império e participaria do processo de separação do Brasil de Portugal e da consolidação do novo país, de que serve de paradigma o caso de José Bonifácio de Andrada e Silva, conhecido como «patriarca da Independência» (15). Capaz de representar os anseios de mudan-ça da reduzida elite intelectual luso-brasileira ilustrada, esse grupo exerceu uma extensa e considerável influência na definição da cultura política da época, como se pode verificar a partir de alguns exemplos.

Em 1800, publicava-se em Lisboa uma Elegia, dedicada a d. Rodrigo, com 35 páginas, «em testemunho de obséquio, veneração e cordial respeito», escrita por José Francisco Cardoso, professor régio de língua latina na cidade da Bahia e traduzida para o português por ninguém menos do que o poeta Manuel Maria de Barbosa du Bocage (16).

Do Rio de Janeiro, em 1799, o professor régio de retórica Manuel Inácio da Silva Alvarenga escrevia a d. Rodrigo para agradecer-lhe a liberdade con-cedida, após vários anos de prisão, implicado que fora na chamada conjuração carioca de 1794, nesses termos:

> Tendo eu a felicidade e honra de ser contemporâneo de V. Exª. na Universidade de Coimbra, devia ser o primeiro que destas remotas províncias mostrasse a V. Exª. o justo prazer que senti na minha alma, sabendo que Sua Majestade confiara das brilhantes virtudes de V. Exª. a administração dos importantes negócios ultramarinos; mas a intriga e a calúnia, que me sepultaram incomunicável na mais obscura prisão, deram motivo a

238

que eu não pudesse expressar a minha alegria, sem que fosse acompanhada de sincero agradecimento que devo a V. Exª. pelo benefício da minha liberdade [...].
Conhecer de tão longe a cabala; arruinar os seus projetos; prevenir as funestas conseqüências e fazer triunfar a verdade e a inocência é o ponto mais delicado na arte de governar os homens.
Este dom precioso nos concede o Céu em V. Exª., e o fiel vassalo, a mil e mil léguas distante do Real Trono, conhece cheio de amor e gratidão que a sua fortuna, o seu estado e a sua vida não são objetos indiferentes na balança do vigilante Ministro. Levantado, ou para melhor dizer ressuscitado por V. Exª., tenho todo o direito de me julgar criatura sua [...].
Deus guarde a V. Exª. para aumento e felicidade de Portugal e suas colônias (17).

Pela mesma época, na Bahia, um dos três professores régios de grego da colônia, Luís dos Santos Vilhena, natural de Portugal, dava os últimos retoques em suas cartas sobre o Brasil. No entanto, se as vinte primeiras foram dedicadas ao príncipe regente e endereçadas a um «Filopono», isto é, àquele que é capaz de reconhecer o esforço do trabalho, as quatro últimas, incluindo a importantíssima vigésima-quarta, de pensamentos políticos sobre a administração da colônia, dedicou-as a d. Rodrigo, alterando o destinatário para «Patrífilo», ou seja, amigo da pátria (18).

Finalmente, por ocasião da Independência, os estudos mais recentes têm demonstrado a importância que conservava a idéia de unidade do império para a maioria dos protagonistas, em especial, do Brasil. Se o constitucionalismo do movimento liberal português de 1820 foi saudado com entusiasmo desde o início, somente quase em meados de 1822 a hipótese separatista ganha força, diante da rivalidade, estabelecida pelas Cortes de Lisboa, quanto à definição do centro hegemônico do império situar-se na Europa ou na América. Mesmo assim, bebida em Coimbra, como apontou José Murilo de Carvalho – mas, poder-se-ia acrescentar, cultivada no círculo ilustrado de d. Rodrigo – a idéia da integridade do território conservou-se como uma das diretrizes básicas dos dirigentes do novo país nos trópicos, e, talvez, influenciando decisivamente a escolha de seu nome: Império do Brasil (19).

Por conseguinte, abusando das categorias propostas pelo *Grupo de Cambridge*, talvez convenha falar, nesse momento, de uma *linguagem* (ou *sublinguagem*) *do império*. Abuso, porque ela resulta de uma curiosa mescla da linguagem da economia política, entendida ainda em termos muito fisiocráticos, com a tradição, aparentemente predominante no mundo luso-brasileiro, de uma linguagem do aristotelismo político, fruto de um incompleto processo de secularização, associado à forte tradição regalista da Coroa portuguesa. *Linguagem do império*, mera hipótese de trabalho, por enquanto, que, contudo, serve para distinguir esse caráter híbrido do pensamento político luso-brasileiro e, portanto, para tornar possível uma compreensão mais profunda do leito em que foi concebido o limitado liberalismo de Portugal e do Brasil.

Por sua vez, José Joaquim da Cunha de Azeredo Coutinho, o bispo e membro do governo interino de Pernambuco à época da conspiração de 1801, orbitava ao redor do círculo de intelectuais reunidos à volta de d. Rodrigo e, em suas numerosas obras, não deixou de recorrer a essa *linguagem do império*. Contou ainda com o apoio do ministro para uma das iniciativas mais ilustradas do período, a criação de um seminário episcopal em Olinda. Alguns meses após a inauguração da instituição, o prelado relatou a d. Rodrigo a cerimônia em uma longa carta, que concluía afirmando:

> Exmo. Sr.: V. Exª. deu princípio a esta obra; é necessário coroá-la expondo a S.A.R. para que se digne mandar que fique estabelecida a contribuição anual de 20 réis entregues aos párocos na forma determinada, [...] por ser a dita contribuição em benefício do público [...] (20).

Este Seminário de Olinda, cujos estatutos foram decalcados daqueles da Universidade de Coimbra, integrava-se às concepções de d. Rodrigo quando pretendia assegurar a criação tanto de «bons cristãos» quanto de «bons cidadãos», e quando, pelo ensino da filosofia natural e do desenho, tencionava preparar não só eclesiásticos, mas sobretudo indivíduos dotados da mentalidade pragmática dos naturalistas, de modo a promover o desenvolvimento, agrícola, das «províncias da América, que se denominam com o genérico nome de Brasil» (21). Transformava-se, assim, no centro de formação de uma elite colonial, afinada com o projeto de um império luso-brasileiro, de acordo, aliás, com a perspectiva do próprio Azeredo Coutinho:

> Quando o habitante dos sertões e das brenhas for filósofo, quando o filósofo for habitante das brenhas e dos sertões, ter-se-á achado o homem próprio para a grande empresa das descobertas da natureza e dos seus tesouros; o ministro da religião, o pároco do sertão e das brenhas, sábio e instruído nas ciências naturais é o homem que se deseja (22).

Dessa forma, a curta estadia de Azeredo Coutinho em Pernambuco, do Natal de 1798 a julho de 1802, em que acumulou o poder eclesiástico com o civil, pode ser entendida como uma das experiências mais características de aplicação das propostas reformistas daqueles identificados com d. Rodrigo.

No entanto, se sua atuação ainda carece de um estudo em profundidade, apesar de uma vasta documentação disponível, um exame mesmo superficial da
atividade do prelado revela a presença de uma série de tensões e conflitos na
capitania, talvez exarcebados em Pernambuco, mas nem por isso ausentes do
restante da colônia.

Sem poder me alongar em demasia, posso lembrar, inicialmente, as inúmeras falcatruas detectadas por Azeredo Coutinho em relação ao preenchi-
mento das aulas régias e ao pagamento dos respectivos mestres pela Junta da
Real Fazenda. Como Diretor Geral dos Estudos da capitania, o bispo procurou remediar a situação, despertando uma violenta oposição (23). Outro assunto candente, talvez o mais candente de todos, era o do abastecimento do
Recife, sobretudo de farinha de mandioca e de carne, verde ou salgada, mani-
pulado por monopolistas e intermediários numerosos, aos quais os códices da
Seção de Manuscritos do Arquivo Estadual Jordão Emerenciano não poupam
referências (24). Por seu turno, a irmandade do Santíssimo Sacramento estava
em pé de guerra com o pároco da igreja matriz de Santo Antônio em torno do
controle sobre o templo, numa pendenga que já datava de alguns anos e que
se estenderia ainda por muitos outros (25). Em Lisboa, a irmandade era representada por um dos professores envolvidos nas fraudes, tradutor da *Arte de
amar* de Ovídio, e que, ainda em 1823, provocava a ira de frei Caneca, ex-
aluno do Seminário, implicado na revolta de 1817 e fuzilado pelo envolvi-
mento na Confederação do Equador, de 1824, contra o fechamento da Assembléia constituinte pelo imperador Pedro I (26). Ao tentar impor uma pequena
capitação para a sustentação do Seminário que pretendia criar, Azeredo
Coutinho despertou a ira das câmaras, que se opuseram à medida e contra as
quais o bispo-governador não deixou de agastar-se por outros motivos, inclusive quanto às formas de tratamento e, sobretudo, certas idéias, que elas
manifestavam, de direitos dos povos, que ao autor da *Análise da justiça do
resgate dos escravos na África* soavam como impiedades oriundas diretamente da Revolução francesa (27). Numa das cartas que Manoel Cardozo publicou, conta Azeredo Coutinho como foi intimado, ao chegar um dia à sede do
governo, por dois militares, à frente de uma turba de «mais de 60 homens a
maior parte deles mulatos e negros descalços, propriamente canalha», organizada por indivíduos «ricos e poderosos», para que indicasse um padre para a
freguesia de Tracunhaém, com a alegação, para horror do prelado, de que «as
eleições dos párocos» eram «privativas dos povos, na forma em que, diziam
eles, se praticava nos primeiros séculos da Igreja» (28). As decisões de Azere-

do Coutinho sobre este acontecimento, assim como outras medidas que tomou, levaram a seu enfrentamento com a Mesa da Consciência e Ordens, desgaste este a que Sérgio Buarque de Holanda atribui o seu afastamento da diocese em 1802 (29).

Indicativa dessa tensão é ainda uma carta de Azeredo Coutinho datada do dia anterior àquele em que a devassa de 1801 foi encaminhada ao prelado para ser remetida a Lisboa, isto é, de 24 de setembro, e dirigida a d. Rodrigo (30). Nela explica que fora procurado por um homem que, quando fazia suas orações na portaria do convento dos franciscanos, altas horas da noite, ouvira uma conversa em que dois indivíduos planejavam um atentado a uma dentre três pessoas, por ser a mais fácil, quando seguisse pelo «corredor» em direção à Soledade. Este «corredor» era uma estrada que ligava a cidade ao palácio dos bispos, onde ele passara a residir. Como, além disso, seus dois colegas de governo habitavam na cidade, cercados por guardas, e ele utilizava uma sege com apenas dois criados para se locomover, concluía que ele próprio seria a vítima, porque

> [...] os ladrões da Fazenda real e todos os da sua quadrilha, inimigos do bem público, cuja consciência os acusa de que os seus furtos e maquinações, ou já estão concluídos, ou se vão concluindo, assentaram talvez de me assassinarem para acabarem de uma vez com este homem que tanto lhes tem resistido.

E prosseguia:

> Eu bem sei que hei de morrer, quando e como Deus for servido, e por isso não temo a morte, quando é necessário defender a honra e o posto que ocupo; porém, não posso deixar de dizer que a falta de castigo, o apoio mesmo que se tem dado àqueles que injustamente têm atacado a minha honra na presença de S. A. R. sem atenção, nem decoro, à sagrada pessoa a quem se fala, nem de quem se fala, daqueles, digo, que formam a cadeia dos meus inimigos desde esta vila até os pés do trono, os tem animado a maquinações contra a minha vida.

E encerrava de forma dramática:

> Eu confesso a V. Exª, como quem está para ser assassinado a cada instante, e que talvez esta seja a última que eu escrevo a V. Exª, que eu, como homem particular, sou um miserável pecador; mas como um homem público nada devo, nada temo.

Não é de excluir-se a hipótese, em função da maneira vaga como é apresentada a denúncia, de que tudo não passasse de um golpe de teatro de Azeredo para alcançar o apoio de que tanto precisava na Corte. Mas, mesmo assim, não deixa de ser significativo de que ele tivesse de chegar a tais extremos. Por outro lado, Evaldo Cabral de Mello evidenciou recentemente as dificuldades com que se defrontaram os governadores de Pernambuco para conter os abusos introduzidos na capitania, no final do século XVII e início do XVIII (31). Teriam-se alterado as condições um século depois?

A isso, devem-se acrescentar outros aspectos de longa duração e também da própria conjuntura. Em primeiro lugar, o imaginário pernambucano tão particular no conjunto da colônia, em função das lutas contra os holandeses, que foi também Evaldo Cabral de Mello quem trouxe à luz, embora em sentido bastante distinto do que lhe atribuiu José Honório Rodrigues e toda uma linhagem de historiadores nacionalistas (32). Imaginário este que serviu para estabelecer um profundo senso de identidade entre os membros da elite local, como uma *nobreza da terra*, a quem a Coroa devia a Restauração de Pernambuco em 1654. Em seguida, o papel político das famílias *principais*, como a dos Cavalcante, na colônia, e a importância que mantinham certas praxes e valores típicos do Antigo Regime, hoje difíceis de avaliar, como a nobilitação por meio de comendas da Ordem de Cristo e semelhantes e ainda a aquisição de cargos na administração, como, ainda uma vez, o mesmo Cabral de Mello evidenciou (33). Por fim, o ambiente da virada do século XVIII para o XIX, tanto no Brasil quanto em Portugal, quando as notícias da Revolução de 1789 criaram um temor irracional, como se percebe na repressão à suposta conspiração do Rio de Janeiro de 1794, em relação aos «perniciosos princípios franceses», em muito contribuindo para deter não só o ímpeto das iniciativas reformistas de Rodrigo de Souza Coutinho, como de todo o absolutismo ilustrado (34).

Em função dessas considerações, aonde se pode chegar a propósito da Conspiração dos Suassunas de 1801? Evidentemente, em primeiro lugar, o episódio está a exigir uma análise em profundidade, nos moldes adotados por Evaldo Cabral de Mello em relação à «fronda dos mazombos» de 1710. Uma leitura atenta e sistemática da devassa e de seus apensos – como uma série de onze cartas dos irmãos Cavalcante – poderá revelar muitos detalhes esclarecedores. O cruzamento das informações, assim obtidas, com o restante dos documentos sobre o período e sobre a revolta de 1817 talvez autorize a identificação de redes de amizade e de poder indispensáveis para entender os conflitos e as tensões em Pernambuco nesse momento. Em especial, a análise da atuação de Azeredo Coutinho à testa do governo contribuirá não só para entender a polarização das forças na capitania, como também para esclarecer as relações com a metrópole e o papel desempenhado por instituições como a Mesa da Consciência e Ordens na definição da política da Coroa. Ao final, talvez não pareça tão absurda a alegação dos irmãos Cavalcante de que os cuidados envolvendo as cartas que serviram de base à denúncia decorressem da conveniência de manter em sigilo a missão do irmão José, em Portugal, de cuidar de «negócios particulares da sua casa, que pela sua qualidade exigiam todo o segredo, como várias pretensões de hábitos e foros e outras desta natureza» (35). Dessa missão não faria parte também a obtenção de um cargo na administração que projetasse a família além de Pernambuco, como a posterior nomeação de José para o governo de Moçambique?

Em segundo lugar, parece ter chegado a hora de superar a perspectiva nacionalista estreita que tem majoritariamente presidido a interpretação desses movimentos rebeldes, particularmente os de finais do século XVIII e inícios do XIX. O que significa, como anunciado acima, superar a teleologia simplista que coloca 1822 como o ponto de fuga de todos eles. Procedimento que exige uma análise mais fina da documentação, quase sempre oriunda da repressão, evitando-se o curioso jogo de valorizar tudo que as autoridades atribuem aos implicados em detrimento do que os próprios réus alegam a seu favor (36). Mas que exige também situar esses movimentos no quadro social e mental em que se inserem, ou seja, o do Antigo Regime, em relação ao qual uma vasta bibliografia, de Roland Mousnier a E. P. Thompson e Charles Tilly, tem procurado esclarecer os padrões, os motivos e os limites dessas manifestações de contestação (37). E também a particular *configuração* dos poderes, destituídos de uma efetiva centralização, mas em vias de assumir o papel de Estado, como assinalou António Manoel Hespanha (38).

Finalmente, parece-me particularmente importante, como salientado de início, recorrer aos *insights* propiciados pelas novas correntes de análise do pensamento político, para estabelecer com maior rigor as modalidades de *discursos* ou *linguagens* disponíveis no mundo luso-brasileiro de fins do século XVIII e inícios do XIX. Refiro-me não apenas ao já mencionado *grupo de Cambridge* de Skinner e Pocock, a partir do trabalho pioneiro de Peter Laslett, mas também aos trabalhos dos alemães ligados ao *Geschichtliche Grundbegriffe. Historisches Lexikon zur politisch-sozialen Sprache in Deutschland*, editado por O. Brunner, W. Conze e R. Koselleck – agora, felizmente, menos inacessíveis graças à multiplicação das traduções das obras deste último – quanto a algumas iniciativas francesas, em particular, os trabalhos de Pierre Rosanvallon (39). Ao procurar entender um autor ou pensamento particular como a expressão de uma estrutura mental, que se traduz em discursos e linguagens próprias de cada conjuntura, essa via oferece o mais rico instrumental disponível para caracterizar o universo intelectual do pensamento político luso-brasileiro do período, servindo, por conseguinte, para verificar o *lugar*, no sentido de Michel de Certeau, nele ocupado pelas idéias reformistas de Rodrigo de Souza Coutinho (40). Somente assim será possível dimensionar com alguma precisão, isenta da teleologia de um *parti-pris* nacionalista, as idéias presentes não só na Conspiração dos Suassunas, mas também nos demais movimentos a que se atribuem um conteúdo contestatório no final do século XVIII e início do XIX. Quero com isso dizer que não me surpreenderia se, ao final de tal inquérito, se mostrasse implausível atribuir a esses episódios qualquer caráter mais radical e, sobretudo, intenções separatistas em relação a Portugal, confirmando as tênues raízes do pensamento liberal luso-brasileiro. Em compensação, considero muito provável a constatação de que nascessem daquela mesma placenta absolutista ilustrada que gerara a *linguagem política do império de d. Rodrigo*.

Para finalizar, cumpre, no entanto, fazer uma advertência. Em vista da amplidão do levantamento e análise que esse tipo de abordagem exige, ao envolver o exame de uma grande variedade de obras, não apenas filosóficas, mas também administrativas, jurídicas, literárias, periódicas e as correspondências privadas, o empreendimento depende de um lento e penoso trabalho em equipe, seja formal ou não. Por isso, essa comunicação tem o caráter também de um convite aos participantes deste Fórum, que se interessem por tais questões, sobretudo aos colegas hispano-americanos, com os quais os brasileiros têm tanto a partilhar quanto a separar, em termos da herança ibérica comum.

Notas e referências

1   A título de exemplo, consulte-se Valentim Alexandre (1993): *Os sentidos do império*, Porto: Afrontamento; Jorge M. V. Pedreira (1994): *Estrutura industrial e mercado colonial: Portugal e Brasil, 1780-1830*, Lisboa: Difel; Graça Dias e José Sebastião da Silva Dias (1986): *Os primórdios da maçonaria em Portugal*, 4 vols., Lisboa: Instituto Nacional de Investigação Científica; João Luís Fragoso (1992): *Homens de grossa aventura*, Rio de Janeiro: Arquivo Nacional; Rodrigo de Souza Coutinho (1993): *Textos políticos, económicos e financeiros (1783-1811)*, 2 vols., Andrée Mansuy Diniz Silva (org.), Lisboa: Banco de Portugal; António Manoel

Hespanha (1986): *As vésperas do Leviathan*, Lisboa, policopiado; Maria Beatriz Nizza da Silva (1988): *Movimento constitucional e separatismo no Brasil, 1821-1823*, Lisboa: Livros Horizonte; Lúcia M. Bastos P. Neves (1992): *Corcundas, pés-de-chumbo e constitucionais: a cultura política da Independência, 1820-1822*, tese de doutorado apresentada à USP, São Paulo; José Murilo de Carvalho (1980): *A construção da ordem*, Rio de Janeiro: Campus; François-Xavier Guerra (1992): *Modernidad e independencias*, México: Mapfre / Fondo de Cultura Económica.

2   Trata-se do vol. 110 da série, sob a responsabilidade do Ministério da Educação e Cultura. Rio de Janeiro: Biblioteca Nacional, 1955, 14. Grifo meu.

3   Totalmente distintos são os propósitos de Evaldo Cabral de Mello em (1995): *A fronda dos mazombos*, São Paulo: Cia. das Letras; e idem (1997): *Rubro veio: o imaginário da Restauração pernambucana*, 2ª ed., Rio de Janeiro: Topbooks.

4   Cf. K. R. Maxwell (1973): *Conflicts and Conspiracies*, Cambridge: Cambridge Univ. Press; Luís Dias Tavares (1975): *História da insurreição intentada na Bahia em 1798*, São Paulo: Pioneira / MEC; István Jancsó (1996): *Na Bahia, contra o Império: história do ensaio de sedição de 1798*, São Paulo, Salvador: Hucitec / Edufba; Glacira Lazzari Leite (1988): *Pernambuco 1817*, Recife: FJN / Massagana. Numa outra perspectiva, cf. V. Alexandre (1993): «Política colonial e inconfidências», em idem: *Os sentidos ...*, op. cit., 77-89.

5   *Documentos Históricos*, vol. 110, 20.

6   Ibid., 23. Grifo meu.

7   Para isso: *Documentos Históricos*, vol. 110, «Explicação» de J. H. Rodrigues, 3-9. Um dos autores pernambucanos posteriores é F. A. Pereira da Costa (1958), que examina o episódio no vol. 7 dos *Anais Pernambucanos, 1795-1817*, Arquivo Público Estadual, Recife, 80-87.

8   Dom José Joaquim da Cunha de Azeredo Coutinho, governador interino e bispo de Pernambuco, 1798-1802 (alguns documentos elucidativos do Arquivo Histórico Ultramarino). Ver *Revista do Instituto Histórico e Geográfico Brasileiro* 282, 1969 (Rio de Janeiro), 3-45, cf. 43, nota 49.

9   As três «Informações» de Azeredo Coutinho a d. Rodrigo, datadas de 12 de março, 4 de abril e 3 de agosto de 1803, se encontram no Arquivo do Real Erário de Lisboa, mas podem ser consultadas em microfilme, rolo 12, na Biblioteca da Faculdade de Educação da Universidade de São Paulo, graças à doação de Francisco da Gama Caieiro.

10   Cf. «Explicação» de J. H. Rodrigues à devassa de 1801, 7 e 8, (cf. nota 7, supra).

11   A história quantitativa e a construção do fato histórico, em Maria Beatriz Nizza da Silva (org.) (1976): *Teoria da História*, São Paulo: Cultrix, 73-91, cf. 84-85.

12   Para d. Rodrigo, além da edição de seus textos, citada na nota 1 supra, cf. Marquês do Funchal (1908): *O Conde de Linhares*, Lisboa: Bayard; Andrée Mansuy Diniz Silva (1979): «Une voie de connaissance pour l'histoire de la société portugaise au XVIIIe siècle: les micro-biographies», em *Clio* 1 (Lisboa), 21-65, e idem (1988): «L'année 1789 vue de Turin par un Diplomate Portugais», *em Dix-huitième siècle* 20 (Paris), 289-313; R. Mandrou (1977): *L'Europe absolutiste: raison et raison d'État, 1649-1775*, Paris: Arthème Fayard.

13   F. Furet e J. Ozouf (1977): «Trois siècles de métissage culturel», em idem: *Lire et écrire*, vol. 1, Paris: Minuit, 349-69.

14   Rodrigo de Souza Coutinho (1993): *Textos políticos ...*, op. cit., 48-9. Grifo meu.

15 K. Maxwell (1973): «The Generation of the 1790 and the Idea of Luso-Brazilian
    Empire», em Dauril Alden (ed.): *Colonial Roots of Modern Brazil,* Berkeley: Univ.
    of California Press, 107-144. Retomado no último capítulo de Maxwell (1973):
    Conflicts and Conspiracies, op. cit.

16 Lisboa, na Oficina de Simão Tadeu Ferreira. Devo a cópia eletrostática que possuo à
    gentileza de Margarette Cardoso da Livraria Cosmos do Rio de Janeiro.

17 *Revista do Instituto Histórico e Geográfico Brasileiro* 65 (1), 1902 (Rio de Janeiro),
    291-292.

18 *A Bahia no século XVIII* (1969), apres. e notas de E. Carneiro e Braz do Amaral, 3
    vols., Salvador: Itapuã.

19 Para essas questões, cf. as obras indicadas na nota 1, supra.

20 Rio de Janeiro, Biblioteca Nacional, Divisão de Manuscritos, 8, 2, 4 nº 2 (4 de junho
    de 1800).

21 «Memória» de d. Rodrigo, em Rodrigo de Souza Coutinho (1993): *Textos políticos...,*
    op. cit., 49.

22 «Discurso sobre o estado atual das minas do Brasil» (1804), em J. J. da Cunha de
    Azeredo Coutinho (1966): *Obras econômicas,* São Paulo: Ed. Nacional, 187-229, cf.
    212.

23 Para essas questões, cf. o artigo citado de Manoel Cardozo e as informações menciona-
    das de Azeredo Coutinho, alguns aspectos das quais são analisados em minha
    dissertação de mestrado (1984): *O Seminário de Olinda: educação, poder e cultura
    nos tempos modernos,* vol. 2, Niterói: UFF, 345-347.

24 Por exemplo, as *Ordens do Governo,* vol. 7, folhas 7, 10v, 11v, 13v, 22v, 33, 35, 39,
    47, 55v, 59, 68v, 99v, 100, 168v, 172 e 178, correspondente ao período de janeiro de
    1799 a janeiro de 1800. Outro tanto pode ser encontrado nos v. 8 e 9, que cobrem o
    período de fevereiro de 1800 a junho de 1802.

25 Muitas notícias sobre essa questão podem ser encontradas em mons. Severino
    L. Nogueira (1985): *O Seminário de Olinda e seu fundador, o Bispo Azeredo Coutin-
    ho,* Recife: FUNDARPE, 148-184.

26 Para a referência a frei Caneca, cf. «Resposta às calúnias e falsidades da Arara per-
    nambucana, redigida por José Fernandes Gama, preso na Corte do Rio de Janeiro» e
    «O caçador atirando à Arara pernambucana em que se transformou o rei dos ratos
    José Fernandes Gama», em frei Caneca (1972): *Obras políticas e literárias ... cole-
    cionadas pelo comendador Antônio Joaquim de Mello,* fac-símile da edição de 1875-
    1876, Recife: Assembléia Legislativa do Estado de Pernambuco, 253-287.

27 Carta de 26 de fevereiro de 1802, Biblioteca Nacional, Rio de Janeiro, Divisão de
    Manuscritos, 7, 4,57 nº 2.

28 Cardozo (1969): «Dom José Joaquim ...», 38.

29 Holanda, Sergio Buarque de (1966): «Apresentação», em J. J. da Cunha de Azeredo
    Coutinho (1966): *Obras econômicas,* op. cit. 18.

30 São Paulo, IEB-USP, Coleção Lamego, Códice 16.25, A.8. Agradeço ao prof. José
    Antônio Gonsalves de Mello esta indicação.

31 Mello (1995): *A fronda dos mazombos,* op. cit.

32 Idem (1997): *Rubro veio...,* op. cit.

33 Idem (1989): *O nome e o sangue,* São Paulo: Cia. das Letras.

34 Cf. Franco Venturi (1971): *Utopia and Reform in the Enlightenment,* Cambridge:
    Cambridge Univ. Press.

35 *Documentos Históricos,* vol. 110, op. cit.,129.
36 Ver de David Higgs e Guilherme P. Neves (1989): «O oportunismo da historiografia: o padre Bernardo Luís Ferreira Portugal e o movimento de 1817 em Pernambuco», em *Anais da VIII Reunião Anual da SBPH,* São Paulo: Sociedade Brasileira de Pesquisa Histórica, 179-184.
37 Ver o ensaio bibliográfico de Marco A. Pamplona (1996): «A historiografia sobre o protesto popular: uma contribuição para o estudo das revoltas urbanas», em *Estudos Históricos* 9 (17) (Rio de Janeiro), 215-238.
38 Hespanha (1986): *As vésperas do Leviathan,* op. cit. Na mesma linha, cf. Andreas Suter (1997): «Histoire sociale et événements historiques. Pour une nouvelle approche», em *Annales: Histoire, Sciences Sociales* 52 (3) (Paris), 543-567; e Christian Windler (1997): «Clientèles royales et clientèles seigneuriales vers la fin de l'Ancien Régime. Un dossier espagnol», em *Annales: Histoire, Sciences Sociales* 52 (2) (Paris), 293-319.
39 Uma visão de conjunto dessas abordagens é oferecida por M. Richter (1980): «Reconstructing the History of Political Languages: Pocock, Skinner and the Geschichtliche Grundbegriffe», em *History and Theory* 29 (1) (Middletown), 38-70. Ver ainda Reinhart Koselleck (1997): *L'expérience de l'histoire,* Paris: Gallimard / Seuil; Anthony Pagden (ed.) (1987): *The Languages of Political Theory in Early-Modern Europe,* Cambridge: Cambridge University Press; P. Rosanvallon (1985): *Le moment Guizot,* Paris: Gallimard; J. G. A. Pocock (1985): *Virtue, Commerce and History: Essays on Political Thought and History, chiefly in the Eighteenth Century,* Cambridge: Cambridge University Press; e idem (1971): *Politics, Language and Time: Essays on Political Thought and History,* New York: Atheneum; P. Laslett e W. G. Runciman (eds.) (1962): *Philosophy, Politics and Society,* (Second Series), Oxford: Basil Blackwell.
40 Michel de Certeau (1975): «L'opération historiographique», em idem: *L'écriture de l'histoire,* Paris: Gallimard, 63-120.

Fontes manuscritas

Arquivo Jordão Emerenciano, Recife, Pernambuco: *Ordens do Governo,* 1800-1802, vols. 7, 8 e 9.
Biblioteca da Faculdade de Educação da Universidade de São Paulo, Microfilmes, rolo 12, Informações de J. J. da Cunha de Azeredo Coutinho a d. Rodrigo de Souza Coutinho, de 12 de março, 4 de abril e 3 de agosto de 1803.
Biblioteca Nacional, Rio de Janeiro, Divisão de Manuscritos, 8, 2, 4 n° 2, J. J. da Cunha de Azeredo Coutinho: «Carta de 4 de junho de 1800».
Biblioteca Nacional, Rio de Janeiro, Divisão de Manuscritos, 7, 4, 57 n° 2. J. J. da Cunha de Azeredo Coutinho: «Carta de 26 de fevereiro de 1802».
Instituto de Estudos Brasileiros, Universidade de São Paulo, São Paulo. Coleção Lamego, códice 16.25, A.8.

Fontes impressas e bibliografia

Alexandre, Valentim (1993): *Os sentidos do império*, Porto: Afrontamento.

Brasil, Ministério da Educação e Cultura (1955): *Documentos Históricos*, vol. 110, «Explicação» de J. H. Rodrigues, Rio de Janeiro: Biblioteca Nacional.

Caneca, Joaquim do Amor Divino, frei. (1972): «Resposta às calúnias e falsidades da Arara pernambucana, redigida por José Fernandes Gama, preso na Corte do Rio de Janeiro» e «O açador atirando à Arara pernambucana em que se transformou o rei dos ratos José Fernandes Gama», em idem: *Obras políticas e literárias ..., colecionadas pelo comendador Antônio Joaquim de Mello*, fac-símile da edição de 1875-1876, Assembléia Legislativa do Estado de Pernambuco, p. 253-287, Recife.

Cardozo, Manoel (1969): «Dom José Joaquim da Cunha de Azeredo Coutinho, governador interino e bispo de Pernambuco, 1798-1802 (alguns documentos elucidativos do Arquivo Histórico Ultramarino)», em *Revista do Instituto Histórico e Geográfico Brasileiro* 282 (Rio de Janeiro), 3-45.

Certeau, Michel de (1975): «L'opération historiographique», em idem: *L'écriture de l'histoire*, Paris: Gallimard, 63-120.

Costa, F. A. Pereira da (1958): *Anais pernambucanos, 1795-1817*, vol. 7, Recife: Arquivo Público Estadual.

Coutinho, J. J. da Cunha de Azeredo (1966): *Obras econômicas*, apr. de Sérgio Buarque de Holanda, São Paulo: Ed. Nacional.

Coutinho, Rodrigo de Souza (1993): *Textos políticos, económicos e financeiros (1783-1811)*, 2 vols., org. de Andrée Mansuy Diniz Silva, Lisboa: Banco de Portugal.

Dias, Graça e Dias, José Sebastião da Silva (1986): *Os primórdios da maçonaria em Portugal*, 4 vols., Lisboa: Instituto Nacional de Investigação Científica.

Furet, F. e Ozouf, J. (1977): «Trois siècles de métissage culturel», em idem: *Lire et écrire*, vol. 1, Paris: Minuit, 349-369.

Hespanha, António Manuel (1986): *As vésperas do Leviathan*, Lisboa, policopiado.

Higgs, David Higgs e Neves, Guilherme P. (1989): «O oportunismo da historiografia: o padre Bernardo Luís Ferreira Portugal e o movimento de 1817 em Pernambuco», em *Anais da VIII Reunião Anual da SBPH*, São Paulo: Sociedade Brasileira de Pesquisa Histórica, 179-184.

Holanda, Sérgio Buarque de (1966): «Apresentação», em J. J. da Cunha de Azeredo Coutinho: *Obras econômicas*, São Paulo: Ed. Nacional, 13-53.

Koselleck, Reinhart (1997): *L'expérience de l'histoire*, Paris: Gallimard / Seuil.

Laslett, Peter & Runciman, W. G. (eds.) (1962): *Philosophy, Politics and Society*, (Second Series), Oxford: Basil Blackwell.

Mello, Evaldo Cabral de (1995): *A fronda dos mazombos*, São Paulo: Cia. das Letras.

---(1997): *Rubro veio: o imaginário da Restauração pernambucana*, 2ª ed., Rio de Janeiro: Topbooks.

---(1989): *O nome e o sangue*, São Paulo: Cia. das Letras.

Neves, Guilherme Pereira das (1984): *O Seminário de Olinda: educação, poder e cultura nos tempos modernos*, dissertação de mestrado, 2 vols., Niterói: Universidade Federal Fluminense.

Nogueira, Severino L. (1985): *O Seminário de Olinda e seu fundador, o bispo Azeredo Coutinho*, Recife: FUNDARPE.

Pagden, Anthony (ed.) (1987): *The Languages of Political Theory in Early-Modern Europe*, Cambridge: Cambridge University Press.

Pamplona, Marco A. (1996): «A historiografia sobre o protesto popular: uma contribuição para o estudo das revoltas urbanas», em *Estudos Históricos* 9 (17) (Rio de Janeiro), 215-38.

Pocock, J. G. A. (1985): *Virtue, Commerce and History: Essays on Political Thought and History, chiefly in the Eighteenth Century*, Cambridge: Cambridge University Press.

---(1971): *Politics, Language and Time: Essays on Political Thought and History*, New York: Atheneum.

Richter, Melvin (1980): «Reconstructing the History of Political Languages: Pocock, Skinner and the Geschichtliche Grundbegriffe», em *History and Theory* 29 (1) (Middletown), 38-70.

Rosanvallon, Pierre (1985): *Le moment Guizot*, Paris: Gallimard.

Silva, Andrée Mansuy Diniz (1979): «Une voie de connaissance pour l'histoire de la société portugaise au XVIIIe siècle: les micro-biographies», em *Clio* 1 (Lisboa), 21-65.

---(1988): «L'année 1789 vue de Turin par un diplomate portugais», em *Dix-huitième Siècle* 20 (Paris), 289-313.

Suter, Andreas (1997): «Histoire sociale et événements historiques. Pour une nouvelle approche», em *Annales: Histoire, Sciences Sociales* 52 (3) (Paris), 543-567.

Windler, Christian (1997): «Clientèles royales et clientèles seigneuriales vers la fin de l'Ancien Régime. Un dossier espagnol», em *Annales: Histoire, Sciences Sociales* 52 (2) (Paris), 293-319.

Circulação de idéias nas bibliotecas privadas do Rio de Janeiro, no final dos oitocentos

Tania Maria Tavares Bessone da Cruz Ferreira
Universidade do Estado do Rio de Janeiro

A influência de um livro sobre seus leitores pode ser marcante e sua utilização para a difusão de idéias pode ser rápida ou lenta, mas de qualquer forma significativa (1). No Brasil alguns livros constituíram-se como referências importantes e suas marcas foram deixadas em bibliotecas particulares, em memórias e em citações encontradas em fontes documentais como inventários e testamentos que mudam de orientação e perspectiva ao longo do século. Este estudo pretende definir algumas características da transformações importantes nas bibliotecas de profissionais cariocas, registradas em inventários e testamentos, por ocasião da morte de seus proprietários. Também será destacado o comportamento mais freqüente nos grupos de sociabilidade que se estruturaram em torno dos livros e das práticas de leituras, abordagem fundamentada em jornais, memórias e correspondência particular e catálogos.

Os acervos documentais do século XIX no item *Inventários* e *Testamentos* permitem um estudo quantitativo e qualitativo de muitos hábitos, tradições e representações. Tomando-se as primeiras décadas do século, em levantamentos na seção de *Inventários do Arquivo Nacional*, a tendência mais marcante é de *inventários* quase sempre acompanhados de *testamentos*, situação na qual raramente eram citados livros entre os pertences do inventariado e quando, vez por outra isto ocorre, são as obras teológicas que predominam nas listagens. Os dizeres dos testamentos estão mais voltados para questões espirituais que envolvem a vida e a morte do autor. Com textos crentes e piedosos as doações dizem respeito a projetos e desejos pessoais do testador e pouco se relaciona a questões objetivas como títulos de livros e autores, enfatizando serem livros piedosos ou missais.

Aqueles que descrevem com detalhe os bens móveis, e tem citados livros e bibliotecas que pertenciam ao inventariado, são mais predominantes entre os localizados na segunda metade do século XIX e geralmente não vinham acompanhados de testamentos. Os testamentos começam a escassear e a profissionalização dos inventários e verbas testamentárias se amplia. Ao estudar este conjunto percebe-se que o número de obras de cunho teológico era marcante em relação aos demais títulos (2) somente nas décadas iniciais do século. A medida que se acumulam, em muito maior número, os inventários, diminuem os testamentos e também seu teor de religiosidade. A partir da década de cinqüenta aparecem informações muito mais precisas quanto a bens móveis e imóveis, livros, número de obras, títulos e autores, além de avaliações bastante detalhadas, preços unitários e por lotes. Fica patente a diminuição de títulos em Teologia e sua substituição por obras de valor profissional ou literatura da época.

Estudando as bibliotecas de categorias sócio-profissionais, tais como advogados e médicos, são perceptíveis as mudanças culturais representadas nestes documentos. Pesquisando um conjunto de 257 nomes listados em publicações da época, foi possível levantar 130 advogados, 109 médicos e 18 familiares destas categorias sócio-profissionais no Arquivo Nacional. Do grupo, foram localizados 82 inventários e testamentos de advogados e 50 de médicos. No conjunto, 19,46% apresentavam um tipo de qualquer de registro de livros entre seus pertences. No quadro abaixo, uma síntese dos valores explicitados em alguns inventários, tanto para os livros, quanto para a fortuna de uma série de profissionais, na segunda metade do século XIX (3).

Valores em mil réis

INVENTÁRIOS COM LIVROS	VALOR DO MONTE	VALOR DOS LIVROS	%	VALOR DOS MÓVEIS	%
Agostinho Marques Perdigão Malheiro	49.085,844		0,00		0,00 *
Alfredo Claudio da Silva	53.879,245	500,000	0,93	215,000	0,40
Antonio Gabriel de Paula Fonseca	236.106,725	150,000	0,06	607,000	0,26
Antonio José de Souza	13.975,136	65,900	0,47	873,100	6,25
Antonio José Pereira das Neves	36.463,127		0,00	520,350	1,43
Antonio Manuel de Souza e Oliveira	355,000	40,000	11,27	165,000	46,48
Carlos Alberto de Bulhões Ribeiro	56.942,000	300,000	0,53	2,000	0,00
Carlos Canuto Malheiro	71.821,240	150,000	0,21	560,000	0,78
Carlos Ferreira Franca	21.532,840	160,000	0,74	638,000	2,96
Cristovão Miranda de Nobrega Andrada	137.365,700	30,000	0,02	1091,500	0,79
Domingos de Almeida Martins Costa	31.290,000	100,000	0,32	650,000	2,08
Firmo de Albuquerque Diniz	109.017,459	200,000	0,18		0,00
Francisco de Carvalho F. de Mello	80.495,240	2.200,000	2,73	3.377,000	4,20
Francisco de Salles Rosa	3.677,506		0,00		0,00 *
Francisco Praxedes de Andrade Pertence	13.162,150	200,000	1,52		0,00 **

Francisco Ribeiro da Silva Queiroz	310.355,840	150,000	0,05	2.192,000	0,71
Jeronimo Maximo de Nogueira Penido	1.116,000	500,000	44,80	116,000	10,39
João de Siqueira Queiroz	2.945,950	37,600	1,28	800,000	27,16
João Gonçalves da Silva Montarroyos	33.739,000	45,000	0,13	45,000	0,13
João José da Silva	135.445,240	50,000	0,04	2.822,700	2,08 ***
José Antonio Pimenta Bueno	27.270,628	3.000,000	11,00		0,00 ***
José Benicio de Abreu	3.589,072	3.000,000	83,59		0,00
José Maria de Noronha Feital	9.122,000	20,000	0,22		0,00
José Martins da Cruz Jobim	195.071,980	105,000	0,05	915,000	0,47
José Thomas Nabuco de Araujo	2.536,840	14,000	0,55	413,260	16,29
José Viriato de Freitas	20.000,000	1.915,000	9,57		0,00 **

*   livros doados, isentos de avaliação
**   móveis incluídos no valor dos livros
***   não houve menção a móveis

O tipo de livro mais freqüente nestes documentos estava vinculado não somente a uma escolha pessoal do inventariado, mas também às reais necessidades do período: eram livros para estudos e consultas profissionais. Em meados do século XIX, os currículos adotados por escolas do Rio já evidenciavam uma forte influência de autores clássicos ou franceses, ou ainda clássicos comentados por estudiosos franceses, tendência que era reforçada nos cursos universitários. Na passagem do século, esta influência se atenuou, acrescentando-se às humanidades e à gramática cursos de ciências naturais, geografia, matemática e história, que enriqueciam e ampliavam a formação (4).

As menções aos livros de Teologia eram cada vez menos numerosos e os temas preferenciais estavam concentrados na rubrica Jurisprudência e Belas Letras. Nas bibliotecas de Lopo Diniz, um médico, não havia um só livro de Teologia, enquanto eram listados 150 volumes de Ciências e Artes, Belas Letras, 23 volumes, História 6 volumes e 13 volumes sem identificação. A biblioteca do Conselheiro Leão Veloso possuía apenas 12 obras de Teologia, 200 de Jurisprudência, 24 de Ciências e Artes, 44 obras de Belas Letras e 100 obras de História (5). Na biblioteca do Dr. Ferreira Vianna havia somente dois lotes de Teologia, 53 de Jurisprudência, 3 lotes de Ciências e Artes, 16 de História, 3 lotes de Periódicos (6).

Algumas verbas testamentárias, documentos bastante simples e concisos, registrados em grandes livros de registros de cartórios, tornaram-se também marcas da preocupação de alguns possuidores de livros. Em muitos casos, respeitando os interesses específicos de cada um dos herdeiros, o doador encheu de informações um espaço burocrático tão exíguo quanto as verbas.

Destaco o caso de Manoel da Costa Honorato, bacharel em ciências jurídicas, formado por Recife, e também sacerdote e vigário da Igreja da Glória. Trabalhou durante muitos anos como professor, tornou-se sócio do Instituto Histórico e Geográfico Brasileiro, participou da Guerra do Paraguai. Deixou nomeados 17 herdeiros e foi extremamente minucioso quanto a distribuição de seus bens, fosse dinheiro ou outros valores.

Morreu em 1891 e como não poderia listar todas as suas obras no espaço do livro da verba testamentária, deixou-os repartidos por temática, para aqueles que julgava melhor aproveitariam da doação: «[...] os livros de assentamentos militares para o Tenente Jorge Gustavo Tinoco da Silva; os de matérias eclesiásticas para o Padre João Martins Alves Loreto; a Coleção da Ordem do Dia do Exército para o Coronel Joaquim Fernandes de Andrade e Silva; os de matéria de direito para o meu irmão João [...]» (7). Os livros de literatura e *«outros»* deveriam ser distribuídos para o mesmo João, o Dr. Pilar Tinoco e o irmão José. Os valores atribuídos aos livros chegaram a Rs. 90$000, sendo que algumas heranças líquidas chegaram a Rs. 10:000$000. O caso de Honorato representa a situação original de um clérigo que preocupou-se em fazer uma distribuição, por temática, de obras para aqueles que pudessem usufruir delas, ou fossem adequadas aos mais diversos interesses: livros religiosos para religiosos, e para leigos outros títulos. Talvez uma situação assemelhada no início do século XIX não necessitasse de tantos requintes do doador.

Mas a verdadeira ruptura em direção a novas leituras e novas práticas ocorreu sobretudo no início do século XX, a partir dos cursos de Medicina, que lutavam pela sua modernização. Sobretudo a partir de 1900, com a introdução de métodos científicos e experimentais, o anacronismo intelectual em vigor foi-se transformando. Difundir a ciência tornou-se pouco a pouco uma grande marca das publicações, permitindo, inclusive grande sofisticação das obras que apareciam no mercado editorial. Novas técnicas cirúrgicas, a criação de assistência sistemática aos alienados, a fundação do Instituto Oswaldo Cruz, que permitiu avanços nos estudos de medicina tropical, tudo isso colaborou na criação de uma nova tendência das pesquisas científicas, que se soltaram de suas amarras acadêmicas e oratórias para inaugurar uma nova proposta, que alcançou, inclusive, grande respeito internacional. Quanto aos advogados e juristas, as mudanças tornaram-se possíveis a partir de novas leituras de obras que lentamente se libertavam do quase exclusivismo de alguns autores, como Bentham, por exemplo (8).

Frente às novas necessidades da clientela, as obras consumidas pelos profissionais mudaram gradativamente de perfil, obrigando a uma alteração do tipo de oferta que se fazia na propaganda das livrarias e anúncios especiais sobre livros. Essas mudanças também podem ser observadas nas obras localizadas nas bibliotecas dos profissionais em atividade, nas duas primeiras décadas de nosso século, em relação aos períodos anteriores. As novas perspectivas nacionais e internacionais exigiam uma reformulação dos critérios de formação e atualização de juristas e advogados, que foram substituindo, pouco a pouco, obras de Benthan por outras de Spencer e, em alguns casos, Proudhon, Tucker, Carlyle (9).

Muitas vezes, essas obras ficavam incorporadas ao acervo de livros de diversos médicos e advogados, e eram arroladas em inventários. Algumas delas permaneciam entre os bens em razão de terem se tornado referências explícitas, que as transformavam em textos de uso obrigatório em face de exigência dos currículos de colégios e outros cursos preparatórios. Geralmente eram obras de Racine, Chateaubriand, Sainte-Beuve, Corneille e Molière, que podiam ser encontradas em muitas bibliotecas particulares. As bíblias, missais e outras obras de finalidade religiosa já não representavam mais o papel de leituras definitivas para letrados deste período (10).

Um outro setor que pode se tornar uma referência para que se conheça melhor as transformações nas leituras e preferências literárias, e que indica também o retraimento no consumo de obras de Teologia, eram os leilões, realizados por profissionais indicados para este fim, e que divulgavam suas atividades por jornais. Somente à guisa de exemplo citarei uma estatística baseada em anúncios do *Jornal do Commercio*, de 1870 a 1879. Devo esclarecer que os leilões eram realizados, pelo menos, uma vez por semana. Enquanto os títulos de Teologia apareceram em 24% dos leilões, os de Belas Letras estavam presentes em 90% deles e os livros de História em 82% (11).

Mesmo sem considerar ainda a produção em massa, o final do século XIX, assistiu a um crescimento das edições de alto nível e que tinham como maior preocupação difundir a ciência (12). Estas mudanças evidentes em documentos como os inventários e testamentos, catálogos e jornais tornam mais claras as preferências de leituras individuais, coletivas e que se desdobraram nos acervos de bibliotecas públicas. O exame desta documentação pode ajudar em uma melhor compreensão das nuanças destes hábitos e ritos.

Em pequenas ou grandes bibliotecas estudadas na transição do século XVIII para o XIX, o «livro sedicioso» ou a «perigosa literatura francesa» guardava um lugar especialíssimo e em alguns casos apareciam lado a lado às obras de teologia. Posteriormente os textos franceses tornaram-se quase que obrigatórios nas bibliotecas mais modernas ou melhor adaptadas às problemáticas do seu tempo, mas que ainda não dispensavam as tradições. As transformações políticas, sociais e ideológicas permitiram que alguns livros deixassem o terreno do proibido e fossem assimiladas pelo público que tinha acesso a publicações de maneira quotidiana. Ao lado das obras de Teologia os livros com temas pertinentes à história, literatura e jurisprudência passaram a predominar.

A sociabilidade em torno dos livros

A história cultural tem permitido novas abordagens e possibilidades de ampliar os conhecimentos da circulação de idéias, sobretudo se tomarmos como ponto de partida uma fonte pouco cotejada nos estudos de historiadores brasileiros: as bibliotecas e os livros. Associadas a estas seria importante destacar a história de seus proprietários o que nos levaria a responder algumas das indagações de Henri Jean Martin: quem lia, o que lia e quando lia.

Os livros estavam ocupando espaços importantes na sociabilidade carioca, tanto nos locais públicos quanto nas reuniões promovidas por membros de círculos de leitores no Rio de Janeiro, na transição do século XIX para o XX. Durante os saraus realizados nos salões, era comum a presença feminina, o que não ocorria nos espaços das livrarias e raramente nos das bibliotecas. O hábito de leituras em voz alta era bastante mencionado em relatos literários, e o número de leitoras parece ter-se ampliado à medida em que o folhetim se popularizou no Brasil. De qualquer forma, possuir uma biblioteca em casa caracterizava padrão de comportamento predominantemente masculino. Michelle Perrot menciona situação semelhante na França, enfatizando que a figura do pai dominava a casa e que os homens tinham mais liberdade no uso das bibliotecas, sendo os livros e a bibliofilia um negócio estritamente masculino (13).

No Rio, alguns desses salões existiam nas residências de médicos e advogados. Funcionavam no ritmo das disponibilidades de seus anfitriões e freqüentadores. Enquanto que no começo do século eram quase inexistentes, ampliaram-se na segunda metade e já nas décadas de oitenta e noventa eram comuns, participando vários indivíduos integrantes das elites fluminenses. Determinadas situações profissionais quase que exigiam este tipo de freqüência social. Ampliaram-se também porque a cidade letrada modernizou-se, aumentando de população, formando um número cada vez maior de doutores, que cada vez menos eram absorvidos como desejariam, dentro das expectativas criadas por sua formação, quando o caminho para a alta burocracia ainda parecia ser uma alternativa interessante.

No caso de advogados e médicos era bastante freqüente o convívio, até por dever de ofício. Alguns possuíam em seus próprios escritórios condições de funcionamento do que se chamou também de «gremialismo literário». Na primeira década do século XX, os salões se multiplicaram e foram incorporando novos modismos: dava-se preferência ao canto ou à declamação de poemas. Os mais elegantes se reuniam naqueles que funcionavam nas casas de Pereira Passos e de Heitor Cordeiro, em Laranjeiras, ou na Praia de Botafogo, residência de Vieira Souto, próxima da casa de Paulo Leuzinger, na São Clemente (14).

Havia casos que remontavam a meados do século. Entre estudantes, que viriam a formar os quadros sócio-profissionais mais estáveis no Brasil, essa iniciativa parecia comum. A história de Inácio Manuel Álvares de Azevedo pode ser contada como um exemplo de formação, via doméstica, de um círculo restrito de leitores. Tendo iniciado seu curso em Coimbra, acabou por concluí-lo em São Paulo, em virtude da expulsão de estudantes brasileiros partidários de D. Maria II. Durante o curso em São Paulo, casou-se com D. Maria Luísa Silveira da Mota, filha do Desembargador Joaquim Inácio Silveira da Mota, possuidora de vasta cultura literária, a qual desenvolveu posteriormente, junto ao marido, um salão no Rio de Janeiro considerado «o ponto de convergência para a mais seleta intelectualidade das rodas políticas, literárias e científicas da sociedade fluminense» (15). Como advogado, na Corte, pôde mesclar seus interesses profissionais a uma atividade cultural prazerosa, já que, segundo diversos cronistas, as opções de lazer da cidade eram absolutamente limitadas (16).

O espaço privado passou a se inserir num contexto social mais amplo e propiciou maior circulação daqueles que integrassem um ativo círculo de leitores. Essa tendência se acentuou no final do século. O hábito de leituras, das mais variadas tendências, estava em voga em algumas casas desta cidade das letras, com os livros presentes, de alguma forma, no quotidiano doméstico. A existência de escolas e faculdades não impediu nem apagou aquilo que Costa Lima chamou de «unanimidade da palavra oralizada» na nossa cultura, ou seja, o gosto pela locução do texto, ainda mais se considerarmos a massa de analfabetos (17).

Havia portanto uma certa tradição de leitura oral citada em correspondências, memórias e na literatura. Em alguns contos de Machado de Assis, por exemplo, há menções explícitas a certos hábitos de leitura, preferências temáticas ou gosto por bibliotecas comuns a vários tipos de leitores da época. No conto *Uma excursão milagrosa* Machado toma como pressuposto que seus leitores eram familiarizados com

> [...] todas as memórias de viagens, desde as viagens do Capitão Cook às regiões polares até as viagens de Gulliver, e de todas as histórias extraordinárias desde as narrativas de Edgard Poe até os contos de Mil e uma Noites (18).

A leitura de textos de viagens era comum e muitas delas realizavam-se também em ambientes sociais às vezes ditos voz alta. Um exame sistemático dos números de pedidos de livros de viagem nas bibliotecas públicas deixa clara esta preferência dos leitores. Em outro conto, *Um esqueleto*, a narrativa desenrolava-se em um sarau freqüentado por rapazes que falavam de artes, letras e política e liam seus textos preferidos (19).

Entre membros identificáveis do círculo de leitores, havia aqueles que tinham especial predileção por manter sempre à sua volta pessoas que também viam nesta facilidade de acesso aos livros, através de uma biblioteca pessoal, algo a ser preservado. Um famoso jurista, Augusto Teixeira de Freitas, manteve por anos um importante acervo em seu local de trabalho, franqueando-o a amigos e aprendizes. Não há possibilidades de se conhecer completamente as obras de sua biblioteca porque a família, após inúmeras dificuldades, teve que desfazer-se dela e não deixando informações. Porém, Augusto Teixeira de Freitas, que teve atuação profissional até a segunda metade do século XIX, foi colocado por vários estudiosos na galeria dos brasileiros ilustres. Era um jurista muito respeitado e citado, destacando-se também como ponto de referência na vida social da época. As menções a respeito de seus livros e hábitos nos permitem traçar uma biografia impressionista, através das prateleiras (para nós vazias) de sua biblioteca (20).

De perfil destacável na jurisprudência nacional, Teixeira de Freitas retratava a síntese de várias tendências presentes nesse círculo de leitores. Estudou direito nos dois centros de formação existentes no Brasil: São Paulo e Recife. Posteriormente, exerceu sua profissão na Corte. Personalidade mística e cheia de contradições, foi alvo de anedotas, muitas delas enfatizando sua relação simbiótica com os livros. Como presidente do Instituto dos Advogados Brasileiros, envolveu-se em um debate que culminou em seu desligamento do cargo. Em uma carta enviada aos colegas para justificar-se, optou pela ironia e ofereceu ao Instituto a quantia de 1:000$000, a fim de ser aplicada na criação de uma biblioteca para a nova instituição, recomendando que esse dinheiro fosse aplicado na aquisição urgente do *Corpus Juris*, «que deve ser a fonte vital, onde devemos beber sempre e sem descanso» (21).

Recolhendo várias de suas apreciações, pareceres e cartas esparsas, podemos formar um painel básico de suas leituras preferidas. Era grande a freqüência ao seu escritório, no Beco das Cancelas, e seus livros de direito estavam sempre à mão. Toda a obra de Freitas deixa transparecer a preocupação com o saber jurídico acima de qualquer questão particular (22). Após concluir a elaboração da *Consolidação das Leis Civis*, manteve debates com Caetano Alberto Soares em torno de uma desavença e a partir de uma questão jurídica levantada pelo último no Instituto dos Advogados; em seguida, polemizou com o Conselheiro Antônio Pereira Rebouças a respeito da *Consolidação das Leis Civis*, e depois com o autor do Projeto do Código Civil Português (1859) (23). No Instituto dos Advogados, onde desempenhou um papel importante, suas tertúlias eram razão para sessões cheias e tumultuadas (24).

Tendo recebido homenagens e honrarias e granjeando respeito público durante grande parte de sua vida profissional, Freitas morreu completamente esquecido, em Niterói, no ano de 1883, sem preservar a imensa fortuna que amealhara. Sua família, assistida por amigos que não se afastaram e permaneceram colaborando, não teve condições de preservar seu patrimônio mais estimado: os livros. Amigos e importantes figuras da época como Saldanha Marinho, Ferreira Vianna, Pimenta Bueno e Carneiro de Campos, apesar de presenças constantes, não puderam salvar sua biblioteca. Todo o patrimônio da família já vinha sendo dilapidado; as vendas se sucediam e nem mesmo a enorme casa da Rua Ipiranga foi poupada. As notícias de sua biblioteca chegam por textos de amigos, com grande carência de detalhes (25).

Recompondo, algumas características de sua biblioteca, temos que limitar nossa análise às citações encontradas. A predominância temática era de livros ligados às ciências jurídicas. Muitos amigos próximos puderam consultar as obras na casa e no escritório de seu proprietário. Os participantes do círculo de leitores usufruíam desse benefício em várias outras casas, que não necessariamente mantinham grande quantidade de livros, mas que igualmente os disseminavam, através de freqüentes consultas e empréstimos informais.

Antonio Ferreira Vianna, um dos seus colegas de profissão, doutor em Direito por São Paulo, veio para o Rio de Janeiro com uma carta de apresentação obtida em virtude do reconhecimento de seu potencial, ainda durante o curso. Logo foi nomeado para a Promotoria Pública da Corte e teve um desempenho notável durante toda a vida profissional. Foi um grande tribuno, conhecedor em profundidade de direito penal. Seu escritório era movimentadíssimo, tendo como clientes, entre vários outros, o Teatro Provisório, depois chamado Teatro Lírico, o Conde D'Eu, a Princesa Isabel e, já durante a República, parte expressiva da colônia inglesa no Rio. Era uma personalidade polêmica e chegou a ser demitido do serviço público por ter defendido um réu, a despeito de sua condição de promotor. (26) Foi homenageado diversas vezes por colegas e, em 1867, recebeu de vários advogados do foro, liderados por Teixeira de Freitas, uma coroa de louros de ouro cravejada de pedras preciosas, em reconhecimento pelo seu saber jurídico (27).

Seu escritório, na Rua da Quitanda, era muito amplo, ocupando um andar inteiro. Tinha aí mesmo «uma profusa e rica biblioteca jurídica, instalada em várias salas.» Outras bibliotecas possuía Ferreira Viana em suas três casas, situadas na Gávea, na rua do Fialho e em Santa Teresa. A decoração tinha um esmero acima do comum: a sala era mobiliada com móveis antigos de jacarandá e exibia quadros de bons pintores nas paredes (28).

Prefeito da cidade em 1869, demonstrou especial empenho em seu embelezamento e cuidado, criando asilos e casa de amparo. Tem seu nome ligado à fundação do Jockey Club Brasileiro, principalmente pelos favores concedidos à sua instalação (29). Destacou-se também durante a «Questão Religiosa», pois foi advogado do bispo do Pará, D. Antonio Macedo da Costa. Esses contatos faziam de seu escritório um grande ponto de encontro, mas as notícias sobre a composição de sua biblioteca são também muito esparsas. Houve um leilão autorizado, de sua biblioteca ou de parte dela, anunciado no *Jornal do Commercio*. Não se tem segurança de que nesta ocasião haja-se colocado à venda a totalidade do acervo. Seu papel no círculo de leitores foi inequívoco e ficou registrado através destes indícios esparsos, que denotam algumas características comuns ao grupo: posse de muitos livros, mesma formação profissional, grande participação na vida sociocultural da cidade.

Outros salões tomavam como razão de sua existência uma espécie de boemia literária carioca, que se reunia com assiduidade em cafés, confeitarias e redações de jornais. Aí, os círculos de leitores não possuíam um perfil sócio-profissional tão definido, incorporando os mais variados literatos, autodidatas, compadres, livreiros e bibliófilos, que exerciam funções de «mecenas e anfitriões», de grande importância para a sobrevivência cultural da cidade (30).

Os salões surgiram a partir de encontros habituais entre colegas de profissão, amantes das letras, bibliófilos e apreciadores de convívio cultural facilitado pelas novas condições de sociabilidade, a partir de hábitos que se enraizaram no Rio de Janeiro. Em 1894, por exemplo, foi fundado um estabelecimento comercial que muito agradou a essa clientela: a Confeitaria Colombo. Seu fundador, Manuel Lebrão, passou a ser festejado por este grupo, que buscava novos pontos de encontro. Apesar de já ocuparem outras áreas, reivindicavam novidades no espaço público preferido: do centro da cidade. Esse processo passou naturalmente por diversas etapas e permitiu o surgimento ou a consolidação de espaços, que eram muito apreciados, como confeitarias, no exemplo já citado, redações de jornais e livrarias.

Estas se concentravam no centro histórico e faziam as delícias de muitos. As mais importantes, no final século, eram a Garnier e a Laemmert, em torno das quais constituíram-se rodas literárias famosas. Mas havia outras: Quaresma, também muito freqüentada, pois vendia livros usados e baratos, Jacintho, Castilho, Cruz Coutinho e, mais tarde, desbancando pouco a pouco a Garnier e a Laemmert, a livraria Francisco Alves, que, inicialmente, privilegiava a venda de livros didáticos, mas que aos poucos foi-se impondo, principalmente pela importância editorial assumida por seu proprietário.

O convívio, aparentemente restrito a locais de lazer, não revelava o intrincado nível de relações de favores existentes. O círculo de leitores do Rio de Janeiro *fin de siècle* possuía certa diversidade interna. Na sua aparente homogeneidade, incorporou pessoas com interesses diversos, mas que se aproximavam por gostos semelhantes. Os médicos e advogados, por se integrarem com mais facilidade às estruturas político-sociais vigentes, eram categorias as sócio-profissionais que mais se destacavam, sendo geralmente vistas como as que melhor acesso tinham às estruturas de poder e, por conseqüência, as mais procuradas para favores e concessões.

No entanto, esta convivência informal raras vezes ultrapassou os limites da sociabilidade quotidiana, dificilmente transformando-se em instituições ou associações formais que solidificassem este pacto. Poucos tomaram iniciativas com vistas ao estabelecimento de instituições duradouras como a Academia Brasileira de Letras, criada pelo esforço de um grupo e mantida graças a uma tradição interna de solidariedade existente neste círculo de leitores – a ajuda mútua e o mecenato. Outro caso relevante foi a preservação da biblioteca de Francisco Ramos Paz, bibliófilo português, imigrante e que constituiu no Rio importante acervo, julgado digno de preservação por vários amigos que usufruíam da riqueza desta biblioteca. Este caso é emblemático quanto aos esforços e empenho de historiadores, estudiosos e bibliófilos para preservar algumas bibliotecas particulares que consideravam importantes.

Além das possibilidades que o convívio direto nos salões domésticos e mundanos oferecia, havia a troca de correspondência. Nela eram mencionados interesses, requisição de obras para empréstimos e questões relativas a esta mobilização em torno de criação e manutenção de bibliotecas particulares ou públicas. Os contatos podiam ser feitos através dessa rede de relações que envolvia os círculos de leitores, e ficam patentes sobretudo nos registros de favores solicitados por cartas e bilhetes. Muitos iam além de interesses pessoais e colaboravam em iniciativas de âmbito cultural mais amplo. Franklim Américo de Menezes Dória, barão de Loreto, colaborava na formação de uma biblioteca pública no Amazonas, através da ajuda do médico e diretor da Biblioteca Nacional, Ramiz Galvão, por instâncias de um amigo, como se pode perceber em uma carta enviada para agradecer seus esforços:

Manaus, 9 de novembro de 1882

Meu caro Franklin

Devo-lhe ainda a resposta a sua carta de 10 de setembro, para agradecer-lhe a pronta entrega da carta, que dirigi ao Ramiz Galvão. Estando tomadas todas as providências, espero receber muito breve os livros encomendados, e inaugurar a 1a. biblioteca pública do Amazonas.
Funcionará provisoriamente em um vasto salão lateral da Igreja Matriz, que estava desocupado. Trato de promover donativos para compra de estantes, mobília, livros etc. As estantes e a mobília já estão encomendados. Quanto aos livros, além dos que mandei buscar por intermédio do Ramiz Galvão, preciso adquirir obras nacionais sobre direito e literatura [...].

Seu amigo e irmão do Cor°
José (31)

Esta tradição de solidariedade, visível sobretudo na correspondência trocada entre colegas que aprofundavam seus laços de sociabilidade, materializava-se não só na troca de favores e no mecenato, mas também no atendimento tanto de situações pessoais quanto de questões que envolvessem o interesse público. Francisco Ramos Paz, elo tão importante nesses contatos entre membros do círculo de leitores cariocas, recebia cartas e bilhetes que não deixam dúvidas quanto a determinadas práticas vigentes. Pedidos de emprego para terceiros, intermediação em cobranças financeiras, desabafos por demissões, solicitações para ter artigos aceitos pela imprensa, cartas de recomendação e de agradecimento por nomeações, empréstimos de livros, convites para almoços e jantares, pressões para agilizar problemas com a burocracia, sugestões para aquisições de livros e assinaturas de revistas, bem como para publicações de obras, e até mesmo pedidos de votos para eleições na Academia Brasileira de Letras (32).

O apadrinhamento era uma prática freqüente e sua influência conhecida além das fronteiras nacionais. Em carta recebida de Lisboa, um associado do *Retiro Literário Português* solicitava auxílio na edição de livros de Francisco Gomes do Amorim e fazia menção ao desejo de vender manuscritos de Almeida Garret, com a ajuda pressurosa do amigo Francisco Ramos Paz (33). Joaquim Saldanha Marinho solicitou diversas vezes a interferência do mesmo amigo para apresentar interessados em obter empregos (34). Era comum, entre membros mais destacados do círculo, uma relação de gentileza e erudição com atendimento mútuo, como pode ser percebido pela carta de Benjamim Franklim de Ramiz Galvão a Paz, onde o pedido dizia respeito à indicação de notas para Capistrano de Abreu (35).

Alguns tinham a possibilidade de abordagem mais direta, como Carlos Magalhães de Azevedo, que, em carta dirigida ao mesmo correspondente, tratou o assunto de maneira clara e objetiva. Além de tecer comentários sobre uma tese para concurso de lente em São Paulo, o missivista pediu-lhe um emprego como colaborador remunerado da *Gazeta de Notícias*.

Meu prezado amigo Sr. Paz,

Tomo a liberdade de pedir-lhe um favor, que porá o remate mais digno a todas as finezas com que me tem distinguido até hoje.
Tendo recebido na Academia um título que só tem valor no sentido de dar-me na vida uma responsabilidade prática, desejo – e nada mais natural do que isso – trabalhar e tirar algum proveito do meu trabalho... assim, peço-lhe com o maior empenho, e de completo acordo com minha mãe, que faça tudo para obter-me um lugar de colaborador permanente e pago na Gazeta de Notícias [...]
Espero que, com a sua influência, me obterá o que desejo. [...] (36).

Os pedidos para amigos comuns ou recomendados eram corriqueiros e não havia limite definido para a freqüência, nem restrição quanto ao tipo de favor solicitado (37).

A manutenção da convivência do grupo era fomentada pelos já referidos convites para acontecimentos sociais e recepções, umas até de nomes originais, como «serão lítero-comercial» (38). Mantinha-se também um intenso intercâmbio de livros, que eram sempre nomeados, ao longo de quase toda correspondência, para indicar empréstimos, devoluções ou comentários críticos. As sociabilidades intelectuais no Rio de Janeiro estreitavam-se em salões, bibliotecas e livrarias e estavam mais enraizadas entre os grupos sócio-profissionais de elite como médicos e advogados.

As transformações nos tipos de leitura e nas preferências temáticas são perceptíveis tanto do ponto de vista qualitativo como do quantitativo. As rubricas *Jurisprudência, Belas Letras* e *História*, ao lado de *Ciências*, analisadas à luz de inventários, catálogos, leilões em jornais e correspondência ajudam a compreender melhor as escolhas mais marcantes no universo dos leitores do Rio de Janeiro no final do século XIX. As obras mais lidas, as mais discutidas e as mais publicadas podem ter um estudo minucioso a partir destas fontes.

Notas e referências

1　　Morisse, Gérard e Teisseyre, Charles (1997): «Le livre et l'historien: études offertes en honneur du Professeur Henri-Jean Martin», em *Revue Française d'histoire du livre* (Société des Bibliophiles de Guyenne) 96-97 (3/4) (Bordeaux), 411-413 e também Martin, Henri Jean (1969): *Livre, pouvoir et societé à Paris au XVII siècle (1598-1701)*, 2 vols, Genève: Librairie Droz.

2　　Ver Inventários (1870/1920): Arquivo Nacional, Rio de Janeiro.

3　　Ver Inventários. Arquivo Nacional, sobretudo Caixas 106, n. 845, 1868; 4174, n. 2108 e Caixa 664, nº 75, Galeria A, 1887.

4　　Ver *Jornal do Commercio* de 22 de abril de 1890 e 13 de junho de 1892 (Rio de Janeiro); e Freire, Gilberto (1990): *Sobrados e Mucambos: introdução à história da sociedade patriarcal no Brasil*, Rio de Janeiro: Record.

5　　Ver Lopo Diniz (1890): Leilão de 22 de abril.

6　　Ver Antonio Ferreira Vianna: «Documentos privados», Arquivo Nacional, Rio de Janeiro, Cod. OZ, Caixa 15, CP 10.

7　　Ver Arquivo Nacional: «Verba testamentária de Manoel da Costa Honorato», Livro 58, nº 129, Galeria B, 1891, Divisão de Bens.

8   Cf. Freire, Gilberto (1974): *Ordem e progresso*, 2 vols., Rio de Janeiro / Brasília: José Olympio / INL.

9   Ibid.; sobretudo quando comenta os novos tipos de leituras do final do século XIX.

10 Ver Nedell, Jeffrey (1993): *Belle Epoque tropical: sociedade e cultura de elite no Rio de Janeiro da virada do século*, Companhia das Letras: São Paulo, 81-86.

11 Levantamento de anúncios no *Jornal do Commercio*, entre 1870 e 1879.

12 Morisse, Gérard (1997): op. cit, 415.

13 Duby, Georges e Perrot, Michelle (1991): *Histoire des femmes en Occident*, vol. 4, Paris: Plon, 467-479.

14 Ver Machado Neto, Antônio Luís (1973): *Estrutura social da república das letras: sociologia da vida intelectual brasileira, 1870/1930*, São Paulo: Grijalbo / EDUSP, 33, que utiliza a expressão entre aspas. Para as crônicas de João do Rio sobre os salões e as ruas ver *A alma encantadora das ruas: crônicas* (1987), Rio de Janeiro: Secretaria Municipal de Cultura; e Raul Antelo (1989): *João do Rio: o dândi e a especulação*, Rio de Janeiro: Taurus / Timbre.

15 Nogueira, José Luís de Almeida (1977): *A Academia de São Paulo: tradições e reminiscências*, vol. 1, São Paulo: Saraiva, 187-189.

16 Coaracy, Vivaldo (1965): *Memórias da cidade do Rio de Janeiro*, Rio de Janeiro: J. Olympio, 205. O autor chama a atenção para as limitadas opções de lazer da cidade e o hábito de se receber visitas para saraus, conversas e lazer nas casas.

17 Cf. Lima, Luis Costa (1981): *Dispersa demanda: ensaios sobre literatura e teoria*, Rio de Janeiro: Francisco Alves, 6-9.

18 Machado de Assis (1979): *Obra Completa*, vol. 2, Rio de Janeiro: Nova Aguilar, 758-771. Originalmente no *Jornal das Famílias*, abril-maio 1866.

19 Ibid., 814-826.

20 Ibid., 826-832.

21 Ibid., 1006-1008.

22 Freitas, Augusto Teixeira de (1977) : *Codificação do Direito Civil* (Carta de 1867 ao Ministro da Justiça), publicação comemorativa do Sesquicentenário dos Cursos Jurídicos, Rio de Janeiro: Ministério da Justiça / Arquivo Nacional, 6.

23 Apud Meira, Silvio (1983): *Teixeira de Freitas. O jurisconsulto do Império, vida e obra*, Brasília: Cegraf, 111; e citando também Bevilaqua, Clóvis (1905): *Revista Acadêmica*, Recife: Faculdade de Direito de Recife, 182 e 139-179.

24 Cf. citação de Sá Viana apud Sílvio Meira (1983): op. cit., 140 e 175.

25 Ver Escrituras, Arquivo Nacional: 1° Ofício, ano 1858, Livro n° 275, p. 133-143; 3° Ofício, 28 de maio de 1858, Livro n° 259, p. 32-33; 1° Ofício, 28 de maio de 1858, Livro n° 275, p. 139 (verso) e 140 (frente). Ver também Livro de Distribuição, 6° distribuidor, L. 15, AN.

26 Arquivo Nacional: Documentos Privados, Coleção Conselheiro Antônio Ferreira Vianna, cx. 15, CP 10, 1891, doc.7.

27 Ibid.

28 Ibid.

29 Ibid., doc. 8.

30 Termo tomado de Antônio Luís Machado Neto (1973): op. cit., 52-53.

31 Arquivo Nacional, Documentos Privados, Franklin Américo Dória, Barão de Loreto (1864-1892), cx. 13 CP 10, doc. 21, Carta de José Lustosa da Cunha Paranaguá ao titular.

32 Biblioteca Nacional, Sessão de Manuscritos (citada doravante como BN-Mss.) Coleção Francisco Ramos Paz, ver principalmente docs.: I – 4, 1, 23; I – 4, 6, 42; I – 4, 5, 71; I – 4, 4, 4; I – 4, 6, 53; I – 4, 2, 21; I – 4, 4, 22; I – 4, 3, 46; I – 4, 7, 74; I – 4, 2, 44.

33 BN-Mss., Col. Francisco Ramos Paz: Carta enviada ao titular, para o Retiro Literário Português, 27 jul. 1864, 4 p.

34 BN-Mss., Col. Francisco Ramos Paz: Bilhete de Joaquim Saldanha Marinho para o titular, s/l, 23 nov 1878; 1 p. e também s/l, 3 abr. 1892, 1 p.

35 BN-Mss., Col. Francisco Ramos Paz: Bilhete de Benjamim Franklim Ramiz Galvão para o titular, Rio de Janeiro, 18 maio 1895, 1 p.

36 BN-Mss., Col. Francisco Ramos Paz: Carta de C.M. Azevedo ao titular, São Paulo, 1 fev. 1893, 4 p.

37 BN-Mss., Col. Francisco Ramos Paz: Cartas de Artur Azevedo ao titular, s/l, 9 mar. 1904 e 4 jan. 1900; Bilhete de Quintino Bocaiuva ao titular, Rio de Janeiro, 11 maio 1881, 1 p. e s/l, 15 jan. 1890, 1 p., Carta de J. M. Caminhoá ao titular para divulgar aparecimento de seu compêndio de botânica, s/l, s/d, 4 p.

38 BN-Mss., Col. Francisco Ramos Paz: Bilhete de Henrique Chaves ao titular convidando para jantar no salão do Globo, Rio de Janeiro, 2 ago. 1891, 1 p., Bilhete de Ernesto Cibrão ao titular: convite para serão lítero comercial, s/l, 21 nov. 1863 e Carta de Henri Laemmert ao titular convidando-o para tratarem de negócios em sua residência, s/l, 19 jan. 1870.

Fontes e bibliografia

A alma encantadora das ruas: crônicas (1987): Rio de Janeiro: Secretaria Municipal de Cultura.

Antelo, Raul (1989): *João do Rio: o dândi e a especulação,* Rio de Janeiro: Taurus / Timbre.

Beviláqua, Clóvis (1905): *Revista Acadêmica,* Recife: Faculdade de Direito do Recife.

Coaracy, Vivaldo (1945): *Memórias da cidade do Rio de Janeiro,* Rio de Janeiro: José Olympio.

Coleção Francisco Ramos Paz, Biblioteca Nacional do Rio de Janeiro.

Documentos privados: «Antonio Ferreira Viana», Arquivo Nacional, Rio de Janeiro, Cod. OZ, caixa 15, CP 10.

---: «Franklin Américo Dória, Barão de Loreto (1864-1892)», Arquivo Nacional, Cod. OZ, caixa 13, CP 10.

Duby, Georges et Perrot, Michelle (1991): *Histoire des femmes en Occident,* 4 vols., Paris: Plon.

Escrituras, Arquivo Nacional, 1º Ofício, ano 1858, livro nº 275; 3º ofício, 28 de maio de 1858, livro nº 259; 1º ofício, 28 de maio de 1858, livro nº 275. Livro de distribuição, 6º distribuidor, I. 15.

Freire, Gilberto (1990): *Sobrados e mucambos: introdução à história da sociedade patriarcal do Brasil*, Rio de Janeiro: Record.

---(1974): *Ordem e progresso*, 2 vols., Rio de Janeiro/ Brasília: José Olympio/INL.

Freitas, Augusto Teixeira de (1977): *Codificação do Direito Civil* (Carta de 1867 ao Ministro da Justiça), publicação comemorativa do sesquicentenário dos cursos jurídicos, Rio de Janeiro: Ministério da Justiça / Arquivo Nacional.

Jornal do Commercio, anos de 1870, 1879, 1890, 1892 (Rio de Janeiro).

Inventários, Arquivo Nacional, Rio de Janeiro, anos de 1870/1920.

Lima, Luis Costa (1981): *Dispersa demanda: ensaios sobre literatura e teoria*, Rio de Janeiro: Francisco Alves.

Lopo Diniz, leilão de 22 de abril de 1890.

Machado de Assis (1979): *Obra Completa*, vol. 2, Rio de Janeiro: Nova Aguilar.

Machado Neto, Antonio Luiz (1973): *Estrutura social da república das letras: sociologia da vida intelectual brasileira, 1870/1930*, São Paulo: Grijalbo / EDUSP.

Martin, Henri Jean (1969): *Livre, pouvoir et societé au XVII siècle (1598-1701)*, 2 vols., Genève: Librairie Droz.

Meira, Silvio (1983): *Teixeira de Freitas. O jurisconsulto do Império, vida e obra*, Brasília: Cegraf.

Morisse, Gérard e Teisseyre (1997): *Le livre et l'historien. Études offertes en honneur du Professeur Henri-Jean Martin*, em *Revue Française d'histoire du livre* (Société des Bibliophiles de Guyenne) 96-97 (3/4) (Bordeaux), 411-413.

Nedell, Jeffrey D. (1993): *Belle Époque tropical: sociedade e cultura de elite no Rio de Janeiro da virada do século*, São Paulo: Companhia das Letras.

Nogueira, José Luiz de Almeida (1977): *A Academia de São Paulo: tradições e reminiscências*, 2 vols., São Paulo: Saraiva.

Verba testamentária de Manoel da Costa Honorato, Arquivo Nacional. Livro 58, nº 129, Galeria B, 1891, Divisão de bens.

Revolução pela evolução:
as idéias de Kropotkin na Cidade do Rio de Janeiro

Lená Medeiros de Menezes
Universidade do Estado do Rio de Janeiro

Em obra clássica acerca da circularidade de idéias, que serviu de inspiração primeira para esse trabalho, Carlo Ginzburg critica a freqüência com que «idéias ou crenças originais são consideradas, por definição, produto das classes superiores», julgada sua difusão entre as classes subalternas como «um fato mecânico, de escasso ou mesmo de nenhum interesse» (1).

Segundo tal ponto de vista, a produção de idéias torna-se privilégio das elites letradas, cabendo às classes populares o papel de receptores passivos e desqualificados no processo de circulação das idéias que se orientam do topo para a base social. Ignorando a dialética travada entre os dois processos, essa postura, elitista e preconceituosa, nega qualquer possibilidade de existência criativa na base da sociedade, interditando a produção de sentido por parte daqueles cujo papel ficaria restrito ao da simples incorporação de sentidos predeterminados a partir do alto.

Para todos os que se dedicam ao estudo do jogo que se estabelece entre transmissão e recepção de mensagens e saberes, o receptor, de forma alguma, constitui-se em um elemento passivo e externo ao processo. Pelo contrário, continuamente vem sendo enfatizado o fato de a formação do sentido ser dada justamente pelo *leitor*, a partir de um processo discursivo que nele já se encontra instalado. Exposto às contingências sócio-históricas, qualquer sujeito constitui-se sempre nas relações que ele trava com o mundo que o cerca, quer assimilando, quer produzindo, modificando e deslocando discursos, conforme bem o demonstra Pêcheux em suas obras (2).

Como resultados mais contemporâneos dos caminhos apontados pelos *Annales*, no sentido da transposição da História intelectual, «das inteligências desencarnadas» para uma História pensada em termos de «categorias intelectuais partilhadas em uma determinada época» (3), inúmeros avanços têm sido registrados nos últimos anos; tanto no âmbito da História intelectual, quanto no da História cultural, ou ainda nas relações entre elas estabelecidas. Para Darnton, por exemplo, a História intelectual compreende não somente a

História das Idéias, no sentido do estudo dos pensamentos sistematizados, ou a História Intelectual «propriamente dita», incluindo «o estudo dos pensamentos informais, das correntes de opinião e das tendências literárias», mas também a História Social das Idéias, compreendendo «o estudo das ideologias e a difusão das idéias» e a História Cultural, abrangendo «o estudo da cultura no sentido antropológico, incluindo as visões do mundo e as mentalidades coletivas» (4).

Desta forma, para além dos espaços tradicionais, a História Intelectual incluiria «o conjunto das formas de pensar» (5), caminhando ao encontro de outros métodos, outros campos do conhecimento, outras fontes e outros atores.

Hoje temos clareza de que as idéias circulam e são absorvidas em um complexo processo de intersubjetividade, no qual o sujeito que «fala» – ou mais especificamente o que escreve – e o sujeito que «ouve,» ou seja, aquele que lê, são sujeitos ativos de um mesmo processo. Embora a sociedade tenha aparatos para administrar a interpretação, principalmente por conta da influência dos intelectuais, mesmo assim as idéias, de forma alguma, são absorvidas mecanicamente.

Definir os limites de intervenção nesse processo, encontrar as «fronteiras que separam o povo dos notáveis, os dominados dos dominadores» (6), tem sido o desafio permanente para todos aqueles que se vêm dedicando ao estudo de uma História intelectual ampliada.

Partindo do pressuposto de que as idéias cumprem uma trajetória de circularidade e que, ao circularem, se modificam, por mais que ocorram investimentos na paráfrase – ou seja, na repetição de um sentido já posto – o trabalho aqui apresentado pretende explicitar evidências da difusão de um determinado corpus ideológico para o conjunto social. Para tanto, utiliza-se de um estudo de caso: a difusão das idéias de Kropotkin/Reclus nos meios operários brasileiros, privilegiando como fontes os processos de expulsão instaurados contra anarquistas estrangeiros na cidade do Rio de Janeiro entre 1919 e 1930 (7), em uma clara demonstração da «volta aos arquivos» e da utilização de fontes alternativas no processo de produção da História. Mais do que concluir, o trabalho propõe. Mais do que analisar, ele evidencia e coloca em questão a circulação das idéias como objeto. Em última instância, a falta de análises mais profundas sobre determinados aspectos mostra-se um resultado imediato dos limites colocados pelas próprias fontes escolhidas.

Considerados os processos de expulsão, os registros da difusão das idéias kropotkianas no seio da militância encontram-se dispersos por toda parte, ainda que sejam fugidias as pistas existentes acerca dos processos criativos na dinâmica da recepção. Tanto nos autos de acusação quanto nos depoimentos dos acusados e das testemunhas, ou ainda nos anexos compostos por recortes de jornais e livretos editados pela imprensa alternativa de inspiração anarquista, idéias como as de revolução pela evolução ou aquelas relativas às misérias trazidas pelo capitalismo podem ser encontradas por toda parte.

Segundo Kropotkin, a anarquia conduzia ao comunismo, assim como o comunismo levava à anarquia, sendo ambos a expressão conseqüente da tendência manifesta de as «sociedades modernas» buscarem a igualdade. Em última instância, o que ele defendia – e que se tornou a máxima de seu pensamento – era a implantação do anarquismo na ordem política e do comunismo na ordem econômica (8).

A interrelação entre os conceitos de anarquismo e de comunismo era tão presente no espaço-tempo carioca que mesmo aqueles que não conheciam os meandros do *corpus* teórico kropotkiniano tendiam a utilizá-los como sinônimos, continuamente alternados nos textos produzidos. Era o caso da polícia, que qualificava os anarquistas-comunistas ora como comunistas, ora como anarquistas, raramente como anarquistas-comunistas ou comunistas-anarquistas.

O anarquismo que aportou à cidade do Rio de Janeiro por volta de 1890 manteve relações profundas com o pensamento de Kropotkin e Reclus, importado via Portugal. Tanto em terras lusitanas, quanto em terras brasileiras, podemos dizer que o anarquismo nasceu e cresceu comunista. Várias das obras-primas do comunismo-anárquico tiveram traduções em língua portuguesa, chegando ao Brasil via Portugal, grande parte em mãos dos que imigravam, ou graças aos contatos que, na nova terra, estes continuavam a manter com a «mãe pátria» (9). Mostra-se significativo, nesse contexto, o fato da maior coleção de obras comunista-anarquistas traduzidas em língua portuguesa pertencer ao Gabinete Português de Leitura do Rio de Janeiro, a maioria delas adquirida por meio de doações (10).

Os contatos permanentes com Portugal deixaram vários registros na documentação policial. O processo movido a José Urbano de Paiva, pintor de 34 anos, associado da União dos Operários da Construção Civil, expulso do Brasil no ano de 1924 é, nesse sentido, exemplar. Após declarar não admitir chefes nem subalternos, José Urbano assumiu participar assiduamente de reuniões onde procurava fazer propaganda de suas idéias através da distribuição dos jornais *A Batalha de Lisboa* e *A Comuna*, que recebia de Portugal (11).

As primeiras manifestações do comunismo-anarquista despontaram em Lisboa e no Porto sob influência direta do periódico *Le Revolté*, reimpresso na Suíça a partir de 1884 pela dupla Reclus-Kropotkin, tão logo o comunismo-anarquista definiu-se como corrente de pensamento na Conferência Internacional de Paris de 1883 (12). As doutrinas difundidas por *Le Revolté*, sob a forma de livros ou de brochuras, alcançaram uma vertiginosa popularidade, inseridas no cientificismo que se consagrava, com os evolucionismos biológico e social projetando-se como elementos de ponta.

No ano de 1886, dois anos portanto depois da reedição de *Le Revolté* na Suíça, Elisée Reclus visitou as cidades de Lisboa e do Porto. A partir dessa visita, segundo os estudiosos, mudanças significativas puderam ser observadas nos discursos libertários naquele país. No mês de setembro desse mesmo ano, circulou em Lisboa o primeiro número da *Revista Social*, cujas raízes teóricas estavam fixadas em *Le Revolté*. No ano seguinte, 1887, foi constituído o grupo comunista-anarquista de Lisboa. A leitura atenta de sua «Declaração de Princípios» faz pensar, segundo vários estudiosos, que o documento teve a colaboração direta do próprio Reclus em sua elaboração. Neste último ano também era criada a *Biblioteca dos Trabalhadores*, série de brochuras de propaganda destinada à militância operária. A primeira obra editada pela Biblioteca foi *A Anarquia na Evolução Socialista*, de autoria do próprio Kropotkin. Definia-se em Portugal, a partir de então, o que se poderia chamar de uma Escola comunista-anarquista que, segundo os estudiosos, ainda predomina como principal corrente no contexto do anarquismo ainda vivo naquele país.

A partir de Portugal, o comunismo-anarquista difundiu-se no Brasil ainda no final do século XIX. Junto aos homens e mulheres que emigraram no contexto da chamada «terceira onda» migratória, aportaram também ao país seus sonhos, utopias, esperanças e idéias de transformação social.

Analisado no contexto do cientificismo no qual se inseriu, o comunismo-anarquista representou uma tentativa de dar cientificidade ao anarquismo, adaptando-o às teorias que se consagravam no final do século, com destaque ao evolucionismo. As influências de Darwin sobre Reclus e de Spencer sobre Kropotkin já foram mais do que comprovadas por aqueles que se dedicam ao estudo do tema (13). No contexto do cientificismo, as formulações do anarquismo-comunista representaram, segundo alguns, uma espécie de recuo no próprio corpo teórico do ideário, por se enquadrarem em um conjunto de idéias classificadas como positivo-evolucionistas, embora tenhamos que sublinhar que não há «história desencarnada», como já o disse Febvre e o tem dito Chartier (14). Qualquer construção intelectual deve, necessariamente, ser compreendida no espaço-tempo em que se estrutura.

No Brasil, a influência da dupla Kropotkin-Reclus e, mais especificamente de Kropotkin, fez-se presente de forma muito marcante, podendo ser acompanhada passo a passo, em uma série de iniciativas voltadas para as classes trabalhadoras. Inspirada na *Biblioteca do Trabalhador*, publicada em Portugal pela *Revista Social*, que, por sua vez, era inspirada em *Le Revolté*, organizou-se no Brasil a *Biblioteca* do periódico *Terra Livre*, cuja primeira brochura publicada foi a obra *Evolução, revolução e ideal anarquista* de Elisée Reclus.

Para os editores, este primeiro volume da *Biblioteca Terra Livre* constituía-se em um «elegante volume de 152 páginas,» colocado ao alcance do público por preços módicos, incluindo abatimentos consideráveis para pacotes de 10 ou mais exemplares. A apresentação da obra destacava não somente a importância de Reclus para os trabalhadores – e para o movimento anarquista em todo o mundo – quanto enfatizava a importância do estabelecimento das necessárias relações do texto com os tempos então vividos. Buscavam os editores, a partir dessa simples observação, encontrar caminhos possíveis de intervenção no processo de leitura da obra, oportunizando a abertura dos necessários canais de recepção. São palavras dos editores responsáveis pela publicação:

> O sábio Eliseu Reclus ocupa-se, neste livro, de questões importantíssimas que agitam o nosso tempo. Define evolução e revolução; refuta a errônea atribuição do progresso à vontade de um amo ou à ação das leis; fala-nos de revoluções conscientes e de revoluções de palácio ou conjurações de partidos; descreve o estado social contemporâneo; resume o ideal libertário; avalia as forças em luta, o poder da fascinação religiosa; e mostra os indícios de um futuro próximo (15).

Após definir evolução como um «movimento interminável», uma «incessante transformação do Universo em toda a parte», Reclus dedicou-se a analisar as relações entre evolução e revolução, por ele conceituadas como «atos sucessivos de um mesmo fenômeno», no qual a evolução «preced[ia] a revolução que, por sua vez, impulsiona[va] nova evolução, causa eterna de futuras revoluções».

Com relação ao futuro, sua visão era marcadamente escatológica, proje-
tando o porvir como um tempo no qual as contradições fundamentais deixariam de ser visíveis, conseqüência da «grande revolução» que se anunciava.
Esta «grande revolução», também para Kropotkin, seria a responsável pelo
fim dos descompassos que haviam marcado os tempos, garantindo, em um
plano simbólico, o próprio retorno do paraíso à Terra. São palavras textuais
deste último autor:

> Assim se aproximam os grandes dias. A evolução em parte está feita; a revolução não
> tardará a chegar [...] Chegará um dia em que a Evolução e a Revolução se sucederão
> imediatamente, do desejo ao fato, da idéia à realização; tudo se confundirá em um mes-
> mo fenômeno [...] (16).

Apesar de todas as dificuldades de financiamento existentes, a idéia da *Biblioteca* do *Terra Livre* teve relativo êxito, principalmente se considerarmos
a presença de volumes por ela publicados no conjunto dos processos de
expulsão movidos a militantes anarquistas na cidade do Rio de Janeiro. À
obra de Reclus seguiu-se a publicação de outros títulos (17). Dentre estes
destacou-se a obra de Jorge Thonar intitulada *O que querem os anarquistas*,
publicada em 1906. Verdadeira síntese didática de todo o pensamento
comunista-anarquista, ela orientava-se pela preocupação primeira de ser inte-
ligível para um público formado, em sua grande maioria, por trabalhadores
humildes que, inseridos em um mercado de trabalho de muitos limites, amar-
gavam duras condições de sobrevivência.

Segundo a estrutura didática de Thonar, duas categorias básicas deveriam
ser consideradas para a compreensão do pensamento anarquista: uma era a da
destruição, a outra, a da construção. Considerada a primeira, a da destruição,
comunistas-anarquistas eram aqueles que se insurgiam contra a propriedade
individual, contra a autoridade, contra a religião, contra o patronato, contra os
bancos, contra o patriotismo, contra o militarismo, contra as guerras, contra
os governos, contra os impostos, contra a magistratura, contra as leis, contra
as ações eleitorais, contra o parlamentarismo, contra o matrimônio legal,
contra o estatismo e contra as morais dogmáticas e obrigatórias.

Quanto à construção, Thonar enumerava cinco pontos axiais. Com base
neles, todo aquele que se assumisse como anarquista-comunista devia lutar,
em primeiro lugar, pelo comunismo; ou seja, pela posse comum da terra, das
minas, dos transportes, dos instrumentos de produção e de consumo. Em
segundo lugar, pela anarquia, quer dizer, pela ausência de coação ou violên-

cia nas relações sociais. Por último, pelo livre exame ou liberdade crítica, pela união ou amor livre e pela solidariedade humana.

Quanto à questão da revolução e da evolução, o autor assim sintetizava a complexa dialética entre elas travada:

> Os anarquistas são evidentemente evolucionistas: tudo se transforma perpetuamente, a natureza não procede por saltos, todo efeito é produto de uma causa anterior. Mas a evolução pode ser lenta ou acelerada. A lentidão da evolução social é uma ruptura de equilíbrio entre os progressos científicos e industriais e o sistema social, que os conservadores têm ou julgam ter interesse em manter. Esta resistência do sistema determina uma aceleração em sentido contrário, a qual tende a restabelecer o equilíbrio rompido, levando bruscamente as instituições ao nível de evolução das coisas e das idéias (18).

A percepção da evolução científica e tecnológica, visível aos olhos, bem como a desigualdade existente no sentido da apropriação dos frutos dessa evolução, criando descompassados entre diferentes ritmos de mudança, fizeram-se idéias-chave no corpo do pensamento comunista-anarquista. Este descompasso, segundo tal perspectiva, remetia inevitavelmente às revoluções, assim teorizadas pelo mesmo autor:

> Ora esses movimentos bruscos são as revoluções. Todo evolucionista consciente é revolucionário quando o equilíbrio está rompido, e esse é o caso de hoje. Demais, a evolução social é um encadeamento de revoluções, perceptíveis ou não para nós (19).

Na ação revolucionária, porém, os anarquistas-comunistas defendiam a responsabilidade coletiva no processo de mudança, explicitada na ação de cada um *de per si*. Ainda que não atribuíssem o papel redentor unicamente às classes operárias, ampliando-o para todo o conjunto dos excluídos, eles rechaçavam veementemente a mudança pelo alto, colocando na mão do indivíduo comum a responsabilidade pelo vir-a-ser da História:

> Os anarquistas são, pois, evolucionistas e revolucionários; mas, ao contrário dos autoritários ou legalitários nada esperam das mudanças na lei ou no governo, transformações exteriores ineficazes ou supérfluas, concebem a evolução como movimento íntimo do todo e suas partes, com origem nos indivíduos, nas suas forças coordenadas e solidárias (que o governo não aumenta, mas em parte desperdiça e utiliza em proveito seu ou em uma classe), e combatem a confiança nessas mudanças exteriores, esse providencialismo que retarda a evolução (20).

Ainda que priorizassem a evolução, considerando as revoluções como uma espécie de ajuste necessário, os comunistas-anárquicos destacavam o papel das contradições no interior das estruturas, bem como o jogo dialético que se travava entre o movimento – simbolizado pelo progresso científico – e as resistências, que caracterizavam a lentidão da evolução social.

Essa idéia de ritmos diferentes de mudança que, em última instância, embasava as relações evolução-revolução, encontrava fácil demonstração nos tempos então vividos, nos quais a mudança tecnológica ganhava cada vez maior velocidade, a ponto de Kropotkin, em sua *Conquista do pão*, fazer uma verdadeira apologia das máquinas como agente libertador, principalmente da mulher, considerada por ele como «escrava dos trabalhos domésticos» (21). Por outro lado, ao fazer a apologia do progresso, o teórico enfatizava a proposta anárquica da «socialização da riqueza,» apontando para a anarquia como um estágio posterior ao do capitalismo avançado:

> [...] o progresso futuro da humanidade reside em tornar efetiva a socialização da riqueza e a integração do trabalho aliadas, uma e outra, à expressão da mais completa liberdade individual (22).

Aparentemente complexa, a idéia da revolução como resgate de equilíbrios perdidos e como agente da verdadeira mudança parece ter tido uma fácil difusão nos meios operários, até porque depositava nas mãos dos excluídos a responsabilidade pelo caminhar da História (23). Voltemos, mais uma vez, ao próprio Kropotkin, ao conclamar a todos à tarefa da mudança, tendo em vista que a ciência já fizera a sua parte:

> Os séculos trabalharam para nós. Fortes pela sua experiência, podemos e devemos mostrar-nos à altura da nossa tarefa histórica (24).

Divulgar as idéias dos «trabalhadores intelectuais», através de textos facilmente compreensíveis, foi projeto que marcou toda a obra comunista-anarquista. A preocupação didática de Thonar não foi assim um caso isolado no conjunto. As obras do próprio Kropotkin e de Reclus estão repletas de exemplificações metáforicas que, em última instância, voltavam-se para a abertura do simbólico como caminho para a facilitação da recepção, garantindo a difusão, no seio das classes populares, das formulações científicas dos letrados.

O texto que se segue, eminentemente argumentativo, é um exemplo paradigmático da preocupação didática dos anarquistas-comunistas. Utilizando-se da imagem metafórica de um rio que corre em um curso acidentado, o texto orienta-se para a explicação do processo de gestação das revoluções e das novas evoluções delas decorrentes:

> Quando um obstáculo obstrói um rio, as águas se acumulam lentamente contidas por ele, e um lago logo se forma, pronto para uma lenta evolução, procedendo-se [porém] uma infiltração no dique [formado], o arrastro de uma pedra determinará o cataclisma. O obstáculo [então] será arrastado com violência e o lago voltará a ser rio. Isto se chama uma pequena revolução terrestre (25).

De forma geral, os teóricos anarquistas, ao se posicionarem como trabalhadores intelectuais cujo papel era escrever para os outros trabalhadores, levavam muito a sério a questão da recepção. De forma alguma lhes interessava enunciar discursos em uma linguagem hermética, de pouco circulação. Desta maneira, não só lançavam mão do uso amplo do simbólico na exemplificação de suas idéias, quanto buscavam a consecução de estratégias diferenciadas de transformação de seus escritos em muitas formas de oralidades, dentre as quais destacaram-se os círculos de leitura e o teatro como fórmulas exemplares de sua prática doutrinária.

Regra geral, todos os teóricos envolveram-se com os processos de difusão de suas idéias no seio dos excluídos – trabalhadores ou não – dedicando-se à formulação de estratégias de intervenção no processo de recepção do conhecimento. Prova disto foi a organização, no Brasil de 1920, de um grupo denominado *Paladinos do porvir*, que trouxe a si a responsabilidade de produzir e de divulgar obras em grafia revolucionária, que acreditavam ser mais acessível ao operariado. Considerando que «a grafia portugueza [era] e [continuaria a ser] o maior embaraço à instrução e por isso mesmo a cauza do atrazo em que se mant[inha] o povo portuguez e o brasileiro» (26), o grupo dedicou-se a apresentar uma grafia alternativa, sem os «formalismos» rebuscados da grafia oficial, que, segundo eles, tantos obstáculos interpunham à alfabetização e à leitura. Interessante observar que, apesar das tentativas empreendidas pelos componentes do grupo no sentido de eliminar os obstáculos existentes, os autores que se ajustaram às novas regras ortográficas propostas tenham sido traídos em seu intento pela permanência de um vocabulário e de uma estrutura frasal eminentemente cultos que, de forma alguma, acompanhavam o uso revolucionário e igualitário da grafia.

Com o objetivo de disseminar o ideário anarquista pelo todo da sociedade, o grupo dedicou-se à produção de uma revisão ortográfica, segundo eles, perfeitamente coerente com a essência do «ser anarquista e estar pronto a contestar a ordem estabelecida», qualquer que fosse sua dimensão. Segundo os paladinos, «como todas as [outras] cousas», «a grafia merec[ia] uma limpesa geral». Esse trabalho, embora considerado um desafio, era, segundo sua percepção, perfeitamente possível, já que havia no seio do próprio movimento muitos «trabalhadores intelectuais» capazes de empreender tarefa tão significativa.

Um dos trabalhos publicado pelo grupo constituiu-se em uma série de poemas que constituem verdadeira síntese do pensamento anarquista-comunista em versos (27). Dentre todos os poemas destaca-se o que se intitula *Mundo Agonizante*, de autoria de Lírio Rezende, que deu título à coletânea (28). Pertencem a este extenso poema, de mais de 200 versos, os fragmentos que se seguem, ilustrativos não só da revolução ortográfica proposta, quanto das bases científicas do comunismo-anarquista de Kropotkin, Reclus e tantos outros:

Lançados á fogueira, ao rio, ao carcavão...
E quer venha outro Néro e outra Inquizição,
O mundo pregredio, não pode estacionar
Emquanto a humanidade ajir, raciocinar!
Viver para gastar, comer sem produzir,
É roubar o passado, o prezente e o porvir.

Tudo que vive sofre, e luta e se transforma,
Ninguem pode entravar a Lei da evolução!
Somente a vossa lei tem sempre a mesma norma...
– Dominar pela força impondo a submissão.

Vós não podeis negar os surtos do progresso
Que vêm da Grecia antiga até os nossos dias!
E teimais em nutrir um prurido abcesso...
Pensais que ele reziste á lança das teorias?!

Está pulverizada a lenda do Calvario
Perante o livre ezame os tribunais baqueiam!
A Ciencia decepou as garras do arjentario,
Tornou-se mais social, pertence aos que semeiam!

Vai decompor-se um mundo e outro já ressurje,
Alem do grande ideal ha sempre mais ideal!
Corta o céo Aviador! Pedreiro! um esforço urje,
Na estrada Evoluçao, não ha marco final!

Quero uma Sociedade harmonica, vibrante,
Já descrita por Vasco! e Mélla! e Cropotkine!
detesto a Ditadura embora coordenante...
Abraço Malatesta e censuro Lenine (29).

Progresso, Ciência e Evolução, da mesma forma que Revolução em outras estrofes aqui não citadas, são vocábulos que se encontram grafados em letra maiúscula pelo autor, demonstrando, nesse destaque, sua verdadeira sacralização. A lei do movimento perpassa todo o poema, impondo-se de forma gloriosa nos tempos então vividos. Para os anarquistas-comunistas, como imperativo do progresso, o mundo não podia parar, já que ninguém podia entravar a Lei da evolução. No caminhar da humanidade, sob esse prisma, não havia um marco final, pelo menos até que a «grande revolução» viesse a eliminar em definitivo os descompassos e as desigualdades existentes. Na ciência, tornada social, encontrava-se depositada a própria promessa da redenção, cabendo à militância colher seus frutos, garantindo a entrada no paraíso. Este era representado nos versos finais do poema como espaço de felicidade e abundância, livre da miséria, da desigualdade e da exploração:

Já pareço antever a terra transformada.
Bosques em profuzão, jardins, trigais e flores!
A's carícias do luar cantam de madrugada
Em um alegre festim, as aves, seus amores!

Nâo há féras no monte a trucidar rebanhos
Nem ladrois pela estrada a saquear viajantes!
Acabaram de vez entre os povos estranhos
As rixas por questois de terras litigantes! (30).

Se Jorge Thonar e Lírio Rezende representavam no Brasil os «trabalhadores intelectuais» a que se referiam os paladinos, trabalhadores humildes, empregados no comércio, na construção civil, nas docas, nos transportes e nas várias oficinas e fábricas da cidade constituíam a base do movimento, difundindo, através de seus atos, a ideologia que abraçavam, bem como, através de suas falas, os registros de sua criatividade no processo de dar sentido ao discurso. No exercício de sua militância, transformavam idéias em práxis, tensionando as relações entre as elites e as classes populares, convictos de que uma nova era começara a partir do surgimento da «estrela vermelha» que «já brilhava» nos céus soviéticos:

Tenhu pena dc vós, de todos que vos cercam,
Pois não tarda surjir uma estrela vermelha!
E quando aqui brilhar duvido que se percam
Uma lingua de fogo, um raio, uma centelha!

E'ssa estrela que vem das bandas do Oriente
Onde o jelo não tolhe os limpos corações!
Já paira iluminando os campos do Ocidente
Onde se irão travar as grandes convulçõis!...

Alguem já lhe chamou a «estrela redemtora!»,
Por não ser comparada as outras do Infinito!
A sua rubra-cor, fornalha abrazadora,
Jerou-a a dor do mundo, a estortar, em um grito! (31).

A estrela poética representava, para o conjunto da militância, a crença no início de um processo mundial de redenção, colocado em movimento a partir do «outubro vermelho». A guerra civil em território russo e a conseqüente radicalização da contra-informação impediam que países periféricos como o Brasil tivessem informações reais sobre o que verdadeiramente ocorria em território soviético com relação à nova ordem em implantação. Foi muito comum, nesse contexto, que os libertários tendessem a fazer uma leitura dos acontecimentos como a vitória da «grande revolução» anárquica tão esperada, concepção que viria a se alterar a partir do final da guerra civil na Rússia.

A leitura eufórica da implantação da Anarquia na Rússia, bem como depoimentos emblemáticos tanto acerca da crença em uma revolução mundial em marcha, quanto das idéias-chave do comunismo-anarquista de Kropotkin encontram-se registradas em fragmentos dispersos nos processos de expulsão movidos contra anarquistas estrangeiros no Brasil. Servem de exemplo os que se seguem:

– Natural da Galícia, Narciso M. Oliveira era sapateiro, tinha 27 anos no momento em que foi expulso do Brasil. Era solteiro, alfabetizado e havia chegado ao país com 20 anos no ano de 1913. Segundo os autos do processo, ele tivera papel destacado em vários comitês organizados entre 1913 e 1920, sendo orador permanente na tribuna popular, onde «pregava a anarquia e consequentemente a implantação do regime comunista» (32) .

– Gumercindo Gonçalves Esteves, também natural da Galícia, era solteiro, trabalhador no comércio, alfabetizado e encontrava-se há 20 anos no Brasil, quando foi expulso em 1919. Segundo o acusado, «tendo estudado bastante a organização da sociedade geográfica, est[ava] de acordo com as idéias anarquistas», pois o «meio pelo qual poder[ia] vir o anarquismo [seria] a revolução, isso é, a evolução social que fatalmente provocar[ia] o choque entre a maioria trabalhadora e a minoria opressora, acontecendo isso mesmo na própria natureza» (33).

– Português de Beira Alta, José Rosa da Silva era padeiro, solteiro, alfabetizado e tinha 29 anos quando foi expulso, após 8 anos de residência na cidade. Assumindo a acusação de anarquista, e após uma primeira prelação contra o clero que, segundo ele, «mantinha o povo na ignorância», declarou-se «a favor da igualdade e da revolução» e partidário da «revolução como conseqüência da evolução», acrescentando ainda que, segundo seu ponto de vista, «através da propaganda e da educação do povo suas idéias seriam, um dia, vencedoras» (34).

Parte de uma amostra formada por 74 processos impetrados contra estrangeiros residentes na cidade do Rio de Janeiro, Narciso de Oliveira, Gumercindo Esteves e José Rosa da Silva são exemplos marcantes da presença das idéias de Kropotkin/Reclus no seio da militância operária, onde os portugueses, seguidos dos galegos, eram majoritários no conjunto dos imigrantes. Considerados os depoimentos e determinados fatos expressos nos processos, os militantes processados, regra geral, eram trabalhadores pobres que se doutrinavam através da leitura individualizada ou coletiva dos jornais operários e dos livretos por eles editados, raramente conseguindo transpor para o registro popular o vocabulário e a estrutura utilizados pelos «trabalhadores intelectuais». Narciso, por exemplo, era sapateiro, Gumercindo, comerciário e José, padeiro. Raras vezes a leitura incluía considerações mais elaboradas, apontando, por exemplo, para a necessidade da propaganda e da educação, como foi o caso de José Rosa da Silva ou de Gumercindo Esteves, que enfatizavam a questão da opressão da minoria sobre a maioria. Por outras, a leitura restringia-se ao domínio das idéias mais gerais, transformadas em palavras de ordem a indicar comunhão com determinadas elaborações teóricas mais elaboradas.

A idéia da revolução como única alternativa de redenção, porém, ainda que nem sempre enunciada, circulava amplamente, atemorizando os corpos e as mentes das elites conservadoras. O processo movido a Antonio Rodrigues da Silva é emblemático no sentido da demonstração desta circulação, bem como de outras idéias-chave que constituíam o ideário anarquista:

– Carpinteiro por profissão, Antonio Rodrigues da Silva era casado, tinha 36 anos no momento de sua expulsão no ano de 1919 e residia na cidade do

Rio de Janeiro há 9 anos. Membro da União Geral da Construção Civil, ele era acusado de pregar suas idéias na sede de associações operárias e nas oficinas do Lloyd Brasileiro. A partir da negação da acusação de anarquista a ele imputada, extremamente criativo no dizer, Antonio Rodrigues assim enunciou sua militância e sua crença na revolução, veiculando suas idéias nas frestas dos registros feitos pelo escrivão:

> [...] em horas de descanso, o declarante procura estudar a natureza e os homens, achando que a sociedade de hoje é totalmente corrupta e que só um cataclisma pode corrigí-la; que seu ideal seria que todos os homens se amassem como irmãos, prestando-se auxílios mutuamente, procurando assim suavizar a luta pela vida; que do modo porque está formada a sociedade, o declarante acha que devido ao choque de interesses e ambições os homens lutarão como selvagens (35).

Da mesma forma que a idéia da revolução, ou no dizer de Antonio Rodrigues, da correção por cataclisma, a crença de que o homem comum podia tomar a história nas mãos era uma idéia que circulava de forma generalizada. Essa concepção incentivava a «Ação Direta» e, na sua forma mais radical, a «Propaganda pelo Ato», na luta inevitável contra um capitalismo demonizado, um «Molock infernal» a oprimir os trabalhadores:

> O carro – Exploração – não pode ir mais adiante
> Encravou-se na lama, está podre, afinal!
> Vão comessar a luta as falanjes d'Atlante
> Está para enterrar-se o Molock infernal! (36).

Muito presente no universo dos escritos anarquistas, a poesia – e dentro ou fora dela, a metáfora – cumpriram papel fundamental no processo de intervenção no simbólico, intuído como caminho para a transmissão de significados predeterminados. Nesse processo, os mitos de origem e determinadas mitologias seculares tiveram papel fundamental para o estabelecimento das pontes necessárias entre a transmissão e a recepção. A contraposição maniqueísta das representações do bem e do mal, explicitada nas lutas entre socialismo e capitalismo, paraíso e apocalipse, calvário e ciência, fez-se presença marcante no discurso anarquista, quer no escrito, quer no verbal. A luta metafórica entre as «falanjes» redentoras contra o «Molock infernal» expressa no poema de Lírio Rezende foi um horizonte paradigmático a determinar leituras de enfrentamento no tocante à percepção do mundo e à compreensão das desigualdades existentes.

Vendidos aos militantes, e principalmente aos sindicatos, os jornais e as brochuras por eles publicadas tornaram-se a matéria-prima principal de ciclos de conferências e de leituras socializadas promovidas pelas associações operárias, comprovando a tese já consagrada de que os trabalhadores «bebiam doutrina nos jornais operários». Através da imprensa e de suas iniciativas editoriais, as idéias dos grandes teóricos anarquistas, com destaque a Kropotkin, circularam, assim, entre os excluídos, oferecendo, a um só tempo, explicações para a desigualdade e a exclusão, bem como alternativas para um futuro sem exploração. Desta forma, tenderam a ser absorvidas à medida que responderam às necessidades, aos anseios, aos sonhos e às esperanças de redenção das classes populares: utopias de um espaço-tempo marcado por criativas representações; sonhos transformados em pesadelo pela força da repressão.

Notas e referências

1   C. Ginzburg (1987): *O queijo e os vermes. O cotidiano e as idéias de um moleiro perseguido pela Inquisição*, São Paulo: Companhia das Letras, 17.

2   Michel Pêcheux (1997): *O discurso. Estrutura ou acontecimento?*, 2ª ed., Campinas: Pontes.

3   Os termos foram apropriados de Chartier (1998): *Au bord de la falaise. L'Histoire entre certitudes et inquiétudes*, Paris: Albin Michel.

4   Robert Darnton (1980): «Intellectual and Cultural History», em M. Kammen (ed.): *The Past before Us: Contemporary Historical Writing in the United States*, Ithaca: Cornell University Press, 337, citado por Roger Chartier (1998): op. cit., 28.

5   Roger Chartier (1998): op. cit., 29.

6   Ibid., 42.

7   A série constitui o módulo 101 referente ao Ministério da Justiça (Setor do Poder Judiciário) do Arquivo Nacional. Pacotilhas IJJ[7] 126 a IJJ[7] 179.

8   P. Kropotkin (s/d): *O anarquismo, sua filosofia e seu ideal, suas bases científicas e seus princípios econômicos*, 137. O texto original da obra foi publicado pela revista britânica *Nineteenth Century*, nos números de fevereiro e agosto de 1887, sendo posteriormente produzidos em opúsculos de propaganda pelo periódico londrino *Freedom*, daí sendo traduzidos para língua portuguesa.

9   É muito comum nos processos encontrarmos referências à leitura de jornais portugueses, especialmente *A Batalha* de Lisboa.

10 De autoria de Kropotkin, compõem esse acervo as seguintes obras: (s/d): *A conquista do pão*; *À gente nova* (1904); *Memórias de um revolucionário* (1907); *O espírito revolucionário* (1908); e *Um século de expectativa: 1789/1889* (1904). De autoria de

Reclus, destacam-se, em língua portuguesa: *A anarquia e a Igreja* (1907) e *Correspondência de 1850 a 1905* (1943).

11 Arquivo Nacional. SPJ, Módulo 101, pacotilha IJJ[7] 163.

12 Reclus havia participado da Comuna de Paris, caíra prisioneiro e fora banido da França. Exilado na Suíça, aí travou contato com Kropotkin, de quem se tornou amigo e parceiro. A dupla Reclus-Kropotkin transformou-se, a partir de então, em referência obrigatória para anarquistas em todo o mundo.

13 As relações entre Darwin e Reclus eram tão estreitas que coube ao primeiro reunir os esforços necessários para a libertação de Reclus quando este esteve preso em Dresden, por ocasião da guerra entre França e Alemanha. Quanto a Kropotkin, sua admiração por Spencer foi por ele mesmo assumida em sua obra.

14 Ver, principalmente, Roger Chartier (1998): «Histoire intellectuelle et Histoire des mentalités», em idem: *Au bord...*, 32.

15 Para melhor compreensão do texto, a grafia foi atualizada, no entanto a estrutura frasal e a pontuação originais foram mantidas.

16 P. Kropotkin (s/d.): *A conquista do pão,* Rio de Janeiro: São João, 11.

17 Nessa relação figuravam: *A legislação operária* de Samais; *Bases científicas da Anarquia* de Kropotkin; *O antipatriotismo* de Hervé; *Autodefesas* de Etiévant; *A responsabilidade e a solidariedade na luta operária* de Nettlau; *A greve geral, seus fins e seus meios: uma organização comunista do trabalho* de Girault; e, finalmente, *Primeiro passo para a anarquia* de Milano.

18 Jorge Thonar (1906): *O que querem os anarquistas,* São Paulo: Biblioteca Terra Livre.

19 Ibid.

20 Ibid.

21 Cf. Kropotkin : *A conquista do pão,* op. cit., 25.

22 Kropotkin: *O anarquismo ...*, op. cit., 115.

23 Muito antes de os historiadores consagrarem a questão do tempo multidimensional e das tensões colocadas pelas permanências, Kropotkin já trabalhava com os embates entre o movimento e as resistências, ainda que fossem outros os esquemas explicativos, abrindo espaço, deste modo, para a apreensão de um tempo bidimensional.

24 Kropotkin: *A conquista do pão,* op. cit., 31.

25 Embora a grafia tenha sido atualizada, foram mantidas a estrutura frasal e a pontuação originais.

26 No caso específico das obras publicadas pelos *Paladinos do Porvir,* foi mantida a grafia original. Pela proposta do grupo, deviam ser eliminadas as principais fontes de dificuldades no registro gráfico dos fonemas. Desta forma, o *g* com som de *j* passava a ser grafado com *j*. Idem para o *s* com som de *z*, o *o* final com som de *u* e o *x* com som de *z*. Por outro lado, deixou de ser considerado o *m* antes de *p* e *b*.

27 Estes poemas nos chegaram às mãos na forma de anexos do processo de expulsão de um português acusado de práticas terroristas na cidade do Rio de Janeiro no ano de 1920. Estas práticas consistiram na explosão por dinamite de uma série de padarias, sendo de registrar-se que a classe dos padeiros, juntamente com a dos trabalhadores da construção civil, destacava-se, no conjunto do movimento, como a mais radical. No conjunto dos processos relativos aqueles que se envolveram nessa «onda» de explosões, há referências a uma sociedade secreta intitulada Carbonária Padeiral, que seria a responsável pelos atos em questão. Sobre o tema, ver Lená Medeiros de Me-

nezes (1997): «Anarquistas e comunistas: aves da turbulência», em idem: *Os Indesejáveis*, Rio de Janeiro: EDUERJ, 89-125.
28 Um dos poemas aqui não citado por questões organizativas, tinha um título por demais sugestivo: *Evoluína*, nome de mulher que remetia diretamente à aceitação da evolução na explicação da vida e do social.
29 Brasil, Arquivo Nacional, Ministério da Justiça e Negócios Interiores, SPJ, Módulo 101, Pacotilha IJJ⁷168. Processo de expulsão de Abel dos Santos. A grafia foi atualizada, mantendo-se a estrutura frasal e a pontuação originais.
30 Lírio Rezende (1920): *Mundo agonizante*, 18.
31 Ibid., 15.
32 Brasil, Arquivo Nacional, Ministério da Justiça e Negócios Interiores, SPJ, Módulo 101, Pacotilha IJJ⁷179, 1920.
33 Brasil, Arquivo Nacional, Ministério da Justiça e Negócios Interiores, SPJ, Módulo 101, Pacotilha IJJ⁷152, 1919.
34 Brasil, Arquivo Nacional, Ministério da Justiça e Negócios Interiores, SPJ, Módulo 101, Pacotilha IJJ⁷162, 1919.
35 Brasil, Arquivo Nacional, Ministério da Justiça e Negócios Interiores, SPJ, Módulo 101, Pacotilha IJJ⁷138, 1919.
36 Lírio Rezende (1920), op. cit., 14.

Fontes e bibliografia

Bakthin, Mikhail (1996): *A cultura popular na Idade Média e no Renascimento: o contexto de François Rabelais*, 2ª ed., São Paulo / Brasília: Hucitec / EDUNB.
Brasil, Arquivo Nacional, Ministério da Justiça e Negócios interiores, Setor do Poder Judiciário (SPJ), Módulo 101, Pacotilhas IJJ⁷ 138, IJJ⁷ 152, IJJ⁷ 162, IJJ⁷ 163, IJJ⁷ 168, IJJ⁷ 179.
Chartier, Roger (1990): *A História cultural. Entre práticas e representações*, Lisboa: DIFEL.
---(1998): *Au bord de la falaise. L'Histoire entre certitudes et inquiétudes*, Paris: Albin Michel.
Darnton, Robert (1980): «Intellectual and Cultural History», em M. Kammen (ed): *The Past before Us: Contemporary Historical Writing in the United States*, Ithaca: Cornell University Press, 327-354.
Ginzburg, Carlo (1987): *O queijo e os vermes. O cotidiano e as idéias de um moleiro perseguido pela Inquisição*, São Paulo: Companhia das Letras.
Kropotkin, Pedro (s/d): *A conquista do pão*, Rio de Janeiro: Livraria São João.
---(s/d): *O anarquismo, sua filosofia e seu ideal, suas bases científicas e seus princípios econômicos*, (s/ed).
Médeiros de Menezes, Lená (1997): *Os Indesejáveis: desclassificados da Modernidade*, Rio de Janeiro: EdUERJ.
Pêcheux, Michel (1997): *O discurso. Estrutura ou acontecimento?*, 2ª ed., Campinas: Pontes.
Rezende, Lírio (1920): *Mundo agonizante*, São Paulo: Biblioteca Terra Livre.
Thonar, Jorge (1906): *O que querem os anarquistas*, São Paulo: Biblioteca Terra Livre.

Literatura e participação política na Bahia na primeira metade do século XX

Paulo Santos Silva
Universidade do Estado da Bahia – UNEB, Brasil

Alcançar lugar de destaque no universo das letras constituiu-se em objetivo a ser atingido por significativo número de indivíduos que adquiriram diplomas de curso superior na Bahia durante a primeira metade do século XX. A medicina e a advocacia ou a magistratura eram exercidas por homens que se preocupavam com o bem escrever, o que tornava comum referir-se às «letras médicas» e às «letras jurídicas».

Antônio Luiz Machado Neto, ao estudar a vida intelectual baiana das primeiras décadas do século XX, ressalta:

> [A Faculdade de Medicina da Bahia] foi o fórum cultural onde viriam à luz não somente
> – e talvez não tanto – a descoberta de novas verdades biológicas ou novas técnicas
> cirúrgicas e clínicas, mas também o pensamento filosófico, as idéias sociais, as análises
> antropológicas e criminológicas, o erudismo filológico, tudo isso de permeio com
> muito discurso e muito verso, sobretudo muito verso declamado de permeio aos discur-
> sos como citação dos discursos (1).

Os doutores procuravam ser reconhecidos tanto pelo exercício da medicina quanto pela cultura geral, de feição humanística. As tentativas literárias, sejam na prosa ou na poesia, os discursos eloqüentes, em estilo barroco, marcaram a vida intelectual baiana por anos afora e notadamente no período escolhido para análise. Era motivo de envaidecimento e orgulho para essa pequena comunidade de bacharéis em medicina e direito poder discorrer sobre qualquer assunto, além de ocupar-se das matérias de suas formações específicas.

Ao lado da produção ficcional, escreveram crítica literária, artigos em jornais e ensaios de natureza histórica e sociológica. Este leque de intervenção intelectual situa-se num contexto em que o saber especializado não se constituía em traço definidor do universo no interior do qual atuavam. Ser polígrafo era uma das ambições legítimas desse ambiente.

Os autores adotaram um estilo híbrido de escrever. A forma ensaística e os investimentos literários, entretanto, não eram apenas um meio de se expressar, mas também uma estratégia para conquistar espaços sociais públicos e construir carreira política. Portanto, as iniciativas no campo das letras não respondiam apenas a vaidades de ordem pessoal, à gratuidade do exercício literário que tudo impregnava. Há sinais, tanto na forma quanto no conteúdo dos escritos dos letrados baianos do período, que apontam para além desses elementos que se apresentam num primeiro olhar como algo frívolo e fugaz. De Francisco Xavier Ferreira Marques (1861-1942) a Wilson Lins de Albuquerque (1919) é permanente o cruzamento entre ensaios histórico-sociológicos, literatura e militância político-partidária.

As atividades literárias na Bahia durante a primeira metade do século XX foram desenvolvidas por intelectuais vinculados a grupos que ocupavam posição de poder no aparelho de Estado. Em razão dessa circunstância, torna-se inadequado conceber o trabalho dos literatos baianos sem referência ao universo das lutas políticas que tiveram lugar nas sucessivas conjunturas do período considerado.

A trajetória dos «homens de letras» começava no curso secundário, ocasião em que ensaiavam-se as primeiras crônicas, contos e poemas. Antes de alcançar os cursos de nível superior os pretendentes à carreira literária buscavam empregar-se nas redações dos periódicos de Salvador. Os indivíduos que viviam no interior iniciavam-se na imprensa municipal, colocando-se a serviço de chefes políticos locais, pleiteando, em seguida, indicação para trabalhar nos jornais da capital.

Nas escolas secundárias e nas redações dos jornais formavam-se as teias das relações pessoais que facilitariam o surgimento de grupos literários. Estes, por sua vez, contribuíram para que alguns se decidissem pela carreira nas letras. A profissão de escritor revelava-se, porém, arriscada por não assegurar a sobrevivência. As escassas oportunidades de publicação conduziram muitos a procurar apoio nos grupos dirigentes ou conciliar os sonhos de poeta e romancista com um emprego público. Sem perspectivas promissoras no universo das letras em âmbito local, interrompia-se a carreira ou saía-se do estado em busca de melhores condições nas capitais do sul do país, onde o ambiente intelectual mostrava-se mais favorável. É o que alega, por exemplo, Hermes Lima:

No cenário provinciano, editar era façanha difícil. Leitores escassos; editores, raramente se arriscavam. Além disso, na tarefa dispersiva de ganhar o pão de cada dia, perdia-se o melhor de cada um, a vocação frustrava-se, mirrava-se o ardor (2).

Por razões semelhantes, Jorge Amado alega ter deixado a Bahia:

> Deixei a Bahia indo para o Rio de Janeiro em 1930: eu tinha dezoito anos e queria ser
> escritor. Naquela época imaginar-se um escritor, um profissional como eu começava a
> ter idéia de me tornar, era impossível na Bahia (3).

Apesar das dificuldades e impasses, procurou-se definir as atividades literárias como tarefa específica. Com este objetivo foi fundada, em 1917, a Academia de Letras da Bahia, tendo à frente Xavier Marques, um dos mais fecundos romancistas baianos da primeira metadade do século XX. A reunião de homens que se ocupavam das letras numa entidade criada com fim específico expressava certo índice de consciência literária coletiva. Mas, mesmo manifestando o desejo de se dedicar às letras, não foi possível, na Bahia, fazer da literatura tarefa principal e exclusiva nem desvincular o discurso literário do discurso ensaístico de caráter histórico-sociológico. Ao comprometimento da forma somava-se o comprometimento político: abrigar-se num emprego público ou apoiar-se nas atividades político-partidárias era o caminho adotado por aqueles que se dedicavam às atividades intelectuais e literárias.

Pedro Calmon, espécie de historiador oficial da Bahia, dedicou-se à pesquisa histórica em torno da monarquia brasileira e escreveu romances históricos apoiando-se no governo de Getúlio Vargas (1930 a 1945). O austero historiador José Wanderley de Araújo Pinho (1890-1967), integrante dos grupos dirigentes locais que se opuseram a Getúlio Vargas, apesar do rigor na pesquisa documental, não deixou de colorir seus textos históricos com recursos literários. Nestor Duarte Guimarães (1903-1970), também integrante dos grupos liberais locais de oposição, procurou conciliar militância política e trabalho intelectual elaborando textos que se situavam a meio caminho entre o ensaio e a ficção. Seu primeiro romance, *Gado humano* (1936), inicia-se chamando a atenção para irrelevância de se definir as fronteiras: «Um romance... ou talvez um romance...». Em 1939, Nestor Duarte Guimarães investiu na forma ensaística, produzindo uma das obras mais significativas da produção intelectual baiana da década: *A ordem privada e organização política nacional (contribuição à sociologia política brasileira)*. O estudo desenvolve densa análise acerca da formação da sociedade brasileira sublinhando que no Brasil a ordem privada teve predominância sobre a ordem pública, o que teria retardado a formação do Estado enquanto instituição impessoal. Não abandonou, porém, a literatura. Nos anos subseqüentes, voltou-se para a ficção, procurando conferir maior consistência literária aos seus romances, publicando *Tempos temerários* (1958) e *Cavalo de Deus* (1968).

Alguns autores tentaram delimitar suas áreas de interesses com maior rigor. Ainda que se dedicassem à literatura ou ao ensaio, procuravam precisar a forma de abordagem, em alguns casos manifestando rara consciência em torno da tarefa a que se dedicavam. Sob este aspecto, Wilson Lins talvez tenha alcançado o índice mais significativo de consciência do trabalho literário entre os romancistas baianos. Como a maioria dos intelectuais do estado, iniciou sua carreira no jornalismo. Passou pelo ensaio e encaminhou seus esforços para a literatura. Produziu cinco romances dedicados à temática da vida rude e violenta do sertão da Bahia, reconstituindo as lutas dos chefes políticos e seus bandos de jagunços. Não fez porém da literatura ensaios sociológicos. Procurou empregar a técnica do romance, investindo na construção de personagens, tramas e conflitos que revelam a condição humana nas suas mais complexas formas de manifestação. Investiu na forma, procurando dar conta das sutilezas e da variação dos falares regionais e do sertão das margens do rio São Francisco. Ainda que carregadas de mensagens políticas, as obras de Wilson Lins gozam de autonomia literária suficiente para serem lidas como romances no sentido pleno do gênero.

A militância política nem sempre contribuía para avançar nas pegadas literária; às vezes, atrapalhava, levando aqueles que almejavam tornar-se escritores a manifestar angústia e ressentimento pelos descaminhos. É o caso do historiador Luiz Henrique Dias Tavares (1926), que dividiu seus afazeres intelectuais entre a pesquisa histórica, a literatura e a militância, durante a juventude nos anos 1950, no Partido Comunista:

> Tenho um pouco de piedade pelo jovem que jogou fora a sua adolescência. Tomo o direito, porém, de compreendê-lo, já agora não somente invocando o quadro da época, mas, também, o conflito interior de um menino que se considerava feio, que desejava ser contista e romancista e que não encontrava apoio e estímulo. Repetindo, pois, uma declaração que fiz em dezembro de 1963, quero dizer que a minha passagem pela militância extremista de esquerda – na redação de um jornal orientado pelo partido comunista – foi um engano, um equívoco e uma tortura espiritual. Eu sei os meus dias de jovem falando sozinho pela ruas, em longas discussões comigo próprio; eu sei meus anos perdidos. E se recordo esta experiência da juventude, recordo para que sirva de exemplo – para que os jovens que desejam fazer literatura saibam que o áspero caminho da literatura é ela mesma, só ela mesma, a literatura (4).

Raro e comovente momento de manifestação da consciência da necessidade de autonomia da atividade literária. Sob este aspecto, o pronunciamento de

Luiz Henrique Dias Tavares adquire maior relevância ao se considerar que Jorge Amado, o escritor baiano de maior projeção nacional e internacional à época, havia, em larga medida, comprometido seu trabalho de romancista com a militância no partido comunista (5).

Atuando em um contexto intelectual em que o saber diferenciado tendia a se definir com maior precisão, Luiz Henrique Dias Tavares torna-se historiador de ofício. Entre outras, escreveu na década de 1960, *História da sedição intentada na Bahia em 1798 («a conspiração dos alfaiates»)* (1975), seguida de *A independência do Brasil na Bahia* (1977) e *Comércio proibido de escravos* (1988). Embora tenha se dedicado à história, desenvolvendo seus trabalhos com notável rigor acadêmico, não abandonou porém o desejo de fazer literatura, especializando-se na crônica e no conto: *A noite de um homem* (contos, 1960), *Moça sozinha na sala* (crônicas, 1961), *Menino pegando passarinho* (crônicas, 1964), *Senhor Capitão; A heróica morte do combativo guerreiro* (novelas, 1967), *Homem deitado na rede* (crônicas, 1969). Ao longo de suas investidas na pesquisa histórica e na ficção, procurou manter a autonomia das linguagens, confluindo, porém, em um dos seus últimos trabalhos – *Não foi o vento que a levou* (1995) – para uma narrativa em que ficção e história se aproximam e se confundem na trama da fabulação. Ainda que de uma forma tensa e angustiante, na Bahia, literatura, história e militância política estiveram sempre associadas.

O acesso ao ambiente intelectual baiano em que a produção literária e as formas de participação política se cruzaram é possível recorrendo-se a duas mediações. Em primeiro lugar, destacam-se os registros escritos produzidos na época pelos atores do processo: romances, crônicas, poemas, artigos de jornais, discursos e demais evidências que mostram os letrados de então em atividade. Em segundo, sobressaem as fontes que indicam como os integrantes da comunidade intelectual baiana pensavam acerca de si mesmos. Para isso os discursos de ocasião – na Academia de Letras da Bahia, no Instituto Geográfico e Histórico da Bahia e em cerimônias fúnebres – revelam-se fecundos, possibilitando um diálogo vivo e dinâmico entre o discurso do sujeito e o próprio discurso do objeto de estudo.

Os romances analisados, em parte, configuram uma modalidade de forma de expressão que se situa a meio caminho entre a literatura e a análise sociológica, intercambiando discursos. Além desta forma intermediária, constituem ainda a memória de uma experiência compartilhada socialmente. Neste aspecto, os autores, particularmente, Wilson Lins de Albuquerque, podem ser vis-

292 P. Santos Silva: Literatura e participação política na Bahia

tos como «narradores» no sentido que este termo aparece na análise proposta por Walter Benjamin. Os romances de Wilson Lins têm como matéria literária algo que fez parte das vivências mais íntimas do autor. É como um contador de história, no estilo dos cordéis, que procura dar forma às suas narrativas. Apesar de certa sofisticação no estilo, situa-se entre o romance moderno e a narrativa artesanal. Apresenta-se como ficção e como memória. Todos os seus trabalhos manifestam esses traços, sejam os ensaísticos – a exemplo de *O Médio São Francisco: uma sociedade de pastores e guerreiros* (1952) ou os ficcionais – *Os cabras do Coronel* (1964), *O reduto* (1965), *Remanso da Valentia* (1967), *Responso das almas* (1970) e *Militão sem remorso* (1980).

O ambiente onde ocorrem as manifestações literárias e a busca de definição de campos específicos para o exercício de atividades intelectuais apresenta-se dotado de lógica própria de funcionamento. Não se define a partir de fora. Reúne no seu interior todos os elementos que traduzem as complexidades de um espaço humano marcado pelas suas relações com um passado específico, um presente contraditório como qualquer realidade social dada, e por anseios e expectativas individuais e coletivas no que se refere ao futuro. Ou seja, é como espaço total que este ambiente se impõe no curso da análise. Era desta forma, como comunidade autônoma e em certa medida bastando-se, que os seus integrantes viam-se a si mesmos. Não pensavam nem atuavam na perspectiva de intelectuais nacionais e menos ainda universais. Ou, de outra forma, assim procediam na medida em que sua universalidade e nacionalidade estavam demarcadas pelas fronteiras de seus espaços locais de atuação. É evidente que não se encontravam isolados do mundo e das questões contemporâneas, mas estas só tangencialmente constituíam objeto de suas preocupações, pelo menos é o que aparece no recorte aqui proposto, tanto no campo dos ensaios históricos e sociológicos quanto nos textos de feição literária.

O intelectual, enquanto objeto de análise, revela-se na medida que se identifique os lugares em que podem adquirir condições reais de existência: experiências e práticas compartilhadas, formas de sociabilidades, expectativas individuais ou grupais herdadas ou construídas, entidades e instituições culturais e educacionais e condições materiais de vida. Somente a partir da identificação de papéis desempenhados no interior de um contexto definido, torna-se possível apontar o que se entende por intelectuais.

Interessa observar os elementos da comunidade intelectual baiana tal como se projetavam, a partir de suas experiências no universo das letras e das atividades políticas. Chamavam-se a si próprios «homens de letras» e assumiam a tarefa de letrados com a convicção de que eram diferenciados. Procuramos saber quais fatores os conduziram às auto-definições que realizaram e que papel reservaram a si no contexto da primeira metade do século XX. Considerar a condição intelectual numa fatia temporal de meio século pode parecer demasiadamente extenso. O seria se os elementos que se levam em conta para definir os espaços de atuação sofrerem mudanças suficientemente significativas para desautorizar os critérios adotados. Não é, porém, o caso da Bahia na primeira metade do século XX. As irrelevantes alterações nos fatores que afetariam o desenvolvimento de atividades intelectuais garantem maior controle na condução do tema.

Em seus traços essenciais, no que se refere aos elementos que interferem na conformação da vida intelectual, a Bahia da primeira metade do século XX não sofreu mudanças ponderáveis. O que não se aplica integralmente aos anos subseqüentes, a partir de 1950, quando um outro quadro começa a se definir (6). Durante toda a primeira metade do século XX o conjunto das instituições onde se desenvolvia a vida intelectual manteve-se preenchido pelos mesmos indivíduos, rotinas e expectativas.

Nelson de Souza Sampaio, professor, cientista político e ensaísta ligado à Faculdade de Direito, reconstitui o ambiente intelectual de então com o olhar de quem tomou parte nele e experimentava suas contradições:

> Mais que hoje [1972], Salvador era a capital do afro-brasileirismo, com uma diminuta elite, muito ciosa dos seus foros de cultura europeizada [...] Bahia dual dos pobres suarentos e dos ociosos filhos-famílias e das ainda mais ociosas senhorinhas; dos sambas de batuque e das danças de «gente fina», como a valsa e o maxixe de salão. Bahia patriarcal das mulheres em quase reclusão, não saindo a certas horas da noite, e mesmo de dia só aparecendo nas ruas acompanhadas do marido ou do irmão. Bahia universitária, das «repúblicas» de estudantes em que a Cidade se movimentava para assistir aos concursos dos professores ou às defesas de tese dos doutorandos de Medicina da Bahia, de quando os estudantes formavam uma homogênea classe, saída da aristocracia rural ou da burguesia, com imunidades para as suas irreverências sociais e rebeldias políticas, que não passavam, aliás, do sistemático oposicionismo liberal (7).

O «sistemático oposicionismo liberal» teve oportunidade de se manifestar de forma contundente nos anos finais do Estado Novo (1937-1945) (8). A perspectiva de realização de eleições para a presidência da república e congresso constituinte, conforme proposto pelo governo Vargas, para dezembro de 1945, motivou a mobilização desta juventude «universitária» e de «repúblicas». As palavras de ordem de natureza liberal e democrática foram pronunciadas por velhos membros das oligarquias locais e jovens bacharéis em direito e medicina que ocupavam ou ocupariam assentos no Instituto Geográfico e Histórico da Bahia e/ou na Academia de Letras da Bahia. Bradar contra o fascismo e contra as ingerências do governo central na política local confundiam-se em discursos elaborados com maestria. Políticos e escritores: eram assim que apareciam identificados na imprensa e por seus pares em momentos de celebração. O bem escrever, em 1945, foi posto a serviço da retórica de oposição, nas ruas e nas páginas dos jornais locais, convertendo os artigos em cabos eleitorais ou meios de propaganda em favor da «redemocratização» do país. Os dotes nas letras foram instrumentalizados, reafirmando a aliança entre trabalho intelectual e militância política.

Notas e referências

1   Machado Neto, Luiz (1972): «A Bahia intelectual (1900-1930)», em *Universitas, Revista de Cultura da Universidade Federal da Bahia* 12 (Salvador), 296.

2   Lima, Hermes (1974): *Travessia*, Rio de Janeiro: José Olympio, 18.

3   Raillard, Alice (1990): *Conversando com Jorge Amado*, tradução Annie Dymetman, Rio de Janeiro: Record, 19.

4   Tavares, Luiz Henrique Dias (1972): «Discurso de posse», em *Revista da Academia de Letras da Bahia* XXII (Salvador), 49.

5   Duarte, Eduardo de Assis (1996): *Jorge Amado: Romance em tempo de utopia*, Rio de Janeiro: Record.

6   Sobre os novos grupos de jovens intelectuais que passariam a atuar na Bahia a partir dos anos 1950, ver Carvalho, Maria do Socorro S. (1992): *Imagens de um tempo em movimento: cinema e cultura na Bahia nos anos JK (1956-1961)*, Dissertação apresentada ao Mestrado em Ciências Sociais da UFBa, Salvador.

7   Sampaio, Nelson de Souza (1972): «Discurso de posse», *em Revista da Academia de Letras da Bahia* XXII (Salvador), 121.

8   Ver Silva, Paulo Santos (1992): *A volta do jogo democrático: Bahia 1945*, Salvador: Assembléia Legislativa da Bahia.

Bibliografia

Carvalho, Maria do Socorro S. (1992): *Imagens de um tempo em movimento: cinema e cultura na Bahia nos anos JK (1956-1961),* dissertação de mestrado, UFBa, Salvador.

Duarte, Eduardo de Assis (1996): *Jorge Amado. Romance em tempo de utopia,* Rio de Janeiro: Record.

Lima, Hermes (1974): *Travessia,* Rio de Janeiro: José Olympio.

Machado Neto, Luiz (1972): «A Bahia intelectual (1900-1930)», em *Universitas,* Revista de Cultura da Universidade Federal da Bahia 12 (Salvador), 261-305.

Raillard, Alice (1990): *Conversando com Jorge Amado,* tradução de Annie Dymetman, Rio de Janeiro: Record.

Sampaio, Nelson de Souza (1972): «Discurso de posse», em *Revista da Academia de Letras da Bahia* XXII (Salvador), 113-137.

Silva, Paulo Santos (1992): *A volta do jogo democrático: Bahia 1945,* Salvador: Assembléia Legislativa da Bahia.

Tavares, Luiz Henrique Dias (1972): «Discurso de posse», em *Revista da Academia de Letras da Bahia* XXII (Salvador), 47-53.

Primórdios do Pan-americanismo: os yankees desembarcam no Rio de Janeiro

Lucia Maria Paschoal Guimarães
Universidade do Estado do Rio de Janeiro

[...] A mutual understanding of common or similar conditions of national development tends to increase the strength of the ties that bind peoples together in simpathy and fraternity. [...] is a very helpful contribution to this phase of mutual understanding [...].

A reflexão acima transcrita serve de introdução ao parecer científico do Dr. Herbert Harris (Universidade de Princeton), emitido sobre a monografia *Minas Gerais and California: a comparison of certains phases of their historical evolution* (1). O texto escrito pelo Professor Percy Alvin Martin, membro do corpo docente da Universidade de Stanford, destinava-se ao I Congresso Internacional de História da América, promovido pelo Instituto Histórico e Geográfico Brasileiro (IHGB), em setembro de 1922. No mencionado parecer, o Dr. Herbert Harris, passando ao largo do mérito historiográfico da obra, por sinal de indiscutível valor acadêmico, procurou julgá-la pela sua possível contribuição ao estreitamento das «afinidades culturais», entre os Estados Unidos e o Brasil (2). Ao que tudo indica, o professor de Princeton antecipava-se a uma concepção, firmada formalmente anos mais tarde, pelo seu conterrâneo Philip H. Coombs (3), de que os assuntos culturais, ao lado das questões políticas, econômicas e militares constitui o quarto elemento e o mais humano da política exterior dos estados modernos (4).

Essa percepção contemporânea da relevância da chamada diplomacia cultural, que conheceu um grande incremento a partir da década de 1960, analisada inclusive pelo brasileiro Edgard Telles Ribeiro (5), também parecia ser alvo das atenções dos associados do Instituto Histórico, que em 1914 intentaram a organização de um certame internacional, voltado para os estudos de história da América, como parte das comemorações do centenário da independência. Neste trabalho, partindo do pressuposto de que o pan-americanismo, nos seus primórdios, estribava-se em razões de cunho histórico e geográfico, pretendo examinar as atividades desenvolvidas no referido Congresso, detendo-me, sobretudo, na participação dos delegados norte-americanos.

Criado em 21 de outubro de 1838, por um grupo significativo de políticos e intelectuais da Corte do Rio de Janeiro, o Instituto Histórico e Geográfico Brasileiro tinha por objetivos «coligir, metodizar, arquivar e publicar» os documentos necessários para a escrita da história do Brasil» (6). O trabalho ali desenvolvido nos primeiros anos de existência não ficou restrito ao que Leibniz concebeu como a organização da «memória de papel» (7). Nem se limitou às atividades de um «atelier de trabalhos científicos» (8). Construiu-se a Memória Nacional, tal como esta operação foi definida, recentemente, por Pierre Nora: «a constituição gigantesca e vertiginosa de estoque de material, de tudo que nos é impossível lembrar; o repertório insondável daquilo que poderíamos ter necessidade de recordar» (9).

A idéia de formar esse «gigantesco e vertiginoso estoque material», de que nos fala Nora, encontra-se num ensaio, denominado «Lembranças do que devem procurar os sócios [...] para remeterem à sociedade central», escrito por Januário da Cunha Barbosa, logo após a fundação do grêmio (10). Quanto à «necessidade de recordar», ela seria orientada pelas condições originais em que os integrantes do reduto intelectual, mormente os seus idealizadores, dialogaram com as circunstâncias históricas.

A presença de homens públicos nos quadros sociais do Instituto não foi meramente decorativa. Dentre os vinte e sete fundadores, catorze eram políticos de nomeada. Alguns haviam iniciado a carreira por ocasião da Independência, outros ascenderam ao aparato de governo após a Abdicação (11). Esses vultos orientaram a consecução de todas as atividades da agremiação. A começar pela opção deliberada pela Memória, em detrimento da História. O que significou dotar o país, carente de unidade e recém saído da condição de colônia, de um passado comum. Encobertos pelo escudo do discurso da pretensa imparcialidade do historiador, a primeira geração de sócios e seus sucessores teceram a Memória Nacional tendo como fio condutor a idéia de continuidade (12). Na sua concepção, o Estado Monárquico, instaurado em 1822, apresentava-se como o legítimo herdeiro e sucessor do império ultramarino português (13). Legado abrangente, que abarcava desde o idioma de Camões até o regime em vigor, passando pelo próprio monarca, um representante direto das tradições da Casa de Bragança. À vista deste raciocínio, a antiga metrópole convertera-se em «mãe pátria», expressão muito cara aos fundadores do Instituto, cujo uso se consagrou, ao longo do século XIX.

Subjacente a essa idéia, forjou-se, ainda, o conceito de que a transição do estatuto de colônia para o de país independente foi um processo natural, ca-

racterizado pela ausência de traumas e rupturas. Marca singular, que diferen-
ciava a nação brasileira dos seus vizinhos no continente (14). Na cartografia
dos intelectuais do Instituto, a Coroa simbolizava uma espécie de ilha de
ordem e tranqüilidade, cercada pela «anarquia» e pelos «furores republicanos»,
responsáveis pelo fracionamento da América Espanhola (15).

À primeira vista, aquele despertar repentino pela temática americana
poderia parecer um desvio de curso. Afinal, desde o seu estabelecimento, a
Casa da Memória Nacional, tradicionalmente, vinha mantendo estreitos
vínculos com instituições do Velho Mundo, a exemplo das Academias de
Ciências de Lisboa e de São Petersburgo, e da Real Sociedade dos
Antiquários do Norte de Copenhagen (16). Seus principais mentores, o Cônego Januário da Cunha Barbosa e o Marechal Raimundo da Cunha Mattos,
inspiraram-se, inclusive, no modelo do Instituto Histórico de Paris, ao proje-
tarem a estrutura e funcionamento do grêmio do Rio de Janeiro.

O interesse pelos temas americanos, na verdade, começou a se intensificar a partir de 1908, quando assumiu a presidência da *Casa* um velho associado (17). Tratava-se de um titulado do Império, cujo prestígio não se abalara
com o fim do regime monárquico – José Maria da Silva Paranhos Júnior, o
Barão do Rio Branco, que desde 1902 ocupava, ininterruptamente, a pasta das
Relações Exteriores.

Paranhos Júnior vinha revolucionando a Chancelaria. Desenvolvera uma
política de aproximação e entendimento com os Estados Unidos, deslocando
o eixo diplomático de Londres para Washington (18). Sob a sua orientação,
demarcaram-se com êxito nossas extensas, vagas e controvertidas fronteiras,
por meio de acordos amistosos, que puseram fim às disputas territoriais, anu-
lando a principal fonte de conflitos entre o Brasil e seus vizinhos. Envidou
esforços para integrar o país na chamada «irmandade» das repúblicas do hemisfério, minimizando o afastamento de quase um século, em virtude das
instituições monárquicas. Empenhou-se, ao mesmo tempo, no fortalecimento
da liderança brasileira nos assuntos latino-americanos, ao mesmo tempo em
que tratava de projetar o país na comunidade internacional (19). Uma prova
disto está na antecipação de Rio Branco, evitando que a Argentina viesse a
sediar a III Conferência Internacional Americana. O conclave, realizado no
Rio de Janeiro, entre 23 de julho e 27 de agosto de 1906, com a presença do
Secretário de Estado Elihu Root e representantes de 19 países do continente,
repercutiu politicamente até mesmo na Europa, embora os dividendos econômicos deixassem a desejar (20).

Os reflexos dessa diplomacia pragmática também se fizeram sentir nas atividades do IHGB (21). Se ao longo do século XIX, conforme já se salientou anteriormente, haviam prevalecido os vínculos com sociedades congêneres da Europa, sob a presidência do Barão de Rio Branco, o Instituto Histórico procurou intensificar o intercâmbio com outras instituições científicas do Novo Mundo. Ao mesmo tempo, intelectuais, políticos e diplomatas do continente ascenderam aos quadros sociais do grêmio, passando a freqüentar as suas sessões ordinárias com maior assiduidade, a exemplo dos argentinos Ramon Carcano, Julio Fernandez e Lucas Ayarragaray, do uruguaio José Salgado, ou, ainda, do norte-americano Henry Lang

Iniciada pelas mãos de um Barão, essa segunda caminhada ascendente do Instituto teve a sua continuidade garantida por obra de um Conde, um agraciado pela Santa Sé, o Dr. Afonso Celso de Assis Figueiredo Júnior, que o sucedeu em 1912 (22). No entender de Max Fleiüss, se o primeiro fizera das relações interamericanas um sistema, o segundo tomou-as como um programa de trabalho (23). Basta dizer que partiu do Instituto Histórico e Geográfico Brasileiro o convite ao Coronel Theodore Roosevelt, ex-Presidente dos Estados Unidos, para visitar o Brasil, em 1913. Esta iniciativa, que acabou recebendo o apoio do governo do Marechal Hermes da Fonseca, merece destaque (24). Theodore Roosevelt acabara de reinterpretar a doutrina Monroe (25). Sua presença naquele espaço acadêmico, onde foi admitido como sócio honorário, juntamente com o diplomata norte-americano John Casper Branner, significa, no mínimo, que o Instituto Histórico prestigiava «os termos do corolário Roosevelt àquela doutrina» (26).

Ao ser recebido na *Casa da Memória Nacional*, o ex-Presidente *yankee*, no seu discurso de posse, procurou inspiração nas lições de Clio, para discorrer sobre a necessidade do fortalecimento da «irmandade das repúblicas americanas». Salientou, ainda, a importância da troca de experiências culturais e políticas, tomando como caso exemplar o cotejo entre as dificuldades vivenciadas pelos Estados Unidos para «resolver o problema da abolição da escravidão», referindo-se à Guerra Civil, e o modo «pacífico» como a questão do trabalho servil fora solucionada no Brasil (27).

Os meios beletristas brasileiros, por sua vez, vivenciavam uma fase de efervescente rearfirmação dos sentimentos cívicos, no período 1910-1920. À medida em que crescia o apostolado do patriotismo, reflexo da primeira guerra mundial, avolumava-se a onda de interesse pelas questões continentais. Para alguns setores da nossa intelectualidade, o conflito europeu seria percebido como uma espécie de prelúdio de uma nova era, onde caberia ao Brasil o papel de organizador da união latino-americana (28). Subjacente a essa febre de «brasilidade» (29), cultivava-se a idéia do desenvolvimento de uma política de solidariedade americana, tal como apareceria no «Programa de combate», estampado pelo «panfleto nacionalista», o *Gil Blás* (30).

Os ventos do culto à nacionalidade também sopravam pelos lados do Silogeu. A começar com a realização do Primeiro Congresso de História Nacional, em setembro de 1914 (31). Neste mesmo ano, a *Revista do Instituto Histórico e Geográfico Brasileiro*, daqui por diante denominada apenas de *Revista*, imprimiu o *Dicionário de Brasileirismos* de Rodolfo Garcia, com a indicação de «peculiaridades pernambucanas», mas esclarecendo que fora composto especialmente para suprir deficiências e lacunas do léxico português, de Cândido Figueiredo (32). Publicou-se, logo em seguida, o inédito de Francisco Adolfo de Varnhagen, *História da Independência do Brasil*, anotada pelos sócios Barão do Rio Branco e Rodolfo Garcia, bem como a festejada conferência de Max Fleiüss, «Francisco Manuel e o hino nacional». Afora esses lançamentos editoriais, fora instituída uma Faculdade de Filosofia e Letras, paralela a Escola de Altos Estudos, que funcionou até 1920, denunciando a inexistência de uma universidade brasileira. Por aquela mesma ocasião, os associados Manoel de Oliveira Lima e Delgado de Carvalho cogitavam abrir uma Escola de Ciências Políticas, vinculada ao Instituto. Generalizava-se, no IHGB, a crença de que era preciso revelar o Brasil aos brasileiros pelo caminho das letras, conforme já havia sentenciado em 1911, no seu discurso de posse, outro conhecido defensor do ideário nacionalista, o associado Alberto Torres (33). Qual um maestro, à frente daquele coral de vozes afinadas, o Conde de Afonso Celso, autor do livro *Por que me ufano do meu país*, já era reconhecido publicamente como o «chefe venerável do nacionalismo brasileiro» (34).

A proposição de organizar um Congresso Internacional de História da América, como parte das comemorações do centenário da independência, surgiu justamente durante aquele encontro promovido em 1914. A presidência do Instituto Histórico imediatamente encampou a sugestão, apressando-se em nomear uma Comissão Executiva, de caráter internacional encarregada de planejar o evento (35). Nossos historiadores tencionavam convocar os seus pares do continente para uma reflexão conjunta sobre os destinos do Novo Mundo. A data aprazada para o encontro, por sua vez, não poderia ser mais emblemática: a semana entre 7 e 15 de setembro de 1922.

A iniciativa representava um marco na trajetória da *Casa da Memória Nacional*. Desta feita, buscava-se encontrar nos domínios de Clio, um denominador comum ao Brasil e aos demais países americanos, «[...] cuja história, na era pré-colombiana, na colonização, nas lutas da independência, na evolução geral, apresenta numerosos lances idênticos aos da história brasileira», segundo a percepção de Afonso Celso (36). Ultrapassava-se, portanto, aquela construção de Memória Nacional, forjada no âmbito do próprio Instituto, ao longo do século XIX, que determinava os fundamentos definidores da identidade nacional brasileira somente enquanto herança européia (37).

As moradas do nacionalismo, entretanto, dividiam espaços diversos. O desenvolvimento do sentimento pan-americano, é importante observar, nem sempre desfrutou de unanimidade nos círculos políticos e letrados. Num discurso polêmico, pronunciado na Câmara Federal, na sessão de 6 de outubro de 1915, o Deputado Dunshee de Abranches, alertava para o que denominava «[...] o perigo americano e a doutrina Monroe» (38). Já o escritor Gilberto Amado iria mais longe. Chegou a afirmar que era preferível o Brasil se reconhecer como

> [...] a 'República mestiça' dos cientistas europeus, que falam a verdade, do que a facilidade vaidosa com que ele se acredita a 'República latina [...]', 'país irmão [..]', 'os irmãos latinos da América [...]', dos discursos diplomáticos e das mensagens congratulatórias que são convencionais e insinceras e que mal ocultam a risota com que embaixadores e visitantes pensam escarnecer da nossa toleima (39).

Outro que também se mostrava descrente, do futuro da chamada *comunidade americana*, era o socialista Otávio Brandão, que sem maiores rodeios, afiançava: «[...] já é tempo de abrirmos os olhos para as nossas riquezas e confiarmos antes nelas do que nos clássicos empréstimos indecentes ou nas promessas falazes dos nossos pretendidos irmãos latinos [...]» (40).

Apesar das vozes dissonantes, o projeto do Instituto Histórico tomou corpo, alvo de um planejamento cuidadoso, que mereceu com o patrocínio do Ministério das Relações Exteriores e da União Pan-americana. Obteve, ainda, a colaboração de um delegado especial da República Argentina, o Dr. Ricardo Levene, decano da Faculdade de Ciências da Educação da Universidade de La Plata. O programa oficial, bastante ambicioso, previa a realização de 30 seções de trabalho. A primeira, dedicada ao estudo da história geral do continente, objetivava oferecer subsídios para o «conhecimento recíproco dos povos que habitam o Novo Mundo». As demais deveriam abordar, de per si, «todas as partes em que, politicamente, está dividida a América», constituídas por estados independentes, colônias e domínios insulares, consoante os seguintes campos da história, a saber: história geral; história das explorações geográficas, arqueológicas e etnográficas; história constitucional e administrativa; história econômica; história militar; história literária e das artes (41).

Aberto em 7 de setembro de 1922, pelo então Presidente da República, o Dr. Epitácio Pessoa (42), prestigiado com a presença do Secretário de Estado da América do Norte, o Dr. Charles Evans Hughes, o Congresso reuniu cerca de duzentos participantes, sendo que oitenta e três provinham de dezessete diferentes localidades do continente. Sem dúvida, um indicativo de que a convocação do Instituto Histórico obtivera uma resposta positiva nos círculos intelectuais americanos.

As delegações mais numerosas eram originárias da Argentina e dos Estados Unidos, integradas, respectivamente, por vinte e por dezesseis congressistas, quase todos pertencentes aos quadros universitários. Do Velho Mundo, acorreram representantes da Suíça, da Inglaterra e da França. Neste último caso, é importante realçar o comparecimento do Professor Ernest de Martinenche, do Ministério da Instrução Pública, autor do Prefácio da edição francesa da obra *Formação histórica da nacionalidade brasileira*, de Oliveira Lima (43).

Os sintomas dessa acolhida favorável transpareceriam, ainda, nas inúmeras manifestações de apreço ao empreendimento do Instituto. Afinal, tratava-se do primeiro evento do gênero, realizado em terras americanas. Segundo o General Cuervo Marquez, da Academia de História de Bogotá, «[...] el Congreso, llamado por su índole a dar mayor intensidad a las relaciones de franca amistad que hoy ligan a las naciones de nuestro Continente, y a estimular el sentimiento de americanismo [...]» (44). Dos mesmos sentimentos partilhava o professor peruano Pedro Dulanto, da Universidade Mayor de San Marcos de Lima, que qualificou o encontro «[...] de incalculable significación para la necesaria solidaridad espiritual de América» (45). Opinião semelhante apareceria externada no comunicado conjunto, expedido pelos delegados canadenses: «[...] sedimentara-se o caminho intelectual entre nações irmãs todas as quais têm em vista os mesmos ideais» (46).

Do ponto de vista das relações internacionais, o certame constituiu-se num sucesso. No que se refere à esfera acadêmica, também deixou um saldo promissor. Apresentaram-se cento e quinze comunicações, todas submetidas previamente aos comitês específicos de avaliação, encarregados de emitir parecer sobre o mérito das obras inscritas. A *Revista* publicou um número especial, denominado *Anais do Congresso Internacional de História da América*, composto por nove alentados volumes, onde foram divulgados noventa e nove trabalhos. Autores estrangeiros assinaram cerca de um terço dos textos editados.

Apesar da heterogeneidade dos temas abordados, que contemplavam desde estudos paleográficos sobre as sociedades pré-colombianas (47), até episódios recentes da diplomacia continental (48), alguns pesquisadores procuraram focalizar problemáticas comuns aos países americanos, consoante à filosofia expressa pelos organizadores do Congresso. Neste sentido, o grande destaque coube à delegação estadunidense. As contribuições, ao que tudo indica, foram selecionadas com o propósito de realçar as «evidências dos laços de amizade entre os dois países nos últimos cem anos», conforme salientou Herbert Harris (49), em que pese a tradição historiográfica norte-americana dos estudos de história comparada.

O texto do Prof. Percy Alvin Martin, anteriormente citado, principiava com um extenso preâmbulo, lembrando que sua pátria tivera a primazia no reconhecimento da independência brasileira. Somente após esta nota introdutória, que mencionava inclusive a aliança entre os dois países, «champions of freedom and democracy», por ocasião da Primeira Grande Guerra, o Prof. Martin abordou o seu objeto de pesquisa, ou seja, a análise comparada entre os desdobramentos políticos e sociais, da descoberta do ouro em Minas Gerais no século XVII, e o movimento similar, ocorrido na Califórnia, cento e cinquenta anos mais tarde, identificando-lhes os pontos comuns (50).

A Drª Mary Wilhelmine Williams (Goucher College / Maryland), por sua vez, na monografia *The Treatment of Negro Slaves in the Brazilian Empire: A comparison with the United States of America*, examinou as condições do trabalho servil no Novo Mundo, por meio do cotejo entre o tratamento dispensado aos cativos no Brasil e nos Estados Unidos (51). Concluiu, apoiada em diversas estatísticas, que em ambos os casos as semelhanças superavam de muito as diferenças, embora no caso brasileiro os libertos tivessem maiores possibilidades de ascensão social (52).

Outros dois estudiosos *yankees* dedicaram-se a examinar temas pontuais, envolvendo o relacionamento dos Estados Unidos com o Brasil. O Prof. Andrew N. Cleven (Universidade de Pittsburg e American Historical Association) tratou das atividades diplomáticas do General James Watson Weeb, na Corte do Rio de Janeiro, contemplando o rumoroso incidente do navio Alabama, que pertencia à frota dos Confederados e fez escalas de abastecimento em portos do nordeste brasileiro. Já o Dr. Charles Lyon Chandler (Universidade de Harvard e Florida Historical Association) discorreu sobre questões mais amenas, apresentando um estudo econômico-descritivo das trocas comerciais realizadas entre o seu país e a antiga colônia portuguesa, no período 1798-1812 (53).

Dentre os brasileiros, apesar dos esforços da Comissão Organizadora do IHGB, a opção por temáticas integradoras seria muito mais rara. Privilegiou-se, em geral, a história nacional, afora umas poucas análises de história militar, voltadas para a atuação do Império nas campanhas platinas. Apenas o jovem Prof. Pedro Calmon, naquela ocasião considerado um historiador de futuro, aventurou-se em estabelecer articulações entre a história pátria e a da América. O intelectual baiano questionou as possíveis influências do pensamento político norte-americano, nos postulados defendidos pelos implicados na Conjuração Mineira. Concluiu que, malgrado as incontestáveis pretensões republicanas, o ideário dos sediciosos inspirava-se na cultura política francesa. Segundo Calmon, «[...] os inconfidentes conheciam pessimamente cousas e idéias da outra América» (54).

Se a idéia de compartilhar com vizinhos americanos as comemorações do centenário da independência, por si só, já significava uma brecha, por onde se vislumbrava a perspectiva de acrescentar novos elementos à Memória Nacional, a direção do Instituto Histórico foi ainda mais longe, na segunda reunião plenária do Congresso. Nesta sessão, o Conde Afonso Celso submeteu aos seus pares um programa de trabalho coletivo, intitulado *Ante-projeto de bases para a elaboração da História da América*. Ou seja, a produção de uma grande síntese da «[...] marcha evolutiva da civilização no continente americano», acentuando, sobretudo, «[...] os seus pontos comuns» (55).

A proposta foi aceita por unanimidade, sendo nomeada uma comissão internacional, encarregada de estudar a viabilidade do empreendimento e oferecer sugestões para a sua consecução (56). Neste sentido, previu-se o levantamento de recursos nacionais e internacionais, cabendo a coordenação geral do projeto ao grêmio do Rio de Janeiro. Acordou-se, ainda, que seriam instituídos comitês locais, nos países que aderissem ao plano, com o objetivo de designar os autores comissionados e acompanhar o andamento das atividades. Os trabalhos deveriam estar concluídos por ocasião do Segundo Congresso Internacional de História da América, cuja abertura foi aprazada, de antemão, para realizar-se na Cidade de Buenos Aires, em 12 de outubro de 1925.

No *Ante-projeto* de Afonso Celso, previa-se o desdobramento da obra coletiva em trinta e oito capítulos, ordenados segundo campos de investigação abrangentes e, em certos casos, bastante arrojados para a época, incorporando as contribuições da geografia, da sociologia e da economia (57). Cabe aqui destacar o capítulo trigésimo sétimo, destinado ao estudo da «Vida privada e social. Organização familiar», item que certamente mereceria os aplausos dos futuros mentores da *nouvelle histoire*. O corte temporal pretendido não era menos ambicioso: estendia-se desde o período pré-colombiano, até o final do século XIX (58).

Por intermédio do lançamento do *Plano da História Geral da América*, os intelectuais do Instituto Histórico incorporavam, finalmente, o Brasil ao Novo Mundo. A Terra de Santa Cruz, por conseguinte, já não se constituía mais num corpo estranho, encravado continente descoberto por Colombo. Segundo a avaliação de Max Fleiüss, um dos mentores do Congresso Internacional de História da América, «[...] assembléias como essa, são certamente mais ainda que as relações diplomáticas e os tratados de paz, o melhor meio das nações americanas formarem entre si uma consciência comum» (59). Se a chamada «comunhão intelectual» parecia ser a via mais promissora para consolidar a doutrina do pan-americanismo, a história se afirmava como fio condutor ideal para legitimá-la.

Apesar dos esforços dos letrados brasileiros e de seus confrades americanos do norte e do sul, a obra não foi levada avante. A Terceira Conferência Internacional de Estudos Americanos, reunida em Havana, em 1926, optou por criar um órgão especial, voltado para cooperação entre as instituições científicas americanas, com o propósito de coordenar, distribuir e divulgar os estudos de história e geografia do continente – o Instituto Pan-americano de Geografia e História (60). Assim, a incumbência de dar andamento ao programa de pesquisa aprovado em 1922, transferira-se do âmbito do IHGB para a alçada dessa nova entidade, localizada na Cidade do México.

Na verdade, o plano da publicação de uma *História Geral da América,* ou seja, a perspectiva de construção de um passado comum aos povos do Novo Mundo, servia de suporte a um projeto de relações interamericanas que privilegiava o campo político. Porém, à medida em que a diplomacia do continente deslocou o seu foco de interesse do campo político para o econômico, tal respaldo tornou-se desnecessário. A idéia de *comunidade americana* só seria recuperada com vigor numa outra etapa do pan-americanismo, às vésperas da Segunda Guerra Mundial, reforçada pela aliança entre os Estados Unidos e as repúblicas do continente. Neste sentido, vale aqui concluir retomando as reflexões de outro eminente sócio do Instituto Histórico e Geográfico Brasileiro, o Dr. Afonso Arinos de Melo Franco (61), futuro Chanceler do governo Jânio Quadros. A propósito da assinatura do acordo regulando as atividades da Comissão Mista Brasil-Estados Unidos de Oficiais de Estado-Maior (62), Afonso Arinos, numa conferência proferida no Ministério das Relações Exteriores, em 20 de agosto de 1941, afirmou categórico:

> Pode-se dizer, sem receio de falsidade nem mesmo de exageração, que todas as grandes figuras latino-americanas de libertadores eram, como as anglo-americanas, produtos da fase final do Humanismo europeu. Eis porque nos assemelhamos tanto uns com ou outros, nós americanos. É porque temos uma formação histórica culturalmente homogênea (63).

Notas e referências

1   *Anais do Primeiro Congresso de História da América* (1914-17), em *Revista do Instituto Histórico e Geográfico Brasileiro* (número especial), vol. 1 (Rio de Janeiro), 247.

2   A expressão é de Monica Lessa. Cf. Monica Lessa (1997): *L'influence intellectuelle française au Brésil: Contribution à l'étude d'une politique culturelle (1886-1930)*, thèse pour le doctorat en Histoire, Paris: Université de Nanterre Paris X, 20.

3   Philip H. Coombs (1964): *The Fourth Dimension of Foreign Policy: Educational and Cultural Affairs*, apud Monica Lessa (1997), op. cit., 47.

4   Ver, ainda, Louis Dollot (1968): *Les relations culturelles internationales*, Paris: PUF, 28.

5   Edgard Telles Ribeiro (1982): *Diplomacia cultural*, Rio de Janeiro: Fundação Alexandre de Gusmão.

6   IHGB (1839): «Extrato dos Estatutos», em *Revista do IHGB* 1 (Rio de Janeiro), 18-19.

7   Leibniz, apud Pierre Nora (1984): «Entre histoire et mémoire», em idem (org.): *Les lieux de mémoire. La République*, Paris: Gallimard, XXVI.

8   Ernest Renan, apud Blandine Barret-Kriegel (1988): *Les académies de l'histoire*, Paris: PUF, 9.

9   Pierre Nora (1984): «Entre histoire et mémoire», op. cit., XXVI.

10 Januário da Cunha Barbosa (1839): «Lembrança do que devem procurar nas províncias os sócios do Instituto Histórico e Geográfico Brasileiro para remeterem à sociedade central», em *Revista do IHGB* 1 (4) (Rio de Janeiro), 128-130.

11 No primeiro caso, além das figuras emblemáticas do Cônego Januário da Cunha Barbosa e de José Clemente Pereira, encontravam-se o Visconde de São Leopoldo, bem como os Marechais Cunha Mattos e Francisco Cordeiro da Silva Torres Alvim, que já vinham prestando serviços à Casa de Bragança desde o tempo de D. João VI.

308   *L. M. Paschoal Guimarães: Primórdios do pan-americanismo*

A essas personalidades, deve-se acrescentar um conjunto de parlamentares que iniciaram a vida pública na Assembléia Constituinte de 1823: Caetano Maria Lopes Gama, Candido José de Araújo Viana, Francisco Gê de Acaiaba e Montezuma, José Antonio da Silva Maia e José Antonio Lisboa. No segundo grupo, registram-se os nomes de Aureliano de Sousa e Oliveira Coutinho, Bento da Silva Lisboa, Joaquim Francisco Viana e Rodrigo de Sousa da Silva Pontes.

12   Philippe Joutard (1986): «Mémoire collective», em Alain Burguière (org.): *Dictionnaire des Sciences Historiques,* Paris: PUF, 448.

13   Cf. Lucia Maria Paschoal Guimarães (1994): *Debaixo da imediata proteção de Sua Majestade Imperial. O Instituto Histórico e Geográfico Brasileiro (1838-1889),* tese de doutoramento, São Paulo: FFLCH/USP, 135-136.

14   Ver Manoel Luís Salgado Guimarães (1988): «Nação e civilização nos trópicos: o Instituto Histórico e Geográfico Brasileiro e o projeto de uma história nacional», em *Estudos Históricos* 1 (1) (Rio de Janeiro), 6-7.

15   Manoel de Araújo Porto-Alegre (1848): «Discurso», em *Revista do IHGB* 11 (Rio de Janeiro), 12.

16   Cf. Lucia Maria Paschoal Guimarães (1994): «Uma parceria inesperada: o Instituto Histórico e Geográfico Brasileiro e a Real Sociedade dos Antiquários do Norte», em *Revista do IHGB* 155 (384) (Rio de Janeiro): 499-511 (impressa em 1996).

17   O Barão do Rio Branco foi admitido como sócio do IHGB em 1867.

18   J. Penn (pseudônimo do Barão do Rio Branco) (1943): «O Brasil, os Estados Unidos e o Monroísmo», em *Revista do IHGB* 178 (Rio de Janeiro), 169-187.

19   Veja-se Nanci Leonzo (1996): «A gaveta do Barão», em *Revista do IHGB* 391 (Rio de Janeiro), 351-359.

20   Cf. Clodoaldo Bueno (1997): «Da Pax Britannica até à hegemonia norte-americana», em *Estudos Históricos* 10 (20) (Rio de Janeiro), 247.

21   Ver A. Tavares de Lyra (1945): «Rio Branco e o Instituto Histórico e Geográfico Brasileiro», em *Revista do IHGB* 186 (Rio de Janeiro), 3-38. Ver, ainda, Nanci Leonzo: op. cit.

22   Cf. o verbete «Afonso Celso», em Instituto Histórico e Geográfico Brasileiro (1992): *Dicionário biobibliográfico de historiadores, geógrafos e antropólogos brasileiros; sócios falecidos entre 1921-1961,* vol. 3, Rio de Janeiro, 128-130.

23   Max Fleiüss (1941): *Recordando... (Casos e perfis),* vol. 2, Rio de Janeiro: Instituto Histórico e Geográfico Brasileiro / Imprensa Nacional, 141.

24   Cf. Hermes da Fonseca (1980): «Mensagem Presidencial de 3 de maio de 1914», em *Relações Internacionais* 3 (5) (Brasília): 108.

25   Sobre a doutrina Monroe e os primórdios das relações entre Brasil e Estados Unidos, ver Moniz Bandeira (1973): *Presença dos Estados Unidos no Brasil (Dois séculos de história),* Rio de Janeiro: Civilização Brasileira.

26   Cf. Clodoaldo Bueno (1997): op. cit., 238.

27   Theodore Roosevelt: «Internacionalismo americano», discurso proferido no IHGB, em 24 de outubro de 1913, Arquivo do IHGB (Rio de Janeiro), «Miscelânea», 200, 10, 6, nº 23.

28   Cf. José Antonio Nogueira, apud Wilson Martins (1978): *História da inteligência brasileira (1915-1933),* vol. 4, São Paulo: Cultrix, 260.

29   A expressão é de Afonso Celso.

30   Wilson Martins (1978): op. cit., 192

31 Veja-se, *Anais do Primeiro Congresso de História Nacional* (1914-17), em *Revista do IHGB* (número especial), 5 vols.

32 Cf. Wilson Martins: op. cit., 28-29.

33 Alberto Torres (1911): «Discurso de posse», em *Revista do IHGB* 74 (124) (Rio de Janeiro), 704.

34 A expressão é de Wilson Martins: op. cit., 191.

35 Inicialmente, formavam a Comissão Executiva do Congresso Internacional de História da América, nomeada pelo Conde Afonso Celso em 28 de setembro de 1914, quarenta e dois associados, destacando-se John Casper Branner, Ramon J. Carcano, Julio Fernandez e Lucas Ayarragaray, B. F. de Ramiz Galvão, Epitácio Pessoa, José Vieira Fazenda, Max Fleiüss, Manuel Cícero Peregrino, Manuel de Oliveira Lima, João Pandiá Calógeras, Norival Soares de Freitas, Olympio Viveiros de Castro, Alfredo Valladão, Edgard Roquette Pinto, Barão de Studart, José Carlos Rodrigues, Afonso d'Escragnolle Taunay, Afonso Arinos de Melo Franco.

36 Afonso Celso (1925): «Discurso de abertura do Congresso Internacional de História da América», em *Anais do Congresso Internacional de História da América*, tomo especial da *Revista do Instituto Histórico e Geográfico Brasileiro*, vol. 1 (Rio de Janeiro), 44.

37 Cf. Lucia Maria P. Guimarães (1994): *Debaixo da imediata proteção de Sua Majestade Imperial. O Instituto Histórico e Geográfico Brasileiro (1838-1889)*, op. cit., 136.

38 Dunshee de Abranches: «O ABC e a política americana», Arquivo do IHGB, Rio de Janeiro, 148, 4-6.

39 Gilberto Amado, apud Wilson Martins: op. cit., 155.

40 Otávio Brandão, apud Wilson Martins: op. cit., 157.

41 Ver «Regulamento Geral do Congresso Internacional de História da América», em *Anais do Congresso Internacional de História da América* (1925), tomo especial da *Revista do Instituto Histórico e Geográfico Brasileiro*, vol.1 (Rio de Janeiro), 13-18.

42 Epitácio Pessoa era sócio atuante do IHGB, onde fora admitido em 1901.

43 Cf. Ernesto Martinenche (1997): «Prefácio da edição francesa», em Lima, Oliveira (1997): *Formação histórica da nacionalidade brasileira*, 2ª ed., Rio de Janeiro: Topbooks, 17-20.

44 Cf. *Anais do Congresso Internacional de História da América* (1925), op. cit., 57.

45 Ibid., 55.

46 Ibid., 239.

47 Veja-se, por exemplo, Robert Lehmann Nitsche: «El altar mayor del templo del Sol en el Cuzco», em ibid., 851-862.

48 José Salgado (1925): «El Uruguay y la doctrina del arbitraje amplio», em *Anais do Congresso Internacional de História da América*, tomo especial da *Revista do Instituto Histórico e Geográfico Brasileiro*, op. cit., vol. 2, 153-198.

49 Cf. Herbert Harris: op. cit. (cf. nota 1).

50 Percy Alvin Martin (1925): «Minas Gerais and Califórnia: a Comparison of Certain Phases of their Historical and Social Evolution», em *Anais do Congresso Internacional de História da América* (1925), tomo especial da *Revista do Instituto Histórico e Geográfico Brasileiro*, op. cit., vol. 1, 250-270.

51 Mary Wilhelmine Williams PhD: «The Treatment of Negro Slaves in the Brazilian Empire: a comparison with the United States of America», em ibid., 270-292.

52 Ibid., 291.
53 Andrew Cleven: «James Watson Webb, United States Minister to Brazil (1861-1869)», em ibid., 293-394. Ver, também, Charles Lyon Chandler: «Commercial Relations between United States and Brazil (1798-1812)», em ibid., 395-414.
54 Pedro Calmon (1927): «A América não pode viver de sua própria história», em *Anais do Congresso Internacional de História da América,* tomo especial da *Revista do Instituto Histórico e Geográfico Brasileiro,* op. cit., vol. 5, 505-525.
55 *Anais do Congresso Internacional de História da América* (1925), op. cit., vol. 1, 57.
56 O comitê era integrado por Mariano Mitre e Juan Rebora (Argentina), Cuervo Marques (Colômbia), Pedro Dulanto (Peru), Andrew Cleven (Estados Unidos), Soto Hall (Guatemala), Arthur Doughty (Canadá), Carlos Travieso (Uruguai), além dos brasileiros Tavares de Lyra, Aurelino Leal, Levi Carneiro e Jônatas Serrano.
57 *Anais do Congresso Internacional de História da América* (1925), op. cit., vol. 1, 57.
58 Cf. «Anexos à ata da 2ª sessão plena» (1925): *Anais do Congresso Internacional de História da América,* tomo especial da *Revista do IHGB,* op. cit., 188-190.
59 Max Fleiüss (1922): «Congresso Internacional de História da América», em *Revista do IHGB* 92 (146) (Rio de Janeiro), 582.
60 *Assembléia Inaugural do Instituto Pan-americano de Geografia e História* (1933), tomo especial da *Revista do IHGB* (Rio de Janeiro), vol. 1, 5.
61 Afonso Arinos de Melo Franco assumiu o Ministério das Relações Exteriores durante o breve governo do Pres. Jânio Quadros, em 1961.
62 O acordo foi assinado em 24 de julho de 1941.
63 Afonso Arinos de Melo Franco (1941): *Política cultural pan-americana,* Rio de Janeiro: Edição da Casa do Estudante do Brasil, 46-47.

Bibliografia e fontes

Abranches, Dunshee de: «O ABC e a política americana», Arquivo do IHGB, Rio de Janeiro, 148, 4-6.
Bandeira, Moniz (1973): *Presença dos Estados Unidos no Brasil (Dois séculos de história),* Rio de Janeiro: Civilização Brasileira.
Barbosa, Januário da Cunha (1839): «Lembrança do que devem procurar nas províncias os sócios do Instituto Histórico e Geográfico Brasileiro para remeterem à sociedade central», em *Revista do IGHB,* 1 (4) (Rio de Janeiro), 128-130.
Barret-Kriegel, Blandine (1988): *Les académies de l'histoire,* Paris: PUF.
Bueno, Clodoaldo (1997): «Da Pax Britannica até à hegemonia norte-americana», em *Estudos Históricos* 10 (20) (Rio de Janeiro), 247.
Burguière, Alain (org.) (1986): *Dictionnaire des Sciences Historiques,* Paris: PUF.
Dollot, Louis (1968): *Les relations culturelles internationales,* Paris: PUF.
Fleiüss, Max (1941-1943): *Recordando... (Casos e perfis),* 3 vols., Rio de Janeiro: Instituto Histórico e Geográfico Brasileiro / Imprensa Nacional.
Fonseca, Hermes da Fonseca (1980): «Mensagem Presidencial de 3 de maio de 1914», em *Relações Internacionais* 3 (5) (Brasilia), 108.

Franco, Afonso Arinos de Melo (1941): *Política cultural pan-americana,* Rio de Janeiro: Edição da Casa do Estudante do Brasil.

Guimarães, Lucia Maria P. (1994): *Debaixo da imediata proteção de Sua Majestade Imperial. O Instituto Histórico e Geográfico Brasileiro (1838-1889),* tese de doutoramento, São Paulo: FFLCH/USP.

---(1994): «Uma parceria inesperada: o Instituto Histórico e Geográfico Brasileiro e a Real Sociedade dos Antiquários do Norte», em *Revista do IHGB* 155 (384) (Rio de Janeiro): 499-511 (impresso em 1996).

Guimarães, Manoel Luís Salgado (1988): «Nação e civilização nos trópicos: o Instituto Histórico e Geográfico Brasileiro e o projeto de uma história nacional», em *Estudos Históricos* 1 (1) (Rio de Janeiro), 6-7.

IHGB (1992): *Dicionário biobibliográfico de historiadores, geógrafos e antropólogos brasileiros; sócios falecidos entre 1921-1961,* vol. 3, Rio de Janeiro: IHGB.

---(1914-17): *Anais do Primeiro Congresso de História da América,* numero especial da *Revista do Instituto Histórico e Geográfico Brasileiro* (Rio de Janeiro), 8 vols.

---(1933): *Assembléia Inaugural do Instituto Pan-americano de Geografia e História,* tomo especial da *Revista do IHGB* (Rio de Janeiro), vol. 1.

---(1839): «Extrato dos Estatutos», em *Revista do IHGB* 1 (Rio de Janeiro), 18-19.

Leonzo, Nanci (1996): «A gaveta do Barão», em *Revista do IHGB* 391 (Rio de Janeiro), 351-359.

Lessa, Monica (1997): *L'influence intellectuelle française au Brésil: Contribution à l'étude d'une politique culturelle (1886-1930),* thèse pour le doctorat en Histoire, Paris: Université de Nanterre Paris X.

Lima, Oliveira (1997): *Formação histórica da nacionalidade brasileira,* 2ª ed., Rio de Janeiro: Topbooks.

Lyra, A. Tavares de (1945): «Rio Branco e o Instituto Histórico e Geográfico Brasileiro», em *Revista do IHGB* 186 (Rio de Janeiro), 3-38.

Martins, Wilson Martins (1978): *História da inteligência brasileira (1915-1933),* vol. 4, São Paulo: Cultrix.

Nora, Pierre (org.) (1984): *Les lieux de mémoire. La République,* Paris: Gallimard.

Porto-Alegre, Manoel de Araújo (1848): «Discurso», em *Revista do IHGB* 11 (Rio de Janeiro), 12.

Ribeiro, Edgard Telles (1982): *Diplomacia cultural,* Rio de Janeiro: Fundação Alexandre de Gusmão.

Roosevelt, Theodore: «Internacionalismo Americano», discurso proferido no IHGB, em 24 de outubro de 1913, Arquivo do IHGB, Rio de Janeiro, «Miscelânea», 200,10, 6, nº 23.

Torres, Alberto (1911): «Discurso de posse», em *Revista do IHGB* 74 (124) (Rio de Janeiro), 704.

Anexo

I Congresso Internacional de História da América
Delegação Norte-Americana

	Delegados	*Vinculação Acadêmica*
Estados Unidos da América do Norte	Andrew N. Cleven	Univ. de Pittsburg/ American Historical Association
	Leon B. Frey	Univ. da Pensilvania
	William H. Has	Univ. de Northwestern
	Isaac John Cox	Univ. de Northwestern
	Herman C. James	Univ. do Texas
	Herbert Harris	Univ. de Princeton
	R. C. Valento	Univ. de Princeton
	Edwin V. Morgan	Univ. Harvard
	Jesse Knight	Univ. Harvard
	Charles Chandler	Univ. Harvard/ Florida Historical Society American Historical Associatio
	Percy Alvin Martin	Univ. Stanford
	Alfred Coister	Univ. Stanford
	Horace Williams	Univ. Stanford
	William Lytle Schurz	Univ. Califórnia
	Walter Hough	Smithsonian Institution
	Mary Wilhelmine Williams	Goucher College/Maryland

O Paraná para os paranaenses:
imigração e brasilidade nos anos 30˙

Cezar Augusto Benevides
Universidade Federal – Mato Grosso do Sul, Brasil

Na opinião do deputado Plínio Tourinho o Brasil encontrava-se, em meados de 1936, «em franca luta contra a extrema esquerda comunista». Contudo, o que mais preocupava o parlamentar não era o avanço dos «extremistas» e sim a situação da Rede Viação Panará-Santa Catarina, cuja administração, em sua opinião, agia arbitrariamente. Sob sua perspectiva a ação do comunismo, no Paraná, resumia-se numa «comédia, se não fora o sofrimento porque passam aqueles que estão detidos a mais de sete meses, nos presídios do Estado». Tourinho preocupava-se, sobretudo, com a situação dos ferroviários, que «não lançaram uma só bomba de dinamite, não arrancaram um trilho, não destruíram uma ponte, não quebraram se quer um bem qualquer da Estrada de Ferro» (1).

A vinculação desses ferroviários com o movimento comunista havia sido forjada. Eles eram os mesmos que, em outubro de 1934, tinham sido demitidos em razão de uma greve, readmitidos, pouco tempo depois, por uma decisão do Ministério do Trabalho e, finalmente, em 1935, encarcerados sob a acusação de atividades subversivas. Plinio Tourinho clamava contra as prisões, repudiando o fato dos envolvidos responderem a processos na capital federal: «por que não se apura no juízo competente e de acordo com nossas leis, o crime desses homens?», reclamava o deputado (2). No Paraná, o discurso de Tourinho causou mal-estar. O presidente da Associação Paranaense de Imprensa repudiou-o em telegrama expedido ao Presidente da Câmara e o então diretor do jornal *Diário da Tarde*, Hostílio de Araújo, mesmo condenando a atitude da referida Associação, preferiu colocar-se «à margem dos comentários azedos, das influições apaixonadas que as críticas do deputado Plinio Tourinho vem provocando entre partidários de um e outro lado» (3).

˙ El presente artículo es parte de un debate en curso sobre el antisemitismo en Paraná/ Brasil durante los años 30 y 40. Los argumentos y comentarios del autor no representan necesariamente las opiniones de los editores (SK, HCT).

O debate entre políticos e jornalistas não atenuou a situação dos detidos que, segundo o depoimento de Plínio Tourinho, não eram somente ferroviários. Havia dois irmãos estudantes e um farmacêutico, acusados de participação nas atividades da Aliança Nacional Libertadora, um movimento organizado, em vários estados brasileiros, para contestar a orientação política do governo de Getúlio Vargas, e dirigido, em nível local, pelo Capitão do Exército e Deputado Estadual, Agostinho Pereira Alves. A denúncia de Tourinho restringiu-se ao grupo acima citado, já que o referido militar, apesar de ter sido preso e transferido para o Rio de Janeiro em condições de desrespeito à sua posição, pertencia à «classe dos mandatários», tendo, portanto, recursos para a sua defesa (4).

Tudo indica que o explosivo depoimento de Tourinho correspondeu, realmente, à realidade, pelo menos no que tange à situação dos presos políticos. Um dos estudantes detidos, Alaor Barbosa Borba, legou-nos um precioso relato sobre o cotidiano no presídio do Ahú, em Curitiba, onde aguardavam a transferência para o Rio de Janeiro. Este *Diário* cobre o período de 30 de novembro de 1935, data da prisão do autor e de seu irmão, a 27 de fevereiro de 1936. Trata-se de um registro inédito sobre a vida no cárcere curitibano, em meados dos anos 30, local onde imperava a sujeira e a fome (5). Alaor permaneceu preso, no Paraná, até fevereiro de 1937(6); o seu diário, como vimos, encerrou-se um ano antes, já que teria sido extraviado o caderno que lhe deu continuidade (6).

Na prisão paranaense, Alaor conviveu com os mesmos presos cujos hábitos surpreenderiam, na Casa de Detenção do Rio de Janeiro, Graciliano Ramos, que registrou em *Memórias do cárcere*, o seu encontro com esses «latagões, membrudos e louros», donos de um «esquisito discurso» onde predominava «a singularidade pela articulação do pronome oblíquo, de vogal aberta, a confundir-se com o sujeito». Neste grupo, segundo o escritor nordestino, composto por duas dezenas de homens, destacava-se o estudante Herculano, «enfermiço pequenino, amarelo como enxofre», uma criatura «amável, tímida, cheia de sorrisos» e com grande disposição «para as cantigas revolucionárias e grande falta de pecúnia» (7).

Essa «gente do Paraná» acompanhou Graciliano na viagem para a Colônia Penal de Dois Rios. No seu relato há mais de uma menção à «prosódia esquisita» do grupo e aos seus sobrenomes exóticos, que lhe feriam os ouvidos: Petrosky, Prinz, Zoppo, Garret e Cabezon. Coincidem tais sobrenomes com os apontados por Alaor Barbosa Borba. Tratavam-se de funcionários detidos em razão do litígio com a administração da Rede de Viação Paraná-Santa Catarina, já denunciada pelo deputado Tourinho. Segundo o escritor, um «paranaense loquaz» lhe narrara que havia divergências no grupo, isto é, intelectuais, de um lado, e operários de outro, sendo os primeiros aqueles «alheios a qualquer ofício manual». Esta divisão o desagradou: «iam forçar-me a conviver, por tempo indeterminado, com pessoas que se justapunham sem chegar a entender-se», desabafou o autor do clássico romance *Vidas secas*, inconformado com «a ausência de espírito, a monotonia, a pobreza de concepção, a linguagem perra» da «gente do Sul» (8).

Embora o *Diário da Tarde* tenha optado por calar-se diante da situação dos presos políticos paranaenses (9), parece que a «opinião pública» do Estado estava inconformada. Pelo menos é o que afirma o chefe de polícia Roberto Barroso em carta dirigida ao presidente do Tribunal de Segurança Nacional, órgão instituído em 11 de setembro de 1936:

> Devo confessar a Vossa Excelência, com toda sinceridade, que a opinião pública deste Estado não esconde o seu desagrado pela situação aflitiva da família desses presos, tanto mais que há fundadas suspeitas de terem, muitos deles, sido vítimas de perseguições dadas às suas condições de trabalho, de respeito e de zelo pela família (10).

Segundo ainda Barroso, tais homens não tinham participado dos acontecimentos de novembro de 1935, conhecido como «Intentona Comunista» e, mesmo assim, haviam sido acusados de «ideologia subversiva» como prova o *Diário da Tarde* (11). Seu apelo foi ouvido. Um telegrama do Rio de Janeiro, em fins de junho de 1937, comunicou-lhe que José Hernandez Cabezon, Vivinegri Bretas, Décio Rinaldi, Yedo de Faria Pinto, Edmundo Garret de Oliveira, João Cabral Filho, Dario Prinz, Roque Irapuan, Alfredo Petroski, Alfredo Gertner, Claudemiro Baptista, Lee Balster, Waldemar Reikdal, Euzébio José Martins e Manuel Militão da Silva seriam remetidos de volta ao Paraná, com exceção de Jorge Erlain, que se encontrava foragido (12).

Poucos dias depois, todos estes funcionários da Rede de Viação Paraná-Santa Catarina foram devolvidos ao Paraná, conforme divulgou o *Diário da Tarde* (13). Estas notícias são comprovadas por Graciliano Ramos, que admitiu ter sentido «inveja e despeito» ao saber que os paranaenses deixariam a colônia. A sorte de Zoppo, de Cabezon e Petroski causou-lhe um grande desânimo: «Impossível aguentar-me», escreveu Graciliano Ramos (14).

Retornando ao Paraná, os presos foram divididos e ocuparam a Casa de Detenção, o Quartel do Corpo de Bombeiros, os Quartéis dos Destacamentos de Antonina e Paranaguá e Casa de Detenção de Ponta Grossa onde permaneceram por mais algum tempo. Em liberdade deveriam prestar contas de seus passos à Delegacia de Ordem Política e Social (DOPS) (15).

A Delegacia de Ordem Política e Social (DOPS) do Paraná, criada em 1937, após o Congresso dos Secretários de Segurança Pública e Chefe de Polícia, reunido no Rio de Janeiro e destinado a uniformizar e racionalizar, em toda a federação, os «meios para defesa dos poderes constituídos e do próprio regime contra as expansões extremistas», teve grande destaque na «prevenção e anulação dos infiltramentos subversivos». Segundo um documento oficial de 1939, este órgão, com características de uma polícia política, chegou a fichar, no prazo de dois anos, cerca de 1711 «indivíduos suspeitos de atividades extremistas» (16).

Um dado a ser considerado é o pioneirismo do Paraná na condução do processo repressivo que se estendeu, nos anos seguintes, a todo o Brasil. Pelo Decreto nº. 1781, de 31 de dezembro de 1935, logo após a «Intentona Comunista», o governo local assegurou à Chefatura de Polícia, um crédito suplementar «destinado às despesas de emergência com o combate ao extremismo» (17). O bacharel Roberto Barrozo foi o encarregado de dar combate aos ditos «subversivos» de 1935, o que lhe permitiu ganhar experiência para atuar, em 1937, contra os «camisas verdes». Em ambos os momentos a trajetória dos inquéritos abertos pelo DOPS foi a mesma: depois de encaminhados à Justiça Federal, seguiam para o Tribunal de Segurança Nacional instalado na Capital da República. Como veremos, este aparato legal era, na prática, subvertido, pois muitos detidos seguiam para o Rio de Janeiro sem a formalização de seus «crimes».

O DOPS paranaense atingiu com Valfrido Piloto uma «eficácia» invejável. É o que atesta o *Diário da Tarde*:

> Os métodos de repressão em Curitiba a essas atividades dos peçonhentos agentes eixistas nada ficaram a dever aos mais adiantados centros do país. Foram eficazes, decididos, firmemente propensos a desmantelar os tentáculos da hidra que todo mundo conhece por quinta-coluna. Não foi pequeno o número de suspeitos detidos pelas nossas autoridades e que estavam e que ainda estão com sua vida estudada minuciosamente pelo ativo Departamento da Delegacia de Ordem Política e Social, Dr. Valfrido Piloto e seus dedicados auxiliares (18).

No intento de propagar o pânico, o jornal se aproxima – numa atitude rara – do real, isto é, dos relatos do agente repressor, o bacharel Valfrido Piloto. Articulistas e autoridades, em espaços diferentes, sustentam o mesmo projeto político, não divergindo nem mesmo quanto aos métodos empregados. Para ambos, o lema era: «Cautela e caldo de galinha não fazem mal a ninguém [...]» (19).

Valfrido Piloto ocupou o DOPS de 29 de setembro de 1941 a 5 de dezembro de 1944. Substituiu outro bacharel, Divonsir Borba Côrtes, que parece ter assumido uma postura complacente com relação aos estrangeiros. Em depoimento prestado ao *Diário da Tarde*, Côrtes falou com entusiasmo sobre a regulamentação da situação dos imigrantes no Paraná, em grande número japoneses e alemães (20). Sua passagem por aquele órgão policial foi curta e silenciosa. Ele preferia legalizar a permanência do estrangeiro em vez de hostilizá-lo; aceitava o fato de que este poderia, em curto tempo, tornar-se abastado. Com tais idéias não poderia agradar o *Diário da Tarde* e os intelectuais que faziam de suas páginas uma tribuna para garantir seus privilégios. A ascensão de Piloto foi, assim, comemorada e incentivada. Os repressores, disfarçados em «democratas», ganharam um fiel intérprete, um homem cujo passado lhes dava total garantia de êxito.

Em 1935, por ocasião da repressão que atingiu os ferroviários e os ativistas no Paraná, Valfrido Piloto teve uma atuação destacada. Segundo Alaor Barbosa Borba, Piloto foi o Delegado que os ouviu na prisão; preocupado em obter informações sobre a Aliança Nacional Libertadora. Pesa, ainda, sobre este «dedicado» agente policial a acusação de ter retido um mandado contra os ferroviários, com o propósito de contar o período de detenção a partir da data de assinatura e não da efetiva prisão (21). O jornal *Diário da Tarde*, na mesma época, noticiou a apreensão, pelo mesmo Piloto, de diversos «livros comunistas», todos depositados na biblioteca do Sindicato dos Ferroviários (22)

O delegado Piloto aparece, também, como um dos principais elementos interessados na nacionalização das sociedades estrangeiras, regulamentadas em 1938, por um decreto que lhes permitia funcionar somente sob supervisão das autoridades nacionais. Ele integra, por exemplo, o Conselho Deliberativo da Sociedade de Cultura Física JAHN, fundada em Curitiba em fins do século XIX, por imigrantes alemães, que lhe deram a denominação de Sociedade Teuto-Brasileira. Essa sociedade, como outras similares que funcionavam no Paraná, passou a ser dirigida por um Capitão do Exército, Adalto de Melo, tendo como Presidente de Honra o General Meira de Vasconcelos (23).

Ainda na gestão de Valfrido Piloto no DOPS paranaense voltou-se a discutir a situação das sociedades estrangeiras. Filinto Müller, Chefe de Polícia do Distrito Federal, chegou a baixar uma Portaria especificando a situação dessas sociedades em face do nosso rompimento com os países do «Eixo». O *Diário da Tarde* publicou um histórico do famoso «Pai JAHN», tido como criador do «Movimento Ginástico». Chamou-o de demagogo, anti-semita e seguidor de Hitler. Tudo indica que desjava mudanças ainda mais radicais e nacionalizadoras na Sociedade que funcionava na Rua Murici, localizada no centro da cidade de Curitiba (24).

O que se comprova de uma maneira geral, é que o atuante delegado do DOPS jamais decepcionou aqueles que o levaram ao poder. Poucos meses depois de ter assumido o cargo, confirmou a detenção de aproximadamente cem cidadãos, todos «traidores do Brasil» (25). Tudo leva a crer que este número de «quinta-colunas» multiplicou-se rapidamente, em razão da criação do Departamento de Pesquisas de Atividades Anti-Brasileiras, inaugurado em 10 de novembro de 1943, sob a chefia do próprio Valfrido Piloto (26). Tratava-se de um «centro de estudos», cuja existência justificava-se, segundo seu iniciador, pelos seguintes motivos essenciais: «segurança nacional, comunismo, integralismo e ação anti-brasileira de indivíduos ou grupos». O que parece certo é que um vasto material «subversivo» foi por ele recolhido em residências e sedes de organizações culturais, recreativas e religiosas. Um «Museu Político» chegou a funcionar na sede do DOPS do Paraná. Lá eram expostos livros, jornais, revistas, anuários, folhetos, álbuns, filmes, fotografias, gravuras, discos, bandeiras, emblemas, diplomas, medalhas, etc. (27). Com o apoio do Capitão Fernando Flores, Secretário do Interior, Justiça e Segurança Pública, Piloto transformou-se no principal executor da campanha de repressão ao «quinta coluna», fato que admitiu em obra de 1949 (28).

Um leitor anônimo do *Diário da Tarde* demonstrou, entretanto, não estar satisfeito com a atuação do delegado Valfrido Piloto. Considerou o «Museu» muito importante como indicativo das atividades anti-brasileiras exercidas, em nosso meio, por «traidores estrangeiros». Contudo, insistiu no fato de que um tipo de estrangeiro, ainda mais perigoso, freqüentava as repartições públicas, os palácios e os quartéis. Seriam eles

os estrangeiros de origem, aqui nascidos; aqui radicados; aqui ramificados; possuidores de rendosas indústrias e que depois de acumularem fortuna se inscreveram no batalhão sinistro do nazismo infame e aqui exerceram e vêm exercendo atividades contra os interesses brasileiros.

Piloto defendeu-se, alegando que o Serviço de Registros de Estrangeiros do Paraná, também sob sua chefia, era visto pelo Conselho de Imigração e

Colonização, como uma «repartição exemplar» e que o DOPS de seu estado permanecia atento ao problema, graças à sua «bem urdida rede de serviços» (29).

Apesar desses fatos acima citados que o comprometem, temos que admitir que Valfrido Piloto, sobretudo após o final do Estado Novo (1945), trabalhou para atenuar sua imagem repressora. Veja-se, por exemplo, como abordou, na obra *Registros Muito Pensados*, a suposta perseguição contra os judeus no Paraná. Piloto tentou atribuir toda a culpa pela prisão, em 1935, de meia dúzia de judeus ao Governador Manoel Ribas (30). É preciso, entretanto, lembrar que esses judeus, detidos com os ferroviários, saíram da cadeia em curto tempo e por intervenção do prestigiado Salomão Guelmann, homem acostumado a pleitear favores da polícia paranaense. Portanto, são desculpas rotas, já que o episódio não se revestiu das mesmas características de outros que provocaram, até mesmo, o deslocamento de presos para o Rio de Janeiro. Não há, pois, porque insistir na questão da perseguição aos judeus no Paraná. Nossas pesquisas avivam o debate na medida em que apontam membros da colônia judaica diretamente envolvidos na «modernizante» administração do interventor Manuel Ribas, sem falar no próprio Guelmann, como vimos, sempre de braços dados com o poder.

O trabalho de Regina Gouveia, infelizmente, não esclarece essa e outras questões pertinentes ao assunto. O período aqui em estudo é quase omitido, talvez porque esta tenha sido a vontade da colônia judaica ainda hoje domiciliada no Paraná (32). Bernardino Schulman, em entrevista realizada no ano de 1989, não enfatizou a repressão, mas também, não admitiu a aliança de sua colônia com o Interventor (33), o que fica comprovado pelas facilidades de instalação dada, no período, à Cia. Klabin de Papel e Celulose. Tratava-se de um empreendimento cujos méritos se deviam à iniciativa particular, «poderosamente amparada pelos poderes públicos federal e estadual» (34), quer dizer, aos governantes Getúlio Vargas e Manuel Ribas, ambos amigos de Wolff Klabin, fundador da célula mater que deu origem ao poderoso grupo industrial (35).

Um certo cuidado deve ser tomado com o livro de Bernardo Schulman, pai de Bernardino, intitulado *Em legítima defesa, a voz de um judeu brasileiro* (36). Esta obra, editada sob os auspícios do Centro Israelita do Paraná, deve ser entendida como um libelo contra os integralistas, e, em específico, contra as idéias de Gustavo Barroso. Segundo o velho Schulman, comumente deturpavam-se os «fatos reais» e generalizavam-se «casos isolados», apesar de

haver muitos brasileiros que viam os israelitas «com isenção de ânimo e imparcialidade». Estes eram a «maioria», para alívio do autor.

Deslocada a questão para o integralismo, cabe lembrar o texto do articulista Angelo Antonio Dellagrave: «Não combateremos este ou aquele judeu,
por serem judeus. Só combateremos o judaismo internacional que nos quer
fazer de escabelos de seus pés». Apontava ele, ainda, como principal inimigo
do povo brasileiro a bandeira vermelha de Lenine e sugeria como única saída
«a cruz do filho de Deus que veio para redimir a humanidade» (37).

Schulman, intelectual da comunidade judaica do Paraná, professor que
ocupou posição de destaque em todas as instituições que ajudou a fundar,
valeu-se de sua ligação com o Instituto Neo-Pitagórico do paranaense Dario
Veloso para defender, poucos anos depois, sua comunidade. «As conseqüências da "campanha anti-semita"», escreveu ele, «atingem tão somente às massas populares, a essa gente humilde que anda por aí à cata do ganha pão de
cada dia. Contra ela é que se provoca o preconceito, a desconfiança e a ani-
mosidade das populações» (38).

De fato, judeus e «classes conservadoras» paranaenses combatiam os
mesmos inimigos, quais sejam, o integralismo e o comunismo. Haja vista a
questão dos presos de origem judaica que conviveram, na prisão, com Alaor
Barbosa Borba, alvos de comentários pouco benévolos. Um deles, de nome
Rubim, natural de Bagé, é assim qualificado:

> Vende loterias. Antipático e a turma cai no pé dele. Pronuncia mal as palavras, fanhoso
> [...] Inteligente, mas chato. Discute religião e semitismo. Às vezes foge de argumentos.
> A ironia ferina da turma fá-lo calar-se. Doido por uma leitura de jornal. O pé dele serviu
> de objeto de várias piadas. Pernilongos e moscas não resistem ao cheiro. As baratas
> pensam que encontraram queijo e põem-se muito contentes. No dia em que ele tomou o
> primeiro banho aqui, constipou-se. Ele, porém, não se zanga com as brincadeiras. Mora
> com o Sargento Campos. Este, moço ainda, trabalhava na Polícia Militar. Serviços de
> escriturário. Não se sabe bem o que praticou e por isso desconfiam dele. Tem nome de
> mulher: Lair Nini de Campos. Mora no cubículo 10 (39).

Por outro lado, esses qualificativos dados a Rubim devem ser vistos no contexto de um ambiente insalubre, onde os detidos pouco sabem sobre a natureza jurídica de suas culpas. Observe-se a apreciação feita a propósito da chega-
da, à prisão, de um «padre ortodoxo»:

> Fica no cubículo com Machadinho e Previde. É quase noite e quando esta chega ditos
> brejeiros cruzam a galeria. Um diz que o nariz do padre é enganador; outro diz que vai

ter uma noite feliz; um pede santinho; outro pede rosário. Um manda por o rosário num lugar muito sujo e mal-cheiroso [...] (40).

Imigrante das primeiras levas não era fácil para Schulman ignorar os poucos judeus perseguidos por atividades políticas. Por outro lado, tinha que preservar seus interesses comerciais. Isto talvez explique o endosso do texto por dois membros ativos da vida intelectual paranaense: Dario Veloso e Pamphilo de Assumpção. A esse respeito, coloca-se a questão de saber como é possível interpretar o que o decano dos judeus paranaenses escreveu sob o impacto deste atribulado contexto. Não se trata de uma obra violenta. Em alguns momentos os homens de pensamento do Paraná são contemplados com fervorosos elogios. Segundo o seu filho, três edições esgotaram-se rapidamente.

Schulman refere-se, intimidado, aos acontecimentos de novembro de 1935, quando cartazes foram expostos na Rua XV de Novembro, no centro de Curitiba, envolvendo os israelitas no frustrado movimento comunista. Nessa ocasião, a imprensa teria acusado os israelitas de contarem com o dinheiro de Moscou para construção de sua escola, com o objetivo de educar crianças no «catecismo bolchevista» (41).

O preso Rubim, acima citado, poucos dias permaneceu na prisão, prova que essas perseguições e acusações não tiveram grande alcance. Quanto às supostas acusações da imprensa, talvez exclusivamente de cunho integralista, não podem ser encaradas com seriedade. Uma coisa, apenas, é certa: os poucos judeus presos foram denunciados como comunistas e logo absolvidos graças à intervenção de seus patrícios alinhados, em sua maioria, como o próprio Schulman, com o governo local e seus principais prepostos.

Portanto, torna-se imprescindível não dar crédito ao livro de Valfrido Piloto, delegado que ouviu e liberou os judeus companheiros de prisão de Alaor Barbosa Borba, onde é mencionado o episódio da detenção e do êxodo, em fins de 1935, de todos os judeus do Paraná (42). Esses «todos» corresponderam, de acordo com as evidências, a meia dúzia de homens que, após breve permanência no cárcere, voltaram para suas casas. Ao tentar narrar sua trajetória de vida pública, em pleno processo de democratização, Piloto mentiu e exagerou em tudo. Nada mais fácil para ele, que carregava em seu currículo o posto de Chefe do DOPS durante o Estado Novo, do que incriminar alguém que jamais poderia se defender, no caso, Manoel Ribas, já morto ao tempo do lançamento de *Registros muito pensados*. Foi uma saída muito mal pensada, levando-se em conta o fato de que sua principal testemunha, o intelectual

Dario Veloso, também não mais pertencia a este mundo. O dedicado delegado tentou atenuar as manchas do seu passado com argumentos sem nenhuma
possibilidade de comprovação.
Para o *Diário da Tarde*, não havia porque temer os judeus. Só lhe importava o «estrangeiro traidor». Nos anos finais do Estado Novo o jornal chegou
a tomar uma posição defensiva a favor dos israelitas. Num artigo de 1945
defendeu-os da acusação de exploradores do custo de vida:

> Atirar somente aos judeus a questão da carestia é repetir aquilo que já se fez aos sírios e
> todos os árabes, os quais, tantas injustiças sofreram, que foi preciso surgir a perlenda
> anti-semita para que pudessem ser esquecidos e reconhecidos como valiosos propulsores
> a auxiliar o nosso progresso (43).

Ethel Volfzon Kosminsky, ao estudar os judeus que se refugiaram na década
de 30, em Rolândia, norte do Paraná, demonstra, através de depoimentos
minuciosamente recolhidos, que não havia diferença para o brasileiro entre
um judeu e um alemão. Ambos eram vistos como súditos do «Eixo». Ainda
mais: houve, é certo, algumas ações de confisco contra judeus alemães, mas
que, com o tempo, foram anuladas (44). Portanto, este bom trabalho sobre a
imigração judaica para o norte do Paraná, demonstra que o anti-semitismo
naquele Estado não teve a repercussão que, vez por outra, alguns pesquisadores desavisados insistem em mencionar sem provar.

   Não obstante a confusão de que foi alvo uma pequena minoria da colônia
judaica paranaense, podemos afirmar que a questão racista, na sua vertente
anti-semítica, não teve nenhuma importância no Estado do Paraná, onde pre-
valeceram as relações amistosas entre judeus, de pelo menos duas gerações, e
brasileiros. Sob essa perspectiva, toma-se como absolutamente verdadeiras as
afirmações do culto Bernardo Schulman que dizem respeito apenas a alguns
«casos isolados».

   No Estado Novo (1937-1945), período marcado pela ditadura de Getúlio
Vargas, foram combatidas tão somente aquelas vozes esparsas que ousaram
se levantar contra o governo. Os intelectuais paranaenses não se cansaram de
fabricar «inimigos da pátria» e de perseguir «extremistas», sempre com o objetivo de reservar o Paraná, conhecido como «Paraíso Roxo», em razão de suas
terras férteis terem cor roxa, para os paranaenses. Não há como negar o sucesso do empreendimento.

Notas e referências

1 *Diário da Tarde*, 31 de junho de 1936 (Curitiba), 2.
2 Ibid.
3 Ibid., 1.
4 Ibid., 2.
5 Borba, Alaor Barbosa (1935): *Diário de prisão*, cópia datilografa, Curitiba.
6 *Diário da Tarde*, 23 de fevereiro de 1937 (Curitiba),1; Boletim Policial, Portaria nº 14 de 22 de fevereiro (Curitiba), 18.
7 Ramos, Graciliano (1954): *Memórias do cárcere*, 2ª ed., Rio de Janeiro: Livraria José Olympio, vol. 2, 216-243 e vol. 3, 5-107. O estudante Herculano aparece no diário de Alaor Barbosa Borba com o sobrenome Cruz.
8 Ibid., 3.
9 *Diário da Tarde*, 8 de fevereiro de 1936 (Curitiba), 8.
10 Boletim Policial, 1 de julho de 1937 (Curitiba), 1.
11 Ibid.
12 *Diário da Tarde*, 1 de julho de 1937 (Curitiba).
13 Ibid., 8.
14 Ramos, Graciliano: *Memórias do cárcere*, vol. 3, 188.
15 Boletim Policial, 1 de julho de 1937 (Curitiba), 2-3.
16 «Mensagem apresentada pelo Exmo. Sr. Governador Manoel Ribas, em 1º de setembro de 1937, à Assembléia Legislativa do Paraná» (1937), Curitiba, 25.
17 Ibid., 25.
18 *Diário da Tarde*, 7 de abril de 1942 (Curitiba), 1.
19 Idem, 1º de dezembro 1943, 1.
20 Idem, 20 de fevereiro 1940, 9.
21 Borba, Alaor Barbosa: *Diário de prisão*, 3 e 13.
22 *Diário da Tarde*, 15 de janeiro 1936 (Curitiba), 5.
23 Idem, 20 de abril de 1938, 1 e 7 de maio de 1938, 2; 15 de abril de 1939, 3.
24 Idem, 31 de janeiro de 1942, 1 e 23 de março de 1942, 1.
25 Idem, 19 de março de 1942, 1.
26 Piloto, Valfrido (1945): *Diário de um tempo ruim*, Curitiba: s/e, 51-57.
27 *Diário da Tarde*, 8 de março de 1944 (Curitiba),1. Nesta edição o jornal publicou duas fotografias do interior do *«Museu Político»*, onde são visíveis os retratos de Hitler e de seus mais importantes auxiliares.
28 Piloto, Valfrido (1949): *Registros muito pensados*, Curitiba: Gráfica Mundial, 148-149.
29 *Diário da Tarde*, 4 e 6 de agosto de 1943, 1 e 7.
30 Piloto, Valfrido: *Registros muito pensados*, op. cit., 41.
31 Boletim Policial, dezembro de 1937 (Curitiba), 8.
32 Gouveia, Regina Rottenberg (1980): *Comunidade judaica em Curitiba. 1889-1970*, Dissertação de Mestrado em História, Curitiba: UFPR.
33 Entrevista do autor com Bernardino Schulman (1989): Curitiba, 10 de outubro.

324   C. A. Benevides: O Paraná para os paranaenses

34 *Álbum comemorativo da visita do Presidente Getúlio Vargas ao Paraná* 1° de maio de 1944, Curitiba: Tipografia Mundial.
35 Fernandes, Hellê Vellozo (1974): *Monte alegre, cidade papel,* Curitiba, 32-35.
36 Schulman, Bernardo (1937): *Em legítima defesa. A voz de um judeu brasileiro,* Curitiba: s/e.
37 *O Integralista,* 30 de novembro de 1934 (Paraná), 2.
38 Schulman, Bernardo (1937): op. cit., 4.
39 Borba, Alaor Barbosa: *Diário de prisão,* 10.
40 Ibid., 10.
41 Schulman, Bernardo: op. cit., 29.
42 Piloto, Valfrido: *Registros muito pensados,* 44.
43 *Diário da Tarde,* 27 de dezembro de 1945 (Curitiba), 7.
44 Kominsky, Ethel Volfzon (1985): *Rolândia, a terra prometida. Judeus refugiados do nazismo no norte do Paraná,* São Paulo: FFLCH /Centro de Estudos Judaicos, 113-125.

Bibliografia

Album Comemorativo da visita do Presidente Getúlio Vargas ao Paraná, 1° de maio de 1944, Curitiba: Tipografia Mundial.
Boletim Policial (Curitiba), julho e dezembro de 1937.
Borba, Alaor Barbosa (1935): *Diário de prisão,* cópia datilografada, Curitiba.
Diário da Tarde (Curitiba), 1936-1945.
Fernandes, Hellê Vellozo (1974): *Monte alegre, cidade papel,* Curitiba: s/e.
Gouveia, Regina Rottenberg (1980): *Comunidade Judaica em Curitiba. 1889-1970,* dissertação de Mestrado em História, Curitiba: UFPR.
Kominsky, Ethel Volfzon (1985): *Rolândia, a terra prometida. Judeus refugiados do nazismo no norte do Paraná,* São Paulo: FFLCH /Centro de Estudos Judaicos.
O Integralista (Paraná), novembro de 1934.
Piloto, Valfrido (1945): *Diário de um tempo ruim,* Curitiba: s/e.
---(1949): *Registros muito pensados,* Curitiba: Gráfica Mundial.
Ramos, Graciliano (1954): *Memórias do Cárcere,* 2 vols., 2ª ed., Rio de Janeiro: Livraria José Olympio.
Schulman, Bernardo (1937): *Em legítima defesa. A voz de um judeu brasileiro,* Curitiba: s/e.

Brasil ou South America?
Combates pelo despertar da consciência nacional

Nanci Leonzo
Universidade de São Paulo

> *Tornar-se um revolucionário encerra não só uma*
> *dose de desesperança, mas também de alguma*
> *esperança.*

> Eric J. Hobsbawm (1971)

Em março de 1968, Francisco Julião Arruda de Paula, um brasileiro exilado no México, recusou um convite para proferir conferências em diversas universidades norte-americanas, alegando ser um político militante de esquerda, plenamente identificado com os movimentos de libertação do «Terceiro Mundo», do Vietnã à Guatemala, do Brasil à Indonésia. Uma viagem aos Estados Unidos, ainda que com nítidos objetivos didáticos, seria o suficiente para que os camponeses da região nordeste, que o acompanharam na batalha pela democratização do uso da terra, suspeitassem de que ele havia se curvado diante do imperialismo *yankee* (1). O líder das chamadas «Ligas Camponesas», movimento que tomou vulto no final da década de 50, permanecia fiel aos princípios políticos que haviam norteado sua vida pública e privada.

Francisco Julião, ou apenas Julião, como ficou conhecido, pertencia a uma tradicional família proprietária de terras e engenhos no interior de Pernambuco. Após obter o título de bacharel na Faculdade de Direito do Recife, passou a exercer a advocacia, tornando-se, a partir de 1940, defensor das causas camponesas. Já como deputado estadual, cargo para o qual foi eleito, em 1954, pelo Partido Socialista Brasileiro (PSB), envolveu-se com um grupo de moradores do interior do seu estado, que pleiteavam melhores condições de vida e trabalho. Ajudou a formar, assim, a *Sociedade de Agricultores e Criação de Gado dos Plantadores de Pernambuco*, que deu origem às «Ligas Camponesas» (2). Com o advento do regime militar, em 31 de março de 1964, Julião, como ficou conhecido o líder nordestino, deixou o Brasil e dirigiu-se para o México. Narrando seus primeiros anos no exílio, admitiu que o «imperialismo» era o «maior forjador de unidade» do continente americano (3).

Em quase todos os textos de Julião a expressão «imperialismo» surge como um conceito capaz de explicar a crescente intervenção norte-americana nos assuntos brasileiros, com pleno consentimento dos grupos dirigentes do país e aquiescência dos setores médios da população. Naqueles elaborados durante os primeiros anos de exílio a oposição entre «forças reacionárias», que apoiaram os militares, e «progressistas», que os contestaram, é feita, justamente, através da dialética «imperialismo x latifundismo», também expressa na seguinte equação: «nacionalismo + entreguismo x colonialismo + imperialismo» (4). Conforme bem observou Wolfgang J. Mommsen, a concepção «stalinista» de «imperialismo» evoluiu, a partir da II Grande Guerra, para uma teoria onde as formas brutais e diretas de dominação imperialista foram substituídas por outras de controle econômico e tecnológico, que garantiam a manutenção da influência política das potências diretamente envolvidas na Guerra Fria. Com isso, completou Mommsen, a expressão «imperialismo» perdeu sua precisão e tornou-se, para muitos, um mero sinônimo de «capitalismo» (5).

Não há dúvida de que essa interpretação é válida para o Brasil e, provavelmente, também para outros países integrantes do que se denominava, na época, «Terceiro Mundo». Contudo, para explicar a complexa realidade brasileira é preciso lembrar que, no início da década de 60, dominavam o cenário nacional duas alternativas políticas. De um lado, a capitalista e, de outro, a socialista (6). Aglutinavam-se, em torno da segunda, as diferentes correntes de esquerda envolvidas na luta pelo poder. De acordo com o escritor Antonio Callado, que visitou o nordeste, na condição de jornalista, por duas vezes, isto é, em 1959 e 1963, tinham representantes naquela região o Partido Comunista Brasileiro (PCB), o Partido Comunista do Brasil (PC do B), trotskistas da Vanguarda Leninista e outros tipos de revolucionários (7). Todos, porém, almejavam destruir um só inimigo: o capital estrangeiro, em particular aquele proveniente dos Estados Unidos.

Para o PCB, por exemplo, a exploração imperialista impunha pesado tributo ao país. O desenvolvimento econômico independente e o processo de democratização da vida política permaneciam na dependência do combate ao «imperialismo» norte-americano e aos seus agentes internos. A cúpula partidária entendia, por volta de 1958, que uma «revolução» estava em marcha. Não era, ainda, socialista e sim «antiimperialista e antifeudal, nacional e democrática» (8). Impulsionava este ousado projeto um movimento de cunho nacionalista (9) que atraía, além de um bom número de intelectuais, diferentes partidos e entidades.

Um dos mais destacados membros desse heterogêneo movimento era o militar e historiador Nelson Werneck Sodré, que pleiteou, em seus estudos, novos papéis para a burguesia e para os trabalhadores. Partindo do pressuposto de que o país vivia um momento novo, no qual as «classes» definiam seus campos de atuação e mobilizavam-se para defesa de seus direitos, ele abordou o nacionalismo como uma tomada de consciência destinada a eliminar, definitivamente, as estruturas econômicas subordinadas aos interesses estrangeiros. Tratava-se, em síntese, de uma arma poderosa contra o «imperialismo», sempre presente na vida cotidiana dos brasileiros (10).

Para sensibilizar ainda mais a opinião pública, os nacionalistas, sobretudo os identificados com os projetos políticos dos grupos de esquerda, passaram a divulgar uma interessante publicação, cujo personagem central chamava-se Brasilino. Ele era um homem qualquer, que morava num apartamento qualquer, numa cidade qualquer, e que dormia, acordava, trabalhava, viajava e divertia-se pagando dividendos ao capital estrangeiro. Embora cercado de relativo conforto e amparado pelas palavras do *Sermão da Montanha*, isto é, «Bem-aventurados os pobres de espírito porque deles será o reino dos céus», Brasilino jamais teria «o reino em sua própria terra». Isto por culpa exclusiva dos imperialistas (11).

Segundo Habermas, sob o signo do nacionalismo voltado para a busca da liberdade e, principalmente, da auto-determinação política, a criação de imagens estereotipadas do inimigo torna-se habitual (12). Brasilino, porém, é mais do que uma dessas imagens. Apresenta-se como carrasco e vítima. Caberia aos leitores, sensibilizados com sua suposta ingenuidade burguesa, escolher a maneira de melhor julgá-lo, a partir da hipótese de que refletiam-se, em sua conduta despreocupada – ou «alienada» – as contradições inerentes ao sistema capitalista, o qual deveria ser combatido e extinto. As intenções doutrinárias contidas nessa curiosa publicação escondem-se nas entrelinhas de uma narrativa irônica e sedutora, cujo poder de convencimento não pode ser desprezado. Elogios não lhe faltaram, chegando um articulista a escrever: «Leiam o livro *Um dia na vida de Brasilino*, de Paulo Guilherme Martins. É um breviário viril de civismo. Bom é apelido [...]» (13).

Diversos artifícios foram utilizados para aniquilar os imperialistas. O historiador Caio Prado Júnior, promoveu, em 1958, a reedição de uma obra

publicada, pela primeira vez, em 1893, na qual seu autor, Eduardo Paulo da
Silva Prado, fazia duras críticas aos Estados Unidos da América do Norte. Os
leitores ficaram sabendo que, embora este último não tivesse compreendido a
república (14), proclamada, no Brasil, a 15 de novembro de 1889, denunciara
as mazelas do capitalismo, tornando-se, assim, uma espécie de profeta do
«imperialismo» (15). Em mais de uma ocasião os nacionalistas apropriaram-se
de *A ilusão americana*. No ano de 1917, por exemplo, o livro foi reimpresso
por iniciativa de alguns intelectuais hostis «aos vôos expansionistas da grande
Águia de Washington (16)». Na verdade, não há como deixar de levar em
conta o caráter persuasivo das seguintes conclusões de Eduardo Prado:

> Que não há razão para o Brasil querer imitar os Estados Unidos, porque sairíamos da
> nossa índole, e, principalmente, porque já estão patentes e lamentáveis, sob nossos
> olhos, os tristes resultados da nossa imitação;
> Que os pretendidos laços que se diz existirem entre o Brasil e a república americana, são
> fictícios, pois não temos com aquele país afinidades de natureza alguma real e duradou-
> ra;
> Que a história da política internacional dos Estados Unidos não demonstra, por parte
> daquele país, benevolência alguma para conosco ou para com qualquer república latino-
> americana;
> Que todas as vezes que tem o Brasil estado em contato com os Estados Unidos tem tido
> outras tantas ocasiões para se convencer de que a amizade americana (amizade unilateral
> e que, aliás, só nós apregoamos) é nula quando não é interesseira;
> Que a influência moral daquele país, sobre o nosso, tem sido perniciosa (17).

A ilusão americana recebeu, ao longo do século XX, comentários favoráveis
de intelectuais das mais diferentes tendências ideológicas. O diplomata e escritor Gilberto Amado, ao redigir, em 1957, mais um volume de suas memórias, lembrou que Eduardo Prado, falecido prematuramente em 1901, não
havia sido o único escritor brasileiro que assumira, no século XIX, uma
posição contrária à aproximação do Brasil com os Estados Unidos, contudo,
pelo vigor de sua crítica, merecia ser resgatado. Confessou, ainda, que estava
arrependido de ter defendido, em 15 de outubro de 1924, na condição de
membro da Comissão de Finanças da Câmara dos Deputados, o «Pan-Americanismo». Interpretou, assim, aquele ato como fruto de um idealismo ingênuo,
admitindo que éramos – e continuávamos sendo – apenas parte integrante do
que os norte-americanos denominavam «South America». Amado foi ainda
mais mordaz. O critério de julgamento dos povos seguido por aquele país,
regulava-se, exclusivamente, pelas trocas mercantis e gráficos econômicos.
Embora vivendo, ao tempo, em Paris, comportava-se como um analista pers-

picaz, atento à dinâmica da situação brasileira. Mas quando constatou que «comunistas, comunizantes e liberais» haviam se unido em uma campanha contra a progressiva presença do capital estrangeiro na vida nacional, não arriscou nenhum palpite sobre o sucesso ou o fracasso do empreendimento. Preferiu sustentar que todos, como ele próprio, lutavam contra a pobreza da nação, com o objetivo de obter sua libertação econômica (18). A experiência adquirida no exercício da vida diplomática norteavam suas reflexões.

Ninguém, no entanto, poderia prever os resultados dessa campanha, alimentada por diferentes formas de nacionalismo, cujo cenário privilegiado era a região nordeste, onde a seca e a exploração do homem pelo homem adquiriam dimensões indescritíveis (19). Com a organização das «Ligas Camponesas» surgiu a possibilidade de mudanças substanciais nas relações de trabalho, as quais lembravam a servidão pertinente aos feudos medievais. Os acontecimentos de 1959, em Cuba, trouxeram aos seus líderes grandes esperanças. Julião, por sua vez, nunca escondeu sua admiração pela estratégica ilha:

> Se antes da revolução as nossas relações eram escassas, sem maiores meios de comunicação, depois as nossas relações cresceram, se aprofundaram e se estreitaram, adquiriram uma significação mais concreta do que as relações apenas formais que havia antes. Descobrimos Cuba – o nosso companheiro latino-americano. E passamos a amar Cuba, nossa irmã (20).

Os Estados Unidos tudo fizeram para que os países latino-americanos não seguissem o exemplo de Cuba. A solução foi, conforme salientou Clodoaldo Bueno, dar uma «tradução econômica» para o Pan-Americanismo (21). «Com o propósito de conter o avanço comunista passaram a estimular movimentos reformistas voltados para a modernização e o desenvolvimento. A ajuda financeira para o nordeste brasileiro chegou através da *Aliança para o Progresso*, um programa destinado a suprir as necessidades básicas do homem, quais sejam, trabalho, terra, casa, saúde e escola (22). Finalidades assistenciais encobriram objetivos ideológicos e políticos.

O economista Celso Furtado, responsável pela Superintendência para o Desenvolvimento do Nordeste (SUDENE), órgão criado na gestão do presidente Juscelino Kubitschek, antecessor de Quadros, com o propósito de superar os problemas oriundos do subdesenvolvimento da região, jamais iludiu-se com a comitiva de Washington. O primeiro convênio foi assinado em maio de 1962, tendo sido instalado, em seguida, no Recife, capital do estado de Pernambuco, um escritório onde atuavam os funcionários encarregados de supervisionar a aplicação dos recursos oriundos dos cofres norte-americanos. Logo, entretanto, teriam surgido divergências, conforme admitiu o próprio Furtado, pois os Estados Unidos pretendiam, apenas, deter a «subversão no hemisfério» (23).

O interesse pelo nordeste brasileiro já havia se manifestado no passado. Durante a II Grande Guerra médicos do exército norte-americano visitaram o local e, sob o pretexto da realização de uma pesquisa voltada para o estudo da saúde dos habitantes, recolheram diversos dados qualitativos e quantitativos. Além disso, uma base aérea foi construída na cidade de Natal, capital do Rio Grande do Norte, para garantir o abastecimento dos exércitos aliados (24). A agitação política e social provocada pelas «Ligas Camponesas» e a Revolução Cubana foram, sem dúvida, os fatores que levaram os Estados Unidos novamente à região.

Penso ser oportuno lembrar que, a partir dos anos 50 e até meados da década de 60, os norte-americanos desenvolveram, no Brasil, além da já referida Aliança para o Progresso, outros programas, quais sejam, *Point IV, Wheat Fund, Food for Peace* e *Peace Corps*. A ajuda custou, aos cofres de Washington, cerca de US$ 10 milhões (25). Até mesmo os intelectuais, que viam com bons olhos aquele país, como o já citado Gilberto Amado, ficaram apreensivos diante de tanta generosidade. Não havia como deixar de se preocupar com as conseqüências dessa vultosa colaboração financeira, sobretudo quando tinha-se em mente a incerteza da conjuntura internacional.

O historiador José Honório Rodrigues, que estudou e lecionou em universidades norte-americanas, demonstrou, em 1957, que do contato entre as tradições brasileiras coloniais e arcaicas com os valores culturais importados de outros países, principalmente dos Estados Unidos, nasceu um novo Brasil. A «americanização da cultura ocidental», completou, provocou a racionalização do trabalho, a valorização da vida econômica, o estímulo ao capitalismo e à superação do passado e, ainda, ao consumismo. Como conseqüência, surgiu uma nova ordem social, onde o componente luso-brasileiro perdeu boa parte de sua originalidade (26). Estava certo. Hoje pouco resta dessa originalidade.

Rodrigues era um sonhador. Desejava um Brasil voltado para si mesmo, consciente das contradições do passado e pronto para eliminá-las no futuro. Esta postura nacionalista identificava-se, em alguns aspectos, com aquela defendida por parte das Forças Armadas brasileiras. O historiador jamais negou que o curso realizado na Escola Superior de Guerra (ESG), concluído em 1955, havia exercido profunda influência na sua maneira de interpretar os problemas do país. Dois de seus livros, conforme confessou, eram frutos de conferências realizadas, entre 1956 e 1964, naquela instituição (27), fundada, em 1948, sob a inspiração do *National War College* (USA) (28).

Um dos militares mais apreciados por José Honório Rodrigues era Golbery do Couto e Silva, o qual permaneceu na Escola Superior de Guerra (ESG), no período que se estende 1952 a 1955. Escrevendo no contexto da Guerra Fria, o General Couto e Silva, ao discutir o espaço brasileiro sob uma perspectiva geopolítica, acentuou o seguinte:

> O que nos ameaça hoje, como ontem, é uma ameaça não dirigida propriamente contra nós, mas sim indiretamente contra os Estados Unidos da América, a qual, mesmo se a entendermos subestimar dando maior ênfase à praticabilidade ainda bastante discutível de um ataque transantártico, nem por isso resulta insubsistente, além de que, de forma alguma, pode desmerecer a importância estratégica do nordeste brasileiro, não para nós que nada queremos do outro lado do Atlântico, mas para os E.U.A., que já se engajaram a fundo na defesa da Europa, como plataforma de ataque ou simplesmente de salto por sobre o oceano ao continente africano onde desde já se situa, ao norte, o cinturão de importantes bases aéreas das quais se espera deter qualquer avanço comunista para oeste e martelar o coração industrial da Rússia (29) .

Caberia, assim, ao Brasil, em caso de necessidade, permitir novamente o pouso, no nordeste, de aviões de combate norte-americanos que partiriam em direção à Africa e à Europa. Dois seriam, portanto, os deveres do país: a defesa da integridade de seu território e a segurança do Atlântico Sul. Contudo, o direito de utilização do litoral, para montagem de bases aéreas, era, na opinião do General, exclusivo da soberania nacional. Nada poderia ser cedido como «um prato de lentilhas» (30). Esta seria, também, a opinião de outros militares brasileiros. Valia à pena estar ao lado dos Estados Unidos para deter o avanço comunista, mas era preciso resistir, conforme declarou, quarenta anos depois, o General Ernesto Geisel, à «orientação governamental americana de natureza imperialista» (31). Nem todos os seus pares, porém, viram a questão da mesma forma.

Juracy Magalhães, que foi adido militar em Washington, entre 1953 e 1954, e, posteriormente, embaixador do Brasil nos Estados Unidos, é bastante benevolente, em suas memórias, com os Estados Unidos. Em 1964, poucos dias antes de embarcar para assumir o segundo cargo, deu a um jornalista, que lhe perguntou com que estado de espírito estava assumindo a nova função, a seguinte resposta:

O Brasil fez duas guerras como aliado dos Estados Unidos e nunca se arrependeu. Por isso eu digo que o que é bom para os Estados Unidos é bom para o Brasil (32).

Intelectuais de esquerda e direita interpretaram essas palavras como próprias de um «entreguista», isto é, de alguém que preconizava entregar aos estrangeiros a exploração dos recursos naturais do Brasil. De qualquer maneira elas servem para demonstrar que não havia, entre os militares brasileiros, antes e depois de 31 de março de 1964, uma unidade de pensamento, embora a maior parte concordasse com o fato de que era necessário combater, a qualquer custo, o comunismo.

Em janeiro daquele mesmo ano, Afonso Arinos de Melo Franco escreveu, em suas memórias, que sentia-se humilhado, pois os diplomatas que o sucederam na representação brasileira junto à Organização das Nações Unidas (ONU) haviam se tornado «dóceis moços de recado dos Estados Unidos» (33). A expressão é forte, mas traduz a indignação de um liberal convicto, que tomou consciência do risco que corria seu país e todo o continente latino-americano. Ele que, anos antes, durante a gestão do presidente Jânio Quadros, defendera e praticara uma política externa independente, não desejava que a «felicidade» do Brasil permanecesse nas mãos de uma elite econômica submissa aos Estados Unidos (34). Seus reclamos não foram ouvidos. Sob a égide da doutrina de segurança nacional, elaborada durante a Guerra Fria e sustentada pelos sucessivos governos militares, consolidou-se a interferência norte-americana nos assuntos brasileiros.

A manifestação nacionalista de Melo Franco causou surpresa. Durante a II Grande Guerra, ele defendera «a autoridade moral e o espírito» daquele país e, em 1953, empenhara-se, como parlamentar, para a assinatura do Tratado de Assistência Militar Brasil-Estados Unidos. Pela ousadia de suas propostas, fundamentadas em um novo «Pan-Americanismo», pautado na integração da solidariedade continental com as exigências dos interesses nacionais (36), foi combatido por esquerdistas e direitistas. Esta parece ser a sina dos autênticos liberais brasileiros.

Sob o pretexto de enfraquecer o comunismo internacional, os norte-americanos decidiram intervir ostensivamente na América Latina, apoiando regimes fortes, que fizeram da exceção a regra. Contribuíram, assim, para afastar do convívio social uma leva de cidadãos inconformados. Mais tarde, tentaram remediar a situação exigindo, do governo brasileiro, com base nas informações oferecidas pela *Anistia Internacional*, uma conduta de respeito aos direitos humanos (37). Os Estados Unidos, na pessoa do cientista político Samuel Huntington, também colaboraram no processo de liberalização política do regime militar (38). Mas esta é uma outra história, uma espécie de capítulo da epopéia vivida, à distância, pelos exilados.

Conforme Gadamer, «somente através dos outros é que adquirimos um verdadeiro conhecimento de nós mesmos» (39). Os depoimentos assinados pelos brasileiros que buscaram refúgio no exterior comprovam esta afirmação. O antigo deputado Márcio Moreira Alves, que desembarcou no Chile em 31 de dezembro de 1968, logo verificou que para pensar o Brasil necessitava conhecer os problemas das nações pertencentes à antiga América Espanhola, dominadas pelo mesmo «sistema imperialista» (40). Julião, quando chegou ao México, também teve seus conhecimentos ampliados. Os problemas domésticos foram então redimensionados. Em artigo publicado, em 1968, na Suécia, admitiu que os povos latino-americanos não se conheciam e insistiu no fato de que era preciso intensificar os contatos entre os diferentes países. A vasta literatura sobre doutrinas revolucionárias pouco podia ajudar, pois era totalmente obsoleta. A saída seria promover um estudo sério das distintas realidades e agir, diretamente, junto às «massas exploradas» (41).

Acompanhando Gramsci, entendo que, apesar dos esforços, Julião ainda não havia adquirido uma clara consciência teórica de suas ações passadas. Estaria, portanto, atravessando a primeira fase de uma «progressiva e ulterior auto-consciência», a qual permitia-lhe, ainda que longe da pátria, acreditar na possibilidade de unir, no futuro, a teoria à prática (42). Distante das «massas», ele ainda as colocava no centro de suas atenções, tomando a retórica como instrumento de politização. Conseguiu, apenas, sensibilizar uma pequena parte da intelectualidade latino-americana.

Se o exílio teve um mérito foi o de chamar a atenção de nossos políticos e intelectuais para a dimensão continental – e por vezes mundial – de problemas estruturais que, no passado, pareciam exclusivos de um Brasil pobre e arcaico, com gritantes diferenças regionais e eterna dependência do capital estrangeiro. Este olhar mais abrangente, ao mesmo tempo em que lhes permitiu globalizar e dimensionar a ação imperialista dos Estados Unidos, trouxe-lhes a compreensão do país, conforme admitiu o cientista político Herbert José de Souza:

Você pega a caravela do exílio e começa a descobrir a América. Depois que você
desconectou-se desse sentimento paroquial, que o Brasil tinha, começa a descobrir o

capitalismo internacional, a Europa, a França, a Inglaterra, os Estados Unidos, o Canadá, a abertura do mundo socialista e do Terceiro Mundo. O exílio vai abrindo os caminhos para uma percepção de um entendimento internacionalista e que tem reflexo imediato sobre a compreensão do Brasil. Os ângulos de percepção sobre o Brasil mudam e se começa a perder a visão 'brasilocêntrica' e perceber o Brasil como parte do sistema (43).

Márcio Moreira Alves e Herbert José de Souza, este último recentemente falecido (44), voltaram, após agosto de 1979, com a lei da anistia, a residir no Brasil. Julião estabeleceu-se no México, escolhendo para morar a cidade de Cuernavaca. De lá observa a América Latina e o mundo. Vive praticamente incógnito, realizando viagens periódicas ao seu país de origem. No ano passado visitou Recife para rever os amigos de juventude. Numa entrevista recente, declarou que está escrevendo suas memórias. É tempo de dar sua versão sobre os acontecimentos que chegaram às páginas do *New York Times* (45) e revelaram, pela primeira vez, aos leitores norte-americanos, as dimensões da questão agrária brasileira.

De tudo fica a certeza de que o povo do sertão nordestino – o seu povo – ainda cultiva esperança, a mesma que o levou a escrever:

> Nasci em um recanto perdido em Pernambuco, em um velho engenho de açúcar, chamado Boa Esperança. Esperança é o meu signo (46).

Notas e referências

1   «Carta a um professor norte-americano (Cuernavaca, 29 de março de 1968)», em Julião, Francisco (1968): *Brasil antes y después*, tradução do português de Francisco Mariscal, México: Editorial Nuestro Tiempo, 123-125.

2   Ver Julião, Francisco (1962): *Que são ligas camponesas?*, Rio de Janeiro: Civilização Brasileira; e Benevides, Cezar (1985): *Camponeses em marcha*, Rio de Janeiro: Paz e Terra.

3   «Depoimento de Francisco Julião», em Cavalcanti, Pedro Celso Uchôa e outros (1978): *Memórias do exílio, Brasil 1964, 19??*, São Paulo: Editora e Livraria Livramento, 295.

4   Julião, Francisco (1962): *Brasil antes y después*, op. cit., 14, 25, 27, 53 e 63.

5   Mommsen, Wolfgang J. (1982): *Theories of Imperialism*, tradução do alemão de P. S. Falla, Chicago: University of Chicago Press, 57-58.

6   Julião, por exemplo, apresentava-se como socialista. Teve sérios conflitos com os comunistas, perdendo, assim, o controle das «Ligas camponesas».

7 Callado, Antonio (1964): *Tempos de Arraes. Padres e comunistas na revolução sem violência,* Rio de Janeiro: José Alvaro Editor, 13. O PC do B. surgiu no início da década de 60, quarenta anos depois do PCB.

8 «Declaração sobre a política do Partido Comunista Brasileiro. Março de 1958» (1980), em *PCB: vinte anos de política 1958-1979 (documentos),* São Paulo: Lech Livraria Editora Ciências Humanas, 3-22.

9 Evito discutir as diferentes formas de nacionalismo surgidas, no Brasil, ao longo do século XX. Não há, também, como indicar apenas um ou dois livros sobre o assunto.

10 Sodré, Nelson Werneck (1963): *Introdução à revolução brasileira,* Rio de Janeiro: Civilização Brasileira, 165-183 e 205-206.

11 Martins, Paulo Guilherme (s/d): *Um dia na vida do Brasilino,* 6ª ed., São Paulo: Editora Brasiliense.

12 Habermas, Jürgen (1994): *Identidades nacionales y postnacionales,* tradução para o espanhol de Manuel Jiménez Redondo, Madrid: Editorial Tecnos, 90-91.

13 O articulista chamava-se Maurício Loureiro Gama. O comentário foi publicado, em 7 de julho de 1961, no Jornal *Correio Paulistano.*

14 Eduardo Prado é visto, por alguns historiadores, como um simples adepto do monarquismo. Sustento a hipótese de que tratava-se, na verdade, de um liberal, preocupado com a defesa dos empreendimentos comerciais e financeiros de sua família. Ver minha tese de Livre-Docência (1989): *O mundo elegante de Eduardo Prado,* São Paulo: USP / FFLCH.

15 Prado, Eduardo (1958): *A ilusão americana,* São Paulo: Editora Brasiliense.

16 A expressão é de Leopoldo de Freitas, autor do prefácio da 4ª edição de *A ilusão americana,* publicada em São Paulo, pela Livraria e Oficina Magalhães, no ano de 1917. A 1ª edição, cumpre ressaltar, também vinda à luz naquela cidade, foi confiscada pelo governo. Para não ser preso, Eduardo Prado fugiu para a Europa. Quanto à edição de 1958, foi uma iniciativa da Editora Brasiliense, pertencente à família Prado.

17 Prado, Eduardo (1917): *A ilusão americana,* 4ª ed., São Paulo: Livraria Oficina Magalhães, 250-251.

18 Amado, Gilberto (1960): *Presença na política,* 2ª ed., Rio de Janeiro: Livraria José Olympio Editora, 211-212.

19 Ver Callado, Antonio (1960): *Os industriais da seca e os «galileus» de Pernambuco (Aspectos da luta pela reforma agrária no Brasil),* Rio de Janeiro: Civilização Brasileira.

20 Transcrito de Barreto, Lêda (1963): *Julião–Nordeste–Revolução,* Rio de Janeiro: Civilização Brasileira, 48 e 131.

21 Bueno, Clodoaldo (1998): *Brasil-Estados Unidos: relações históricas e novos desafios,* São Paulo: Instituto de Estudos Avançados da Universidade de São Paulo (Coleção Documentos 54).

22 Smith, Joseph (1997): *The Cold War. 1945-1991,* 2ª ed., Londres: Blackwell Publishers, 91-97.

23 Celso Furtado (1997): *Obra autobiográfica,* T. 2, Rio de Janeiro: Paz e Terra, 173-209.

24 McCann Jr., Frank D. (1995): *Aliança Brasil-Estados Unidos, 1937-1945,* Rio de Janeiro: Biblioteca do Exército, 175-208.

25 Freitas Jr., Norton Ribeiro (1994): *O capital norte-americano e investimento no Brasil: características e perspectivas de um relacionamento econômico, 1950-1990*, Rio de Janeiro: Record, 64-66.

26 Rodrigues, José Honório (1965): *Aspirações nacionais – Interpretação histórico-política*, 3ª ed., São Paulo: Editora Fulgor, 64-66.

27 Idem (1986): *Tempo e sociedade*, Petrópolis: Vozes, 144; e idem (1985): *História viva*, São Paulo: Global, 130-131.

28 Ver Ferraz, Francisco César Alves (1997): *À sombra dos carvalhos. Escola Superior de Guerra e política no Brasil: 1948-1955*, Londrina: Editora da Universidade Estadual de Londrina.

29 Silva, Golbery do Couto e (1957): *Aspectos geopolíticos do Brasil*, Rio de Janeiro: Biblioteca do Exército, 51.

30 Ibid., 52.

31 D'Araujo, Maria Celina e Castro, Celso (org.) (1997): *Ernesto Geisel*, 2ª ed., Rio de Janeiro: Fundação Getúlio Vargas.

32 Gueiros, José Alberto (1996): *O último tenente*, 2ª ed., Rio de Janeiro: Record, 235.

33 Franco, Afonso Arinos de Melo (1979): *A alma do tempo. Memórias*, Rio de Janeiro / Brasília: José Olympio Editora / INL, 993.

34 Ibid., 880-881.

35 Idem (1941): *Política cultural pan-americana*, Rio de Janeiro: Edição da Casa do Estudante do Brasil.

36 Idem: *A alma do tempo*, 696.

37 Ver Leonzo, Nanci: «A propósito do texto *Brasil-Estados Unidos: relações históricas e novos desafios*», em Bueno, Clodoaldo (1998): *Brasil-Estados Unidos: relações históricas e novos desafios*, São Paulo: Instituto de Estudos Avançados da Universidade de São Paulo (Coleção Documentos 54), 68-75.

38 Ver Skidmore, Thomas (1988): *Brasil: de Castelo a Tancredo, 1964-1985*, tradução de Mário Salviano Silva, 5ª ed., Rio de Janeiro: Paz e Terra, 322-327 e 383-385.

39 Gadamer, Hans-Georg (1998): *O problema da consciência histórica*, organização de Pierre Fruchon e tradução de Paulo César Duque Estrada, Rio de Janeiro: Fundação Getúlio Vargas, 12-13.

40 «Depoimento de Márcio Moreira Alves», em Cavalcanti, Pedro Celso Uchôa e outros (1978): *Memórias do exílio, Brasil 1964, 19??*, São Paulo: Editora e Livraria Livramento, 229.

41 «Marxistas e marxólogos», em Julião, Francisco (1968): *Brasil antes y después*, 98-104.

42 Gramsci, Antonio (1991): *Concepção dialética da história*, tradução de Carlos Nelson Coutinho, 9ª ed., Civilização Brasileira, 20-21.

43 «Depoimento de Herbert José de Sousa», em Cavalcanti, Pedro Celso Uchôa e outros: *Memórias do exílio, Brasil 1964, 19??*, 109.

44 Ver Sader, Emir (1998): «Do Brasil solidário ao Brasil solitário», *em Folha de São Paulo*, Caderno *«Mais!»*, 9 de agosto, 9.

45 Ver Page, Joseph A. (1972): *A revolução que nunca houve. O Nordeste do Brasil 1955-1964*, tradução de Ariano Suassuna, Rio de Janeiro: Record, 28.

46 «Depoimento de Francisco Julião», em Cavalcanti, Pedro Celso Uchôa e outros: *Memórias do exílio, Brasil 1964, 19??*, 289.

Bibliografia

Amado, Gilberto (1960): *Presença na política,* 2ª ed., Rio de Janeiro: Livraria José Olympio Editora.

Barreto, Lêda (1963): *Julião–Nordeste–Revolução,* Rio de Janeiro: Civilização Brasileira.

Benevides, Cezar (1985): *Camponeses em marcha,* Rio de Janeiro: Paz e Terra.

Bueno, Clodoaldo (1998): *Brasil-Estados Unidos: relações históricas e novos desafios,* São Paulo: Instituto de Estudos Avançados da Universidade de São Paulo (Coleção Documentos 54).

Callado, Antonio (1960): *Os industriais da seca e os 'galileus' de Pernambuco. (Aspectos da luta pela reforma agrária no Brasil),* Rio de Janeiro: Civilização Brasileira.

---(1964): *Tempos de Arraes. Padres e comunistas na revolução sem violência,* Rio de Janeiro: José Álvaro Editor.

Cavalcanti, Pedro Celso Uchôa e outros (1978): *Memórias do exílio, Brasil 1964, 19??,* São Paulo: Editora e Livraria Livramento.

D'Araujo, Maria Celina e Castro, Celso (org.) (1997): *Ernesto Geisel,* 2ª ed., Rio de Janeiro: Fundação Getúlio Vargas.

Ferraz, Francisco César Alves (1997): *À sombra dos carvalhos. Escola Superior de Guerra e política no Brasil: 1948-1955,* Londrina: Editora da Universidade Estadual de Londrina.

Franco, Afonso Arinos de Melo (1979): *A alma do tempo. Memórias,* Rio de Janeiro / Brasília: José Olympio Editora / INL.

---(1941): *Política cultural pan-americana,* Rio de Janeiro: Edição da Casa do Estudante do Brasil.

Freitas Jr., Norton Ribeiro (1964): *O capital norte-americano e investimento no Brasil: características e perspectivas de um relacionamento econômico, 1950-1990,* Rio de Janeiro: Record.

Furtado, Celso (1997): *Obra autobiográfica,* 3 vols., Rio de Janeiro: Paz e Terra.

Gadamer, Hans Georg (1998): *O problema da consciência histórica,* organização de Pierre Fruchon, tradução de Paulo Cesar Duque Estrada, Rio de Janeiro: Fundação Getúlio Vargas.

Gramsci, Antonio (1991): *Concepção dialética da história,* tradução de Carlos Nelson Coutinho, 9ª ed., Rio de Janeiro: Civilização Brasileira.

Gueiros, José Alberto (1996): *O último tenente,* 2ª ed., Rio de Janeiro: Record.

Habermas, Jürgen (1994): *Identidades nacionales y postnacionales,* tradução para o espanhol de Manoel Jimenez Redondo, Madrid: Editorial Tecnos.

Julião, Francisco (1962): *Que são ligas camponesas?,* Rio de Janeiro: Civilização Brasileira.

---(1968): *Brasil antes y despues,* tradução do português de Francisco Mariscal, México: Editorial Nuestro Tiempo.

Leonzo, Nanci (1989): *O mundo elegante de Eduardo Prado,* tese de livre-docência, USP, São Paulo.

---(1998): «A propósito do texto *Brasil-Estados Unidos: relações históricas e novos desafios*», em Bueno, Clodoaldo (1998): *Brasil-Estados Unidos: relações históricas e novos desafios*, São Paulo: Instituto de Estudos Avançados da Universidade de São Paulo (Coleção Documentos 54), 68-75.

Martins, Paulo Guilherme (s/d): *Um dia na vida do Brasilino*, 6ª ed., São Paulo: Editora Brasiliense.

McCann Jr., Frank de (1995): *Aliança Brasil-Estados Unidos, 1937-1945*, Rio de Janeiro: Biblioteca do Exército.

Mommsen, Wolfgang J. (1982): *Theories of Imperialis*, tradução do alemão de P. S. Falla, Chicago: University of Chicago Press.

Page, Joseph A. (1972): *A revolução que nunca houve. O nordeste do Brasil 1955-1964*, tradução de Ariano Suassuna, Rio de Janeiro: Record.

Partido Comunista do Brasil (1980): *Vinte anos de política 1958-1979 (documentos)*, São Paulo: Lech Livraria Editora Ciências Humanas.

Prado, Eduardo (1917): *A ilusão americana*, 4ª ed., São Paulo: Livraria Oficina Magalhães.

Rodrigues, José Honório (1965): *Aspirações nacionais – Interpretação histórico-política*, 3ª ed., São Paulo: Editora Fulgor.

---(1985): *História viva*, São Paulo: Global.

---(1986): *Tempo e sociedade*, Petrópolis: Vozes.

Sader, Emir (1998): «Do Brasil solidário ao Brasil solitário», em *Folha de São Paulo*, Caderno «*Mais*», 9 de agosto.

Silva, Golbery do Couto e (1957): *Aspectos geopolíticos do Brasil*, Rio de Janeiro: Biblioteca do Exército.

Skidmore, Thomas (1988): *Brasil: de Castelo a Tancredo, 1964-1985*, tradução de Mario Salviano Silva, 5ª ed., Rio de Janeiro: Paz e Terra.

Smith, Joseph (1997): *The Cold War. 1945-1991*, 2ª ed., Londres: Blackwell Publisher.

Sodré, Nelson Werneck (1963): *Introdução à revolução brasileira*, Rio de Janeiro: Civilização Brasileira.

Los autores / os autores

Benevides, Cezar Augusto: Brasileiro, doutor em História. Professor Adjunto da Universidade Federal de Mato Grosso do Sul. Autor dos seguintes livros: *Camponeses em Marcha*, Rio de Janeiro: Paz e Terra 1985 e *Miranda Estância: ingleses, peões e caçadores no pantanal mato-grossense*, Rio de Janeiro: Editora da Fundação Getúlio Vargas (1999, em colaboração com Nanci Leonzo). Realizou pesquisas pioneiras nos arquivos da Delegacia de Ordem Política e Social (DOPS) do estado do Paraná (Brasil), abertos em 1991. Estuda, atualmente, investimentos estrangeiros no centro-oeste brasileiro.

Bogantes Zamora, Claudio: Egresado de la Universidad de Costa Rica, becario del Estado francés y estudios de postgrado en La Sorbona en Literatura Francesa (1962-64). Maestria en Francés y Español por la Universidad de Aarhus, Dinamarca, 1970. Doctor por la Universidad de Neuchâtel, Suiza (Tesis: *La narrativa socialrealista en Costa Rica ca.1900-1950*). Profesor titular en el Instituto de Lenguas Románicas de la Universidad de Aarhus desde 1970. Libro en prensa: *Lo fantástico y el doble en tres cuentos de F. Durán Ayanegui.*

Cancino Troncoso, Hugo: Doctor en Historia por la Universidad de Aarhus, Dinamarca (1984) y doctor en Filosofía por la Universidad de Odense, Dinamarca (1988). Profesor titular de Historia de América Latina en la Universidad de Odense, Dinamarca desde 1988. A partir de septiembre de 1999, catedrático en Estudios Latinoamericanistas en la Universidad de Aalborg, Dinamarca. Ha publicado libros y artículos sobre tópicos dentro de los campos de historia política e historia de las ideas, trabajando problemáticas de la historia contemporánea de Chile y Nicaragua y sobre la recepción de la modernidad europea en América Latina.

Cristoffanini, Pablo R.: Doctor y profesor titular de la Universidad de Aalborg, Dinamarca. Enseña en las asignaturas de Análisis cultural, Historia de la cultura y las ideas en América Latina, e imparte el curso anual sobre «Globalización, nación y nacionalismo» con especial referencia a la América latina. Ha publicado artículos y libros sobre la problemática nacional, la identidad y la cultura en los países hispanoamericanos y en España. Además, ha escrito sobre aproximaciones teórico-metodológicas al estudio de la cultura y la sociedad tales como la fenomenología y la hermenéutica. En la actualidad investiga sobre la fascinación y el poder de las ideologías en América Latina: dependentismo, indianismo y neoliberalismo.

Ferreira, Tania Maria Tavares Bessone da Cruz: Professora Adjunta da Universidade do Estado do Rio de Janeiro, Departamento de História. Publicou «As bibliotecas cariocas: o Estado e a constituição do público leitor», em Maria Emília Prado (org.): *O Estado como vocação: idéias e práticas políticas no Brasil oitocentista* (1999); «Bibliotecas de médicos e advogados: dever e lazer num só lugar», em Marcia Abreu (org.): *História da leitura e do livro no Brasil* (1999); e, em colaboração com Lúcia Maria Bastos P. Neves, «Le publique et le privé dans les relations culturelles entre le Brésil et le Portugal, 1808-1922», em Katia Maria Queirós Mattoso e Rolland Denis (org.): *Le Brésil, l'Europe et les équilibres internationaux, XVIe au XXe siècle* (1999). *Prêmio Arquivo Nacional de Pesquisa*, dezembro de 1997, com o trabalho que será publicado em 1999, sob forma de livro: *Palácios de destinos cruzados: bibliotecas, homens e livros (Rio de Janeiro 1870-1920).*

González, Marcela Beatriz: Doctora en Historia, es actualmente profesora titular de Historia Argentina en la Facultad de Ciencia Política y Relaciones Internacionales de la Universidad Católica de Córdoba. Es miembro del Centro de Estudios Históricos, de la Asociación de Historia Económica, del Comité de Ciencia Histórica (Comité Argentino) y de la Red Internacional de Historia de las ideas, de la cultura, y de la creación intelectual en América Latina, siglos XIX y XX. Su producción historiográfica se ha centrado en la historia social y en la del pensamiento argentino. Autora de varios libros y artículos, es en la actualidad investigadora del Centro de Estudios Históricos y está trabajando en el proyecto «Estado, sociedad y economía en la provincia de Córdoba 1920-1950», subsidiado por la Agencia Nacional de Promoción Científica del Ministerio de Cultura y Educación.

Guimarães, Lucia Maria Paschoal: Doutora em História Social pela Universidade de São Paulo (USP). Professora Adjunta do Departamento de História da Universidade do Estado do Rio de Janeiro (UERJ). Coordenadora do Programa de Pós-Graduação em História da Universidade do Estado do Rio de Janeiro. Professora Associada ao Núcleo de Estudos Estratégicos da Universidade de São Paulo. Publicações na América Latina (Brasil, México e Equador), nos Estados Unidos e na Europa (França, Inglaterra, Portugal e Suécia). Atualmente desenvolvendo trabalhos na linha de pesquisa «Idéias, intelectuais e poder».

Hirshbein, Cesia Ziona: Graduada en Letras, especialidad Literatura Latinoamericana Contemporánea. Directora del Instituto de Estudios Hispanoamericanos (1991-1997) de la Facultad de Humanidades y Educación de la Universidad Central de Venezuela. Ha publicado *Cuadernos del anochecer, Hemerografía venezolana, 1980-1930, Las eras imaginarias de Lezama Lima,* y *Rufino Blanco-Fombona y su pensamiento americano.* Coordinadora de los Proyectos: «Los 200 años de la expedición científica de Alejandro de Humboldt y la Universidad Central de Venezuela» y «El Ensayo en Venezuela, siglos XIX y XX». Docente en las Escuelas de Letras, de Artes y en las maestrías de Historia Republicana de Venezuela y de Literatura Latinoamericana Contemporánea de la Universidad Central de Venezuela. Profesor Visitante en el Departamento de Estudios Iberoamericanos de la Universidad Hebrea de Jerusalén y en el Instituto de Estudios Latinoamericanos de la Universidad de Londres.

Klengel, Susanne: Doctora en Literatura Latinoamericana por la Universidad Libre de Berlín (1992). Desde 1996 es asistente en el Instituto de Lenguas Románicas de la Universidad Martin-Luther en Halle-Wittenberg, donde prepara la tesis de habilitación sobre la historia intelectual latinoamericana y francesa después de la segunda Guerra Mundial. Ha publicado varios artículos sobre literatura brasileña e hispanoamericana, y sobre crítica literaria e historia de los estudios filológicos y las disciplinas académicas. Es editora del volumen *Contextos, historias y transferencias en los estudios latinoamericanistas europeos. Los casos de Alemania, España y Francia* (1997).

Leonzo, Nanci: Brasileira, doutora e livre-docente em História. Professora do Programa de Pós-Graduação em História Social da Universidade de São Paulo. Coordenadora do grupo de pesquisa «Intelectuais e marxismo no Brasil», que reúne pesquisadores de diversas universidades brasileiras. Autora de diversos artigos e capítulos de livros publicados no Brasil e no exterior. Dedica-se, atualmente, ao estudo da história intelectual e, também, desenvolve um projeto de pesquisa no campo da história ambiental brasileira. Publicou, neste ano, o livro *Miranda Estância: ingleses, peões e caçadores no pantanal mato-grossense,* Rio de Janeiro: Editora da Fundação Getúlio Vargas (1999, em colaboração com Cezar Augusto Benevides).

Menezes, Lená Medeiros de: Doutora em História (Área de História Social) pela Universidade de São Paulo e Mestre em História (Área de História Social das Idéias) pela Universidade Federal Fluminense. Professora do Departamento de História da Universidade do Estado do Rio de Janeiro (UERJ) e Diretora eleita do Centro de Ciências Sociais (Decania) para o mandato 1996/2000. Principais trabalhos publicados: *Os Indesejáveis: Desclassificados da modernidade. Protesto, crime e expulsão na Capital Federal, 1890-1930* (1997); *História e Violência.* Anais do VII Encontro Regional da ANPUH - Núcleo do Rio de Janeiro (org.) (1997); *Os estrangeiros e o comér-*

cio do prazer nas ruas do Rio, 1890-1930 (1992, Prêmio Arquivo Nacional de Pesquisa, 2); «Dancings e cabarés: trabalho e disciplina na noite carioca (1937-1950)», em Bruschini, Cristina e Buarque de Holanda, Heloísa (eds.): *Horizontes plurais. Novos estudos de gênero no Brasil* (1998). Pesquisa em desenvolvimento: «O Discurso contra-revolucionário nas mídias brasileiras (1917-1939)».

Neves, Guilherme Pereira das: Doutor em História Social pela Universidade de São Paulo (1994). Professor do Departamento de História (desde 1977) e do Programa de Pós-Graduação em História da Universidade Federal Fluminense, Niterói. Interessado na história das idéias políticas, da religiosidade e da educação, no período 1750-1850. Autor do livro *E receberá mercê: a Mesa da Consciência e Ordens e o clero secular no Brasil, 1808-1828* (1997, Prêmio de pesquisa do Arquivo Nacional); de capítulos em livros, como «Une pratique votive populaire au cœur du Brésil? Autour de la collection d'ex-voto peints à Congonhas do Campo», em J.-P. Bertaud, F. Brunel, C. Duprat e F. Hincker (orgs.): *Mélanges Michel Vovelle: sur la Révolution, approches plurielles* (1997), e «Del Imperio luso-brasileño al Imperio del Brasil (1789-1822)», em A. Anino, L. Castro Leiva, F. X. Guerra (dir.): *De los Imperios a las Naciones: Iberoamérica* (1994); e de artigos em periódicos.

Neves, Lúcia Maria Bastos P.: Doutora em História Social pela Universidade de São Paulo (1992). Professora de História Moderna e Contemporânea do Departamento de História (desde 1976) e do Programa de Pós-Graduação em História da Universidade do Estado do Rio de Janeiro. Interessada na história política e intelectual do Brasil e de Portugal, nos séculos XVIII e XIX. Publicou: «Intelectuais brasileiros nos oitocentos: a constituição de uma família sob a proteção do poder imperial», em M. E. Prado (org.): *O Estado como vocação: idéias e práticas políticas no Brasil oitocentista* (1999); «Las elecciones en la construcción del imperio brasileño: los límites de una nueva práctica de la cultura política luso-brasileña, 1820-1823», em A. Anino (org.): *Historia de las elecciones en Ibero-America, siglo XIX - De la formación del espacio político nacional* (1996), e diversos outros capítulos e artigos em periódicos.

Pinedo, Javier C.: Doctor en Filología Románica por la Universidad Católica de Lovaina, Bélgica. Director del Instituto de Estudios Humanísticos, de la Universidad de Talca, Chile; profesor de «Historia de las ideas en Chile» y «América Latina y la Modernidad». Ha publicado diversos trabajos en el campo de la historia de las ideas, entre ellos: Martínez, J. L. y Pinedo J.: *Chile 1969-1988* (1988); El tema del «Fin de la historia y su recepción en Chile», en *Cuyo*, Anuario de filosofía argentina y americana 12, 1995 (Mendoza); «Una metáfora de país: la discusión en torno a la presencia de Chile en el pabellón Sevilla 1992», en *Ensayismo y modernidad en América Latina*, Santiago de Chile: LOM 1996; «Ni identidad, ni modernidad. Novela chilena y contingencia histórica», en *Mapocho* 41, 1997 (Santiago de Chile).

Riquelme, Norma Dolores: Doctora en Historia, profesora titular de la Cátedra de Historia Argentina en la Facultad de Ciencias Políticas y Relaciones Internacionales de la Universidad Católica de Córdoba, Argentina. Profesora titular en la Cátedra de Historia del Pensamiento y la Cultura Argentina en la Escuela de Historia, Facultad de Filosofía y Humanidades de la Universidad Nacional de Córdoba. Investigadora independiente del CONICET (Comité Argentino de Ciencias Históricas). Miembro correspondiente en la provincia de Córdoba de la Academia Nacional de la Historia. Ha publicado diversos libros y artículos dentro de su especialidad.

Silva, Paulo Santos: Licenciado em História pela Universidade Católica do Salvador (1987), mestre em Ciências Sociais pela Universidade Federal da Bahia (1992) e doutor em História Social pela Universidade de São Paulo (1997) com a tese *Luta política, intelectuais e produção do conhecimento histórico, Bahia (1930-1949)*. Publicou *A volta do jogo democrático - Bahia, 1945*

342

(1992). Atualmente ensina Teoria e Metodologia da História e desenvolve pesquisas sobre as relações entre produção intelectual e participação política na Bahia na primeira metade do século XX.

Strozzi, Susana: Es doctora en Ciencias Políticas por la Universidad Central de Venezuela, licenciada en Ciencias Antropológicas por la Universidad de Buenos Aires y ha cumplido con una larga formación en el campo del psicoanálisis. Es profesora en la Universidad Central de Venezuela, donde dicta cursos de pregrado (Escuela de Psicología) y seminarios de postgrado en el doctorado en Ciencias Sociales. Coordina una línea de investigación en Psicoanálisis y Ciencias Sociales, y ha realizado pasantías de investigación en Inglaterra, Francia y más recientemente en los Estados Unidos (Duke University). Es autora de dos libros y numerosos artículos, incluyendo varios publicados en volúmenes colectivos.

Vegh, Beatriz: Es doctora en Literatura General y Comparada por la Universidad de París III, Nueva Sorbona y actualmente profesora en la Universidad de la República, Montevideo, Uruguay. Como traductora literaria ha traducido al español obras de autores de lengua inglesa y francesa: Baudelaire, Pinget, Le Clézio, Koltès, Beckett y Faulkner. Dentro de su trabajo de comparatista y desde un enfoque interdisciplinario se ha interesado recientemente en estudiar la recepción latinoamericana –y muy especialmente rioplatense– de la literatura moderna de lengua inglesa. En esta línea de trabajo es editora de «A Latin American Faulkner», *The Faulkner Journal* 1-2 (XI), 1996, de *William Faulkner desde el otro Sur* (1999), y autora, entre otros artículos, de «*Hard Times* gone modernist: The 1921 Rafael Barradas Illustrations for *Tiempos difíciles*», en *Dickens Quarterly* 1 (XV), 1998.

Zermeño Padilla, Guillermo: Profesor-investigador del Centro de Estudios Históricos de El Colegio de México. Doctor por la Universidad Johann Wolfgang Goethe, Frankfurt/Main, Alemania (1983). Exdirector del Departamento de Historia de la Universidad Iberoamericana (1992-1996) y de la revista *Historia y Grafía* (1993-1997). Ha publicado diversos trabajos sobre teoría de la historia e historiografía; el movimiento sinarquista en México; relaciones Iglesia-Estado en el siglo XX e historia de los Estados Unidos (1896-1920). Profesor de Teoría de la Historia y de Historia política y cultural con énfasis en el siglo XX. Actualmente desarrolla investigaciones sobre «Revolución, censura y opinión pública en México moderno». Es miembro del Sistema Nacional de Investigadores, desde 1989.